L'ÉGLISE ET
LA QUESTION SOCIALE

De Léon XIII à Jean-Paul II

L'ÉGLISE
ET
LA QUESTION SOCIALE

De Léon XIII à Jean-Paul II

Données de catalogage avant publication (Canada)

Église catholique. Pape

    L'Église et la question sociale — De Léon XIII à Jean-Paul II.

    L'ouvrage complet comprendra 2 v.

    ISBN 2-7621-1548-5 (v. 1).

    1. Doctrine sociale de l'Église — Documents pontificaux. 2. Église et problèmes sociaux — Église catholique — Documents pontificaux. 3. Sociologie religieuse — Église catholique — Documents pontificaux. I. Léon XIII, pape, 1810-1903. II. Titre.

HN37.E34 1991   261.8   C91-096413-0

Dépôt légal: 2e trimestre 1991,
Bibliothèque nationale du Québec

ISBN: 2-7621-1548-5

Table des matières

INTRODUCTION

De tout temps l'Église a proposé et pratiqué une doctrine sociale. Si on ne peut tirer de l'Évangile un modèle tout fait de
société, il s'en dégage néanmoins une conception particulière
des rapports sociaux, une insistance sur la pratique de la justice
et de la solidarité, une attention particulière à l'égard des pauvres et des plus démunis. Cette vision sociale influe depuis
deux mille ans sur le fonctionnement des sociétés de tradition
chrétienne. Une influence inégale, où les ratés sont nombreux,
mais qui permet néanmoins de parler de la continuité millénaire d'une pensée sociale originale «L'Église, société universelle des fidèles de toute langue et de tous les peuples, a sa
doctrine sociale propre, profondément élaborée par elle dès les
premiers siècles jusqu'à l'époque moderne et étudiée, dans son
développement progressif, sous tous les angles et tous les aspects»[1].

En régime de chrétienté, la vision sociale chrétienne s'im-
posait d'elle-même, sous le poids des institutions et des sanctions; ce qui ne signifie pas qu'elle marquât en profondeur les
comportements. Le discours théologique qui la véhiculait se
confondait avec l'ensemble du corpus doctrinal. Avec l'aggior-
namento amorcé par Léon XIII, on est témoin d'une explicita-
tion doctrinale spécifique, dégagée pour elle-même — mais non
séparée — de l'ensemble philosophico-théologique dans lequel,

---

1.   Pie XII, Allocution du 22 février 1944 (AAS XXXV) (1944) 85.

durant les âges précédents, elle était intégrée et se trouvait implicitement contenue[2].

Les facteurs à l'origine de cette mutation sont multiples. Avec la Révolution industrielle et la nouvelle organisation du travail, les rapports entre possédants et ouvriers se distinguent nettement des relations traditionnelles entre maîtres et serviteurs. Les concepts classiques de justice commutative et de contrat collent imparfaitement aux nouvelles réalités. La concentration urbaine du prolétariat rend plus visibles et moins tolérables les inégalités sociales et les situations de pauvreté. Le désordre social choque les yeux et les consciences d'un nombre croissant de chrétiens. «La richesse, note Léon XIII, a afflué entre les mains d'un petit nombre et la multitude a été laissée dans l'indigence». Il faut, ajoute-t-il, «venir en aide aux hommes des classes inférieures, attendu qu'ils sont pour la plupart dans une situation d'infortune et de misère imméritée». Il dénonce l'impact d'une «usure dévorante» et «la concentration, entre les mains de quelques-uns, de l'industrie et du commerce devenus le partage d'un petit nombre d'hommes opulents et de plouto-crates qui imposent ainsi un joug presque servile à l'infinie multitude des prolétaires»[3].

Au cours des années qui ont précédé *Rerum novarum*, des travailleurs, des prêtres, des évêques, des intellectuels et même des chefs d'entreprises se sont préoccupés de la condition ouvrière. Léon XIII s'était mis à l'écoute de ces pionniers du réformisme social, tout comme il avait été attentif à la grave question des pratiques esclavagistes, qu'il s'était empressé de dénoncer dans l'encyclique *In plurimis*[4].

Cet homme au langage conventionnel et aux propos d'apparence traditionaliste sut toujours réagir avant tout en pasteur attentif, sensible et clairvoyant. Face aux conséquences d'un libéralisme économique sauvage et brutal, il comprend qu'il faut intervenir, poser un geste, proposer des solutions nouvelles

---

2. Émile Marmy, *La communauté humaine selon l'esprit chrétien*, Éditions Saint-Paul, Fribourg, 1945, introduction, p. XII.

3. *Rerum novarum* nn. 432-434, passim. (Marmy).

4. *In plurimis*, sur le régime de l'esclavage, 5 mai 1888 (Marmy, nn. 406-431).

et qu'on ne peut se contenter de conseiller aux travailleurs victimes d'une exploitation inhumaine la patience et la résignation, en leur enseignant que justice leur sera rendue dans un autre monde. Parlant de la décision de Léon XIII d'intervenir dans le débat social de son temps, Pie XI écrit: «Longtemps, dans sa grande prudence, le Pontife médita devant Dieu; il fit venir pour les consulter les personnalités les plus compétentes, il considéra le problème attentivement, sous toutes ses faces, et enfin, obéissant "à la conscience de sa charge apostolique", craignant, s'il gardait le silence, de paraître avoir négligé son devoir, il décida d'exercer le divin ministère qui lui était confié en adressant la parole à l'Église du Christ et au genre humain tout entier»[5].

Ainsi s'est enclenchée une série d'interventions pastorales qui ont donné au catholicisme social ses lettres de créance et des points de repère essentiels. Dans la foulée du vaste courant issu de *Rerum novarum* sont venus s'ajouter d'autres documents, des analyses, des catéchismes populaires, des explications, des évaluations critiques; le même courant a suscité de nombreuses réalisations concrètes: syndicalisme ouvrier et syndicalisme patronal, caisses d'entraide et caisses d'épargne, développement du mouvement coopératif, centres de formation, reconnaissance juridique du droit d'association, législations sur les salaires et les conditions de travail, engagement politique des chrétiens, collaboration entre chrétiens et non-chrétiens au service de la paix, etc.

De grands documents pontificaux, des allocutions, des messages et des lettres viendront, au cours des années, rappeler des principes majeurs, élucider des aspects embrouillés, proposer des lignes d'action face à des conjonctures particulières. Des évêques, à titre individuel et des assemblées d'évêques ont contribué à l'enrichissement de ce corpus doctrinal. Pensons par exemple à la célèbre lettre sur la paix, publiée par l'épiscopat américain en 1983; un document qui a l'envergure d'une

---

5. *Quadragesimo anno*, n. 529 (Marmy).

grande encyclique et en trace pour l'avenir un modèle de conception et de composition[6].

Dans ce vaste ensemble, tout n'est ni d'égale valeur ni d'égale utilité. Des énoncés portent la marque du temps, soit pour la forme, soit pour le fond. On ne comprend certaines prises de position que si on les situe dans le temps; par exemple si l'on veut comprendre le jugement que Léon XIII porte sur le socialisme ou encore les propos de Pie XI sur le corporatisme. Il faut décrypter, décanter l'essentiel des reliquats culturels et historiques, discerner les principes, les critères servant à évaluer des situations concrètes et des lignes d'action dont certaines peuvent être d'une validité toute relative[7]. Il faut explorer ce corpus doctrinal avec un sens critique imprégné de respect, en faire l'inventaire tel un trésor précieux dont l'homme sage sait tirer du neuf et du vieux. (*Matth.*, 13,52)

Grands points de repère

La conjoncture, le thème traité et la substance du document font que certaines interventions pontificales dans le domaine social jouissent d'un statut particulier. Le choix que nous privilégions ici épouse en quasi totalité la trajectoire suivie dans la composition du présent recueil. Il vise à mettre en lumière un certain nombre de constantes, de principes axiaux qui, de Léon XIII à Jean-Paul II, ont acquis progressivement du relief, avec des nuances et des explications qui s'ajoutent les unes aux autres, révélant «la continuité de la doctrine sociale de l'Église en même temps que son renouvellement continuel»[8].

De *Rerum novarum* se dégagent plusieurs thèmes-clés: rejet du libéralisme économique et du socialisme, droit d'association

---

6. *Le défi de la paix: la promesse de Dieu et notre réponse*, DC, n. 1856, 24 juillet 1983, pp. 715-762.

7. Sur les trois éléments constitutifs de la doctrine sociale de l'Église voir le document *Orientations pour l'étude et l'enseignement de la doctrine sociale de l'Église dans la formation sacerdotale*, Congrégation pour l'éducation catholique, Rome 1988. Aussi *Sollicitudo rei socialis, n. 3 et 8 (Fides): Instruction sur la liberté chrétienne et la libération*, Congrégation pour la doctrine de la foi, Fides, 1986.

8. SRS, n. 3.

des travailleurs, juste salaire, devoir d'intervention de l'État dans le domaine social, priorité de la réforme des mœurs.

Quadragesimo anno souligne l'importance majeure de *Rerum novarum* pour l'Église et pour la société. Selon Pie XI, l'encyclique de Léon XIII «s'est révélée avec le temps la Grande Charte qui doit être le fondement de toute activité chrétienne en matière sociale». Soucieux de prolonger l'enseignement de *Rerum novarum*, Pie XI insiste sur les points suivants: la dimension sociale de la propriété privée, la pertinence de certaines nationalisations, la valeur primordiale du travail, le juste salaire, la nécessité de réformer les structures, l'hypothèse du corporatisme, la réforme des mœurs, les abus du capitalisme, l'impossibilité de concilier le socialisme, même dans sa version modérée, avec la doctrine chrétienne.

À noter, à titre de rappel, trois autres documents majeurs de Pie XI: *Non abbiamo bisogno* (29 juin 1931) sur le fascisme italien; *Mit brennender Sorge* (14 mars 1937) au sujet du national-socialisme allemand; *Divini Redemptoris* (19 mars 1937). Ce dernier document, le plus connu des trois, formule une condamnation sans appel du communisme athée. On y trouve aussi des considérations sur le rôle de l'État, le juste salaire et les associations professionnelles. À noter le conseil adressé aux chrétiens d'accorder une attention spéciale aux questions socio-économiques.

La Solennita est un bref radio-message par lequel Pie XII a tenu à souligner, à l'occasion de la Pentecôte (1er juin 1941), le cinquantenaire de *Rerum novarum*. Le document réaffirme le principe de la destination universelle des biens, posé comme antérieur et supérieur à celui de la propriété privée. De là l'insistance sur la justice distributive. À noter aussi quelques considérations portant sur la dignité du travail, les droits des travailleurs et l'urgence de mettre la propriété privée au service de la famille.

Benignitas (Radio-message de Noël 1944) est relativement peu connu. Il a pourtant le mérite de révéler un virage important dans la manière dont l'autorité ecclésiale considère et évalue les différents systèmes politiques. On y avoue ici une préférence marquée pour la démocratie, ce qui est une nouveauté historique. «Éduqués par une amère expérience, dit le pape, ils (les peuples) s'opposent avec une répulsion toujours plus grande au monopole d'un pouvoir dictatorial, incontrôlable et intangible. Ils réclament un système de gouvernement qui soit plus compatible avec la dignité et la liberté des citoyens.[9] *Pacem in terris* poussera plus loin la réflexion esquissée dans ce radio-message, en montrant que les libertés démocratiques et l'exercice démocratique du pouvoir constituent des atouts précieux pour l'établissement d'une paix durable.

C'est à l'occasion du soixante-dixième anniversaire de *Rerum novarum* que Jean XXIII publie l'encyclique *Mater et magistra* (15 mai 1961). La distinction qu'on y trouve entre *socialisme* et *socialisation* ouvre la voie à une attitude moins méfiante à l'égard du socialisme. L'attention portée à la question agricole, au développement du Tiers-Monde et au problème démographique invite à un élargissement des préoccupations sociales. À noter aussi de brèves considérations sur la rémunération du travail, l'autofinancement des entreprises, la cogestion, la réforme des structures et les formes nouvelles d'appropriation.

Pacem in terris (11 mai 1963). De tous les documents pontificaux, c'est sans doute celui qui a reçu l'accueil le plus chaleureux chez les non-catholiques. Les communautés chrétiennes, en revanche, lui ont accordé une attention plutôt mitigée.

Faisant appel au droit naturel, composante essentielle de l'anthropologie chrétienne, le document propose un ensemble de principes considérés comme des assises de la paix. Il dresse un éventail des droits humains et sociaux. Jean XXIII profite de l'occasion pour souligner le quinzième anniversaire de la Déclaration universelle des droits de l'homme (10 décembre 1948). Outre l'apologie de la démocratie, il fait aussi celle de l'Organisation des Nations Unies. Il juge la guerre comme obsolète en tant que moyen d'assurer la justice et de résoudre les conflits entre nations. Favorable à la collaboration entre catholiques et non-catholiques pour aider la cause de la paix, le pape souligne la distinction, qui deviendra célèbre et sera souvent utilisée,

---

9. Marmy, n. 814.

entre les idéologies et les mouvements historiques; une distinction dont on verra le bien-fondé confirmé par la révolution sociale qui a transformé le paysage politique en Europe de l'Est.

Gaudium et spes (7 décembre 1965) désigne une déclaration auxiliaire de Vatican II (7 décembre 1965). C'est à sa manière une grande encyclique sociale. À noter quelques thèmes: la condition humaine dans le monde d'aujourd'hui, la dignité de la personne, la vocation créationnelle des chrétiens au sein des réalités temporelles, l'importance première de la famille, la promotion culturelle des masses, les tâches de développement, la participation à la vie politique, la paix et la coopération internationale.

Populorum progressio (26 mars 1967). Thème central: le développement intégral et solidaire des peuples. La question sociale est devenue mondiale, nous dit Paul VI. Quelques prises de position retiennent l'attention de façon particulière: ainsi le choix du réformisme face au parti pris révolutionnaire, les failles du modèle libéral appliqué aux échanges commerciaux entre pays riches et pays pauvres, l'urgence de réformes structurelles, la connexion entre le développement et la paix mondiale. À noter la formule-choc «le développement, nouveau nom de la paix», qui a inspiré et motivé beaucoup d'artisans du développement.

Soulignant la parution de cette encyclique, l'éminent économiste François Perroux qualifiait le document d'«encyclique de la Résurrection». Et il ajoutait: «La lettre encyclique que nous saluons est l'un des plus grands textes de l'histoire humaine; il rayonne d'une sorte d'évidence rationnelle, morale et religieuse»[10].

L'encyclique marquant le quatre-vingtième anniversaire de *Rerum novarum* a pris la forme d'une lettre que le pape Paul VI a adressée au cardinal Maurice Roy, alors président de la Commission pontificale *Justice et paix*. L'exposé adopte le style de la réflexion à haute voix. Il se distingue de plusieurs documents antérieurs par une sorte de réserve dans le ton, de

---

10. *La Croix*, 19 avril 1967.

persuasion discrète. L'engagement politique en constitue le thème dominant; un engagement présenté comme pouvant concrétiser d'excellente façon le service de l'Évangile. Soulignons quelques sous-thèmes: la liberté humaine face aux idéologies, le devoir de discernement, la renaissance des utopies, l'impact des sciences humaines, l'ambiguïté du progrès, l'utilisation des catégories marxistes dans l'étude des problématiques sociales.

Justice dans le monde (Synode de 1971) mérite un rappel, ne serait-ce qu'à cause des espoirs qu'avait soulevés l'annonce de l'événement synodal et les travaux préparatoires importants auxquels on s'était livré au sein des Églises locales. Le document de clôture fut loin de répondre aux attentes. Toutefois il contient des réflexions intéressantes sur les *injustices sans voix* (migrants sans ressources, victimes de persécutions et de tortures, prisonniers politiques, etc.).

L'encyclique du dixième anniversaire de *Pacem in terris* (11 avril 1973), revêt une forme originale. Elle se présente comme une *lettre du cardinal Roy* (Titre officiel: Réflexions du cardinal Maurice Roy à l'occasion du dixième anniversaire de *Pacem in terris* du pape Jean XXIII). Le document contient un passage important sur les dangers de l'impérialisme économique. Au sujet des critères d'une vraie paix, on propose d'ajouter le changement et le progrès à ceux énoncés par Jean XXIII, à savoir la vérité, la justice, la solidarité et la liberté.

Laborem exercens (14 septembre 1981) célèbre de façon remarquable le quatre-vingt-dixième anniversaire de *Rerum novarum*, dont il reprend et approfondit le thème principal. «Le travail est une clé, et probablement la clé essentielle de toute la question sociale», déclare Jean-Paul II, qui insiste prioritairement sur la dimension subjective du travail, à savoir que la dignité et la grandeur du travail résultent moins de sa qualité intrinsèque (dimension objective) que le fait d'être l'œuvre d'une personne libre et responsable, engagée dans l'accomplissement d'une tâche créationnelle. Soulignons quelques thèmes majeurs: par le travail se réalisent la personne, la famille et la nation; les failles de l'idéologie économiste; la primauté du travail sur le capital; la propriété au service du travail; la vraie et la fausse socialisation; le syndicalisme en tant qu'élément essentiel de la vie sociale; les paradigmes *employeur direct* et *employeur indirect*; l'État et la création d'emplois.

La question sociale (Sollicitudo rei socialis) est datée du 30 décembre 1987, mais a été en fait publiée en février 1988. Jean-Paul II a voulu souligner rétroactivement le vingtième anniversaire de *Populorum progressio*. Thème-clé du document: le développement est avant tout une question morale, c'est-à-dire que ce sont des facteurs éthiques qui expliquent d'abord les échecs, les obstacles ou les réussites. C'est sous cet angle que Jean-Paul II évalue les comportements et les choix des décideurs politiques et économiques, aussi bien dans les pays dits développés que dans le Tiers-Monde. Cette lecture originale de la problématique du développement aide à comprendre les difficultés actuelles du Tiers-Monde mieux que ne le font beaucoup d'études d'experts qui jonglent avec les hypothèses, les courbes et les statistiques.

Un document de cette qualité et de cette profondeur campe la pensée sociale chrétienne plusieurs lieues à l'avant-garde, si nous le comparons aux approches à prétention scientifique qui suivent les sentiers battus d'un économisme à courte vue.

À noter quelques sous-thèmes: militarisme et sous-développement, la course aux armements et le gaspillage des ressources, l'endettement, la confiscation du pouvoir, les péchés collectifs, les structures de péché.

Centesimus annus de Jean-Paul II (1er mai 1991) propose une relecture, fort éclairante, de *Rerum novarum* à la lumière de l'histoire, plus particulièrement de la conjoncture présente. Il est intéressant de noter à cet égard qu'un chapitre du document porte comme titre *L'année 1989*.

L'histoire, nous dit le pape, a confirmé la validité des jugements portés par Léon XIII sur le libéralisme, le socialisme, (avant tout ce qui s'appellera plus tard le marxisme-léninisme), la propriété privée, les droits des travailleurs, le juste salaire, le devoir d'intervention de l'État en matière sociale, etc.

Parmi les «choses nouvelles» dont nous sommes témoins, la plus spectaculaire est sans doute la faillite des régimes marxistes. Jean-Paul II, porte un jugement réservé sur cet échec, s'employant surtout à diagnostiquer les vices conceptuels du système et ses failles morales. Mais il insiste plutôt sur le danger qu'il y aurait de conclure que le capitalisme libéral constitue désormais la voie d'avenir. Si on parle de l'initiative privée, de responsabilité de l'entreprise considérée comme une «société de personnes», d'accord. «Mais si par "capitalisme" on entend un système où la liberté dans le domaine économique n'est pas encadrée par un contexte juridique ferme qui la met au service de la liberté humaine intégrale et la considère comme une dimension particulière de cette dernière, dont l'axe est d'ordre éthique et religieux, alors la réponse est nettement négative.»

Les «hommes de bonne volonté» auxquels s'adresse Jean-Paul II sont placés devant un monde marxiste en déclin et un appareil capitaliste capable de certaines performances sectorielles mais inapte à réaliser une croissance humaine marquée au coin de la justice et de la solidarité. Ce qu'on lit dans *Centesimus annus* sur la fonction sociale de la propriété, la finalité éthique de l'activité économique et le devoir de solidarité, actualise la vision sociale proposée par Léon XIII et offre des amorces de solution face à la nouvelle problématique qui prend forme à l'aube du XXIe siècle.

Principes axiaux

De cet immense corpus doctrinal dont nous n'avons signalé ici que quelques grands points de repère se dégage un *axe de valeurs*, en progression d'un document à l'autre, d'une conjoncture à l'autre. On y trouve de quoi guider l'engagement social des chrétiens, à l'instar de ces balises lumineuses qui orientent l'avion sur la piste d'envol.

On peut parler de *constantes* de la pensée sociale, ou encore de *principes permanents*, qui s'enracinent, directement ou indirectement, dans l'anthropologie chrétienne et inspirent les *critères de jugement* et les *directives d'action*.

Nous en soulignons quelques-uns:

— dignité inaliénable de la personne humaine libre et responsable;

— primauté de la personne et de la famille face à l'État;

— nécessité de l'autorité et d'un ordre social;

— primauté du bien commun;

— exigence d'un minimum de biens matériels pour assurer la dignité des personnes et leur développement humain et moral;

— principe de la destination universelle des biens;

— le développement authentique est intégral et solidaire;

— légitimité et utilité de la propriété privée, incluant celle des biens de production;

— dignité du travail et des travailleurs;

— primauté du travail sur le capital;

— droit et devoir des travailleurs de se regrouper en associations professionnelles;

— refus de la lutte des classes en tant que forme normale des rapports sociaux;

— devoir d'intervention de l'État en matière sociale, à la lumière du principe de subsidiarité;

— devoir de s'engager politiquement, en fonction des conjonctures et des urgences;

— refus de la guerre comme moyen de régler les conflits entre nations;

— priorité de la réforme des mœurs et du retour aux valeurs spirituelles.

Le fil conducteur

La Doctrine sociale de l'Église résulte d'une réflexion et d'une démarche pastorales. Elle est née du souci de remédier à des maux sociaux devenus intolérables; préoccupation qui a conduit à élargir les frontières de la justice et de la solidarité. Ce cheminement est manifeste quand on lit *Rerum novarum*.

On pourrait affirmer à bon droit que les principes axiaux, les constantes de la Doctrine sociale de l'Église forment le fil conducteur qui aide à interpréter les grandes encycliques. Mais les préoccupations pastorales de l'auteur de *Rerum novarum* et de ceux qui ont développé son enseignement ont contribué à tisser un fil conducteur d'une autre nature, né du souci d'opérationnalité et d'intervention efficace.

Léon XIII a voulu moins éveiller la sensibilité sociale des chrétiens que d'en orienter la pratique. En effet, contrairement à ce qu'ont affirmé certains esprits critiques, les chrétiens qui furent témoins des abus du capitalisme sauvage n'étaient pas une bande de bourgeois égoïstes, durs de cœur et insensibles à la misère des masses. On pourrait dresser une longue liste, reflet d'une tradition chrétienne séculaire, d'œuvres de bienfaisance et d'entraide par lesquelles les croyants ont tenté d'alléger les conditions de vie pénibles du prolétariat issu de la révolution industrielle. Il ne fait nul doute que l'inventaire des initiatives chrétiennes inspirées par le souci de justice et de solidarité se comparerait avantageusement avec les œuvres des marxistes les plus vitupérants et les plus critiques de l'action sociale des Églises. Mais pallier les effets néfastes d'un aménagement social inhumain est une chose; corriger les vices mêmes du système, c'est autre chose. Le virage amorcé par *Rerum novarum* conduit aux causes, aux aménagements, aux *structures*. C'est un virage vécu, empirique, non clairement formulé. Le pape propose des lieux d'intervention qui, au-delà des syndromes et des effets, atteint les causes, les mécanismes, *les structures*. Il propose implicitement la conjonction de l'éthique personnelle et de la moralité structurelle. Quand, près de cent ans après *Rerum novarum*, Jean-Paul II parle de *structures de péché*[11] dont il souligne la connexion avec la responsabilité personnelle, il dévoile la clé du cheminement amorcé par Léon XIII, le fil conducteur qui aide à comprendre l'originalité et la spécificité de la doctrine sociale de l'Église.

Léon XIII n'a pas formulé de théorie sur la moralité structurelle. Sa démarche a été intuitive, à partir de l'Évangile et de sa sensibilité de chrétien attentif aux réalités sociales. Pourtant, quand il dénonce le libéralisme économique et «l'usure dévorante» qui aggrave les conditions de vie des petites gens, quand il préconise la création d'associations professionnelles grâce

---

11. SRS, n. 36.

auxquelles les travailleurs seront en mesure de mieux faire respecter leurs droits, quand il réclame des lois visant à améliorer les conditions de travail, quand il prône l'intervention de l'État dans le domaine social, il s'engage dans la voie des réformes structurelles. Ce virage ne rend pas caduques les initiatives individuelles en faveur de la justice, mais il offre à la responsabilité de chacun et chacune un chantier nouveau, élargi, propre à décupler l'efficacité sociale des interventions chrétiennes marquées au coin de la justice et de la solidarité.

La distinction entre *relations courtes* et *relations longues*[12] éclaire la connexion qui, dans une perspective de moralité structurelle, relie la responsabilité personnelle et l'engagement visant à corriger les «structures de péché». Car, tout en admettant l'importance et la validité de l'engagement individuel, par exemple dans des relations de voisinage (relations courtes), il importe de réaliser que souvent les finalités éthiques qui motivent les individus connaissent leur plein accomplissement dans des gestes collectifs, des décisions techniques ou la réforme des lois (relations longues).

«J'ai compris, vers la fin de ma vie, que la miséricorde passe par les structures». Cet aveu admirable du Père L.J. Lebret illustre bien la connexion entre les idéaux chrétiens de justice et de solidarité et l'aménagement des structures et des institutions. Il confirme aussi l'intuition pastorale de l'auteur de *Rerum novarum*.

Autres choses nouvelles

Une bonne manière de commémorer le centenaire de la grande encyclique de Léon XIII et l'apport de ceux qui ont continué son œuvre, c'est, à partir de cet immense héritage doctrinal et des pratiques sociales qui en sont nées, de reproduire la même attitude d'esprit face aux réalités sociales, d'épouser les mêmes

---

12. Sur la distinction entre relations courtes et relations longues voir Paul Ricoeur, *Le socius et le prochain*, dans *Histoire et vérité*, Paris, Seuil, 1955. Aussi Roger Mehl, *Pour une éthique sociale chrétienne*. Cahiers théologiques n. 56, Neuchatel, Delachaux et Niestlé, 1967, p. 58 et suivantes.

préoccupations morales et spirituelles, de témoigner d'une même volonté d'engagement social.

Dans cette optique, il faut que notre sollicitude englobe de nouveaux problèmes et de nouveaux aspects de la question sociale. Par exemple: le chômage généralisé qui croît de pair avec la concentration des richesses, les inégalités croissantes entre pays riches et pays pauvres, l'endettement du Tiers-Monde, l'usure structurelle en tant que facteur d'appauvrissement collectif, l'émergence de nouveaux prolétariats, le gaspillage des ressources mondiales et la destruction de l'environnement, la culture d'armement qui engendre le sous-développement, etc.

Cette gigantesque problématique offre un défi immense aux chrétiens d'aujourd'hui. Mais un défi qu'on peut relever avec de la foi, des principes solides et la conviction que le Royaume de Dieu advient à travers ces réalités complexes et peu réjouissantes, et non dans un univers aseptisé sans rapport avec l'Incarnation du Christ Jésus.

Sans prétendre offrir des réponses toutes faites, la doctrine sociale de l'Église constitue un outil indispensable pour un engagement social efficace. Elle contient des principes fondamentaux, des critères de jugements et des orientations pratiques grâce auxquels on peut être assuré que l'édifice social que l'on veut construire reposera sur des bases solides.

Louis O'NEILL

Les Textes Pontificaux

LÉON XIII

RERUM
NOVARUM

Lettre encyclique
sur la condition des ouvriers

PLAN

LÉON XIII, PAPE

VÉNÉRABLES FRÈRES,
SALUT ET BÉNÉDICTION APOSTOLIQUE.

État des choses

La soif d'innovations qui depuis longtemps s'est emparée des sociétés et les tient dans une agitation fiévreuse devait, tôt ou tard, passer des régions de la politique dans la sphère voisine de l'économie sociale. Et, en effet, ces progrès incessants de l'industrie, ces routes nouvelles que les arts se sont ouvertes, l'altération des rapports entre les ouvriers et les patrons, l'affluence de la richesse dans les mains du petit nombre à côté de l'indigence de la multitude, l'opinion enfin plus grande que les ouvriers ont conçue d'eux-mêmes, et leur union plus compacte, tout cela, sans parler de la corruption des mœurs, a eu pour résultat final un redoutable conflit. Partout les esprits sont en suspens et dans une anxieuse attente, ce qui suffit à lui seul pour prouver combien de graves intérêts sont ici engagés. Cette situation préoccupe et exerce à la fois le génie des doctes, la prudence des sages, les délibérations des réunions populaires, la perspicacité des législateurs et les conseils des gouvernants, et il n'est pas de cause qui saisisse en ce moment l'esprit humain avec autant de véhémence. C'est pourquoi, vénérables Frères, ce que, pour le bien de l'Église et le salut commun des hommes, Nous avons fait ailleurs par Nos Lettres sur la souveraineté politique, la liberté humaine, la constitution chrétienne des

États et sur d'autres sujets analogues, afin de réfuter, selon qu'il Nous semblait opportun, les opinions erronées et fallacieuses, Nous jugeons devoir le réitérer aujourd'hui et pour les mêmes motifs, en vous entretenant de la *condition des ouvriers*. Ce sujet, Nous l'avons suivant l'occasion, effleuré plusieurs fois; mais la conscience de Notre charge apostolique Nous fait un devoir de le traiter dans ces Lettres plus explicitement et avec plus d'ampleur, afin de mettre en évidence les principes d'une solution conforme à la justice et à l'équité.

Difficulté du problème

Le problème n'est pas aisé à résoudre, ni exempt de péril. Il est difficile, en effet, de préciser avec justesse les droits et les devoirs qui doivent à la fois commander la richesse et le prolétariat, le capital et le travail. D'autre part, le problème n'est pas sans danger, parce que trop souvent des hommes turbulents et astucieux cherchent à en dénaturer le sens et en profitent pour exciter les multitudes et fomenter des troubles. Quoi qu'il en soit, Nous sommes persuadé, et tout le monde en convient, qu'il faut, par des mesures promptes et efficaces, venir en aide aux hommes des classes inférieures, attendu qu'ils sont pour la plupart dans une situation d'infortune et de misère imméritée.

Causes de la condition actuelle des ouvriers

Le dernier siècle a détruit, sans rien leur substituer, les corporations anciennes, qui étaient pour eux une protection; tout principe et tout sentiment religieux ont disparu des lois et des institutions publiques, et ainsi, peu à peu, les travailleurs isolés et sans défense se sont vus avec le temps livrés à la merci de maîtres inhumains et à la cupidité d'une concurrence effrénée. Une usure dévorante est venue ajouter encore au mal. Condamnée à plusieurs reprises par le jugement de l'Église, elle n'a cessé d'être pratiquée sous une autre forme par des hommes avides de gain et d'une insatiable cupidité. À tout cela il faut ajouter le monopole du travail et des effets de commerce, devenus le partage d'un petit nombre de riches et d'opulents, qui imposent ainsi un joug presque servile à l'infinie multitude des prolétaires.

Impuissance du socialisme pour y porter remède

Les *socialistes*, pour guérir ce mal, poussent à la haine jalouse les pauvres contre ceux qui possèdent, et prétendent que toute propriété de biens privés doit être supprimée, que les biens d'un chacun doivent être communs à tous et que leur administration doit revenir aux municipalités ou à l'État. Moyennant cette translation des propriétés et cette égale répartition entre les citoyens des richesses et de leurs commodités, ils se flattent de porter un remède efficace aux maux présents. Mais pareille théorie, loin d'être capable de mettre fin au conflit, ferait tort à l'ouvrier si elle était mise en pratique. D'ailleurs, elle est souverainement injuste, en ce qu'elle viole les droits légitimes des propriétaires, qu'elle dénature les fonctions de l'État et tend à bouleverser de fond en comble l'édifice social.

Le travail, base effective de la propriété privée

De fait, comme il est facile de le comprendre, la raison intrinsèque du travail entrepris par quiconque exerce un art lucratif, le but immédiat visé par le travailleur, c'est de conquérir un bien qu'il possédera en propre et comme lui appartenant; car, s'il met à la disposition d'autrui ses forces et son industrie, ce n'est pas évidemment pour un motif autre, sinon pour obtenir de quoi pourvoir à son entretien et aux besoins de la vie, et il attend de son travail non seulement le droit aux salaires, mais encore un droit strict et rigoureux d'en user comme bon lui semblera. Si donc en réduisant ses dépenses il est arrivé à faire quelques épargnes, et si, pour s'en assurer la conservation, il les a, par exemple, réalisées dans un champ, il est de toute évidence que ce champ n'est pas autre chose que le salaire transformé: le fonds ainsi acquis sera la propriété de l'artisan au même titre que la rémunération même de son travail. Mais qui ne voit que c'est précisément en cela que consiste le droit de propriété mobilière et immobilière? Ainsi, cette conversion de la propriété privée en propriété collective, tant préconisée par le socialisme, n'aurait d'autre effet que de rendre la situation des ouvriers plus précaire, en leur retirant la libre disposition de leur salaire et en leur enlevant par le fait même tout espoir et toute possibilité d'agrandir leur patrimoine et d'améliorer leur situation.

La propriété privée et personnelle est pour l'homme de droit naturel

Mais, et ceci paraît plus grave encore, le remède proposé est en opposition flagrante avec la justice, car la propriété privée et personnelle est pour l'homme de droit naturel. Il y a, en effet, sous ce rapport une très grande différence entre l'homme et les animaux dénués de raison. Ceux-ci ne se gouvernent pas eux-mêmes; ils sont dirigés et gouvernés par la nature, moyennant un double instinct, qui, d'une part, tient leur activité constamment en éveil et en développe les forces; de l'autre, provoque tout à la fois et circonscrit chacun de leurs mouvements. Un premier instinct les porte à la conservation et à la défense de leur vie propre, un second à la propagation de l'espèce; et ce double résultat, ils l'obtiennent aisément par l'usage des choses présentes et mises à leur portée. Ils seraient d'ailleurs incapables de tendre au delà puisqu'ils ne sont mus que par les sens et par chaque objet particulier que les sens perçoivent. Bien autre est la nature humaine. En l'homme, d'abord, réside dans la perfection toute la vertu de la nature sensitive, et dès lors il lui revient, non moins qu'à celle-ci, de jouir des objets physiques et corporels. Mais la vie sensitive, même possédée dans toute la plénitude, non seulement n'embrasse pas toute la nature humaine, mais lui est bien inférieure et faite pour lui obéir et lui être assujettie. Ce qui excelle en nous, qui nous fait hommes et nous distingue essentiellement de la bête, c'est la raison ou l'intelligence, et en vertu de cette prérogative il faut reconnaître à l'homme non seulement la faculté générale d'user des choses extérieures, mais en plus le droit stable et perpétuel de les posséder, tant celles qui se consument par l'usage que celles qui demeurent après nous avoir servi.

Une considération plus profonde de la nature humaine va faire ressortir mieux encore cette vérité. L'homme embrasse par son intelligence une infinité d'objets, et aux choses présentes il ajoute et rattache les choses futures; il est d'ailleurs le maître de ses actions; aussi, sous la direction de la loi éternelle et sous le gouvernement universel de la Providence divine, est-il en quelque sorte à lui-même et sa loi et sa providence. C'est pourquoi il a le droit de choisir les choses qu'il estime les plus aptes non seulement à pourvoir au présent, mais encore au futur. D'où il suit qu'il doit avoir sous sa domination non seulement les produits de la terre, mais encore la terre elle-même qu'il voit appelée à être par sa fécondité sa pourvoyeuse de l'avenir. Les nécessités de l'homme ont de perpétuels retours: satisfaites aujourd'hui, elles renaissent demain avec de nouvelle exigences. Il a donc fallu, pour qu'il pût y faire droit en tout temps, que la nature mît à sa disposition un élément stable et permanent, capable de lui en fournir perpétuellement les moyens. Or, cet élément ne pouvait être que la terre avec ses ressources toujours fécondes.

Deux sophismes contre ce droit

Et qu'on n'en appelle pas à la providence de l'État, car l'État est postérieur à l'homme, et avant qu'il put se former, l'homme déjà avait reçu de la nature le droit de vivre et de protéger son existence. Qu'on n'oppose pas non plus à la légitime de la propriété privée le fait que Dieu a donné la terre en jouissance au genre humain tout entier, car Dieu ne l'a pas livrée aux hommes pour qu'ils la dominassent confusément tous ensembles. Tel n'est pas le sens de cette vérité. Elle signifie uniquement que Dieu n'a assigné de part à aucun homme en particulier, mais a voulu abandonner la délimitation des propriétés à l'industrie humaine et aux institutions des peuples. Au reste, quoique divisée en propriétés privées, la terre ne laisse pas de servir à la commune utilité de tous, attendu qu'il n'est personne parmi les mortels qui ne se nourrisse du produit des champs. Qui en manque y supplée par le travail, de telle sorte que l'on peut affirmer, en toute vérité, que le travail est le moyen universel de pourvoir aux besoins de la vie, soit qu'on l'exerce dans un fonds propre, ou dans quelque art lucratif dont la rémunération ne se tire que des produits multiples de la terre avec lesquels elle est convertissable.

Conclusion définitive en faveur de ce droit

De tout cela il ressort, une fois de plus, que la propriété privée est pleinement conforme à la nature. La terre, sans doute, four-

nit à l'homme avec abondance les choses nécessaires à la conservation de sa vie et plus encore son perfectionnement; mais elle
ne le pourrait d'elle-même sans la culture et les soins de
l'homme. Or, celui-ci, que fait-il en consumant les ressources de
son esprit et les forces de son corps pour se procurer ces biens
de la nature? Il s'applique pour ainsi dire à lui-même la portion
de la nature corporelle qu'il cultive, il y laisse comme une
certaine empreinte de sa personne, au point qu'en toute justice
ce bien sera possédé dorénavant comme sien et qu'il ne sera
licite à personne de violer son droit en n'importe quelle manière.

La force de ces raisonnements est d'une évidence telle,
qu'il est permis de s'étonner comment certains tenants d'opinions surannées peuvent encore y contredire, en accordant sans
doute à l'homme privé l'usage du sol et les fruits des champs,
mais en lui refusant le droit de posséder en qualité de propriétaire ce sol où il a bâti, cette portion de terre qu'il a cultivée. Ils
ne voient donc pas qu'ils dépouillent par là cet homme du fruit
de son labeur; car enfin ce champ remué avec art par la main
du cultivateur a changé complètement de nature; il était sauvage, le voilà défriché; d'infécond il est devenu fertile; ce qui l'a
rendu meilleur est inhérent au sol et se confond tellement avec
lui, qu'il serait en grande partie impossible de l'en séparer. Or,
la justice tolérerait-elle qu'un étranger vint alors s'attribuer
cette terre arrosée des sueurs de celui qui l'a cultivée? De même
que l'effet suit la cause, ainsi est-il juste que le fruit du travail
soit au travailleur. C'est donc avec raison que l'universalité du
genre humain, sans s'émouvoir des opinions contraires d'un
petit groupe, reconnaît, en considérant attentivement la nature,
que dans ses lois réside le premier fondement de la répartition
des biens et des propriétés privées; c'est avec raison que la
coutume de tous les siècles a sanctionné une situation si
conforme à la nature de l'homme et à la vie calme et paisible
des sociétés. De leur côté, les lois civiles, qui tirent leur valeur,
quand elles sont justes, de la loi naturelle, confirment ce même
droit et le protègent par la force. Enfin l'autorité des lois divines
vient y apposer son sceau, en défendant, sous une peine très
grave, jusqu'au désir même du bien d'autrui. *Tu ne convoiteras*

pas la femme de ton prochain, ni sa maison, ni son champ, ni sa
servante, ni son bœuf, ni son âne, ni rien de ce qui est à lui (Dt 5,21).

Droits de propriété indispensables
au chef de famille

Cependant ces droits, qui sont innés à chaque homme pris
isolément, apparaissent plus rigoureux encore quand on les
considère dans leurs relations et leur connexité avec les devoirs
de la vie domestique. Nul doute que dans le choix d'un genre
de vie il ne soit loisible à chacun, ou de suivre le conseil de
Jésus-Christ sur la virginité, ou de contracter un lien conjugal.
Aucune loi humaine ne saurait enlever d'aucune façon le droit
naturel et primordial de tout homme au mariage, ni circonscrire
la fin principale pour laquelle il a été établi par Dieu dès
l'origine: *Croissez et multipliez-vous (Gn 1,28).* Voilà donc la
famille, c'est-à-dire la société domestique, société très petite
sans doute, mais réelle et antérieure à toute société civile, à
laquelle dès lors il faudra de toute nécessité attribuer certains
droits et certains devoirs absolument indépendants de l'État.
Ainsi, ce droit de propriété que Nous avons, au nom même de
la nature, revendiqué pour l'individu, il le faut maintenant
transférer à l'homme, constitué chef de la famille.

Droit du père de famille

Ce n'est pas assez: en passant dans la société domestique, ce
droit y acquiert d'autant plus de force que la personne humaine
y reçoit plus d'extension. La nature impose au père de famille
le devoir sacré de nourrir et d'entretenir ses enfants; elle va plus
loin. Comme les enfants reflètent la physionomie de leur père
et sont une sorte de prolongement de sa personne, la nature lui
inspire de se préoccuper de leur avenir et de leur créer un
patrimoine, qui les aide à se défendre, dans la périlleuse traver-
sée de la vie, contre toutes les surprises de la mauvaise fortune.
Mais ce patrimoine, pourra-t-il le leur créer sans l'acquisition et
la possession de biens permanents et productifs qu'il puisse
leur transmettre par voie d'héritage? Aussi bien que la société
civile, la famille, comme Nous l'avons dit plus haut, est une
société proprement dite, avec son autorité et son gouvernement

propre, l'autorité et le gouvernement paternel. C'est pourquoi, toujours sans doute dans la sphère que lui détermine sa fin immédiate, elle jouit, pour le choix et l'usage de tout ce qu'exigent sa conservation et l'exercice d'une juste indépendance, de droits au moins égaux à ceux de la société civile. Au moins égaux, disons-Nous, car la société domestique a sur la société civile une priorité logique et une priorité réelle, auxquelles participent nécessairement ses droits et ses devoirs. Que si les individus, si les familles entrant dans la société y trouvaient au lieu d'un soutien un obstacle, au lieu d'une protection une diminution de leurs droits, la société serait bientôt plus à fuir qu'à rechercher.

Vouloir donc que le pouvoir civil envahisse arbitrairement jusqu'au sanctuaire de la famille, c'est une erreur grave et funeste. Assurément, s'il existe quelque part une famille qui se trouve dans une situation désespérée et qui fasse de vains efforts pour en sortir, il est juste que, dans de telles extrémités, le pouvoir public vienne à son secours, car chaque famille est un membre de la société. De même, s'il existe quelque part un foyer domestique qui soit le théâtre de graves violations des droits mutuels, que le pouvoir public y rende son droit à un chacun. Ce n'est point là usurper sur les attributions des citoyens, c'est affirmer leurs droits, les protéger, les défendre comme il convient. Là, toutefois, doit s'arrêter l'action de ceux qui président à la chose publique; la nature leur interdit de dépasser ces limites. L'autorité paternelle ne saurait être abolie, ni absorbée par l'État, car elle a sa source là où la vie humaine prend la sienne. *Les fils sont quelque chose de leur père;* ils sont en quelque sorte une extension de sa personne; et, pour parler avec justesse, ce n'est pas immédiatement par eux-mêmes qu'ils s'agrègent et s'incorporent à la société civile, mais par l'intermédiaire de la société domestique dans laquelle ils sont nés. De ce que les *fils sont naturellement quelque chose de leur père... ils doivent rester sous la tutelle des parents jusqu'à ce qu'ils aient acquis l'usage du libre arbitre*[1]. Ainsi, en substituant à la providence

---

1.   Saint Thomas, *S. Th.* IIa-IIae, q. 10a. 12.

paternelle la providence de l'État, les *socialistes* vont *contre la justice naturelle* et brisent les liens de la famille.

Conséquences funestes de la théorie socialiste

Mais, en dehors de l'injustice de leur système, on n'en voit que trop toutes les funestes conséquences; la perturbation dans tous les rangs de la société, une odieuse et insupportable servitude pour tous les citoyens, la porte ouverte à toutes les jalousies, à tous les mécontentements, à toutes les discordes; le talent et l'habileté privés de leurs stimulants et, comme conséquence nécessaire, les richesses taries dans leur source; enfin, à la place de cette égalité tant rêvée, l'égalité dans le dénuement, dans l'indigence et la misère. Par tout ce que Nous venons de dire, on comprend que la théorie *socialiste* de la propriété collective est absolument à répudier, comme préjudiciable à ceux-là mêmes qu'on veut secourir, contraire aux droits naturels des individus; comme dénaturant les fonctions de l'État et troublant la tranquillité publique. Qu'il reste donc bien établi que le premier fondement à poser par tous ceux qui veulent sincèrement le bien du peuple, c'est l'inviolabilité de la propriété privée. À présent, expliquons où il convient de chercher le remède tant désiré.

Impossibilité d'améliorer le sort du peuple en dehors de l'Église

C'est avec assurance que Nous abordons ce sujet, et dans toute la plénitude de Notre droit; car la question qui s'agite est d'une nature telle, qu'à moins de faire appel à la religion et à l'Église, il est impossible de lui trouver jamais une solution efficace. Or, comme c'est à Nous principalement qu'ont été confiées la sauvegarde de la religion et la dispensation de ce qui est du domaine de l'Église, Nous taire serait aux yeux de tous négliger Notre devoir. Assurément, une cause de cette gravité demande encore à d'autres agents leur part d'activité et d'efforts; Nous voulons parler des gouvernants, des maîtres et des riches, des ouvriers eux-mêmes, dont le sort est ici en jeu. Mais ce que Nous affirmons sans hésitation, c'est l'inanité de leur action en dehors de celle de l'Église. C'est l'Église, en effet, qui puise dans l'Évangile des doctrines capables soit de mettre fin au conflit, soit au moins de l'adoucir, en lui enlevant tout ce qu'il a d'âpreté et d'aigreur; l'Église, qui ne se contente pas d'éclairer l'esprit de ses enseignements, mais s'efforce encore de régler en conséquence la vie et les mœurs d'un chacun; l'Église, qui, par une foule d'institutions éminemment bienfaisantes, tend à améliorer le sort des classes pauvres; l'Église, qui veut et désire ardemment que toutes les classes mettent en commun leurs lumières et leurs forces pour donner à la question ouvrière la meilleure solution possible; l'Église enfin, qui estime que les lois et l'autorité publique doivent, avec mesure sans doute et avec sagesse, apporter à cette solution leur part de concours.

Premier principe à mettre en avant: L'homme doit prendre en patience sa condition

Le premier principe à mettre en avant, c'est que l'homme doit prendre en patience sa condition; il est impossible que, dans la société civile, tout le monde soit élevé au même niveau. Sans doute, c'est là ce que poursuivent les *socialistes*; mais contre la nature tous les efforts sont vains. C'est elle, en effet, qui a disposé parmi les hommes des différences aussi multiples que profondes: différences d'intelligence, de talent, d'habileté, de santé, de force; différences nécessaires, d'où naît spontanément l'inégalité des conditions. Cette inégalité, d'ailleurs, tourne au profit de tous, de la société comme des individus: car la vie sociale requiert un organisme très varié et des fonctions fort diverses; et ce qui porte précisément les hommes à se partager ces fonctions, c'est surtout la différence de leurs conditions respectives. Pour ce qui regarde le travail en particulier, l'homme, dans *l'état* même *d'innocence*, n'était pas destiné à vivre dans l'oisiveté; mais ce que la volonté eût embrassé librement comme un exercice agréable, la nécessité y a ajouté, après le péché, le sentiment de la douleur et l'a imposé comme une expiation. *La terre sera maudite à cause de toi; c'est par le travail que tu en tireras de quoi te nourrir tous les jours de ta vie* (Gn 3,17). Il en est de même de toutes les autres calamités qui ont fondu sur l'homme; ici-bas, elles n'auront pas de fin ni de trêve, parce que les funestes fruits du péché sont amers, âpres, acerbes, et qu'ils accompagnent nécessairement l'homme jusqu'à son dernier soupir. Oui, la douleur et la souffrance sont l'apanage de l'humanité, et les hommes auront beau tout essayer, tout tenter pour les bannir, ils n'y réussiront jamais, quelques ressources qu'ils déploient et quelques forces qu'ils mettent en jeu. S'il en est qui s'en attribuent le pouvoir, s'il en est qui promettent au pauvre une vie exempte de souffrances et de peines, toute au repos et à de perpétuelles jouissances, ceux-là certainement trompent le peuple et lui dressent des embûches, où se cachent pour l'avenir de plus terribles calamités que celles du présent. Le meilleur parti consiste à voir les choses telles qu'elles sont et, comme Nous l'avons dit, chercher ailleurs un remède capable de soulager nos maux.

Erreur capitale dans la question:
Croire que les riches et les pauvres sont ennemis-nés

L'erreur capitale dans la question présente, c'est de croire que les deux classes sont ennemies-nées l'une de l'autre, comme si la nature avait armé les riches et les pauvres pour qu'ils se combattent mutuellement dans un duel obstiné. C'est là une aberration telle qu'il faut placer la vérité dans une doctrine absolument opposée; car de même que, dans le corps humain, les membres, malgré leur diversité, s'adaptent merveilleusement l'un à l'autre, de façon à former un tout exactement proportionné ou qu'on pourrait appeler symétrique; ainsi, dans la société, les deux classes sont destinées par la nature à s'unir harmonieusement et à se tenir mutuellement dans un parfait équilibre. Elles ont un impérieux besoin l'une de l'autre: il ne peut y avoir de capital sans travail ni de travail sans capital. La concorde engendre l'ordre et la beauté; au contraire, d'un conflit perpétuel il ne peut résulter que la confusion des luttes sauvages. Or, pour dirimer ce conflit et couper le mal dans sa racine, les institutions chrétiennes possèdent une vertu admirable et multiple.

Puissance de l'Église à réconcilier les riches
et les pauvres

Et d'abord toute l'économie des vérités religieuses, dont l'Église est la gardienne et l'interprète, est de nature à rapprocher et à réconcilier les riches et les pauvres, en rappelant aux deux classes leurs devoirs mutuels, et avant tous les autres ceux qui dérivent de la justice. Parmi ces devoirs, voici ceux qui regardent le pauvre et l'ouvrier: il doit fournir intégralement et fidèlement tout le travail auquel il s'est engagé par contrat libre et conforme à l'équité; il ne doit point léser son patron, ni dans ses biens, ni dans sa personne; ses revendications mêmes doivent être exemptes de violence et ne jamais revêtir la forme de séditions; il doit fuir les hommes pervers qui, dans des discours artificieux, lui suggèrent des espérances exagérées et lui font de grandes promesses, qui n'aboutissent qu'à de stériles regrets et à la ruine des fortunes. Quant aux riches et aux patrons, ils ne doivent point traiter l'ouvrier en esclave; il est juste qu'ils respectent en lui la dignité de l'homme relevée encore par celle du chrétien. Le travail du corps, au témoignage commun de la raison et de la philosophie chrétienne, loin d'être un sujet de honte, fait honneur à l'homme, parce qu'il lui fournit un noble moyen de sustenter sa vie. Ce qui est honteux et inhumain, c'est d'user de l'homme comme d'un vil instrument de lucre, de ne l'estimer qu'en proportion de la vigueur de ses bras. Le christianisme, en outre, prescrit qu'il soit tenu compte des intérêts spirituels de l'ouvrier et du bien de son âme. Aux maîtres il revient de veiller qu'il y soit donné pleine satisfaction; que l'ouvrier ne soit point livré à la séduction et aux sollicitations corruptrices; que rien ne vienne affaiblir en lui l'esprit de famille, ni les habitudes d'économie. Défense encore aux maîtres d'imposer à leurs subordonnés un travail au-dessus de leurs forces ou en désaccord avec leur âge ou leur sexe.

Le patron doit donner à chacun le salaire qui convient

Mais parmi les devoirs principaux du patron, il faut mettre au premier rang celui de donner à chacun le salaire qui convient. Assurément, pour fixer la juste mesure du salaire, il y a de nombreux points de vue à considérer; mais, d'une manière générale, que le riche et le patron se souviennent qu'exploiter la pauvreté et la misère et spéculer sur l'indigence sont choses que réprouvent également les lois divines et humaines. Ce qui serait un crime à crier vengeance au ciel, serait de frustrer quelqu'un du prix de ses labeurs. *Voilà que le salaire que vous avez dérobé par fraude à vos ouvriers crie contre vous, et que leur clameur est montée jusqu'aux oreilles du Dieu des armées* (Jc 5,4).

Le riche doit s'interdire tout acte de nature à porter atteinte à l'épargne du pauvre

Enfin les riches doivent s'interdire religieusement tout acte violent, toute fraude, toute manœuvre usuraire qui serait de nature à porter atteinte à l'épargne du pauvre, et cela d'autant plus que celui-ci est moins apte à se défendre et que son avoir, pour être de mince importance, revêt un caractère plus sacré.

Il faut penser à la vie éternelle pour savoir user des biens et des maux de la vie temporelle

L'obéissance à ces lois, Nous le demandons, ne suffirait-elle pas à elle seule pour faire cesser tout antagonisme et en supprimer les causes? L'Église, toutefois, instruite et dirigée par Jésus-Christ, porte ses vues encore plus haut; elle propose un corps de préceptes plus complets, parce qu'elle ambitionne de resserrer l'union des deux classes jusqu'à les unir l'une à l'autre par les liens d'une véritable amitié. Nul ne saurait avoir une intelligence vraie de la vie mortelle, ni l'estimer à sa juste valeur, s'il ne s'élève jusqu'à la considération de cette autre vie qui est immortelle. Supprimez celle-ci, et aussitôt toute forme de toute vraie notion de l'honnêteté disparaît; bien plus, l'univers entier devient un impénétrable mystère. Quand nous aurons quitté cette vie, alors seulement nous commencerons à vivre; cette vérité, que la nature elle-même nous enseigne, est un dogme chrétien sur lequel repose, comme sur son premier fondement, toute l'économie de la religion. Non, Dieu ne nous a point faits pour ces choses fragiles et caduques, mais pour les choses célestes et éternelles; ce n'est point comme une demeure fixe qu'il nous a donné cette terre, mais comme un lieu d'exil. Que vous abondiez en richesses et en tout ce qui est réputé biens de la fortune, ou que vous en soyez privé, cela n'importe nullement à l'éternelle béatitude; l'usage que vous en ferez, voilà ce qui intéresse. Jésus-Christ n'a point supprimé les afflictions, qui forment presque toute la trame de la vie mortelle; il en fait des stimulants de la vertu et des sources du mérite: en sorte qu'il n'est point d'homme qui puisse prétendre aux récompenses éternelles s'il ne marche sur les traces sanglantes de Jésus-Christ. *Si nous souffrons avec lui, nous régnerons avec lui* (2 *Tm* 2,12). D'ailleurs, en choisissant de lui-même la croix et les tourments, il en a singulièrement adouci la force et l'amertume, et afin de nous rendre encore la souffrance plus supportable, à l'exemple il a ajouté sa grâce et la promesse d'une récompense sans fin. *Car le moment si court et si léger des afflictions que nous souffrons en cette vie produit en nous le poids éternel d'une gloire souveraine et incomparable* (2 *Co* 4,17).

Devoir de charité

Ainsi, les fortunés de ce monde sont avertis que les richesses ne les mettent pas à couvert de la douleur, qu'elles ne sont d'aucune utilité pour la vie éternelle, mais plutôt un obstacle (*Mt* 19,23-24); qu'ils doivent trembler devant les menaces inusitées que Jésus-Christ profère contre les riches (*Lc* 6,24-25); qu'enfin il viendra un jour où ils devront rendre à Dieu, leur juge, un compte très rigoureux de l'usage qu'ils auront fait de leur fortune. Sur l'usage des richesses, voici l'enseignement d'une excellence et d'une importance extrême que la philosophie a pu ébaucher, mais qu'il appartenait à l'Église de nous donner dans sa perfection et de faire descendre de la connaissance à la pratique. Le fondement de cette doctrine est dans la distinction entre la juste possession des richesses et leur usage légitime. La propriété privée, Nous l'avons vu plus haut, est pour l'homme de droit naturel; l'exercice de ce droit est chose non seulement permise, surtout à qui vit en société, mais encore absolument nécessaire. Maintenant, si l'on demande en quoi il faut faire consister l'usage des biens, l'Église répond sans hésitation: *Sous ce rapport l'homme ne doit pas tenir les choses extérieures pour privées, mais bien pour communes, de telle sorte qu'il en fasse part facilement aux autres dans leurs nécessités. C'est pourquoi l'Apôtre a dit: Ordonne aux riches de ce siècle... de donner facilement, de communiquer leurs richesses*[2].

---

2.   Saint Thomas, *S. Th.* IIa-IIae, q. 65 a.2.

Nul assurément n'est tenu de soulager le prochain en prenant sur son nécessaire ou sur celui de sa famille, ni même de rien retrancher de ce que les convenances ou la bienséance imposent à sa personne: *Nul en effet ne doit vivre contrairement aux convenances*[3]. Mais dès qu'on a suffisamment donné à la nécessité et au décorum, c'est un devoir non pas de stricte justice, sauf les cas d'extrême nécessité, mais de charité chrétienne; un devoir, par conséquent, dont on ne peut poursuivre l'accomplissement par les voies de la justice humaine. Mais, au-dessus du jugement de l'homme et de ses lois, il y a la loi et le jugement de Jésus-Christ, notre Dieu, qui nous persuade de toutes les manières de faire habituellement l'aumône: *Il y a plus de bonheur, dit-il, à donner qu'à recevoir* (Ac 20,35), et le Seigneur tiendra pour faite ou refusée à lui-même l'aumône qu'on aura faite ou refusée aux pauvres. *Chaque fois que vous avez fait l'aumône à l'un des moindres de mes frères que vous voyez, c'est à moi que vous l'avez faite* (Mt 25,40). Du reste, voici en quelques mots le résumé de cette doctrine: Quiconque a reçu de la divine Bonté une plus grande abondance soit des biens externes et du corps, soit des biens de l'âme, les a reçus dans le but de les faire servir à son propre perfectionnement, et, tout ensemble, comme ministre de la Providence, au soulagement des autres. C'et pourquoi: *quelqu'un a-t-il le talent de la parole, qu'il prenne garde de se taire; une surabondance de biens, qu'il ne laisse pas la miséricorde s'engourdir au fond de son cœur; l'art de gouverner, qu'il s'applique avec soin à en partager avec son frère et l'exercice et les fruits*[4].

Dignité du pauvre

Quant aux déshérités de la fortune, ils apprennent de l'Église que, selon le jugement de Dieu lui-même, la pauvreté n'est pas un opprobe et qu'il ne faut pas rougir de devoir gagner son pain à la sueur de son front. C'est ce que Jésus-Christ Notre-Seigneur a confirmé par son exemple, lui qui, *tout riche qu'il était, s'est fait indigent* (2 Co 8,9) pour le salut des hommes; qui, fils de Dieu et Dieu lui-même, a voulu passer aux yeux du monde pour le fils

---

3.   Saint Thomas, II-II, q. 32 a. 6.

4.   Grégoire le Grand, *in Evang. Hom.* X. 7.

d'un artisan; qui est allé jusqu'à consumer une grande partie de sa vie dans un travail mercenaire. Quiconque tiendra sous son regard le modèle divin comprendra plus facilement ce que nous allons dire: que la vraie dignité de l'homme et son excellence réside dans ses mœurs, c'est-à-dire dans sa vertu; que la vertu est le patrimoine commun des mortels, à la portée de tous, des petits et des grands, des pauvres et des riches; que seuls la vertu et les mérites, n'importe en quel sujet ils se trouvent, obtiendront la récompense de l'éternelle béatitude. Bien plus, c'est vers les classes infortunées que le Cœur de Dieu semble s'incliner davantage. Jésus-Christ appelle les pauvres des bienheureux; il invite avec amour à venir à lui, afin qu'il les console, tous ceux qui souffrent et qui pleurent; il embrasse avec une charité plus tendre les petits et les opprimés. Ces doctrines sont bien faites sans nul doute pour humilier l'âme hautaine du riche et le rendre plus condescendant, pour relever le courage de ceux qui souffrent et leur inspirer de la résignation. Avec elles se trouverait diminué un abîme cher à l'orgueil, et l'on obtiendrait sans peine que des deux côtés on se donne la main et que les volontés s'unissent dans une même amitié.

Union fraternelle

Mais c'est encore trop peu de simple amitié: si l'on obéit aux préceptes du christianisme, c'est dans l'amour fraternel que s'opérera l'union. De part et d'autre, on saura et l'on comprendra que les hommes sont tous absolument issus de Dieu, leur père commun; que Dieu est leur unique et commune fin, et que lui seul est capable de communiquer aux anges et aux hommes une félicité parfaite et absolue; que tous ils ont été également rachetés par Jésus-Christ et rétablis par lui dans leur dignité d'enfants de Dieu, et qu'ainsi un véritable lien de fraternité les unit soit entre eux, soit au Christ leur Seigneur, qui est le premier-né de beaucoup de frères. Ils sauront enfin que tous les biens de la nature, tous les trésors de la grâce appartiennent en commun et indistinctement à tout le genre humain, et qu'il n'y a que les indignes qui soient déshérités des biens célestes. *Si vous êtes fils, vous êtes aussi héritiers: héritiers de Dieu, cohéritiers de Jésus-Christ* (*Rm* 8,17).

Telle est l'économie des droits et des devoirs qu'enseigne la philosophie chrétienne. Ne verrait-on pas l'apaisement se faire à bref délai, si ces enseignements pouvaient une fois prévaloir dans les sociétés?

Action de l'Église pour instruire et élever les âmes et les sociétés

Cependant l'Église ne se contente pas d'indiquer la voie qui mène au salut, elle y conduit et applique de sa propre main le remède au mal. Elle est tout entière à instruire et à élever les hommes d'après ses principes et sa doctrine, dont elle a soin de répandre les eaux vivifiantes aussi loin et aussi largement qu'il lui est possible, par le ministère des évêques et du clergé. Puis elle s'efforce de pénétrer dans les âmes et d'obtenir des volontés qu'elles se laissent conduire et gouverner par la règle des préceptes divins. Ce point est capital et d'une importance très grande, parce qu'il renferme comme le résumé de tous les intérêts qui sont en cause, et ici l'action de l'Église est souveraine. Les instruments dont elle dispose pour toucher les âmes, elles les a reçus à cette fin de Jésus-Christ, et ils portent en eux l'efficace d'une vertu directe. Ce sont les seuls qui soient aptes à pénétrer jusque dans les profondeurs du cœur humain, qui soient capables d'amener l'homme à obéir aux injonctions du devoir, à maîtriser ses passions, à aimer Dieu et son prochain d'une charité sans mesure, à briser courageusement tous les obstacles qui entravent sa marche dans la voie de la vertu. Il suffit ici de passer légèrement en revue par la pensée les exemples de l'antiquité. Les choses et les faits que nous allons rappeler sont hors de toute controverse. Ainsi, il n'est pas douteux que la société civile des hommes a été foncièrement renouvelée par les institutions chrétiennes; que cette rénovation a eu pour effet de relever le niveau du genre humain, ou pour mieux dire de le rappeler de la mort à la vie, et de le porter à un si haut degré de perfection qu'on n'en vit de semblables ni avant ni après, et qu'on n'en verra jamais dans tout le cours des siècles. Qu'enfin ces bienfaits, c'est Jésus-Christ qui en a été le principe et qui doit en être la fin; car, de même que tout est parti de lui, ainsi tout doit lui être rapporté. Quand donc l'Évangile eut rayonné dans le monde, quand les peuples eurent appris le grand mystère de l'incarnation du Verbe et de la rédemption des hommes, la vie de Jésus-Christ, Dieu et homme, envahit les sociétés et les imprégna tout entières de sa foi, de ses maximes et de ses lois. C'est pourquoi, si la société humaine doit être guérie, elle ne le sera que par le retour à la vie et aux institutions du christianisme. À qui veut régénérer une société quelconque en décadance, on prescrit avec raison de la ramener à ses origines. Car la perfection de toute société consiste à poursuivre et à atteindre la fin en vue de laquelle elle a été fondée, en sorte que tous les mouvements et tous les actes de la vie sociale naissent du même principe d'où est née la société. Aussi, s'écarter de la fin, c'est d'aller à la mort; y revenir, c'est reprendre de la vie. Et ce que Nous disons du corps social tout entier s'applique également à cette classe de citoyens qui vivent de leur travail et qui forment la très grande majorité.

L'Église ne néglige point ce qui se rapporte à la vie terrestre et mortelle

Et que l'on ne pense pas que l'Église se laisse tellement absorber par le soin des âmes, qu'elle néglige ce qui se rapporte à la vie terrestre et mortelle. Pour ce qui est en particulier de la classe des travailleurs, elle fait tous les efforts pour les arracher à la misère et leur procurer un sort meilleur. Et, certes, ce n'est pas un faible appoint qu'elle apporte à cette œuvre, par le fait seul qu'elle travaille, de paroles et d'actes, à ramener les hommes à la vertu. Les mœurs chrétiennes, dès qu'elles sont en honneur, exercent naturellement sur la prospérité temporelle leur part de bienfaisante influence; car elles attirent la faveur de Dieu, principe et source de tout bien; elles compriment le désir excessif des richesses et la soif des voluptés, ces deux fléaux qui trop souvent jettent l'amertume et le dégoût dans le sein même de l'opulence; elles se contentent enfin d'une vie et d'une nourriture frugale et suppléent par l'économie à la modicité du revenu, loin de ces vices qui consument non seulement les petites, mais les plus grandes fortunes et dissipent les plus gros patrimoines. L'Église, en outre, pourvoit encore directement au bonheur des classes déshéritées par la fondation et le soutien d'institutions qu'elle estime propres à soulager leur misère; et même

en ce genre de bienfaits, elle a tellement excellé, que ses propres
ennemis ont fait son éloge.

La charité inspirée par l'Église ne peut être
suppléée par aucune industrie humaine

Ainsi, chez les premiers chrétiens, telle était la vertu de leur
charité mutuelle, qu'il n'était point rare de voir les plus riches
se dépouiller de leur patrimoine en faveur des pauvres, *aussi
l'indigence n'était-elle point connue parmi eux* (Ac 4,34). Aux diacres, dont l'ordre avait été spécialement institué à cette fin, les
apôtres avaient confié la distribution quotidienne des aumônes;
et saint Paul lui-même, quoique absorbé par une sollicitude qui
embrassait toutes les églises, n'hésitait pas à entreprendre de
pénibles voyages pour aller en personne porter des secours aux
chrétiens indigents. Des secours du même genre étaient spontanément offerts par les fidèles dans chacune de leurs assemblées; ce que Tertullien appelle *les dépôts de la pitié*, parce qu'on
les employait à *entretenir* et *à inhumer les personnes indigentes, les
orphelins pauvres des deux sexes, les domestiques âgés, les victimes
du naufrage*[5]. Voilà comment peu à peu s'est formé ce patrimoine, que l'Église a toujours gardé avec un soin religieux
comme le bien propre de la famille des pauvres. Elle est allée
jusqu'à assurer des secours aux malheureux en leur épargnant
l'humiliation de tendre la main. Car cette commune Mère des
riches et des pauvres, profitant des merveilleux élans de charité
qu'elle avait partout provoqués, fonda des sociétés religieuses
et une foule d'autres institutions utiles, qui ne devait laisser
sans soulagement à peu près aucun genre de misère. Il est, sans
doute, un certain nombre d'hommes aujourd'hui qui, fidèles
échos de païens d'autrefois, en viennent jusqu'à se faire même
d'une charité aussi merveilleuse une arme pour attaquer l'É-
glise; et l'on a vu une bienfaisance établie par les lois civiles se
substituer à la charité chrétienne; mais cette charité, qui se voue
tout entière et sans arrière-pensée à l'utilité du prochain, ne
peut être suppléée par aucune industrie humaine. L'Église seule
possède cette vertu, parce qu'on ne la puise que dans le Cœur

---

5.   Tertullion, *Apol.* II XXXIX.

sacré de Jésus-Christ, et que c'est errer loin de Jésus-Christ que d'être éloigné de son Église.

Il faut pourtant recourir aux moyens humains

Toutefois, il n'est pas douteux que, pour obtenir le résultat voulu, il ne faille de plus recourir aux moyens humains. Ainsi, tous ceux que la cause regarde doivent viser au même but et travailler de concert chacun dans sa sphère. Il y a là comme une image de la Providence gouvernant le monde; car nous voyons d'ordinaire que les faits et les événements qui dépendent de causes diverses sont le résultat de leur action commune.

Quelle doit être l'intervention de l'État, spécialement en ce qui concerne le sort des ouvriers

Or, quelle part d'action et de remède sommes-nous en droit d'attendre de l'État? Disons d'abord que par État nous entendons ici non point tel gouvernement établi chez tel peuple en particulier, mais tout gouvernement qui répond aux préceptes de la raison naturelle et des enseignements divins, enseignements que Nous avons exposés Nous-même spécialement dans Nos Lettres Encycliques sur la constitution chrétienne des sociétés. Ce qu'on demande d'abord aux gouvernants, c'est un concours d'ordre général, qui consiste dans l'économie tout entière des lois et des institutions; Nous voulons dire qu'ils doivent faire en sorte que de l'organisation même et du gouvernement de la société, découle spontanément et sans effort la prospérité tant publique que privée. Tel est en effet l'ordre de la prudence civile et le devoir propre de tous ceux qui gouvernent. Or, ce qui fait une nation prospère, c'est la probité des mœurs, des familles fondées sur des bases d'ordre et de moralité, la pratique de la religion et le respect de la justice, une imposition modérée et une répartition équitable des charges publiques, le progrès de l'industrie et du commerce, une agriculture florissante et d'autres éléments s'il en est, du même genre, toutes choses que l'on ne peut porter plus haut sans faire monter d'autant la vie et le bonheur des citoyens. De même donc que, par tous ces moyens, l'État peut se rendre utile aux autres classes, de même il peut grandement améliorer le sort de la classe ouvrière; et cela dans toute la rigueur de son droit et sans avoir à redouter le reproche d'ingérence, car, en vertu même de son office l'État doit servir l'intérêt commun. Et il est évident que plus se multiplieront les avantages résultant de cette action d'ordre général, et moins on aura besoin de recourir à d'autres expédients pour remédier à la condition des travailleurs.

Mais voici une autre considération qui atteint plus profondément encore notre sujet. La raison formelle de toute société est une et commune à tous ses membres, grands et petits. Les pauvres, au même titre que les riches, sont de par le droit naturel des citoyens, c'est-à-dire du nombre des parties vivantes dont se compose, par l'intermédiaire des familles, le corps entier de la nation, pour ne pas dire qu'en toutes les cités ils sont le grand nombre. Comme donc il serait déraisonnable de pourvoir à une classe de citoyens et d'en négliger l'autre, il devient évident que l'autorité publique doit aussi prendre les mesures voulues pour sauvegarder le salut et les intérêts de la classe ouvrière. Si elle y manque, elle viole la stricte justice, qui veut qu'à chacun soit rendu ce qui lui est dû. À ce sujet, saint Thomas dit fort sagement: *De même que la partie et le tout sont en quelque manière une même chose, ainsi ce qui appartient au tout est en quelque sorte à chaque partie*[6]. C'est pourquoi, parmi les graves et nombreux devoirs des gouvernants qui veulent pourvoir comme il convient au bien public, celui qui domine tous les autres consiste à avoir soin également de toutes les classes de citoyens, en observant rigoureusement les lois de la justice dite *distributive*.

Mais, quoique tous les citoyens sans exception doivent apporter leur part à la masse des biens communs, lesquels, du reste, par un retour naturel, se répartissent de nouveau entre les individus, néanmoins les apports respectifs ne peuvent être ni les mêmes, ni d'égale mesure. Quelles que soient les vicissitudes par lesquelles les formes de gouvernement sont appelées à passer, il y aura toujours entre les citoyens ces inégalités de conditions sans lesquelles une société ne peut ni exister, ni être conçue. À tout prix, il faut des hommes qui gouvernent, qui

6.   Saint Thomas, *S. Th.* IIa-IIae, q.61, a.1 ad2.

fassent des lois, qui rendent la justice, qui enfin, de conseil ou d'autorité, administrent les affaires de la paix et les choses de la guerre. Que ces hommes doivent avoir la prééminence dans toute société et y tenir le premier rang, personne n'en peut douter, puisqu'ils travaillent directement au bien commun et d'une manière si excellente. Les hommes, au contraire, qui s'appliquent aux choses de l'industrie, ne peuvent concourir à ce bien commun, ni dans la même mesure, ni par les mêmes voies; mais eux aussi, cependant, quoique d'une manière moins directe, ils servent grandement les intérêts de la société. Sans nul doute, le bien commun, dont l'acquisition doit avoir pour effet de perfectionner les hommes, est principalement un bien moral. Mais, dans une société bien constituée, il doit se trouver encore une certaine abondance de biens extérieurs, *dont l'usage est requis à l'exercice de la vertu*[7]. Or, tous ces biens, c'est le travail de l'ouvrier, travail des champs ou de l'usine, qui en est surtout la source féconde et nécessaire. Bien plus, dans cet ordre de choses, le travail a une telle fécondité et une telle efficacité, que l'on peut affirmer sans crainte de se tromper qu'il est la source unique d'où procède la richesse des nations. L'équité demande donc que l'État se préoccupe des travailleurs et fasse en sorte que de tous les biens qu'ils procurent à la société, il leur en revienne une part convenable, comme l'habitation et le vêtement, et qu'ils puissent vivre au prix de moins de peines et de privations. D'où il suit que l'État doit favoriser tout ce qui, de près ou de loin, paraît de nature à améliorer leur sort. Cette sollicitude, bien loin de préjudicier à personne, tournera au contraire au profit de tous, car il importe souverainement à la nation que des hommes qui sont pour elle le principe de biens aussi indispensables ne se trouvent point continuellement aux prises avec les horreurs de la misère.

Quand l'État a-t-il le devoir d'intervenir en faveur de la classe ouvrière?

Il est dans l'ordre, avons-Nous dit, que ni l'individu ni la famille ne soient absorbés par l'État; il est juste que l'un et l'autre aient

---

7. Saint Thomas, *De reg. Princ.* I, c. 15.

la faculté d'agir avec liberté aussi longtemps que cela n'atteint pas le bien général et ne fait injure à personne. Cependant, aux gouvernants il appartient de protéger la communauté et ses parties; la communauté, parce que la nature en a confié la conservation au pouvoir souverain, de telle sorte que le salut public n'est pas seulement ici la loi suprême, mais la cause même et la raison d'être du principat; les parties, parce que de droit naturel le gouvernement ne doit pas viser l'intérêt de ceux qui ont le pouvoir entre les mains, mais le bien de ceux qui leur sont soumis: tel est l'enseignement de la philosophie non moins que de la foi chrétienne. D'ailleurs, toute autorité vient de Dieu et est une participation de son autorité suprême; dès lors, ceux qui en sont les dépositaires doivent l'exercer à l'instar de Dieu, dont la paternelle sollicitude ne s'étend pas moins à chacune des créatures en particulier qu'à tout leur ensemble. Si donc, soit les intérêts généraux, soit l'intérêt d'une classe en particulier se trouvent ou lésés, ou simplement menacés, ou qu'il soit impossible d'y remédier ou d'y obvier autrement, il faudra de toute nécessité recourir à l'autorité publique. Or, il importe au salut public et privé que l'ordre et la paix règnent partout; que toute l'économie de la vie domestique soit réglée d'après les commandements de Dieu et les principes de la loi naturelle; que la religion soit honorée et observée; que l'on voie fleurir les mœurs privées et publiques; que la justice soit rigoureusement gardée et que jamais une classe ne puisse opprimer d'autre impunément; qu'il croisse de robustes générations, capables d'être le soutien et, s'il le faut, le rempart de la patrie. C'est pourquoi, s'il arrive que les ouvriers, abandonnent le travail ou le suspendant par les grèves, menacent la tranquillité publique; que les liens naturels de la famille se relâchent parmi les travailleurs; qu'on foule aux pieds la religion des ouvriers et ne leur facilitant point l'accomplissement de leurs devoirs envers Dieu; que la promiscuité des sexes, ou d'autres excitations au vice, constituent dans les usines un péril pour la moralité; que les patrons écrasent les travailleurs sous le poids de fardeaux iniques, ou déshonorent en eux la personne humaine par des conditions indignes ou dégradantes; qu'ils attentent à leur santé par un travail excessif et hors de proportion avec leur âge et leur sexe; dans tous ces cas, il faut absolument appliquer, dans de certaines limites, la force et l'autorité des lois; les limites seront déterminées par la fin même qui appelle le secours des lois: c'est-à-dire que celles-ci ne doivent pas s'avancer ni rien entreprendre au delà de ce qui est nécessaire pour réprimer les abus et écarter les dangers.

Les droits, où qu'ils se trouvent, doivent être religieusement respectés, et l'État doit les assurer à tous les citoyens en prévenant ou en vengeant leur violation. Toutefois, dans la protection des droits privés, il doit se préoccuper, d'une manière spéciale, des faibles et des indigents. La classe riche se fait comme un rempart de ses richesses et a moins besoin de la tutelle publique. La classe indigente au contraire, sans richesse pour la mettre à couvert des injustices, compte surtout sur la protection de l'État. Que l'État se fasse donc, à un titre tout particulier, la providence des travailleurs qui appartiennent à la classe pauvre en général.

Points très importants traités à part

Mais il est bon de traiter à part certains points de plus grande importance.

1°   Protection par les lois de la propriété légitime

En premier lieu, il faut que les lois publiques soient pour les propriétés privées une protection et une sauvegarde. Et ce qui importe par-dessus tout, au milieu de tant de cupidités en effervescence, c'est de contenir les masses dans le devoir; car, s'il est permis de tendre vers de meilleures destinées avec l'aveu de la justice, enlever de force le bien d'autrui, envahir les propriétés étrangères, sous le prétexte d'une absurde égalité, sont choses que la justice condamne et que l'intérêt commun lui-même répudie. Assurément, les ouvriers qui veulent améliorer leur sort par un travail honnête et en dehors de toute injustice forment la très grande majorité; mais combien n'en compte-t-on pas qui, imbus de fausses doctrines et ambitieux de nouveautés, mettent tout en œuvre pour exciter des tumultes et entraîner les autres à la violence? Que l'autorité publique intervienne alors, et protège les mœurs des ouvriers contre les artifices de la corruption, et les légitimes propriétés contre le péril de la rapine.

2° *Des chômages voulus et concertés qu'on appelle des grèves*

Il n'est pas rare qu'un travail trop prolongé ou trop pénible et un salaire réputé trop faible donnent lieu à ces chômages voulus et concertés qu'on appelle des grèves. À cette plaie, si commune et en même temps si dangereuse, il appartient au pouvoir public de porter un remède; car ces chômages, non seulement tournent au détriment des patrons et des ouvriers eux-mêmes, mais ils entravent le commerce et nuisent aux intérêts généraux de la société, et comme ils dégénèrent facilement en violence et en tumultes, la tranquillité publique s'en trouve souvent compromise. Mais ici est plus efficace et plus salutaire que l'autorité des lois prévienne le mal et l'empêche de se produire en écartant avec sagesse les causes qui paraissent de nature à exciter des conflits entre ouvriers et patrons.

3° *De la vie de l'âme chez l'ouvrier.*
   Repos du dimanche

Chez l'ouvrier pareillement, il est des intérêts nombreux qui réclament la protection de l'État, et en première ligne ce qui *regarde* le bien de son âme. La vie du corps, en effet, quelque précieuse et désirable qu'elle soit, n'est pas le but dernier de notre existence; elle est une voie et un moyen pour arriver, par la connaissance du vrai et l'amour du bien, à la perfection de la vie de l'âme. C'est l'âme qui porte gravée en elle-même l'image et la ressemblance de Dieu; c'est en elle que réside cette souveraineté dont l'homme fut investi quand il reçu l'ordre de s'assujettir la nature inférieure et de mettre à son service les terres et les mers. *Remplissez la terre et l'assujettissez; dominez sur les poissons de la mer, et sur les oiseaux du ciel, et sur tous les animaux qui se meuvent sur la terre* (Gn 1,28). À ce point de vue, tous les hommes sont égaux; point de différence entre riches et pauvres, maîtres ou serviteurs, princes et sujets: *Ils n'ont tous qu'un même Seigneur* (Rm 10,12). Cette dignité de l'homme, que Dieu lui-même traite avec un *grand respect*, il n'est permis à personne de la violer impunément, ni d'entraver la marche de l'homme vers cette perfection qui répond à la vie éternelle et céleste. Bien plus, il n'est pas loisible à l'homme, sous ce rapport, de déroger spontanément à la dignité de sa nature, ou de vouloir l'asservissement de son âme, car il ne s'agit pas de droits dont il ait la libre disposition, mais de devoirs envers Dieu qu'il doit religieusement remplir. C'est de là que découle la nécessité du repos et de la cessation du travail aux jours du Seigneur. Qu'on n'entende pas toutefois par ce repos une plus large part faite à une stérile oisiveté, ou encore moins, comme un grand nombre le souhaitent, ce chômage fauteur des vices et dissipateur des salaires; mais bien un repos sanctifié par la religion. Ainsi allié avec la religion, le repos retire l'homme des labeurs et des soucis de la vie quotidienne, l'élève aux grandes pensées du ciel, et l'invite à rendre à son Dieu le tribut d'adoration qu'il lui doit. Tel est souvent le caractère et la raison de ce repos du septième jour dont Dieu avait fait, même déjà dans l'Ancien Testament, un des principaux articles de la loi: *Souviens-toi de sanctifier le jour du sabbat* (*Ex* 20,8), et dont il avait lui-même donné l'exemple par ce mystérieux repos pris incontinent après qu'il eut créé l'homme: *Il se reposa le septième jour de tout le travail qu'il avait fait* (*Gn* 2,2).

4° *Des intérêts physiques et corporels du travailleur*

Pour ce qui est des intérêts physiques et corporels, l'autorité publique doit tout d'abord les sauvegarder en arrachant les malheureux ouvriers aux mains des ces spéculateurs qui, ne faisant point de différence entre un homme et une machine, abusent sans mesure de leurs personnes pour satisfaire d'insatiables cupidités. Exiger une somme de travail qui, en émoussant toutes les facultés de l'âme, écrase le corps et en consume les forces jusqu'à l'épuisement, c'est une conduite que ne peuvent tolérer ni la justice, ni l'humanité. L'activité de l'homme, bornée comme sa nature, a des limites qu'elle ne peut franchir. Elle s'accroît sans doute par l'exercice et l'habitude, mais à la condition qu'on lui donne des relâches et des intervalles de repos. Ainsi le nombre d'heures d'une journée de travail ne doit-il pas excéder la mesure des forces des travailleurs, et les intervalles de repos devront-ils être proportionnés à la nature du travail et à la santé de l'ouvrier, et réglés d'après les circonstances des temps et des lieux. L'ouvrier qui arrache à la terre ce qu'elle a de plus caché, la pierre, le fer et l'airain, a un labeur dont la brièveté devra compenser la peine et la gravité, ainsi que le dommage physique qui peut en être la conséquence. Il est juste en outre que la part soit faite des époques de l'année: tel même travail sera souvent aisé dans une saison, qui deviendra intolérable ou très pénible dans une autre.

5° *Du travail imposé à la femme et à l'enfant*

Enfin, ce que peut réaliser un homme valide dans la force de l'âge, il ne serait pas équitable de le demander à une femme ou à un enfant. L'enfance en particulier — et ceci demande à être observé strictement — ne doit entrer à l'usine qu'après que l'âge aura suffisamment développé en elle les forces physiques, intellectuelles et morales; sinon, comme une herbe encore tendre, elle se verra flétrie par un travail trop précoce et il en sera fait de son éducation. De même, il est des travaux moins adaptés à la femme, que la nature destine plutôt aux ouvrages domestiques; ouvrages d'ailleurs qui sauvegardent admirablement l'honneur de son sexe et répondent mieux de leur nature à ce que demandent la bonne éducation des enfants et la prospérité de la famille.

6° *Le repos de chaque jour et surtout le repos du dimanche est la condition de leur contrat entre patrons et ouvriers*

En général, la durée du repos doit se mesurer d'après la dépense des forces qu'il doit restituer. Le droit au repos de chaque jour ainsi que la cessation du travail le jour du Seigneur doivent être la condition expresse ou tacite de tout contrat passé entre patrons et ouvriers. Là où cette condition n'entrerait pas, le contrat ne serait pas honnête, car nul ne peut exiger ou promettre la violation des devoirs de l'homme envers Dieu et envers lui-même.

7° *Fixation du salaire*

Nous passons à présent à un autre point de la question, d'une importance grande et qui, pour éviter tout extrême, demande à être défini avec justesse. Nous voulons parler de la fixation du salaire. Le salaire, ainsi raisonne-t-on, une fois librement consenti de part et d'autre, le patron en le payant a rempli tous ses engagements et n'est plus tenu à rien. Alors seulement la justice se trouverait lésée, si lui refusait de tout solder ou l'ouvrier d'achever tout son travail et de satisfaire à ses engagements; auxquels cas, à l'exclusion de tout autre, le pouvoir public aurait à intervenir pour protéger le droit d'un chacun. Pareil raisonnement ne trouvera pas de juge équitable qui consente à y adhérer sans réserve, car il n'embrasse pas tous les côtés de la question et il en omet un de fort sérieux. Travailler, c'est exercer son activité dans le but de se procurer ce qui est requis pour les divers besoins de la vie, amis surtout pour l'entretien de la vie elle-même. *Tu mangeras ton pain à la sueur de ton front* (*Gn* 3,19). C'est pourquoi le travail a reçu de la nature comme une double empreinte: il est *personnel*, parce que la force active est inhérente à la personne et qu'elle est la propriété de celui qui l'exerce et qui l'a reçue pour son utilité; il est *nécessaire*, parce que l'homme a besoin du fruit de son travail pour se conserver son existence, et qu'il doit la conserver pour obéir aux ordres irréfragables de la nature. Or, si l'on ne regarde le travail que par le côté où il est personnel, nul doute qu'il ne soit au pouvoir de l'ouvrier de restreindre à son gré le taux du salaire. La même volonté qui donne le travail peut se contenter d'une faible rémunération ou même n'en exiger aucune. Mais il en va tout autrement si au caractère de *personnalité* on joint celui de *nécessité*, dont la pensée peut bien faire abstraction, mais qui n'en est pas séparable en réalité. Et, en effet, conserver l'existence est un devoir imposé à tous les hommes et auquel ils ne peuvent se soustraire sans crime. De ce devoir découle nécessairement le droit de se procurer les choses nécessaires à la subsistance et que le pauvre ne se procure que moyennant le salaire de son travail. Que le patron et l'ouvrier fassent donc tant et de telles conventions qu'il leur plaira, qu'ils tombent d'accord notamment sur le chiffre du salaire, au-dessus de leur libre volonté il est une loi de justice naturelle plus élevée et plus ancienne, à savoir que le salaire ne doit pas être insuffisant à faire subsister l'ouvrier sobre et honnête. Que si contraint par la nécessité, ou poussé par la crainte d'un mal plus grand, il accepte des conditions dures que d'ailleurs il ne lui était pas loisible de refuser, parce qu'elles lui sont imposées par le patron ou par celui qui fait l'offre du travail, c'est là subir une violence contre laquelle la justice proteste. Mais, de peur que dans ces cas et d'autres analogues, comme en ce qui concerne la journée du travail et les soins de la santé des ouvriers dans les mines, les pouvoirs publics n'interviennent pas importunément, vu surtout la variété des circonstances des temps et des lieux, il sera préférable qu'en principe la solution en soit réservée aux corporations ou syndicats dont Nous parlerons plus loin, ou que l'on recoure à quelque autre moyen de sauvegarder les intérêts des pouvoirs, même si la cause le réclamait, avec le secours et l'appui de l'État.

8° Avantages pour l'ouvrier de travailler pour devenir propriétaire

L'ouvrier qui percevra un salaire assez fort pour parer aisément à ses besoins et à ceux de sa famille, suivra, s'il est sage, le conseil que semble lui donner la nature elle-même: il s'appliquera à être parcimonieux et fera en sorte, par de prudentes épargnes, de se ménager un petit superflu, qui lui permette de parvenir un jour à l'acquisition d'un modeste patrimoine. Nous avons vu, en effet, que la question présente ne pouvait recevoir de solution vraiment efficace, si l'on ne commençait par poser comme principe fondamental l'inviolabilité de la propriété privée. Il importe donc que les lois favorisent l'esprit de propriété, le réveillent et le développent autant qu'il est possible dans les masses populaires. Ce résultat, une fois obtenu, serait la source des plus précieux avantages; et d'abord d'une répartition des biens certainement plus équitable. La violence des révolutions politiques a divisé le corps social en deux classes et a creusé entre elles un immense abîme. D'une part, la toute-puissance dans l'opulence: une faction qui, maîtresse absolue de l'industrie et du commerce, détourne le cours des richesses et en fait affluer en elle toutes les sources: faction d'ailleurs qui tient en sa main plus d'un ressort de l'administration publique. De l'autre, la faiblesse dans l'indigence: une multitude, l'âme ulcérée, toujours prête au désordre. Eh bien, que l'on stimule l'industrieuse activité du peuple par la perspective d'une participation à la propriété du sol, et l'on verra se combler peu à peu l'abîme qui sépare l'opulence de la misère, et s'opérer le rapprochement des deux classes.

En outre, la terre produira toute chose en plus grande abondance. Car l'homme est ainsi fait, que la pensée de travailler sur un fonds qui est à lui redouble son ardeur et son application. Il en vient même jusqu'à mettre tout son cœur dans une terre qu'il a cultivée lui-même, qui lui promet, à lui et aux siens, non seulement le strict nécessaire, mais encore une certaine aisance. Et nul qui ne voie sans peine les heureux effets de ce redoublement d'activité sur la fécondité de la terre et sur la richesse des nations. Un troisième avantage sera l'arrêt dans le mouvement d'émigration: nul, en effet, ne consentirait à échanger contre une région étrangère sa patrie et sa terre natale, s'il y trouvait les moyens de mener une vie plus tolérable. Mais une condition indispensable pour que tous ces avantages deviennent des réalités, c'est que la propriété privée ne soit pas épuisée par un excès de charges et d'impôts. Ce n'est pas des lois humaines, mais de la nature qu'émane le droit de propriété individuelle; l'autorité publique ne peut donc l'abolir; tout ce qu'elle peut, c'est en tempérer l'usage et le concilier avec le bien commun. C'est pourquoi elle agit contre la justice et l'humanité, quand, sous le nom d'impôts, elle grève outre mesure les biens des particuliers.

9° Oeuvres diverses pour porter remède à la situation

Les associations

En dernier lieu, les maîtres et les ouvriers eux-mêmes peuvent singulièrement aider à la solution, par toutes les œuvres propres à soulager efficacement l'indigence et à opérer un rapprochement entre les deux classes. De ce nombre sont les sociétés de secours mutuels; les institutions diverses, dues à l'initiative privée, qui ont pour but de secourir les ouvriers, ainsi que leurs veuves et leurs orphelins, en cas de mort, d'accidents ou d'infirmités; les patronages qui exercent une protection bienfaisante sur les enfants des deux sexes, sur les adolescents et sur les hommes faits. Mais la première place appartient aux corporations ouvrières, qui en soi embrassent à peu près toutes les œuvres. Nos ancêtres éprouvèrent longtemps la bienfaisante influence de ces corporations; car, tandis que les artisans y trouvaient d'inappréciables avantages, les arts, ainsi qu'une foule de monuments le proclament, y puisaient un nouveau lustre et une nouvelle vie. Aujourd'hui, les générations étant plus cultivées, les mœurs plus policées, les exigences de la vie quotidienne plus nombreuses, il n'est point douteux qu'il ne faille adapter les corporations à ces conditions nouvelles. Aussi est-ce avec plaisir que Nous voyons se former partout des sociétés de ce genre, soit composées des seuls ouvriers, ou mixtes, réunissant à la fois des ouvriers et des patrons; il est à désirer qu'elles accroissent leur nombre et l'efficacité de leur action. Bien que Nous Nous en soyons occupé plus d'une fois, Nous voulons exposer ici leur opportunité et leur droit à l'existence, et indiquer comment elles doivent s'organiser et quel doit être leur programme d'action.

L'expérience quotidienne que fait l'homme de l'exiguïté de ses forces l'engage et le pousse à s'adjoindre une coopération étrangère. C'est dans les Saintes Lettres qu'on lit cette maxime: *Il vaut mieux que deux soient ensemble que d'être seul, car alors ils tirent de l'avantage de leur société. Si l'un tombe l'autre le soutient. Malheur à l'homme seul! car lorsqu'il sera tombé il n'aura personne pour le relever* (Qo 4,9.10). Et cette autre: *Le frère qui est aidé par son frère est comme une ville forte* (Pr 18,19). De cette propension naturelle, comme d'un même germe, naissent la société civile d'abord, puis, au sein même de celle-ci, d'autres sociétés qui, pour être restreintes et imparfaites, n'en sont pas moins des sociétés véritables. Entre ces petites sociétés et la grande, il y a de profondes différences, qui résultent de leur fin prochaine. La fin de la société civile embrasse universellement tous les citoyens, car elle réside dans le bien commun, c'est-à-dire dans un bien auquel tous et chacun ont le droit de participer dans une mesure proportionnelle. C'est pourquoi on l'appelle *publique*, parce qu'*elle réunit les hommes pour en former une nation*[8]. Au

---

8. Saint Thomas, *Contra impugnantes Dei cultum et religionem*, II.

contraire, les sociétés qui se constituent dans son sein sont tenues pour *privées* et le sont en effet, car leur raison d'être immédiate est l'utilité particulière et exclusive de leurs membres.

Droits d'association

La société privée est celle qui se forme dans un but privé, comme lorsque deux ou trois s'associent pour exercer ensemble le négoce.[9] Or, de ce que les sociétés privées n'ont d'existence qu'au sein de la société civile, dont elles sont comme autant de parties, il ne suit pas, à ne parler qu'en général et à ne considérer que leur nature, qu'il soit au pouvoir de l'État de leur dénier l'existence. Le droit à l'existence leur a été octroyé par la nature elle-même, et la société civile a été instituée pour protéger le droit naturel. C'est pourquoi une société civile qui interdirait les sociétés privées s'attaquerait elle-même, puisque toutes les sociétés, publiques et privées, tirent leur origine d'un même principe la naturelle sociabilité de l'homme. Assurément, il y a des conjonctures qui autorisent les lois à s'opposer à la formation de quelque société de ce genre. Si une société, en vertu même de ses statuts organiques, poursuivait une fin en opposition flagrante avec la probité, avec la justice, avec la sécurité de l'État, les pouvoirs publics auraient le droit d'en empêcher la formation et, si elle était formée, de la dissoudre. Mais encore faut-il qu'en tout cela ils n'agissent qu'avec une très grande circonspection, pour éviter d'empiéter sur les droits des citoyens et de statuer, sous couleur d'utilité publique, quelque chose qui serait désavoué par la raison. Car une loi ne mérite obéissance qu'autant qu'elle est conforme à la droite raison et à la loi éternelle de Dieu[10].

Les Congrégations religieuses, les Confréries, etc.

Ici, se présentent à Notre esprit les confréries, les congrégations et les ordres religieux de tout genre, auxquels l'autorité de l'Église et la piété des fidèles avaient donné naissance; quels en furent les fruits de salut pour le genre humain jusqu'à nos

---

9. *Ibid.*
10. Saint Thomas, *S. Th.* Ia IIae q.93 a.3.

jours, l'histoire le dit assez. Considérées simplement par la raison, ces sociétés apparaissent comme établies sur le droit naturel; du côté où elles touchent à la religion, elles ne relèvent que de l'Église. Les pouvoirs publics ne peuvent donc légitimement s'arroger sur elles aucun droit, ni s'en attribuer l'administration; leur office plutôt est de les respecter, de les protéger et, s'il en est besoin, de les défendre. Or, c'est justement tout l'opposé que nous avons été condamnés à voir, surtout en ces derniers temps. Dans beaucoup de pays, l'État a porté la main sur ces sociétés et a accumulé à leur égard injustice sur injustice: assujettissement aux lois civiles, privation du droit légitime de personne morale, spoliation des biens. Sur ces biens, l'État avait pourtant ses droits; chacun des membres avait les siens; les donateurs qui leur avaient fixé une destination, ceux enfin qui en retiraient des secours et du soulagement avaient les leurs. Aussi ne pouvons-Nous Nous empêcher de déplorer amèrement des spoliations si iniques et si funestes; d'autant plus qu'on frappe de proscription les sociétés catholiques dans le temps même où l'on affirme la légalité des sociétés privées, et que, ce que l'on refuse à des hommes paisibles et qui n'ont en vue que l'utilité publique, on l'accorde, et certes très largement, à des hommes qui roulent dans leur esprit des desseins funestes à la religion tout à la fois et à l'État.

Jamais assurément, à aucune autre époque, on ne vit une si grande multiplicité d'associations de tout genre, surtout d'associations ouvrières. D'où viennent beaucoup d'entre elles, où elles tendent, par quelle voie, ce n'est pas ici le lieu de le rechercher. Mais c'est une opinion confirmée par de nombreux indices qu'elles sont ordinairement gouvernées par des chefs occultes, et qu'elles obéissent à un mot d'ordre également hostile au nom chrétien et à la sécurité des nations; qu'après avoir accaparé toutes les entreprises, s'il se trouve des ouvriers qui se refusent à entrer dans leur sein, elles leur font expier ce refus par la misère. Dans cet état de chose, les ouvriers chrétiens n'ont plus qu'à choisir entre ces deux partis: ou de donner leur nom à des sociétés dont la religion a tout à craindre, ou de s'organiser eux-mêmes et de joindre leurs forces pour pouvoir secouer hardiment un joug si injuste et si intolérable. Qu'il faille opter

pour ce dernier parti, y a-t-il des hommes ayant vraiment à
cœur d'arracher le souverain bien de l'humanité à un péril
imminent qui puissent avoir là-dessus le moindre doute?

Les corporations.
Éloge des hommes de foi qui travaillent a résoudre
la question sociale

Certes, il faut louer hautement le zèle d'un grand nombre
des nôtres, lesquels, se rendant parfaitement compte des besoins de l'heure présente, sondent soigneusement le terrain,
pour y découvrir une voie honnête qui conduise au relèvement
de la classe ouvrière. S'étant constitués les protecteurs des
personnes vouées au travail, ils s'étudient à accroître leur prospérité tant domestique qu'individuelle, à régler avec équité les
relations réciproques des patrons et des ouvriers, à entretenir
et à affirmer dans les uns et les autres le souvenir de leurs
devoirs et l'observation des préceptes divins; préceptes qui, en
ramenant l'homme à la modération et condamnant tous les
excès, maintiennent dans les nations, et parmi les éléments si
divers de personnes et de choses, la concorde et l'harmonie la
plus parfaite. Sous l'inspiration des mêmes pensées, des
hommes de grand mérite se réunissent fréquemment en
congrès, pour se communiquer leurs vues, unir leurs forces,
arrêter des programmes d'action. D'autres s'occupent de fonder des corporations assorties aux divers métiers et d'y faire
entrer les artisans; ils aident ces derniers de leurs conseils et de
leur fortune et pourvoient à ce qu'ils ne manquent jamais d'un
travail honnête et fructueux. Les évêques, de leur côté, encou-
ragent ces efforts et les mettent sous leur haut patronage: par
leur autorité et sous leurs auspices, des membres du clergé, tant
séculier que régulier, se dévouent en grand nombre aux intérêts
spirituels des corporations. Enfin, il ne manque pas de catholiques qui, pourvus d'abondantes richesses, mais devenus en
quelque sorte compagnons volontaires des travailleurs, ne regardent à aucune dépense pour fonder et étendre au loin des
sociétés où ceux-ci puissent trouver, avec une certaine aisance
pour le présent, le gage d'un repos honorable pour l'avenir. Tant
de zèle, tant et de si industrieux efforts, ont déjà réalisé parmi
les peuples un bien très considérable et trop connu pour qu'il

soit nécessaire d'en parler en détail. Il est à Nos yeux d'un heureux augure pour l'avenir, et Nous Nous promettons de ces corporations les plus heureux fruits, pourvu qu'elles continuent à se développer et que la prudence préside toujours à leur organisation. Que l'État protège ces sociétés fondées selon le droit: que toutefois il ne s'immisce point dans leur gouvernement intérieur, et ne touche point aux ressorts intimes qui lui donnent la vie; car le mouvement vital procède essentiellement d'un principe intérieur et s'éteint très facilement sous l'action d'une cause externe.

À ces organisations il faut évidemment, pour qu'il y ait unité d'action et accord des volontés, une organisation et une discipline sage et prudente. Si donc, comme il est certain, les citoyens sont libres de s'associer, ils doivent l'être également de se donner des statuts et règlements qui leur paraissent les plus appropriés au but qu'ils poursuivent. Quels doivent être ces statuts et règlements? Nous ne croyons pas qu'on puisse donner de règles certaines et précises pour en déterminer le détail; tout dépend du génie de chaque nation, des essais tentés et de l'expérience acquise, du genre de travail, de l'étendue du commerce, et d'autres circonstances de choses et de temps qu'il faut peser avec maturité. Tout ce qu'on peut dire en général, c'est qu'on doit prendre pour règle universelle et constante d'organiser et gouverner les corporations de façon qu'elles fournissent à chacun de leurs membres les moyens propres à lui faire atteindre, par la voie la plus commode et la plus courte, le but qu'il se propose, et qui consiste dans l'accroissement le plus grand possible des biens du corps, de l'esprit, de la fortune.

10° Avant tout, les corporations doivent viser au perfectionnement moral et religieux de leurs membres

Mais il est évident qu'il faut viser avant tout à l'objet principal, qui est le perfectionnement moral et religieux; c'est surtout cette fin qui doit régler toute l'économie de ces sociétés: autrement, elles dégénéreraient bien vite et tomberaient, ou peu s'en faut, au rang des sociétés où la religion ne tient aucune place. Aussi bien, que servirait à l'artisan d'avoir trouvé au sein de la corporation l'abondance matérielle, si la disette d'aliments spirituels mettait en péril le salut de son âme? *Que sert à l'homme de gagner l'univers entier, s'il vient à perdre son âme (Mt 16, 26; Mc 8,36)?* Voici le caractère auquel Notre-Seigneur Jésus-Christ veut qu'on distingue le chrétien d'avec le gentil: *Les gentils recherchent toutes ces choses... cherchez d'abord le royaume de Dieu, et toutes choses vous seront ajoutées par surcroît (Mt 6, 32-33).* Ainsi donc, après avoir pris Dieu comme point de départ, qu'on donne une large place à l'instruction religieuse, afin que tous connaissent leurs devoirs envers lui; ce qu'il faut croire, ce qu'il faut espérer, ce qu'il faut faire en vue du salut éternel, tout cela doit leur être soigneusement inculqué; qu'on les prémunisse avec une sollicitude particulière contre les opinions erronées et toutes les variétés du vice. Qu'on porte l'ouvrier au culte de Dieu, qu'on excite en lui l'esprit de piété, qu'on le rende surtout fidèle à l'observation des dimanches et des jours de fête. Qu'il apprenne à respecter et à aimer l'Église, la commune mère de tous les chrétiens; à obtempérer à ses préceptes, à fréquenter ses sacrements, qui sont des sources divines où l'âme se purifie de ses taches et puise la sainteté.

Statuts des corporations
Relations entre leurs membres

La religion ainsi constituée comme fondement de toutes les lois sociales, il n'est pas difficile de déterminer les relations mutuelles à établir entre les membres pour obtenir la paix et la prospérité de la société. Les diverses fonctions doivent être réparties de la manière la plus profitable aux intérêts communs et de telle sorte que l'inégalité ne nuise point à la concorde. Il importe grandement que les charges soient distribuées avec intelligence et clairement définies, afin que personne n'ait à souffrir d'injustice. Que la masse commune soit administrée avec intégrité et qu'on détermine d'avance, par le degré d'indigence de chacun des membres, la mesure de secours à lui accorder; que les droits et les devoirs des patrons soient parfaitement conciliés avec les droits et les devoirs des ouvriers. Afin de parer aux réclamations éventuelles qui s'élèveraient dans l'une ou dans l'autre classe au sujet de droits lésés, il serait très désirable que les statuts mêmes chargeassent des hommes pru-

dents et intègres, tirés de son sein, de régler le litige en qualité
d'arbitres. Il faut encore pourvoir d'une manière toute spéciale
à ce qu'en aucun temps l'ouvrier ne manque de travail, et qu'il
y ait un fonds de réserve destiné à faire face, non seulement aux
accidents soudains et fortuits inséparables du travail industriel,
mais encore à la maladie, à la vieillesse et aux coups de la
mauvaise fortune. Ces lois, pourvu qu'elles soient acceptées de
bon cœur, suffisent pour assurer aux faibles la subsistance et un
certain bien-être; mais les corporations catholiques sont appelées encore à apporter leur bonne part à la prospérité générale.
Par le passé, nous pouvons juger sans témérité de l'avenir. Un
âge fait place à un autre, mais le cours des choses présente de
merveilleuses similitudes, ménagées par cette Providence qui
dirige tout et fait tout converger vers la fin que Dieu s'est
proposée en créant l'humanité.

Le sort des ouvriers est entre leurs mains
Exemple des premiers chrétiens

Nous savons que dans les premiers âges de l'Église, on lui faisait
un crime de l'indigence de ses membres condamnés à vivre
d'aumônes ou de travail. Mais dénués comme ils étaient de
richesses et de puissance, ils surent se concilier la faveur des
riches et la protection des puissants. On pouvait les voir dili-
gents, laborieux, pacifiques, modèles de justice et surtout de
charité. Au spectacle d'une vie si parfaite et de mœurs si pures,
tous les préjugés se dissipèrent, le sarcasme se tut et les fictions
d'une superstition invétérée s'évanouirent peu à peu devant la
vérité chrétienne. Le sort de la classe ouvrière, telle est la question qui s'agite aujourd'hui; elle sera résolue par la raison ou
sans elle, et il ne peut être indifférent aux nations qu'elle soit
résolue par l'une ou l'autre voie. Or, les ouvriers chrétiens la
résoudront facilement par la raison si, unis en sociétés et
conduits par une direction prudente, ils entrent dans la voie où
leurs pères et leurs ancêtres trouvèrent leur salut et celui des
peuples. Quelle que soit dans les hommes la force des préjugés
et des passions, si une volonté perverse n'a pas entièrement
étouffé le sentiment du juste et de l'honnête, il faudra que tôt
ou tard la bienveillance publique se tourne vers ces ouvriers,

qu'on aura vus actifs et modestes, mettant l'équité avant le gain et préférant à tout la religion du devoir. Il résultera de là cet autre avantage, que l'espoir et de grandes facilités de salut seront offerts à ces ouvriers qui vivent dans le mépris de la foi chrétienne ou dans les habitudes qu'elle réprouve. Ils comprennent d'ordinaire, ces ouvriers, qu'ils ont été le jouet d'espérances trompeuses et d'apparences mensongères. Car ils sentent, par les traitements inhumains qu'ils reçoivent de leurs maîtres, qu'ils n'en sont guère estimés qu'au poids de l'or produit par leur travail; quant aux sociétés qui les ont circonvenus, ils voient bien qu'à la place de la charité et de l'amour, ils n'y trouvent que les discordes intestines, ces compagnes inséparables de la pauvreté insolente et incrédule. L'âme brisée, le corps exténué, combien qui voudraient secouer un joug si humiliant! Mais, soit par respect humain, soit crainte de l'indigence, ils ne l'osent pas. Eh bien, à tous ces ouvriers, les sociétés catholiques peuvent être d'une merveilleuse utilité si, hésitants, elles les invitent à venir chercher dans leur sein un remède à tous leurs maux; si, repentants, elles les accueillent avec empressement et leur assurent sauvegarde et protection.

Que chacun fasse son devoir

Vous voyez, vénérables Frères, par qui et par quels moyens cette cause si difficile demande à être traitée et résolue. Que chacun se mette à la part qui lui incombe, et cela sans délai, de peur qu'en différant le remède on ne rende incurable un mal déjà si grave. Que les gouvernants fassent usage de l'autorité protectrice des lois et des institutions; que les riches et les maîtres se rappellent leurs devoirs; que les ouvriers dont le sort est en jeu poursuivent leurs intérêts par des voies légitimes, et puisque la religion seule, comme Nous l'avons dit dès le début, est capable de détruire le mal dans sa racine, que tous se rappellent que la première condition à réaliser, c'est la restauration des mœurs chrétiennes, sans lesquelles, même les moyens suggérés par la prudence humaine comme les plus efficaces, seront peu aptes à produire de salutaires résultats. Quant à l'Église, son action ne fera jamais défaut en aucune manière et sera d'autant plus féconde qu'elle aura pu se développer avec plus de liberté, et ceci, Nous désirons que ceux-là surtout le comprennent dont la mission est de veiller au bien public; que les ministres sacrés déploient toutes les forces de leur âme et toutes les industries de leur zèle, et que, sous l'autorité de vos paroles et de vos exemples, vénérables Frères, ils ne cessent d'inculquer aux hommes de toutes les classes les règles évangéliques de la vie chrétienne; qu'ils travaillent de tout leur pouvoir au salut des peuples, et, par-dessus tout, qu'ils s'appliquent à nourrir en eux-mêmes et à faire naître dans les autres, depuis les plus élevés jusqu'aux plus humbles, la charité, reine et maîtresse de toutes les vertus. C'est, en effet, d'une abondante effusion de charité qu'il faut principalement attendre le salut; Nous parlons de la charité chrétienne, qui résume tout l'Évangile et qui, toujours prête à se dévouer au soulagement du prochain, est un antidote très assuré contre l'arrogance du siècle et l'amour immodéré de soi-même: vertu dont l'apôtre saint Paul a décrit les offices et les traits divins dans ces paroles: *La charité est patiente; elle est bénigne; elle ne cherche pas son propre intérêt; elle souffre tout; elle supporte tout* (1 Co 13, 4-7).

Comme gage des faveurs divines et en témoignage de Notre bienfaisance, Nous vous accordons de tout cœur, à chacun de vous, vénérables Frères, à votre clergé et à vos fidèles, la bénédiction apostolique dans le Seigneur.

Donné à Rome, près Saint-Pierre, le 15 mai de l'année 1891, de Notre Pontificat la quatorzième.

LÉON XIII, PAPE

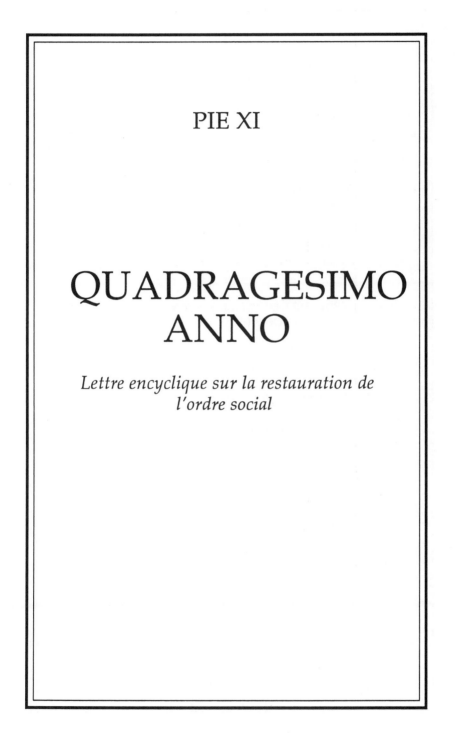

PIE XI

QUADRAGESIMO ANNO

Lettre encyclique sur la restauration de l'ordre social

PLAN

AUX PATRIARCHES, PRIMATS, ARCHEVÊQUES, ÉVÊQUES
ET AUTRES ORDINAIRES EN PAIX ET COMMUNION AVEC
LE SIÈGE APOSTOLIQUE, AINSI QU'AUX FIDÈLES DE
L'UNIVERS CATHOLIQUE TOUT ENTIER

PIE XI, PAPE

VÉNÉRABLES FRÈRES ET TRÈS CHERS FILS,
SALUT ET BÉNÉDICTION APOSTOLIQUE.

1. Quarante ans s'étant écoulés depuis la publication de la magistrale Encyclique de Léon XIII *Rerum novarum*, l'univers catholique tout entier, dans un grand élan de reconnaissance, a entrepris de commémorer avec l'éclat qu'il mérite ce remarquable document.

2. Il est vrai qu'à cet insigne témoignage de sa sollicitude pastorale, Notre Prédécesseur avait pour ainsi dire préparé les voies par d'autres lettres sur la famille et le vénérable sacrement de mariage, ces fondements de la société humaine[1], sur l'origine du pouvoir civil[2] et l'ordre des relations qui l'unissent à l'Église[3], sur les principaux devoirs des citoyens chrétiens[4], contre les erreurs du socialisme[5] et les fausses théories de la liberté humaine[6] et d'autres encore où se révèle pleinement sa pensée. Mais ce qui distingue entre toutes l'Encyclique *Rerum novarum*, c'est qu'à une heure très opportune où s'en faisait sentir une

---

1. Encycl. *Arcanum* du 10 février 1880.
2. Encycl. *Diuturnum* du 29 juin 1881.
3. Encycl. *Immortale Dei* du 1er novembre 1885.
4. Encycl. *Sapientiæ christianæ* du 10 janvier 1890.
5. Encycl. *Quod apostolici muneris* du 28 décembre 1878.
6. Encycl. *Libertas* du 20 juin 1888.

particulière nécessité, elle a donné à l'humanité des directives très sûres pour résoudre les difficiles problèmes que pose la vie en société et dont l'ensemble constitue la *question sociale*.

Occasion (de l'Encyclique «Rerum novarum»)

3. Au déclin du XIXe siècle l'évolution économique et les développements nouveaux de l'industrie tendaient, en presque toutes les nations, à diviser toujours davantage la société en deux classes: d'un côté, une minorité de riches jouissant à peu près de toutes les commodités qu'offrent en si grande abondance les inventions modernes; de l'autre, une multitude immense de travailleurs réduits à une angoissante misère et s'efforçant en vain d'en sortir.

4. Cette situation était acceptée sans aucune difficulté par ceux qui, largement pourvus des biens de ce monde, ne voyaient là qu'un effet nécessaire des lois économiques et abandonnaient à la charité tout le soin de soulager les malheureux, comme si la charité devait couvrir ces violations de la justice que le législateur tolérait et parfois même sanctionnait. Mais les ouvriers, durement éprouvés par cet état de choses, le supportaient avec impatience et se refusaient à subir plus longtemps un jour si pesant. Certains d'entre eux, mis en effervescence par de mauvais conseils, aspiraient au bouleversement total de la société. Et ceux-là mêmes que leur éducation chrétienne détournait de ces mauvais entraînements, restaient convaincus de l'urgente nécessité d'une réforme profonde.

5. Telle était aussi la persuasion de nombreux catholiques, prêtres et laïques, qu'une admirable charité inclinait depuis si longtemps vers les misères imméritées du peuple et qui se refusaient à admettre qu'une si criante inégalité dans le partage des biens de ce monde répondît aux vues infiniment sages du Créateur.

6. Et ils cherchaient sincèrement le moyen de remédier aux désordres qui affligeaient alors la société et de prévenir efficacement les maux plus graves encore qui la menaçaient. Mais telle est l'infirmité de l'esprit humain, même chez les meilleurs, que, repoussés d'un côté comme dangereux novateurs, paralysés de l'autre par les divergences de vues qui se manifestaient

même dans leurs rangs, ils hésitaient entre les diverses écoles, ne sachant dans quelle direction s'orienter.

7. Dans ce conflit qui divisait si profondément les esprits, non sans dommage pour la paix, une fois de plus tous les yeux se tournèrent vers la Chaire de Pierre, dépositaire sacrée de toute vérité, d'où les paroles qui sauvent se répandent sur l'univers. Un courant d'une ampleur inaccoutumée porta aux pieds du Vicaire de Jésus-Christ sur terre des foules de savants, d'industriels, de travailleurs mêmes, unanimes à solliciter des directives sûres qui mettraient un terme à leurs hésitations.

8. Longtemps, dans sa grande prudence, le Pontife médita devant Dieu; il fit venir, pour les consulter, les personnalités les plus compétentes, il considéra le problème attentivement, sous toutes ses faces, et enfin, obéissant à la «conscience de sa charge apostolique[7]», craignant, s'il gardait le silence, de paraître avoir négligé son devoir[8], il décida d'exercer le divin magistère qui lui était confié en adressant la parole à l'Église du Christ et au genre humain tout entier.

9. Alors, le 15 mai 1891, retentit la voix si longtemps attendue, voix que ni les difficultés n'avaient effrayée, ni l'âge affaiblie, mais qui, avec une vigoureuse hardiesse, orientait, sur le terrain social, l'humanité dans des voies nouvelles.

Points capitaux

10. Vous connaissez, vénérables Frères et très chers Fils, vous connaissez fort bien l'admirable doctrine qui fait de l'Encyclique *Rerum novarum* un document inoubliable.

11. Le grand Pape y déplore que les hommes des classes inférieures «se trouvent en si grand nombre dans une situation d'infortune et de misère imméritée»; il y prend lui-même courageusement en main la défense des travailleurs que le malheur des temps avait livrés, isolés et sans défense, à des maîtres inhumains et à la cupidité d'une concurrence effrénée[9]. Il ne

---

7. Encycl. *Rerum novarum*, n° 1.

8. Encycl. *Rerum novarum*, n° 13.

9. Encycl. *Rerum novarum*, n° 2.

demande rien au libéralisme, rien non plus au socialisme, le premier s'étant révélé totalement impuissant à bien résoudre la question sociale, et le second proposant un remède pire que le mal, qui eût fait courir à la société humaine de plus grands dangers.

12. Mais, fort de son droit et de la mission toute spéciale qu'il a reçue de veiller sur la religion et sur les intérêts qui s'y rattachent, sachant la question présente de telle nature, «qu'à moins de faire appel à la religion et à l'Église, il était impossible de lui trouver jamais une solution acceptable[10]», s'appuyant uniquement sur les principes immuables de la droite raison et de la révélation divine, le Pontife définit et proclame, avec une autorité sûre d'elle-même[11], «les droits et les devoirs qui règlent les rapports entre riches et prolétaires, capital et travail[12]» la part respective de l'Église, de l'autorité publique et des intéressés dans la solution des conflits sociaux.

13. Ce ne fut pas en vain que retentit la parole apostolique. Ceux qui l'entendirent la reçurent avec une admiration reconnaissante, non seulement les fils obéissants de l'Église, mais beaucoup d'autres égarés dans l'incroyance ou dans l'erreur, et presque tous ceux qui depuis, dans le domaine de la spéculation ou de la législation, traitèrent des questions économiques et sociales.

14. Mais surtout quelle fut la joie parmi les travailleurs chrétiens qui se sentaient compris et défendus par la plus haute Autorité qui soit sur terre, et parmi les hommes généreux, soucieux depuis longtemps d'améliorer le sort des ouvriers, mais qui n'avaient guère rencontré jusque-là que l'indifférence, d'injustes soupçons, quand ce n'était pas une hostilité déclarée! Tous, ils entourèrent dès lors à juste titre cette Lettre de tant d'honneurs que diverses régions, chacune à sa manière, en rappellent tous les ans le souvenir par des manifestations de reconnaissance.

---

10. Encycl. *Rerum novarum*, n° 13.

11. *Matth.*, VII, 29.

12. Encycl. *Rerum novarum*, n° 1.

15. Au milieu de ce concert d'approbations, il y eut cependant quelques esprits qui furent un peu troublés; et par suite l'enseignement de Léon XIII, si noble, si élevé, complètement nouveau pour le monde, provoqua, même chez certains catholiques, de la défiance, voire du scandale. Il renversait, en effet, si audacieusement les idoles du libéralisme, ne tenait aucun compte de préjugés invétérés et anticipait sur l'avenir: les hommes trop attachés au passé dédaignèrent cette nouvelle philosophie sociale, les esprits timides redoutèrent de monter à de telles hauteurs; d'autres, tout en admirant ce lumineux idéal, jugèrent qu'il était chimérique et que sa réalisation, on pouvait la souhaiter mais non l'espérer.

Objet de la présente Encyclique

16. C'est pourquoi, vénérables Frères et très chers Fils, à l'heure où le quarantième anniversaire de l'Encyclique *Rerum novarum* est célébré avec tant de ferveur par tout l'univers, surtout par les ouvriers catholiques qui de toutes parts affluent vers la Ville éternelle, Nous jugeons l'occasion opportune de *rappeler les grands bienfaits qu'ont retirés de cette Lettre l'Église catholique et l'humanité tout entière*; Nous défendrons ensuite contre certaines hésitations *sa magistrale doctrine* économique et Nous en développerons quelques points; portant enfin un *jugement sur le régime économique* d'aujourd'hui *et faisant le procès du socialisme,* Nous indiquerons la racine des troubles sociaux actuels et montrerons la seule route possible vers une salutaire restauration, savoir la *réforme chrétienne des mœurs.* Cet ensemble de questions que Nous allons traiter formeront trois chapitres dont le développement constituera toute la présente Encyclique.

I

LES FRUITS DE L'ENCYCLIQUE
«RERUM NOVARUM»

17. Et pour aborder le premier des points que Nous Nous sommes fixés, Nous ne pouvons nous empêcher selon ce conseil de saint Ambroise: «L'action de grâces est le premier de nos devoirs»[13], de faire tout d'abord monter vers Dieu d'abondantes actions de grâces pour les bienfaits si considérables apportés par l'Encyclique de Léon XIII à l'Église et au genre humain. Si Nous voulions les passer en revue, même rapidement, c'est presque toute l'histoire des quarante dernières années, en ce qui concerne les choses sociales, qu'il faudrait évoquer ici. Mais on peut facilement tout ramener à trois chefs, suivant les trois genres d'intervention souhaités par notre Prédécesseur pour accomplir sa grande œuvre de restauration.

L'œuvre de l'Église

18. En premier lieu, Léon XIII a lui-même nettement exposé ce qu'il faut attendre de l'Église: «C'est l'Église, dit-il, qui puise dans l'Évangile des doctrines capables, soit de mettre fin au conflit, soit au moins de l'adoucir, en lui enlevant tout ce qu'il a d'âpreté et d'aigreur, l'Église qui ne se contente pas d'éclairer l'esprit de ses enseignements, mais s'efforce encore de conformer à ceux-ci la vie et les mœurs de chacun, l'Église qui, par une foule d'institutions éminemment bienfaisantes, tend à améliorer le sort des classes pauvres[14].»

---

13. Saint Ambroise, *De excessu fratris sui Satyri*, lib. I, 44.
14. Encycl. *Rerum novarum*, n° 13.

En matière doctrinale

19. Ces précieuses ressources, l'Église ne les a pas laissées inemployées, mais elle les a largement exploitées pour le bien de la paix sociale. Par leurs paroles, par leurs écrits, et Léon XIII et ses successeurs ont continué à prêcher avec insistance la doctrine sociale et économique de l'Encyclique *Rerum novarum*; ils n'ont pas cessé d'en presser l'application et l'adaptation aux temps et aux circonstances, faisant toujours preuve d'une sollicitude particulière et toute paternelle envers les pauvres et les faibles dont, en fermes pasteurs, ils se sont faits[15] les défenseurs. Avec autant de science et de zèle, de nombreux Évêques ont interprété la même doctrine, l'ont éclairée de leurs commentaires, et adaptée aux situations des divers pays, suivant les décisions et la pensée du Saint-Siège[16].

20. Aussi n'est-il pas étonnant que, sous la direction du magistère ecclésiastique, des hommes de science, prêtres et laïques, se soient attachés avec ardeur à développer, selon les besoins du temps, les disciplines économiques et sociales, se proposant avant tout d'appliquer à des besoins nouveaux les principes immuables de la doctrine de l'Église.

21. Ainsi s'est constituée, sous les auspices et dans la lumière de l'Encyclique de Léon XIII, une science sociale catholique, qui grandit et s'enrichit chaque jour, grâce à l'incessant labeur des hommes d'élite que nous avons appelés les auxiliaires de l'Église. Et cette science ne s'enferme pas dans d'obscurs travaux d'école; elle se produit au grand jour et affronte la lutte, comme le prouvent excellemment l'enseignement, si utile et si apprécié, institué dans les universités catholiques, les

---

15. Qu'il suffise d'en mentionner quelques-unes: Léon XIII, Lettre apostolique *Præclara*, du 20 juin 1894; Encycl. *Graves de communi*, du 18 janvier 1901. — Pie X, Motu proprio sur *l'Action populaire chrétienne*, du 18 décembre 1903. — Benoît XV, Encycl., *Ad Beatissimi*, du 1er novembre 1914. — Pie XI, Encycl. *Ubi arcano*, du 23 décembre 1922; Encycl. *Rite expiatis* du 30 avril 1926.

16. Cf. *La Hiérarchie Catholique et le problème social depuis l'Encyclique «Rerum novarum»*, 1891-1931, pp. XVI-353, édité par «l'Union internationale d'Études Sociales, fondée à Malines sous la présidence du Cardinal Mercier». Paris, Spes, 1931.

académies et les séminaires, les congrès ou «semaines sociales», tenus tant de fois avec de si beaux résultats, les cercles d'études, les excellentes publications de tout genre si opportunément répandues.

22. Là ne se bornent pas les services rendus par la Lettre de Léon XIII; car ses leçons ont fini par pénétrer insensiblement ceux-là mêmes qui, privés du bienfait de l'unité catholique, ne reconnaissent pas l'autorité de l'Église.

23. Ainsi les principes du catholicisme en matière sociale sont devenus peu à peu le patrimoine commun de l'humanité. Et Nous Nous félicitons de voir souvent les éternelles vérités proclamées par notre Prédécesseur d'illustre mémoire, invoquées et défendues, non seulement dans la presse et les livres même non catholiques, mais au sein des Parlements et devant les tribunaux.

24. Bien plus, après une épouvantable guerre, les hommes d'État des principales puissances ont cherché à consolider la paix par une réforme profonde des conditions sociales; parmi les normes données pour régler le travail des ouvriers selon la justice et l'équité, ils ont adopté un grand nombre de dispositions en tel accord avec les principes et les directives de Léon XIII, qu'il semble qu'on les en ait expressément tirées. L'Encyclique *Rerum novarum* fut sans aucun doute un document mémorable et on peut lui appliquer en toute vérité la parole d'Isaïe: «C'est un signe levé parmi les nations[17].»

Dans le domaine des applications

25. Cependant, tandis que, grâce aux travaux d'ordre théorique, les principes de Léon XIII se répandaient dans les esprits, on en venait aussi à la pratique. Et d'abord, une active bonne volonté s'est employée avec zèle à relever cette classe d'hommes qui, immensément accrue par suite des progrès de l'industrie, n'avait cependant pas obtenu dans l'organisme de la société une place équitable et se trouvait, de ce fait, abandonnée et presque méprisée. C'est des ouvriers que nous parlons, de ces ouvriers

---

17. Is., XI, 12.

dont aussitôt, malgré les autres soucis accablants de leur ministère, des membres des deux clergés, sous la conduite des Évêques, se sont occupés avec grand fruit pour les âmes. Cet effort
persévérant, qui visait à imprégner les ouvriers de l'esprit chrétien, contribua en outre à leur faire prendre conscience de leur
véritable dignité, à les éclairer sur les droits et les devoirs de
leur classe, à les rendre capables d'aller de l'avant dans la voie
d'un juste progrès, et de devenir même les chefs de leurs compagnons.

26. De là vinrent aussi aux ouvriers des moyens d'existence
plus abondants et moins incertains, car non seulement on com-
mença, ainsi qu'y invitait le Pontife, à multiplier les œuvres de
bienfaisance et de charité, mais on vit se fonder partout, de jour
en jour plus nombreuses, suivant le vœu de l'Église, et souvent
sous la conduite des prêtres, de nouvelles associations d'entr'aide et de secours mutuels groupant les ouvriers, les artisans,
les agriculteurs, les travailleurs de toute espèce.

L'action de l'État

27. Quant au rôle des pouvoirs publics, Léon XIII franchit avec
audace les barrières dans lesquelles le libéralisme avait contenu
leur intervention; il ne craint pas d'enseigner que l'État n'est
pas seulement le gardien de l'ordre et du droit, mais qu'il doit
travailler énergiquement à ce que, par tout l'ensemble des lois
et des institutions, «la constitution et l'administration de la
société... fassent fleurir naturellement la prospérité tant publique que privée[18]». Sans doute il doit laisser aux individus et aux
familles une juste liberté d'action, à la condition pourtant que
le bien commun soit sauvegardé et qu'on ne fasse injure à
personne. Il appartient aux gouvernants de protéger la communauté et les membres qui la composent; toutefois, dans la protection des droits privés, ils doivent se préoccuper d'une manière spéciale des faibles et des indigents. «La classe riche se fait
comme un rempart de ses richesses et a moins besoin de la
tutelle publique. La classe indigente, au contraire, sans ri-

---

18. Encycl. *Rerum novarum*, n° 26.

chesses pour la mettre à couvert, compte surtout sur la protection de l'État. Que l'État entoure donc de soins et d'une
sollicitude particulière les travailleurs, qui appartiennent à la
classe des pauvres[19].»

28. Loin de nous la pensée de méconnaître que, même
avant Léon XIII, plus d'un gouvernement avait déjà pourvu aux
nécessités les plus pressantes des ouvriers, et réprimé les abus
les plus criants dont ils étaient victimes. Mais c'est seulement
quand de la Chaire de Pierre la voix du Souverain Pontife eut
retenti par tout l'univers, que les hommes d'État, prenant plus
pleinement conscience de leur mission, s'appliquèrent à pratiquer une large politique sociale.

29. Car, tandis que chancelaient les faux dogmes du libéralisme qui paralysaient depuis longtemps toute intervention
efficace des pouvoirs publics, l'Encyclique déterminait dans les
masses elles-mêmes un puissant mouvement favorable à une
politique plus franchement sociale; elle assurait aux gouvernants le précieux appui des meilleurs catholiques, qui furent
souvent, dans les assemblées parlementaires, les promoteurs
illustres de la législation nouvelle. Bien plus, c'est par des
prêtres, profondément pénétrés des doctrines de Léon XIII, que
plusieurs lois sociales récentes ont été proposées aux suffrages
des Parlements; c'est par leurs soins vigilants qu'elles ont reçu
leur pleine exécution.

30. De cet effort persévérant un droit nouveau est né,
qu'ignorait complètement le siècle dernier, assurant aux ouvriers le respect des droits sacrés qu'ils tiennent de leur dignité
d'hommes et de chrétiens. Les travailleurs, leur santé, leurs
forces, leur famille, leur logement, l'atelier, les salaires, l'assurance contre les risques du travail en un mot tout ce qui regarde
la condition des ouvriers, des femmes spécialement et des enfants, voilà l'objet de ces lois protectrices.

31. Si ces dispositions ne sont pas toujours ni partout en
parfaite conformité avec les règles fixées par Léon XIII, il est
cependant indéniable qu'on y perçoit souvent l'écho de l'Ency-

---

19. Encycl. *Rerum novarum*, n° 29.

clique *Rerum novarum*, à laquelle on peut dès lors, pour une grande part, attribuer les améliorations déjà apportées à la condition des ouvriers.

L'action des intéressés eux-mêmes

32. Le sage Pontife montrait enfin que les patrons et les ouvriers eux-mêmes pouvaient singulièrement aider à la solution de la question sociale «par toutes les œuvres propres à soulager l'indigence et à opérer un rapprochement entre les deux classes[20]». Entre ces œuvres, la première place revient, à son avis, aux associations soit composées seulement d'ouvriers, soit réunissant à la fois ouvriers et patrons. Le Pontife s'attarde longuement à en faire l'éloge et à les recommander, et, en des pages magistrales, il en explique la nature, la raison d'être, l'opportunité, les droits, les devoirs, les principes régulateurs.

33. Cet enseignement, certes, venait à un moment des plus opportuns. Car en plus d'un pays à cette époque, les pouvoirs publics, imbus de libéralisme, témoignaient peu de sympathie pour ces groupements ouvriers et même les combattaient ouvertement. Ils reconnaissaient volontiers et appuyaient des associations analogues fondées dans d'autres classes; mais, par une injustice criante, ils déniaient le droit naturel d'association à ceux-là qui en avaient le plus grand besoin, pour se défendre contre l'exploitation des plus forts. Même dans certains milieux catholiques, les efforts des ouvriers vers ce genre d'organisation étaient vus de mauvais œil, comme d'inspiration socialiste ou révolutionnaire.

Les associations ouvrières

34. Les directives si autorisées de Léon XIII eurent le grand mérite de briser ces oppositions et de désarmer ces défiances. Elles ont encore un plus beau titre de gloire, c'est d'avoir encouragé les travailleurs chrétiens dans la voie des organisations professionnelles, de leur avoir montré la marche à suivre, et d'avoir retenu sur le chemin du devoir plus d'un ouvrier vio-

---

20. Encycl. *Rerum novarum*, n° 36.

lemment tenté de donner son nom à ces organisations socialistes, qui se prétendaient effrontément seule protection et unique secours des humbles et des opprimés.

35. En ce qui concerne la création de ces associations,
l'Encyclique *Rerum novarum* observait fort à propos «qu'on doit
organiser et gouverner les groupements professionnels de façon qu'ils fournissent à chacun de leurs membres les moyens
propres à lui faire atteindre, par la voie la plus commode et la
plus courte, le but qui est proposé et qui consiste dans l'accroissement le plus grand possible, pour chacun, des biens du corps,
de l'esprit et de la famille»; il est clair cependant «qu'il faut avoir
en vue le perfectionnement moral et religieux comme l'objet
principal; c'est surtout cette fin qui doit régler toute l'économie
de ces sociétés». En effet, «la religion ainsi constituée comme
fondement de toutes les lois sociales, il n'est pas difficile de
déterminer les relations mutuelles à établir entre les membres
pour obtenir la paix et la prospérité de la société[21]».

36. À fonder de telles associations, partout, prêtres et laïcs
se sont consacrés, nombreux, avec un zèle digne d'éloges, dési-
reux de réaliser intégralement la pensée de Léon XIII. Ainsi ces
associations formèrent-elles des ouvriers foncièrement chrétiens, sachant allier harmonieusement l'exercice diligent de leur
profession avec de solides principes religieux, capables de défendre efficacement leurs droits et leurs intérêts temporels, avec
une fermeté qui n'exclut ni le respect de la justice, ni le désir
sincère de collaborer avec les autres classes au renouvellement
chrétien de la société.

37. Les idées et les directives de Léon XIII ont été réalisées
de diverses manières selon les lieux et les circonstances. En
certaines régions, une seule et même association se proposa
d'atteindre tous les buts assignés par le Pontife. Ailleurs, on
préféra recourir, selon qu'y invitait la situation, en quelque
sorte à une division du travail, laissant à des groupements
spéciaux le soin de défendre sur le marché du travail les droits
et les justes intérêts des associés, à d'autres la mission d'orga-

---

21. Encycl. *Rerum novarum*, nᵒˢ 42, 43.

niser l'entr'aide dans les questions économiques, tandis que d'autres enfin se consacraient tout entiers aux seuls besoins religieux et moraux de leurs membres ou à d'autres tâches du même ordre.

38. Cette seconde méthode a prévalu là surtout où soit la législation, soit certaines pratiques de la vie économique, soit la déplorable division des esprits et des cœurs, si profonde dans la société moderne, soit encore l'urgente nécessité d'opposer un front unique à la poussée des ennemis de l'ordre, empêchaient de fonder des syndicats nettement catholiques. Dans de telles conjonctures, les ouvriers catholiques se voient pratiquement contraints de donner leurs noms à des syndicats neutres, où cependant l'on respecte la justice et l'équité, et où pleine liberté est laissée aux fidèles d'obéir à leur conscience et à la voix de l'Église. Il appartient aux Évêques, s'ils reconnaissent que ces associations sont imposées par les circonstances et ne présentent pas de danger pour la religion, d'approuver que les ouvriers catholiques y donnent leur adhésion, observant toutefois à cet égard les règles et les précautions recommandées par Notre Prédécesseur de sainte mémoire, Pie X[22]. Entre ces précautions, la première et la plus importante est que, toujours, à côté de ces syndicats, existeront alors d'autres associations qui s'emploient à donner à leurs membres une sérieuse formation religieuse et morale, afin qu'à leur tour ils infusent aux organisations syndicales le bon esprit qui doit animer toute leur activité. Ainsi il arrivera que ces groupements exerceront une influence qui dépasse même le cercle de leurs membres.

39. C'est donc bien grâce à l'Encyclique de Léon XIII que partout ces syndicats ouvriers se sont développés, au point que leurs effectifs, s'ils sont malheureusement encore inférieurs à ceux des associations socialistes et communistes, rassemblent pourtant déjà, à l'intérieur des divers pays comme dans les congrès internationaux, une masse imposante d'affiliés capable de soutenir vigoureusement les droits et les légitimes revendications des travailleurs chrétiens et même de pousser à l'application des principes chrétiens en matière sociale.

---

22. Pie X, Encycl. *Singulari quadam*, 24 septembre 1912.

Les associations au sein des autres classes

40. De plus, les enseignements si sages et les directions si nettes de Léon XIII sur le droit naturel d'association ont commencé à trouver leur application pour d'autres groupements que les groupements d'ouvriers. Sa Lettre n'est pas sans avoir contribué beaucoup à l'apparition et au développement, de jour en jour plus manifeste, d'utiles associations parmi les agriculteurs et dans les classes moyennes, et d'autres institutions du même genre où la poursuite des intérêts économiques s'unit heureusement à une tâche éducatrice.

Les associations patronales

41. On n'en peut dire autant, il est vrai, des associations que Notre Prédécesseur désirait si vivement voir se former entre patrons et chefs d'industrie; Nous regrettons beaucoup qu'elles soient si rares. Sans doute ce n'est point seulement par la faute des hommes, car des difficultés fort grandes y font obstacle; nous les connaissons et nous les apprécions à leur juste valeur. Nous n'en avons pas moins le ferme espoir que ces obstacles disparaîtront bientôt et nous saluons, avec une grande joie et du fond du cœur, les essais heureusement tentés sur ce point et dont les résultats déjà notables promettent pour l'avenir des fruits plus grands encore[23].

Conclusion: «Rerum novarum» la Grande Charte des travailleurs

42. Tous ces bienfaits dus à l'Encyclique de Léon XIII, nous les avons esquissés plutôt que décrits; ils attestent avec éclat, par leur nombre et leur importance, que l'immortel document n'était pas seulement l'expression d'un idéal social magnifique, mais irréel. Bien au contraire, Notre Prédécesseur a puisé dans l'Évangile, vivante source de vie, une doctrine capable, sinon de faire cesser tout de suite, du moins d'atténuer beaucoup la lutte mortelle qui déchire l'humanité. Que la bonne semence, largement jetée il y a quarante ans, soit tombée pour une part

---

23. Cf. Lettre de la Sacrée Congr. du Concile à l'Évêque de Lille, 5 juin 1929.

dans une bonne terre, nous en avons pour gage les fruits consolants qu'avec le secours de Dieu, en ont recueillis l'Église du Christ et le genre humain tout entier. Aussi peut-on dire que l'Encyclique de Léon XIII s'est révélée, avec le temps, la Grande Charte qui doit être le fondement de toute activité chrétienne en matière sociale. Qui ferait peu de cas de cette Encyclique et de sa commémoration solennelle, montrerait qu'il méprise ce qu'il ignore ou ne comprend pas ce qu'il connaît à moitié, ou, s'il comprend, mérite de se voir jeter à la face son injustice et son ingratitude.

43. Mais avec le temps aussi, des doutes se sont élevés sur la légitime interprétation de plusieurs passages de l'Encyclique ou sur les conséquences qu'il fallait en tirer, ce qui a été l'occasion entre les catholiques eux-mêmes de controverses parfois assez vives; comme, par ailleurs, les besoins de notre époque et les changements survenus dans la situation générale demandent une application plus exacte des enseignements de Léon XIII ou même exigent des compléments, Nous sommes heureux de saisir cette occasion, selon Notre charge apostolique qui Nous fait débiteur de tous[24], pour répondre, dans la mesure du possible, à des doutes et aux questions qui se posent actuellement.

---

24. Cf. *Rom.*, I, 14.

II

LA DOCTRINE DE L'ÉGLISE
EN MATIÈRE ÉCONOMIQUE ET SOCIALE

44. Mais, avant d'aborder ces explications, nous devons rappeler tout d'abord le principe, déjà mis en pleine lumière par Léon XIII, que Nous avons le droit et le devoir de Nous prononcer avec une souveraine autorité sur ces problèmes sociaux et économiques[25].

45. Sans doute, c'est à l'éternelle félicité et non pas à une prospérité passagère seulement que l'Église a reçu la mission de conduire l'humanité; et même «elle ne se reconnaît point le droit de s'immiscer sans raison dans la conduite des affaires temporelles[26]». À aucun prix toutefois elle ne peut abdiquer la charge que Dieu lui a confiée et qui lui fait une loi d'intervenir, non certes dans le domaine technique, à l'égard duquel elle est dépourvue de moyens appropriés et de compétence, mais en tout ce qui touche à la loi morale. En ces matières, en effet, le dépôt de la vérité qui Nous est confié d'En Haut et la très grave obligation qui Nous incombe de promulguer, d'interpréter et de prêcher, en dépit de tout, la loi morale, soumettent également à Notre suprême autorité l'ordre social et l'ordre économique.

46. Car, s'il est vrai que la science économique et la discipline des mœurs relèvent, chacune dans sa sphère, de principes propres, il y aurait néanmoins erreur à affirmer que l'ordre économique et l'ordre moral sont si éloignés l'un de l'autre, si étrangers l'un à l'autre, que le premier ne dépend en aucune

---

25. Cf. *Rerum novarum*, n° 13.
26. Encycl. *Ubi arcano* du 23 décembre 1922.

manière du second. Sans doute les lois économiques, fondées sur la nature des choses et sur les aptitudes de l'âme et du corps humain, nous font connaître quelles fins, dans cet ordre, restent hors de la portée de l'activité humaine, quelles fins au contraire elle peut se proposer, ainsi que les moyens qui lui permettront de les réaliser; de son côté, la raison déduit clairement de la nature des choses et de la nature individuelle et sociale de l'homme la fin suprême que le Créateur assigne à l'ordre économique tout entier.

47. Mais seule la loi morale nous demande de poursuivre, dans les différents domaines entre lesquels se partage notre activité, les fins particulières que nous leur voyons imposées par la nature ou plutôt par Dieu, l'auteur même de la nature, et de les subordonner toutes, harmonieusement combinées, à la fin suprême et dernière qu'elle assigne à tous nos efforts. Du fidèle accomplissement de cette loi, il résultera que tous les buts particuliers poursuivis dans le domaine économique, soit par les individus, soit par la société, s'harmoniseront parfaitement dans l'ordre universel des fins et nous aideront efficacement à arriver comme par degrés au terme suprême de toutes choses, Dieu, qui est pour Lui-même et pour nous le souverain et l'inépuisable Bien.

Du droit de propriété

48. Abordant le détail des questions que Nous Nous proposons de traiter, Nous commençons par le droit de propriété.

49. Vous n'ignorez pas, Vénérables Frères et très chers Fils, avec quelle énergie Notre Prédécesseur, d'heureuse mémoire, s'est fait le défenseur de la propriété privée contre les erreurs socialistes de son temps et comment il a montré que son abolition, loin de servir les intérêts de la classe ouvrière, ne pourrait que les compromettre gravement. Des calomniateurs cependant font au Souverain Pontife et à l'Église l'intolérable injure de leur reprocher d'avoir pris, et de prendre encore contre les prolétaires, le parti des riches; d'autre part, tous les catholiques ne s'accordent pas sur le sens exact de la pensée de Léon XIII. Il Nous a dès lors paru opportun de venger contre ces fausses imputations la doctrine de l'Encyclique, qui est celle de l'Église

en cette matière, et de la défendre contre des interprétations erronées.

Son caractère individuel et social

50. Tenons avant tout pour assuré que ni Léon XIII, ni les théologiens dont l'Église inspire et contrôle l'enseignement, n'ont jamais nié ou contesté le double aspect, individuel et social, qui s'attache à la propriété, selon qu'elle sert l'intérêt particulier ou regarde le bien commun; tous au contraire ont unanimement soutenu que c'est de la nature et donc du Créateur que les hommes ont reçu le droit de propriété privée, tout à la fois pour que chacun puisse pourvoir à la subsistance et à celle des siens, et pour que, grâce à cette institution, les biens mis par le Créateur à la disposition de l'humanité remplissent effectivement leur destination: ce qui ne peut être réalisé que par le maintien d'un ordre certain et bien réglé.

51. Il est donc un double écueil contre lequel il importe de se garder soigneusement. De même, en effet, que nier ou atténuer à l'excès l'aspect social et public du droit de propriété, c'est verser dans l'individualisme ou le côtoyer, de même à contester ou à voiler son aspect individuel, on tomberait infailliblement dans le collectivisme ou tout au moins on risquerait d'en partager l'erreur. Perdre de vue ces considérations, c'est s'exposer à donner dans l'écueil du modernisme moral, juridique et social, qu'au début de notre pontificat nous avons déjà dénoncé[27]. Que ceux-là surtout le sachent bien que le désir d'innover entraîne à accuser injustement l'Église d'avoir laissé s'infiltrer dans l'enseignement des théologiens un concept païen de la propriété auquel il importerait d'en substituer un autre qu'ils ont l'étrange inconscience d'appeler le concept chrétien.

Les devoirs de la propriété

52. Pour contenir dans de justes limites les controverses sur la propriété et les devoirs qui lui incombent, il faut poser tout d'abord le principe fondamental établi par Léon XIII, à savoir

---

27. Encycl. *Rerum novarum*, n° 19.

que le droit de propriété ne se confond pas avec son usage[28]. C'est, en effet, la justice qu'on appelle commutative qui prescrit le respect des divers domaines et interdit à quiconque d'envahir, en outrepassant les limites de son propre droit, celui d'autrui; par contre, l'obligation qu'ont les propriétaires de ne faire jamais qu'un honnête usage de leurs biens ne s'impose pas à eux au nom de cette justice, mais au nom des autres vertus; elle constitue par conséquent un devoir «dont on ne peut exiger l'accomplissement par des voies de justice[29]».

C'est donc à tort que certains prétendent renfermer dans des limites identiques le droit de propriété et son légitime usage; il est plus faux encore d'affirmer que le droit de propriété est périmé et disparaît par l'abus qu'on en fait ou parce qu'on laisse sans usage les choses possédées.

53. Ils font par suite œuvre salutaire et louable ceux qui, sous réserve toujours de la concorde des esprits et de l'intégrité de la doctrine traditionnelle de l'Église, s'appliquent à mettre en lumière la nature des charges qui grèvent la propriété et à définir les limites que tracent, tant à ce droit même qu'à son exercice, les nécessités de la vie sociale. Mais, en revanche, ceux-là se trompent gravement qui s'appliquent à réduire tellement le caractère individuel du droit de propriété qu'ils en arrivent pratiquement à le lui enlever.

Les pouvoirs de l'État

54. Que les hommes, en cette matière, aient à tenir compte non seulement de leur avantage personnel, mais de l'intérêt de la communauté, cela résulte assurément du double aspect, individuel et social, que nous avons reconnu à la propriété. À ceux qui gouvernent la société il appartient, quand la nécessité le réclame et que la loi naturelle ne le fait pas, de définir plus en détail cette obligation. L'autorité publique peut donc, s'inspirant des véritables nécessités du bien commun, déterminer, à la lumière de la loi naturelle et divine, l'usage que les propriétaires

---

28. Encycl. *Rerum novarum*, n° 19.
29. Encycl. *Rerum novarum*, n° 19.

pourront ou ne pourront pas faire de leurs biens. Bien plus, Léon XIII enseignait très sagement que «Dieu... a voulu abandonner la délimitation des propriétés à l'industrie humaine et aux institutions des peuples[30]». Pas plus, en effet, qu'aucune autre institution de la vie sociale, le régime de la propriété n'est absolument immuable, et l'histoire en témoigne, ainsi que Nous l'avons Nous-même observé en une autre circonstance: «Combien de formes diverses la propriété a revêtues, depuis la forme primitive que lui ont donnée les peuples sauvages et qui de nos jours encore s'observe en certaines régions, en passant par celles qui ont prévalu à l'époque patriarcale, par celles qu'ont connues les divers régimes tyranniques (nous donnons ici au mot sa signification classique), par les formes féodales, monarchiques, pour en venir enfin aux réalisations si variées de l'époque moderne[31]» Il est clair cependant que l'autorité publique n'a pas le droit de s'acquitter arbitrairement de cette fonction. Toujours, en effet, doivent rester intacts le droit naturel de propriété et celui de léguer ses biens par voie d'hérédité; ce sont là des droits que cette autorité ne peut abolir, car l'homme est antérieur à l'État[32]. et «la société domestique a sur la société civile une priorité logique et une priorité réelle[33]». Voilà aussi pourquoi Léon XIII déclarait que l'État n'a pas le droit d'épuiser la propriété privée par un excès de charges et d'impôts: «Ce n'est pas des lois humaines, mais de la nature qu'émane le droit de propriété individuelle; l'autorité publique ne peut donc l'abolir; tout ce qu'elle peut, c'est en tempérer l'usage et le concilier avec le bien commun[34]» Lorsqu'elle concilie ainsi le droit de propriété avec les exigences de l'intérêt général, l'autorité publique, loin de se montrer l'ennemie de ceux qui possèdent, leur rend un bienveillant service; ce faisant, elle empêche, en effet, la propriété privée que, dans sa Providence, le Créateur a instituée pour l'utilité de la vie humaine, d'entraîner des maux intoléra-

30. Encycl. *Rerum Novarum* n° 7.
31. Allocution au Comité de l'Action Catholique Italienne, 16 mai 1926.
32. Encycl. *Rerum novarum*, n° 6.
33. Encycl. *Rerum novarum*, n° 10.
34. Encycl. *Rerum novarum*, n° 35.

bles et de préparer ainsi sa propre disparition. Loin d'opprimer la propriété, elle la défend; loin de l'affaiblir, elle lui donne une nouvelle vigueur.

Les obligations touchant les revenus disponibles

55. L'homme n'est pas non plus autorisé à disposer au gré de son caprice de ses revenus disponibles, c'est-à-dire des revenus qui ne sont pas indispensables à l'entretien d'une existence convenable et digne de son rang. Bien au contraire, un très grave précepte enjoint aux riches de pratiquer l'aumône et d'exercer la bienfaisance et la magnificence, ainsi qu'il ressort du témoignage constant et explicite de la Sainte Écriture et des Pères de l'Église.

56. Des principes posés par le Docteur Angélique, nous déduisons sans peine que celui qui consacre les ressources plus larges dont il dispose à développer une industrie, source abondante de travail rémunérateur, pourvu toutefois que ce travail soit employé à produire des biens réellement utiles, pratique d'une manière remarquable et particulièrement appropriée aux besoins de notre temps, l'exercice de la vertu de magnificence[35].

Les titres qui justifient l'acquisition de la propriété

57. La tradition universelle, non moins que les enseignements de notre Prédécesseur, font de l'occupation d'un bien sans maître et du travail qui transforme une matière, les titres originaires de la propriété. De fait, contrairement à certaines opinions, il n'y a aucune injustice à occuper un bien vacant qui n'appartient à personne. D'un autre côté le travail que l'homme exécute en son propre nom et par lequel il confère à un objet une forme nouvelle ou un accroissement de valeur, est le seul qui lui donne un droit sur le produit.

Capital et travail

58. Tout autre est le cas du travail loué à autrui et appliqué à la chose d'autrui. C'est à lui tout particulièrement que convient

---

35. Saint Thomas, *S. Th.*, II-II, q. 134.

l'affirmation de Léon XIII quand il regardait comme «incontestable»: «que le travail manuel est la source unique d'où provient la richesse des nations[36]». Ne constatons-nous pas, en effet, que ces biens immenses qui constituent la richesse des hommes sortent des mains des travailleurs, soit qu'elles fournissent seules tout le labeur, soit qu'elles s'aident d'instruments et de machines qui intensifient singulièrement l'efficacité de leur effort? Personne n'ignore qu'aucune nation n'est jamais sortie de l'indigence et de la pauvreté pour atteindre à un degré plus élevé de prospérité, sinon par l'effort intense et combiné de tous ses membres, tant de ceux qui dirigent le travail que de ceux qui exécutent leurs ordres. Mais il n'est pas moins certain que tout cet effort fût resté stérile, qu'il n'eût même pu être tenté, si le Créateur de toutes choses n'avait pas d'abord, dans sa bonté, fourni les ressources de la nature, ses trésors et ses forces. Du reste, travailler n'est pas autre chose qu'appliquer les énergies de l'esprit et du corps aux biens de la nature ou se servir de ces derniers comme d'autant d'instruments appropriés. Or, la loi naturelle, c'est-à-dire la volonté divine manifestée par elle, exige que les ressources de la nature soient mises au service des besoins humains d'une manière parfaitement ordonnée, ce qui n'est possible que si l'on reconnaît à chaque chose un maître. D'où il résulte que, hors le cas où quelqu'un appliquerait son effort à un objet qui lui appartient, le travail de l'un et le capital de l'autre doivent s'associer entre eux, puisque l'un ne peut rien sans le concours de l'autre. Ainsi l'entendait bien Léon XIII quand il écrivait: «Il ne peut y avoir de capital sans travail ni de travail sans capital[37].»

59. Il serait donc radicalement faux de voir soit dans le seul capital, soit dans le seul travail, la cause unique de tout ce que produit leur effort combiné; c'est bien injustement que l'une des parties, contestant à l'autre toute efficacité, en revendiquerait pour soi tout le fruit.

---

36. Encycl. *Rerum novarum*, n° 27.
37. Encycl. *Rerum novarum*, n° 15.

Prétentions injustifiées du capital

60. Certes le capital a longtemps réussi à s'arroger des avantages excessifs. Il réclamait pour lui la totalité du produit et du bénéfice, laissant à peine à la classe des travailleurs de quoi refaire ses forces et se perpétuer. Une loi économique inéluctable, assurait-on, voulait que tout le capital s'accumulât entre les mains des riches; la même loi condamnait les ouvriers à traîner la plus précaire des existences dans un perpétuel dénuement. La réalité, il est vrai, n'a pas toujours et partout exactement répondu à ces postulats du libéralisme manchestérien; on ne peut toutefois nier que le régime économique et social n'ait incliné d'un mouvement constant dans le sens qu'ils préconisaient. Aussi, personne ne s'étonnera de la vive opposition que ces fausses maximes et ces postulats trompeurs ont rencontrée, même ailleurs que parmi ceux auxquels ils contestaient le droit naturel de s'élever à une plus satisfaisante condition de fortune.

Prétentions injustifiées des travailleurs

61. Aussi bien, aux ouvriers victimes de ces pratiques sont venus se joindre des intellectuels qui, à leur tour, dressent à l'encontre de cette prétendue loi un principe moral qui n'est pas mieux fondé: tout le produit et tout le revenu, déduction faite de ce qu'exigent l'amortissement et la reconstitution du capital, appartiennent de plein droit aux travailleurs. Cette erreur est certes moins apparente que celle de certains socialistes qui prétendent attribuer à l'État ou, comme ils disent, socialiser tous les moyens de production; elle n'en est que plus dangereuse et plus apte à surprendre la foi trop confiante des esprits mal avertis. C'est un séduisant poison; beaucoup se sont empressés de l'absorber que n'eût jamais réussi à égarer un socialisme franchement avoué.

Principe d'une juste répartition

62. Pour empêcher que ces fausses doctrines ne fermassent à jamais les voies de la justice et de la paix, des deux côtés on avait besoin des très sages avertissements de notre Prédécesseur: «Quoique divisée en propriétés privées la terre ne laisse pas de

servir à la ommune utilité de tous[38].» Nous venons Nous-même de rappeler ce principe: C'est pour que les choses créées puissent procurer cette utilité aux hommes d'une manière sûre et bien ordonnée que la nature a elle-même institué le partage des biens par le moyen de la propriété privée. Il importe de ne jamais perdre de vue ce principe, sous peine de s'égarer.

63. Or, ce n'est pas n'importe quel partage des biens et des richesses qui réalisera, aussi parfaitement du moins que le permettent les conditions humaines, l'exécution du plan divin. Les ressources que ne cessent d'accumuler les progrès de l'économie sociale doivent donc être réparties de telle manière entre les individus et les diverses classes de la société que soit procurée cette utilité commune dont parle Léon XIII, ou, pour exprimer autrement la même pensée, que soit respecté le bien commun de la société tout entière. La justice sociale ne tolère pas qu'une classe empêche l'autre de participer à ces avantages. Elles pèchent donc toutes deux également contre cette sainte loi, — et la classe des riches quand, dégagée par sa fortune de toute sollicitude, elle estime parfaitement régulier et naturel un état de choses qui lui procure tous les avantages sans rien laisser à l'ouvrier; — et la classe des prolétaires, quand, exaspérée par une situation qui blesse la justice et trop exclusivement soucieuse de revendiquer les droits dont elle a pris conscience, elle réclame pour soi la totalité du produit qu'elle déclare sorti tout entier de ses mains; quand elle prétend condamner et abolir, sans autre motif que leur nature même, toute propriété et tout revenu qui ne sont pas le fruit du travail, quelles que soient par ailleurs leur nature et la fonction qu'ils remplissent dans la société humaine. Observons à cet égard combien c'est hors de propos et sans fondement que certains en appellent ici au témoignage de l'Apôtre: «Si quelqu'un ne veut pas travailler, il ne doit pas manger non plus[39].» L'Apôtre, en effet, condamne par ces paroles ceux qui se dérobent au travail qu'ils peuvent et doivent fournir; il nous presse de mettre soigneusement à profit notre temps et nos forces d'esprit et de corps, et de ne pas nous

38. Encycl. *Rerum novarum*, n° 7.
39. Cf. *II Thess.*, III, 10.

rendre à charge à autrui alors qu'il nous est loisible de pourvoir nous-mêmes à nos propres nécessités. En aucune manière il ne présente ici le travail comme l'unique titre à recevoir notre subsistance[40].

64. Il importe donc d'attribuer à chacun ce qui lui revient et de ramener aux exigences du bien commun ou aux normes de la justice sociale la distribution des ressources de ce monde, dont le flagrant contraste entre une poignée de riches et une multitude d'indigents atteste de nos jours, aux yeux de l'homme de cœur, les graves dérèglements.

Le relèvement du prolétariat

65. Tel est, en effet, le but que Notre Prédécesseur faisait un devoir de poursuivre: travailler au relèvement du prolétariat. Il convient d'urger d'autant plus cette obligation et d'y appuyer avec une plus pressante insistance, que l'on a trop souvent négligé sur ce point les directives de Notre Prédécesseur, soit qu'on les passât intentionnellement sous silence, soit qu'on jugeât la tâche irréalisable, alors cependant qu'elle peut être accomplie et qu'il n'est pas permis de s'y soustraire.

66. L'atténuation du paupérisme qui, au temps de Léon XIII, s'étalait encore dans toute son horreur, n'a cependant rien enlevé à la valeur et à l'opportunité de ces instructions. Sans aucun doute, la condition des ouvriers s'est sensiblement améliorée et ils jouissent à bien des égards d'un sort plus tolérable; il en est ainsi surtout dans les pays les plus prospères et plus policés, où les ouvriers ne pourraient indistinctement passer tous pour accablés de misère et voués à une extrême indigence. Par ailleurs toutefois, à mesure que l'industrie et la technique moderne envahissaient rapidement pour s'y installer et les pays neufs et les antiques civilisations de l'Extrême-Orient, on voyait s'accroître aussi l'immense multitude des prolétaires indigents dont la détresse crie vers le ciel. À quoi s'ajoute encore la puissante armée des salariés ruraux réduits aux plus étroites conditions d'existence et privés «de toute perspective d'une

---

40. Cf. *II Thess.*, III, 8-10.

participation à la propriété du sol»[41] et qui, s'il n'y est pourvu de façon efficace et appropriée, resteront à jamais confinés dans les rangs du prolétariat.

67. Le prolétariat et le paupérisme sont, à coup sûr, deux choses bien distinctes. Il n'en reste pas moins vrai que l'existence d'une immense multitude de prolétaires d'une part, et d'un petit nombre de riches pourvus d'énormes ressources d'autre part, atteste à l'évidence que les richesses créées en si grande abondance à notre époque d'industrialisme, sont mal réparties et ne sont pas appliquées comme il conviendrait aux besoins des différentes classes.

Le relèvement d'un prolétariat par l'accession à la propriété.

68. Il faut donc tout mettre en œuvre afin que, dans l'avenir du moins, la part des biens qui s'accumule aux mains des capitalistes soit réduite à une plus équitable mesure et qu'il s'en répande une suffisante abondance parmi les ouvriers, non certes pour que ceux-ci relâchent leur labeur — l'homme est fait pour travailler comme l'oiseau pour voler, — mais pour qu'ils accroissent par l'épargne un patrimoine qui, sagement administré, les mettra à même de faire face plus aisément et plus sûrement à leurs charges de famille. Ainsi ils se délivreront de la vie d'incertitude qui est le sort du prolétariat, ils seront armés contre les surprises du sort et ils emporteront, en quittant ce monde, la confiance d'avoir pourvu en une certaine mesure aux besoins de ceux qui leur survivent ici-bas.

69. Tout cela, Notre Prédécesseur l'a non seulement insinué, mais proclamé en termes clairs et explicites; Nous-même, Nous le répétons en cette Lettre avec une nouvelle insistance. Qu'on en soit bien convaincu, si l'on ne se décide enfin, chacun pour sa part, à le mettre sans délai à exécution, on n'arrivera pas à défendre efficacement l'ordre public, la paix et la tranquillité de la société contre l'assaut des forces révolutionnaires.

Le juste salaire

70. Cette exécution n'est possible toutefois que si les prolétaires sont mis en état de se constituer, par leur industrie et leur

---

41. Encycl. *Rerum novarum*, n° 35.

épargne, un modeste avoir, ainsi que Nous l'avons répété après Notre Prédécesseur. Mais sur quoi, sinon sur leurs salaires, pourront-ils, à force d'économie, prélever quelques ressources, ceux qui doivent demander au seul travail la subsistance et tout ce qui est nécessaire à la vie? Venons-en donc à cette question du salaire que Léon XIII déclare d'une grande importance[42], expliquant ou développant, quand le besoin s'en fera sentir, son enseignement et ses directives.

71. Commençons par relever la profonde erreur de ceux qui déclarent essentiellement injuste le contrat de louage de travail et prétendent qu'il faut lui substituer un contrat de société; ce disant, ils font, en effet, gravement injure à Notre Prédécesseur, car l'Encyclique *Rerum novarum* non seulement admet la légitimité du salariat, mais s'attache longuement à le régler selon les normes de la justice.

72. Nous estimons cependant plus approprié aux conditions présentes de la vie sociale de tempérer quelque peu, dans la mesure du possible, le contrat de travail par des éléments empruntés au contrat de société.C'est ce que l'on a déjà commencé à faire sous des formes variées, non sans profit sensible pour les travailleurs, et pour les possesseurs du capital. Ainsi les ouvriers et employés ont été appelés à participer en quelque manière à la propriété de l'entreprise, à sa gestion ou aux profits qu'elle apporte.

73. Léon XIII avait déjà opportunément observé que la détermination du juste taux du salaire ne se déduit pas d'une seule, mais de plusieurs considérations: «Pour fixer la juste mesure du salaire, écrivait-il, il y a de nombreux points de vue à considérer[43].» Par là même, il condamnait la présomption de ceux qui soutiennent qu'on résout sans peine cette question très délicate à l'aide d'une formule ou d'une règle unique, d'ailleurs absolument fausse.

74. Ils se trompent, en effet, ceux qui adoptent sans hésiter l'opinion si courante selon laquelle la valeur du travail et de la

---

42. Encycl. *Rerum novarum*, n° 34.

43. Encycl. *Rerum novarum*, n° 17.

rémunération qui lui est due, équivaudrait exactement à celle des fruits qu'il procure, et qui en concluent que l'ouvrier est autorisé à revendiquer pour soi la totalité du produit de son labeur. Ce que Nous avons dit précédemment au sujet du capital et du travail suffit à prouver combien ce préjugé est mal fondé.

Caractère individuel et social du travail

75. Autant que la propriété, le travail, celui-là surtout qui se loue au service d'autrui, présente, à côté de son caractère personnel ou individuel, un aspect social qu'il convient de ne pas perdre de vue. La chose est claire: à moins, en effet, que la société ne soit constituée en un corps bien organisé, que l'ordre social et juridique ne protège l'exercice du travail, que les différentes professions, si étroitement solidaires, ne s'accordent et ne se complètent mutuellement, à moins surtout que l'intelligence, le capital et le travail ne s'unissent et ne se fondent en quelque sorte en un principe unique d'action, l'activité humaine est vouée à la stérilité. Il devient dès lors impossible d'estimer ce travail à sa juste valeur et de lui attribuer une exacte rémunération, si l'on néglige de prendre en considération son aspect à la fois individuel et social.

Trois points à considérer:

La subsistance de l'ouvrier et de sa famille

76. De ce double caractère que la nature a imprimé au travail humain, résultent des conséquences très importantes pour le régime du salaire et la détermination de son taux.

77. Et tout d'abord, on doit payer à l'ouvrier un salaire qui lui permette de pourvoir à sa subsistance et à celle des siens[44]. Assurément, les autres membres de la famille, chacun suivant ses forces, doivent contribuer à son entretien, ainsi qu'il en est, non seulement dans les familles d'agriculteurs, mais aussi chez un grand nombre d'artisans ou de petits commerçants. Mais il n'est aucunement permis d'abuser de l'âge des enfants ou de la

---

44. Cf. Encycl. *Casti connubii* du 31 décembre 1930.

faiblesse des femmes. C'est à la maison avant tout, ou dans les dépendances de la maison, et parmi les occupations domestiques, qu'est le travail des mères de famille. C'est donc par un abus néfaste, et qu'il faut à tout prix faire disparaître, que les mères de famille, à cause de la modicité du salaire paternel, sont contraintes de chercher hors de la maison une occupation rémunératrice, négligeant les devoirs tout particuliers qui leur incombent, — avant tout l'éducation des enfants.

78. On n'épargnera donc aucun effort en vue d'assurer aux pères de famille une rétribution suffisamment abondante pour faire face aux charges normales du ménage. Si l'état présent de la vie industrielle ne permet pas toujours de satisfaire à cette exigence, la justice sociale commande que l'on procède sans délai à des réformes qui garantiront à l'ouvrier adulte un salaire répondant à ces conditions. À cet égard, il convient de rendre un juste hommage à l'initiative de ceux qui, dans un très sage et très utile dessein, ont imaginé des formules diverses destinées soit à proportionner la rémunération aux charges familiales, de telle manière que l'accroissement de celles-ci s'accompagne d'un relèvement parallèle du salaire, soit à pourvoir, le cas échéant, à des nécessités extraordinaires.

La situation de l'entreprise

79. Dans la détermination des salaires, on tiendra également compte des besoins de l'entreprise et de ceux qui l'assument. Il serait injuste d'exiger d'eux des salaires exagérés, qu'ils ne pourraient supporter sans courir à la ruine et entraîner les travailleurs avec eux dans le désastre. Assurément, si par son indolence, sa négligence, ou parce qu'elle n'a pas un suffisant souci du progrès économique et technique, l'entreprise réalise de moindres profits, elle ne peut se prévaloir de cette circonstance comme d'une raison légitime pour réduire le salaire des ouvriers. Mais si, d'autre part, les ressources lui manquent pour allouer à ses employés une équitable rémunération, soit qu'elle succombe elle-même sous le fardeau de charges injustifiées, soit qu'elle doive écouler ses produits à des prix injustement déprimés, ceux qui la réduisent à cette extrémité se rendent coupables d'une criante iniquité, car c'est par leur faute que les

ouvriers sont privés de la rémunération qui leur est due, lorsque, sous l'empire de la nécessité, ils acceptent des salaires
inférieurs à ce qu'ils étaient en droit de réclamer.

80. Que tous donc, les ouvriers comme les patrons, s'appliquent, en parfaite union d'efforts et de vues, à triompher de
toutes les difficultés et à surmonter tous les obstacles; que les
pouvoirs publics ne leur ménagent pas, à cette fin salutaire,
l'assistance d'une politique avisée! Que si l'on ne réussit pas
néanmoins à conjurer la crise, la question se posera de savoir
s'il convient de maintenir l'entreprise ou s'il faut pourvoir de
quelque autre manière à l'intérêt de la main-d'œuvre. En cette
occurrence, certainement très grave, il est nécessaire surtout
que règnent entre les dirigeants et les employés une étroite
union et une chrétienne entente des cœurs, qui se traduisent en
d'efficaces efforts.

Les exigences du bien commun

81. On s'inspirera enfin, dans la fixation du taux des salaires, des nécessités de l'économie générale. Nous avons dit
plus haut combien il importe à l'intérêt commun que les travailleurs et employés puissent, une fois couvertes les dépenses
indispensables, mettre en réserve une partie de leurs salaires
afin de se constituer ainsi une modeste fortune. Mais il est un
autre aspect de la question, à peine moins important, qu'on ne
peut, de nos jours moins que jamais, passer sous silence. Nous
voulons parler de la nécessité d'offrir à ceux qui peuvent et
veulent travailler la possibilité d'employer leurs forces. Or, cette
possibilité dépend, dans une large mesure, du taux des salaires,
qui multiplie les occasions du travail tant qu'il reste contenu
dans de raisonnables limites, et les réduit au contraire dès qu'il
s'en écarte. Nul n'ignore, en effet, qu'un niveau ou trop bas ou
exagérément élevé des salaires engendre également le chômage.
Ce mal, qui sévit tout particulièrement sous notre Pontificat et
afflige un très grand nombre de travailleurs, les plonge dans la
misère et les expose à mille tentations; il consume la prospérité
des nations et compromet, par tout l'univers, l'ordre public, la
paix et la tranquillité. À comprimer ou hausser indûment les
salaires, dans des vues d'intérêt personnel qui ne tiendraient

nul compte de ce que réclame le bien général, on s'écarterait assurément de la justice sociale. Celui-ci demande au contraire que tous les efforts et toutes les volontés conspirent à réaliser, autant qu'il se peut faire, une politique des salaires qui offre au plus grand nombre possible de travailleurs le moyen de louer leurs services et de se procurer ainsi tous les éléments d'une honnête subsistance.

82. Au même résultat contribuera encore un raisonnable rapport entre les différentes catégories de salaires et, ce qui s'y rattache étroitement, un raisonnable rapport entre les prix auxquels se vendent les produits des diverses branches de l'activité économique, telles que l'agriculture, l'industrie, d'autres encore. Où cette harmonieuse proportion se réalisera, ces différentes activités s'uniront et se combineront en un seul organisme et, comme les parties du corps, se prêteront un mutuel et bienfaisant concours. L'organisme économique et social sera sainement constitué et atteindra sa fin, alors seulement qu'il procurera à tous et à chacun de ses membres tous les biens que les ressources de la nature et de l'industrie, ainsi que l'organisation vraiment sociale de la vie économique, ont le moyen de leur procurer. Ces biens doivent être assez abondants pour satisfaire aux besoins d'une honnête subsistance et pour élever les hommes à ce degré d'aisance et de culture qui, pourvu qu'on en use sagement, ne met pas obstacle à la vertu, mais en facilite au contraire singulièrement l'exercice[45].

La restauration de l'ordre social

83. Ce que nous avons dit jusqu'à présent de l'équitable répartition des biens et du juste salaire regarde surtout les individus et ne touche qu'indirectement cet ordre social que Léon XII, Notre Prédécesseur, s'est appliqué avec tant de sollicitude à restaurer selon les principes de la saine philosophie et à organiser plus parfaitement suivant les sublimes préceptes de la loi évangélique.

---

45. Cf. Saint Thomas, *De regimine principum*, I, 15. — Encycl. *Rerum novarum*, n° 27.

84. Toutefois, pour affirmer ce qu'il a lui-même si heureusement commencé, pour mener à bien la tâche qui reste à accomplir et pour en faire retirer à la famille humaine de plus amples et de plus heureux fruits, deux choses surtout sont nécessaires: la réforme des institutions et la réforme des mœurs.

85. Parlant de la réforme des institutions, c'est tout naturellement l'État qui vient à l'esprit. Non certes qu'il faille fonder sur son intervention tout espoir de salut! Mais, depuis que l'individualisme a réussi à briser, à étouffer presque, cet intense mouvement de vie sociale qui s'épanouissait jadis en une riche et harmonieuse floraison de groupements les plus divers, il ne reste plus guère en présence que les individus et l'État. Cette déformation du régime social ne laisse pas de nuire sérieusement à l'État sur qui retombent, dès lors, toutes les fonctions que n'exercent plus les groupements disparus et qui se voit accablé sous une quantité à peu près infinie de charges et de responsabilités.

86. Il est vrai sans doute, et l'histoire en fournit d'abondants témoignages, que, par suite de l'évolution des conditions sociales, bien des choses que l'on demandait jadis à des associations de moindre envergure ne peuvent plus désormais être accomplies que par de puissantes collectivités. Il n'en reste pas moins indiscutable qu'on ne saurait ni changer ni ébranler ce principe si grave de philosophie sociale: de même qu'on ne peut enlever aux particuliers, pour les transférer à la communauté, les attributions dont ils sont capables de s'acquitter de leur seule initiative et par leurs propres moyens, ainsi ce serait commettre une injustice, en même temps que troubler d'une manière très dommageable l'ordre social, que de retirer aux groupements d'ordre inférieur, pour les confier à une collectivité plus vaste et d'un rang plus élevé, les fonctions qu'ils sont en mesure de remplir eux-mêmes.

87. L'objet naturel de toute intervention en matière sociale est d'aider les membres du corps social, et non pas de les détruire ni de les absorber.

88. Que l'autorité publique abandonne donc aux groupements de rang inférieur le soin des affaires de moindre importance où se disperserait à l'excès son effort; elle pourra dès lors

assurer plus librement, plus puissamment, plus efficacement les fonctions qui n'appartiennent qu'à elle, parce qu'elle seule peut les remplir: diriger, surveiller, stimuler, contenir, selon que le comportent les circonstances ou l'exige la nécessité. Que les gouvernants en soient donc bien persuadés: plus parfaitement sera réalisé l'ordre hiérarchique des divers groupements selon ce principe de la fonction supplétive de toute collectivité, plus grandes seront l'autorité et la puissance sociale, plus heureux et plus prospère l'état des affaires publiques.

Collaboration des divers corps professionnels

89. L'objectif que doivent avant tout se proposer l'État de l'élite des citoyens, ce à quoi ils doivent appliquer tout d'abord leur effort, c'est de mettre un terme au conflit qui divise les classes et de provoquer et encourager une cordiale collaboration des professions.

90. La politique sociale mettra donc tous ses soins à reconstituer les corps professionnels. Jusqu'à présent, en effet, la société reste plongée dans un état violent, partant instable et chancelant, puisqu'elle se fonde sur des classes que des appétits contradictoires mettent en conflit et qui, de ce chef, inclinent trop facilement à la haine et à la guerre. En effet, bien que le travail, ainsi que l'exposait nettement Notre Prédécesseur dans son Encyclique[46], ne soit pas une simple marchandise, qu'il faille reconnaître en lui la dignité humaine de l'ouvrier et qu'on ne puisse pas l'échanger comme une denrée quelconque, de nos jours, sur le marché du travail, l'offre et la demande opposent les parties en deux classes, comme en deux camps; le débat qui s'ouvre transforme le marché en un champ clos où les deux armées se livrent un combat acharné. À ce grave désordre qui mène la société à la ruine, tout le monde le comprend, il est urgent de porter un prompt remède. Mais on ne saurait arriver à une guérison parfaite que si à ces classes opposées on substitue des organes bien constitués, des «ordres» ou des «professions» qui groupent les hommes non pas d'après la position

---

46. Encycl. *Rerum novarum*, n° 16.

qu'ils occupent sur le marché du travail, mais d'après les différentes branches de l'activité sociale auxquelles ils se rattachent.
De même, en effet, que ceux que rapprochent des relations de
voisinage en viennent à constituer des cités, ainsi la nature
incline les membres d'un même métier ou d'une même profession, quelle qu'elle soit, à créer des groupements corporatifs, si
bien que beaucoup considèrent de tels groupements comme des
organes sinon essentiels, du moins naturels dans la société.

91. L'ordre résultant, comme l'explique si bien saint Thomas[47], de l'unité d'objets divers harmonieusement disposés, le
corps social ne sera vraiment ordonné que si une véritable unité
relie solidement entre eux tous les membres qui le constituent.
Or, ce principe d'union se trouve, — et pour chaque profession,
dans la production des biens ou la prestation des services que
vise l'activité combinée des patrons et des ouvriers qui la constituent, — et pour l'ensemble des professions, dans le bien commun auquel elles doivent toutes, et chacune pour sa part, tendre
par la coordination de leurs efforts. Cette union sera d'autant
plus forte et plus efficace que les individus et les professions
elles-mêmes s'appliqueront plus fidèlement à exercer leur spé-
cialité et à y exceller.

92. De ce qui précède, on conclura sans peine qu'au sein de
ces groupements corporatifs la primauté appartient incontestablement aux intérêts communs de la profession; entre tous le
plus important est de veiller à ce que l'activité collective s'o-
riente toujours vers le bien commun de la société. Pour ce qui
est des questions dans lesquelles les intérêts particuliers, soit
des employeurs, soit des employés, sont en jeu de façon spéciale
au point que l'une des parties doive prévenir les abus que
l'autre ferait de sa supériorité, chacune des deux pourra délibé-
rer séparément sur ces objets et prendre les décisions que comporte la matière.

93. Il est à peine besoin de le rappeler ici, ce que Léon XIII
a enseigné au sujet des formes de gouvernement vaut également, toute proportion gardée, pour les groupements corpora-

---

47. Saint Thomas, *Contra Gent.*, I, III, 71; *Summ. Theol.*, I, q. 65, art. 2; i.c.

tifs des diverses professions, et doit leur être appliqué: les hommes sont libres d'adopter telle forme d'organisation qu'ils préfèrent, pourvu seulement qu'il soit tenu compte des exigences de la justice et du bien commun[48].

94. Mais, comme les habitants d'une cité ont coutume de créer aux fins les plus diverses des associations auxquelles il est loisible à chacun de donner ou de refuser son nom, ainsi les personnes qui exercent la même profession gardent la faculté de s'associer librement en vue de certains objets qui, d'une manière quelconque, se rapportent à cette profession. Comme ces libres associations ont été clairement et exactement décrites par notre illustre Prédécesseur, il suffira d'insister sur un point: l'homme est libre, non seulement de créer de pareilles sociétés d'ordre et de droit privé, mais encore de leur «donner les statuts et règlements qui paraissent les plus appropriés au but poursuivi[49]».

La même faculté doit être reconnue pour les associations dont l'objet déborde le cadre propre des diverses professions. Puissent les libres associations qui fleurissent déjà et portent de si heureux fruits, se donner pour tâche, en pleine conformité avec les principes de la philosophie sociale chrétienne, de frayer la voie à ces organismes meilleurs, à ces groupements corporatifs dont nous avons parlé, et d'arriver, chacune dans la mesure de ses moyens, à en procurer la réalisation.

Restauration d'un principe directeur de la vie économique

95. Une autre chose encore reste à faire, qui se rattache étroitement à tout ce qui précède. De même qu'on ne saurait fonder l'unité du corps social sur l'opposition des classes, ainsi on ne peut attendre du libre jeu de la concurrence l'avènement d'un régime économique bien ordonné. C'est en effet de cette illusion, comme d'une source contaminée, que sont sorties toutes les erreurs de la science économique individualiste. Cette science, supprimant par oubli ou ignorance le caractère social

---

48. Cf. Encycl. *Immortale Dei* du 1er novembre 1885.
49. Cf. Encycl. *Rerum novarum*, n° 42.

et moral de la vie économique, pensait que les pouvoirs publics doivent abandonner celle-ci, affranchie de toute contrainte, à ses propres réactions, la liberté du marché et de la concurrence lui fournissant un principe directif plus sûr que l'intervention de n'importe quelle intelligence créée. Sans doute, contenue dans de justes limites, la concurrence est chose légitime et utile; jamais pourtant elle ne saurait servir de norme régulatrice à la vie économique. Les faits l'ont surabondamment prouvé, depuis qu'on a mis en pratique les postulats d'un néfaste individualisme. Il est donc absolument nécessaire de replacer la vie économique sous la loi d'un principe directeur juste et efficace. La dictature économique qui a succédé aujourd'hui à la libre concurrence ne saurait assurément remplir cette fonction; elle le peut d'autant moins que, immodérée et violente de sa nature, elle a besoin, pour se rendre utile aux hommes, d'un frein énergique et d'une sage direction, qu'elle ne trouve pas en elle-même. C'est donc à des principes supérieurs et plus nobles qu'il faut demander de gouverner avec une sévère intégrité ces puissances économiques, c'est-à-dire à la justice et à la charité sociales. Cette justice doit donc pénétrer complètement les institutions mêmes et la vie tout entière des peuples; son efficacité vraiment opérante doit surtout se manifester par la création d'un ordre juridique et social qui informe en quelque sorte toute la vie économique. Quant à la charité sociale, elle doit être l'âme de cet ordre que les pouvoirs publics doivent s'employer à protéger et à défendre efficacement; tâche dont ils s'acquitteront plus facilement, s'ils veulent bien se libérer des attributions qui, nous l'avons déjà dit, ne sont pas de leur domaine propre.

96. Il convient aussi que les diverses nations, si étroitement solidaires et interdépendantes dans l'ordre économique, mettent en commun leurs réflexions et leurs efforts pour hâter, à la faveur d'engagements et d'institutions sagement conçus, l'avènement d'une bienfaisante et heureuse collaboration économique internationale.

97. Si donc l'on reconstitue, comme il a été dit, les diverses parties de l'organisme social, si l'on restitue à l'activité économique son principe régulateur, alors se vérifiera en quelque manière du corps social ce que l'Apôtre disait du corps mysti-

que du Christ: «Tout le corps, coordonné et uni par les liens des membres qui se prêtent un mutuel secours et dont chacun opère selon sa mesure d'activité, grandit et se perfectionne dans la charité[50].»

98. Récemment, ainsi que nul ne l'ignore, a été inaugurée une organisation syndicale et corporative d'un genre particulier. L'objet même de notre Encyclique nous fait un devoir de la mentionner et de lui consacrer quelques réflexions opportunes.

99. L'État accorde au syndicat une reconnaissance légale qui n'est pas sans conférer à ce dernier un caractère de monopole, en tant que seul le syndicat reconnu peut représenter respectivement les ouvriers et les patrons, que seul il est autorisé à conclure les contrats ou conventions collectives de travail. L'affiliation au syndicat est facultative, et c'est dans ce sens seulement que l'on peut qualifier de libre cette organisation syndicale, vu que la cotisation syndicale et d'autres contributions spéciales sont obligatoires pour tous ceux qui appartiennent à une catégorie déterminée, ouvriers aussi bien que patrons, comme sont aussi obligatoires les conventions collectives de travail conclues par le syndicat légal. Il est vrai qu'il a été officiellement déclaré que le syndicat légal n'exclut pas l'existence d'associations professionnelles de fait.

100. Les corporations sont constituées par les représentants des syndicats ouvriers et patronaux d'une même profession ou d'un même métier et, ainsi que de vrais et propres organes ou institutions d'État, dirigent et coordonnent l'activité des syndicats dans toutes les matières d'intérêt commun.

101. Grève et lock-out sont interdits; si les parties ne peuvent se mettre d'accord, c'est l'autorité qui intervient.

102. Pas n'est besoin de beaucoup de réflexion pour découvrir les avantages de l'institution, si sommairement que Nous l'ayons décrite: collaboration pacifique des classes, éviction de l'action et des organisations socialistes, influence modératrice d'une magistrature spéciale.

---

50. *Eph.*, IV, 16.

103. Mais pour ne rien omettre en une matière si importante, tenant compte des principes généraux ci-dessus invoqués et de ce que Nous ajouterons à l'instant, Nous devons dire cependant qu'à Notre connaissance il ne manque pas de personnes qui redoutent que l'État ne se substitue à l'initiative privée, au lieu de se limiter à une aide ou à une assistance nécessaire et suffisante. On craint que la nouvelle organisation syndicale et corporative ne revête un caractère exagérément bureaucratique et politique, et que, nonobstant les avantages généraux déjà mentionnés, elle ne risque d'être mise au service de fins politiques particulières, plutôt que de contribuer à l'avènement d'un meilleur équilibre social.

104. Nous pensons que, pour atteindre ce dernier et très noble objectif et procurer par là le bien réel et durable de la collectivité, il est besoin, d'abord et par-dessus tout, de la bénédiction de Dieu et, ensuite, de la collaboration de toutes les bonnes volontés. Nous croyons, en outre, par une conséquence nécessaire, que cet objectif sera d'autant plus sûrement atteint, que plus large sera la contribution des compétences techniques, professionnelles et sociales et, plus encore, des principes catholiques et de leur pratique, de la part, non pas de l'Action catholique (qui n'entend pas déployer une activité strictement syndicale ou politique), mais de la part de ceux de Nos fils que l'Action catholique aura parfaitement pénétrés de ces principes et préparés à s'en faire les apôtres sous la conduite et le magistère de l'Église, de cette Église qui, même dans le domaine particulier dont Nous venons de parler, comme d'ailleurs partout où s'agitent et se règlent des questions morales, ne peut oublier ou négliger le mandat de garder et d'enseigner que Dieu lui a conféré.

105. Mais tout ce que Nous avons enseigné sur la restauration et l'achèvement de l'ordre social ne s'obtiendra jamais sans une réforme des mœurs. L'histoire nous en fournit un très convaincant témoignage. Il a existé, en effet, un ordre social qui, sans être de tous points parfait, répondait cependant, autant que le permettaient les circonstances et les exigences du temps, aux préceptes de la droite raison. Si cet ordre a depuis longtemps disparu, ce n'est certes pas qu'il n'ait pu évoluer et se

développer pour s'accommoder à ce que réclamaient des circonstances et des nécessités nouvelles. La faute en fut bien plutôt aux hommes, soit que leur égoïsme endurci ait refusé d'ouvrir, comme il eût fallu, les cadres de leur organisation à la multitude croissante qui demandait à y pénétrer, soit que, séduits par l'attrait d'une fausse liberté ou victimes d'autres erreurs, ils se soient montrés impatients de tout joug et aient voulu s'affranchir de toute autorité.

106. Il nous reste donc à faire comparaître le régime économique actuel et le socialisme, son accusateur acharné, à porter publiquement sur eux un jugement équitable, puis, ayant cherché la cause profonde de tant de maux, à indiquer le remède primordial et le plus indispensable, la réforme des mœurs.

III

PROFONDS CHANGEMENTS SURVENUS
DEPUIS LÉON XIII

Transformation du régime économique

107. De profonds changements ont été subis depuis Léon XIII par le régime économique aussi bien que par le socialisme.

108. Et d'abord, que les conditions économiques aient fortement changé, la chose est manifeste. Vous le savez, vénérables Frères et très chers Fils, Notre Prédécesseur, d'heureuse mémoire, a eu surtout en vue, en écrivant son Encyclique, le régime dans lequel les hommes contribuent d'ordinaire à l'activité économique, les uns par les capitaux, les autres par le travail, comme il le définissait dans une heureuse formule: «Il ne peut y avoir de capital sans travail, ni de travail sans capital[51].»

Le système capitaliste n'est pas intrinsèquement mauvais, mais il a été vicié

109. Ce régime, Léon XIII consacre tous efforts à l'organiser selon la justice: il est donc évident qu'il n'est pas à condamner en lui-même. Et de fait, ce n'est pas sa constitution qui est mauvaise; mais il y a violation de l'ordre quand le capital n'engage les ouvriers ou la classe des prolétaires qu'en vue d'exploiter à son gré et à son profit personnel l'industrie et le régime économique tout entier, sans tenir aucun compte ni de la dignité humaine des ouvriers, ni du caractère social de l'ac-

---

51. Encycl. *Rerum novarum*, n° 15.

tivité économique, ni même de la justice sociale et du bien commun.

110. Il est vrai que, même à l'heure présente, ce régime n'est pas partout en vigueur; il en est un autre qui gouverne encore une nombreuse et très importante fraction de l'humanité; c'est le cas par exemple de la profession agricole où un très grand nombre d'hommes trouvent leur subsistance, au prix d'un travail probe et honnête. Cet autre régime économique n'est pourtant pas exempt d'angoissantes difficultés, que Notre Prédécesseur signale en plusieurs endroits de sa Lettre et auxquelles Nous-même avons fait ci-dessus plus d'une allusion.

111. Mais, depuis la publication de l'Encyclique de Léon XIII, avec l'industrialisation progressive du monde, le régime capitaliste a, lui aussi, considérablement étendu son emprise, envahissant et pénétrant les conditions économiques et sociales de ceux-là même qui se trouvent en dehors de son domaine, y introduisant en même temps que ses avantages, ses inconvénients et ses défauts, et lui imprimant, pour ainsi dire, sa marque propre.

112. Ce n'est donc pas seulement pour le bien de ceux qui habitent les régions de capitalisme et d'industrie, mais pour celui du genre humain tout entier, que Nous allons examiner les changements survenus depuis Léon XIII dans le régime capitaliste.

La dictature économique a succédé à la libre concurrence

113. Ce qui à notre époque frappe tout d'abord le regard, ce n'est pas seulement la concentration des richesses, mais encore l'accumulation d'une énorme puissance, d'un pouvoir économique discrétionnaire, aux mains d'un petit nombre d'hommes qui d'ordinaire ne sont pas les propriétaires, mais les simples dépositaires et gérants du capital qu'ils administrent à leur gré.

114. Ce pouvoir est surtout considérable chez ceux qui, détenteurs et maîtres absolus de l'argent, gouvernent le crédit et le dispensent selon leur bon plaisir. Par là, ils distribuent en quelque sorte le sang à l'organisme économique dont ils tien-

nent la vie entre leurs mains si bien que sans leur consentement nul ne peut plus respirer.

115. Cette concentration du pouvoir et des ressources, qui est comme le trait distinctif de l'économie contemporaine, est le fruit naturel d'une concurrence dont la liberté ne connaît pas de limites; ceux-là seuls restent debout, qui sont les plus forts, ce qui souvent revient à dire, qui luttent avec le plus de violence, qui sont le moins gênés par les scrupules de conscience.

116. À son tour, cette accumulation de forces et de ressources amène à lutter pour s'emparer de la Puissance, et ceci de trois façons: on combat d'abord pour la maîtrise économique; on se dispute ensuite l'influence sur le pouvoir politique, dont on exploitera les ressources et la puissance dans la lutte économique; le conflit se porte enfin sur le terrain international, soit que les divers États mettent leurs forces et leur puissance politique au service des intérêts économiques de leurs ressortissants, soit qu'ils se prévalent de leurs forces et de leur puissance économiques pour trancher leurs différends politiques.

Funestes conséquences

117. Ce sont là les dernières conséquences de l'esprit individualiste dans la vie économique, conséquences que vous-mêmes, vénérables Frères et très chers Fils, connaissez parfaitement et déplorez: la libre concurrence s'est détruite elle-même; à la liberté du marché a succédé une dictature économique. L'appétit du gain a fait place à une ambition effrénée de dominer. Toute la vie économique est devenue horriblement dure, implacable, cruelle. À tout cela viennent s'ajouter les graves dommages qui résultent d'une fâcheuse confusion entre les fonctions et devoirs d'ordre politique et ceux d'ordre économique: telle, pour n'en citer qu'un d'une extrême importance, la déchéance du pouvoir: lui qui devrait gouverner de haut, comme souverain et suprême arbitre, en toute impartialité et dans le seul intérêt du bien commun et de la justice, il est tombé au rang d'esclave et devenu le docile instrument de toutes les passions et de toutes les ambitions de l'intérêt. Dans l'ordre des relations internationales, de la même source sortent deux courants divers: c'est, d'une part, le nationalisme ou même l'impé-

rialisme économique, de l'autre, non moins funeste et détesta-
ble, l'internationalisme ou impérialisme international de l'argent, pour lequel là où est l'avantage, là est la patrie.

Remèdes

118. Par quels remèdes il est possible d'obvier à un mal si
profond, Nous l'avons indiqué en exposant la doctrine dans la
seconde partie de cette Lettre; il Nous suffira dès lors de rappeler ici la substance de notre enseignement. Puisque le régime
économique moderne repose principalement sur le capital et le
travail, les principes de la droite raison ou de la philosophie
sociale chrétienne concernant ces deux éléments, ainsi que leur
collaboration, doivent être reconnus et mis en pratique. Pour
éviter l'écueil tant de l'individualisme que du socialisme, on
tiendra surtout un compte égal du double caractère, individuel
et social, que revêtent le capital ou propriété d'une part et le
travail de l'autre. Les rapports entre l'un et l'autre doivent être
réglés selon les lois d'une très exacte justice commutative avec
l'aide de la charité chrétienne. Il faut que la libre concurrence,
contenue dans de raisonnables et justes limites, et plus encore
la puissance économique, soient effectivement soumises à l'autorité publique, en tout ce qui relève de celle-ci. Enfin les institutions des divers peuples doivent conformer tout l'ensemble
des relations humaines aux exigences du bien commun, c'est-à-
dire aux règles de la justice sociale; d'où il résultera nécessairement que cette fonction si importante de la vie sociale qu'est
l'activité économique retrouvera, à son tour, la rectitude et
l'équilibre de l'ordre.

Transformation du socialisme

119. Non moins profonde que celle du régime économique est
la transformation subie depuis Léon XIII par le Socialisme, le
principal adversaire visé par Notre Prédécesseur. Alors, en
effet, le Socialisme pouvait être considéré comme sensiblement
un; il défendait des doctrines bien définies et formant un tout
organique; depuis, il s'est divisé en deux partis principaux, le
plus souvent opposés entre eux et même ennemis acharnés,

sans que toutefois ni l'un ni l'autre ait renoncé au fondement
anti-chrétien qui caractérisait le socialisme.

a) Le parti de la violence ou Communisme

120. Une partie, en effet, du socialisme a subi un changement semblable à celui que nous venons plus haut de faire
constater dans l'économie capitaliste, et a versé dans le Communisme: celui-ci a, dans son enseignement et son action, un
double objectif qu'il poursuit, non pas en secret et par des voies
détournées, mais ouvertement, au grand jour et par tous les
moyens, même les plus violents: une lutte des classes implacable et la disparition complète de la propriété privée. À la poursuite de ce but, il n'est rien qu'il n'ose, rien qu'il respecte; là où
il a pris le pouvoir, il se montre sauvage et inhumain à un degré
qu'on a peine à croire et qui tient du prodige, comme en témoignent les épouvantables massacres et les ruines qu'il a accumu-
lés dans d'immenses pays de l'Europe orientale et de l'Asie; à
quel point il est l'adversaire et l'ennemi déclaré de la sainte
Église et de Dieu lui-même, l'expérience, hélas ne l'a que trop,
bien trop prouvé, et tous le savent abondamment. Nous ne
jugeons assurément pas nécessaire d'avertir les fils bons et
fidèles de l'Église touchant la nature impie et injuste du Communisme; mais cependant nous ne pouvons voir sans une profonde douleur l'incurie de ceux qui, apparemment insouciants
de ce danger imminent et lâchement passifs, laissent se propager de toutes parts des doctrines qui, par la violence et le
meurtre, vont à la destruction de la société tout entière. Ceux-là
surtout méritent d'être condamnés pour leur inertie, qui négli-
gent de supprimer ou de changer des états de choses qui exas-
pèrent les esprits des masses et préparent ainsi la voie au
bouleversement et à la ruine de la société.

b) Le parti plus modéré, qui a gardé le nom de Socialisme

121. Plus modéré sans doute est l'autre parti, qui a conservé le nom de Socialisme: non seulement il repousse le recours à
la force, mais, sans rejeter complètement — d'ordinaire du
moins — la lutte des classes et la disparition de la propriété
privée, il y apporte certaines atténuations et certains tempéra-
ments.

122. On dirait que le Socialisme, effrayé par ses propres principes et par les conséquences qu'en tire le Communisme, se tourne vers les doctrines de la tradition chrétienne et, pour ainsi dire, se rapproche d'elles: on ne peut nier, en effet, que parfois ses revendications ressemblent étonnamment à ce que demandent ceux qui veulent réformer la société selon les principes chrétiens.

Il est moins intransigeant touchant la lutte des classes
et la suppression de la propriété

123. La lutte des classes, en effet, si elle renonce aux actes d'hostilité et à la haine mutuelle, se change peu à peu en une légitime discussion d'intérêts, fondée sur la recherche de la justice, et qui, si elle n'est pas cette heureuse paix sociale que nous désirons tous, peut cependant et doit être un point de départ pour arriver à une coopération mutuelle des professions. La guerre déclarée à la propriété privée se clame elle aussi de plus en plus et se restreint de telle sorte que, en définitive, ce n'est plus la propriété même des moyens de production qui est attaquée, mais une certaine prépotence sociale que cette propriété, contre tout droit, s'est arrogée et a usurpée. Et de fait, une telle puissance appartient en propre, non à celui qui simplement possède, mais à l'autorité publique. De la sorte, les choses peuvent en arriver insensiblement à ce que les idées de ce Socialisme mitigé ne diffèrent plus de ce que souhaitent et demandent ceux qui cherchent à réformer la société sur la base des principes chrétiens. Car il y a certaines catégories de biens pour lesquels on peut soutenir avec raison qu'ils doivent être réservés à la collectivité, lorsqu'ils en viennent à conférer une puissance économique telle qu'elle ne peut, sans danger pour le bien public, être laissée entre les mains des personnes privées.

124. Des demandes et des réclamations de ce genre sont justes et n'ont rien qui s'écarte de la vérité chrétienne; encore bien moins peut-on dire qu'elles appartiennent en propre au Socialisme. Ceux donc qui ne veulent pas autre chose, n'ont aucune raison pour s'inscrire parmi les socialistes.

125. Il ne faudrait cependant pas croire que les partis ou groupements socialistes qui ne sont pas communistes, en sont

tous, sans exception, revenus jusque-là, soit en fait, soit dans leurs programmes. En général, ils ne rejettent ni la lutte des classes, ni la suppression de la propriété; ils se contentent d'y apporter quelques atténuations.

Peut-on trouver un compromis avec lui?

126. Mais alors, si ces faux principes sont ainsi mitigés et en quelque sorte estompés, une question se pose, ou plutôt est soulevée à tort de divers côtés: ne pourrait-on peut-être pas apporter aussi aux principes de la vérité chrétienne quelque adoucissement, quelque tempérament, afin d'aller au-devant du Socialisme et de pouvoir se rencontrer avec lui sur une voie moyenne? Il y en a qui nourrissent le fol espoir de pouvoir ainsi attirer à nous les socialistes. Vaine attente cependant! Ceux qui veulent faire parmi les socialistes œuvre d'apôtres doivent professer les vérités du Christianisme dans leur plénitude et leur intégrité, ouvertement et sincèrement, sans aucune complaisance pour l'erreur. Qu'ils s'attachent avant tout, si vraiment ils veulent annoncer l'Évangile, à faire voir aux socialiste que leurs réclamations, dans ce qu'elles ont de juste, trouvent un appui bien plus fort dans les principes de la foi chrétienne, et une force de réalisation bien plus efficace dans la charité chrétienne.

127. Mais que dire, si, pour ce qui est de la lutte des classes et de la propriété privée, le Socialisme s'est véritablement atténué et corrigé au point que, sur ces deux questions, on n'ait plus rien à lui reprocher? S'est-il par là débarrassé instantanément de sa nature antichrétienne? Telle est la question devant laquelle beaucoup d'esprits restent hésitants. Nombreux sont les catholiques qui, voyant bien que les principes chrétiens ne peuvent être ni laissés de côté, ni supprimés, semblent tourner les regards vers le Saint-Siège et Nous demander avec instance de décider si ce socialisme est suffisamment revenu de ses fausses doctrines pour pouvoir, sans sacrifier aucun principe chrétien, être admis, et en quelque sorte baptisé. Voulant, dans Notre sollicitude paternelle, répondre à leur attente, Nous décidons ce qui suit: qu'on le considère soit comme doctrine, soit comme fait historique, soit comme «action», le socialisme, s'il demeure vraiment socialisme, même après avoir concédé à la vérité et à

la justice ce que Nous venons de dire, ne peut pas se concilier avec les principes de l'Église catholique: car sa conception de la société est on ne peut plus contraire à la vérité chrétienne.

Sa conception de la société et du caractère social de l'homme est très contraire à la vérité chrétienne

128. Selon la doctrine chrétienne, en effet, le but pour lequel l'homme, doué d'une nature sociale, se trouve placé sur cette terre, est que, vivant en société et sous une autorité émanée de Dieu[52], il cultive et développe pleinement toutes ses facultés à la louange et à la gloire de son Créateur, et que, remplissant fidèlement les devoirs de sa profession ou de sa vocation, quelle qu'elle soit, il assure son bonheur à la fois temporel et éternel. Le socialisme, au contraire, ignorant complètement cette sublime fin de l'homme et de la société, ou n'en tenant aucun compte, suppose que la communauté humaine n'a été constituée qu'en vue du seul bien-être.

129. En effet, de ce qu'une division appropriée du travail assure la production plus efficacement que des efforts individuels dispersés, les socialistes concluent que l'activité économique — dont les buts matériels retiennent seuls leur attention — doit de toute nécessité être menée socialement. Et de cette nécessité il suit, selon eux, que les hommes sont astreints, pour ce qui touche à la production, à se livrer et se soumettre totalement à la société. Bien plus, une telle importance est donnée à la possession de la plus grande quantité possible des objets pouvant procurer les avantages de cette vie, que les biens les plus élevés de l'homme, sans en excepter la liberté, seront subordonnés, et même sacrifiés, aux exigences de la production la plus rationnelle. Cette atteinte portée à la dignité humaine dans l'organisation «socialisée» de la production, sera largement compensée, assurent-ils, par l'abondance des biens qui, socialement produits, seront prodigués aux individus et que ceux-ci pourront, à leur gré, appliquer aux commodités et aux agréments de cette vie. La société donc, telle que la rêve le

---

52. Cf. *Rom.*, XIII, I.

Socialisme, d'un côté ne peut exister, ni même se concevoir, sans un emploi de la contrainte manifestement excessif, et de l'autre jouit d'une licence non moins fausse, puisqu'en elle disparaît toute vraie autorité sociale: celle-ci, en effet, ne peut se fonder sur les intérêts temporels et matériels, mais ne peut venir que de Dieu, Créateur et fin dernière de toutes choses[53].

Catholique et socialiste sont des termes contradictoires

130. Que si le socialisme, comme toutes les erreurs, contient une part de vérité (ce que d'ailleurs les Souverains Pontifes n'ont jamais nié), il n'en reste pas moins qu'il repose sur une théorie de la société qui lui est propre et qui est inconciliable avec le christianisme authentique. Socialisme religieux, socialisme chrétien, sont des contradictions: personne ne peut être en même temps bon catholique et vrai socialiste.

Le «socialisme éducateur»

131. Tout ce qui vient d'être rappelé par Nous et confirmé solennellement de Notre autorité, doit également s'appliquer à une forme nouvelle du socialisme, encore peu connue en vérité, mais qui actuellement se répand dans un très grand nombre de groupements socialistes. Il s'attache avant tout à mettre son empreinte sur les esprits et sur les mœurs; ce sont tout particulièrement les enfants que dès le jeune âge il attire à lui sous couleur d'amitié pour les entraîner à sa suite, mais il s'adresse aussi à la masse entière des hommes, pour arriver enfin à former l'homme «socialiste», qui puisse modeler la société selon ses principes.

132. Ayant, dans notre Encyclique *Divini illius Magistri*, longuement enseigné sur quels principes repose et quel but poursuit l'éducation chrétienne[54], nous pouvons ici nous dispenser de montrer, ce qui est clair et évident, combien l'action et les vues du «socialisme éducateur» vont à l'encontre de ces principes et de ce but. Mais ceux-là semblent ou ignorer ou

---

53. Cf. Encycl. *Diuturnum* du 29 juin 1881.
54. Encycl. *Divini illius Magistri* du 31 décembre 1929.

sous-estimer les terribles dangers que ce socialisme porte avec lui, qui ne se préoccupent en rien de leur opposer avec courage et zèle infatigable une résistance proportionnée à leur gravité. C'est notre devoir pastoral de les avertir du péril redoutable qui les menace: qu'ils se souviennent tous que ce socialisme éducateur a pour père le libéralisme, et pour héritier le bolchevisme.

Catholiques passés au socialisme

133. Cela étant, vénérables Frères, vous pouvez penser avec quelle douleur Nous voyons, dans certaines régions surtout, de Nos fils en grand nombre qui, gardant encore, Nous ne pouvons pas ne pas le croire, leur vraie foi et leur volonté droite, ont abandonné cependant le camp de l'Église pour passer dans les rangs du socialisme: les uns se réclamant ouvertement de son nom et professant ses doctrines, les autres entrant, par entraînement ou même comme malgré eux, dans des associations qui, ou explicitement ou en fait, sont socialistes.

134. Pour Nous, dans les anxiétés de Notre sollicitude paternelle, Nous Nous demandons et cherchons à comprendre comment il a pu se faire qu'ils en arrivent à une telle aberration, et il Nous semble entendre ce que beaucoup d'entre eux répondent pour s'excuser: l'Église et ceux qui font profession de lui être attachés sont pour les riches et ne s'occupent pas des ouvriers, ne font rien pour eux; force leur était, s'ils voulaient pourvoir à leurs intérêts, d'entrer dans les rangs du socialisme.

135. C'est une chose bien lamentable, vénérables Frères, qu'il y ait eu, qu'il y ait même hélas! encore des hommes qui, tout en se disant catholiques, se souviennent à peine de cette sublime loi de justice et de charité en vertu de laquelle il ne nous est pas seulement enjoint de rendre à chacun ce qui lui revient, mais encore de porter secours à nos frères indigents comme au Christ lui-même[55]; qui, chose plus grave, ne craignent pas d'opprimer les travailleurs par esprit de lucre. Bien plus, il en est qui abusent de la religion elle-même, cherchant à couvrir de son nom leurs injustes exactions, pour écarter les réclamations pleinement justifiées de leurs ouvriers. Nous ne cesserons jamais

---

55. Cf. *Jac.*, c. II.

de stigmatiser une pareille conduite; ce sont ces hommes qui sont cause que l'Église, sans l'avoir en rien mérité, a pu avoir l'air et s'est vu accuser de prendre le parti des riches et de n'avoir aucun sentiment de pitié pour les besoins et les peines de ceux qui se trouvent déshérités de leur part de bien-être en cette vie.

136. Apparence fausse et accusation calomnieuse, toute l'histoire et l'Église en fournit la preuve! L'Encyclique même, dont nous célébrons l'anniversaire, est le témoignage le plus éclatant de la souveraine injustice avec laquelle ces calomnies et ces injures sont prodiguées à l'Église et à sa doctrine.

Invitation à revenir

137. Mais tant s'en faut que, Nous laissant arrêter par l'injure qui Nous est faite ou abattre par notre douleur de père, Nous repoussions et rejetions ces malheureux enfants qui ont été trompés et entraînés si loin de la vérité et du salut: au contraire, avec toute l'ardeur, toute la sollicitude dont Nous sommes capables, Nous les invitons à rentrer dans le sein de l'Église. Puissent-ils écouter Notre voix! Puissent-ils revenir là d'où ils sont partis, dans la maison paternelle, et rester fermes là où est leur vraie place, dans les rangs de ceux qui, fidèles aux avertissements de Léon XIII, solennellement renouvelés par Nous, s'efforceront de restaurer la société selon l'esprit de l'Église, fortement unis par la justice sociale et la charité sociale. Qu'ils en soient bien persuadés, même sur cette terre, ils ne pourront trouver nulle part un bonheur plus complet qu'auprès de Celui qui, riche, s'est fait pauvre pour nous enrichir par sa pauvreté[56], qui a été indigent et voué au travail dès sa jeunesse, qui appelle à Lui tous ceux qui sont accablés par le travail et la peine, afin de les réconforter pleinement dans la charité de son Cœur[57], qui enfin, sans aucune acception de personne, demandera plus à qui aura reçu davantage[58] et rendra à chacun selon ses œuvres[59].

---

56. *II Cor.*, VIII, 9.
57. *Matth.*, XI, 28.
58. Cf. *Luc.*, XII, 48.
59. *Matth.*, XVI, 27.

La réforme des mœurs

138. Mais, à considérer les choses plus à fond, il apparaît avec évidence que cette restauration sociale tant désirée doit être précédée par une complète rénovation de cet esprit chrétien, qu'ont malheureusement trop souvent perdu ceux qui s'occupent des questions économiques; sinon, tous les efforts seraient vains, on construirait non sur le roc, mais sur un sable mouvant[60].

139. Et certes, le regard que Nous venons de jeter sur le régime économique moderne, vénérables Frères et très chers Fils, a montré qu'il souffrait de maux très profonds. Nous avons fait ensuite l'examen du communisme et du socialisme, et toutes leurs formes, même les plus mitigées, se sont révélées très éloignées de l'Évangile.

140. «C'est pourquoi, — pour employer les paroles mêmes de notre Prédécesseur, — si la société humaine doit être guérie, elle ne le sera que par le retour à la vie et aux institutions du christianisme[61].» Lui seul peut apporter un remède efficace à cette excessive préoccupation des choses périssables, origine de tous les vices. Lui seul, lorsque les hommes sont fascinés et complètement absorbés par les biens de ce monde qui passe, peut en détourner leurs regards et les élever vers le ciel. De ce remède, qui niera que la société ait aujourd'hui le plus grand besoin?

*Le plus grand désordre du présent régime économique:
la ruine des âmes*

141. La plupart des hommes, en effet, sont presque exclusivement frappés par les bouleversements temporels, les désastres et les calamités terrestres. Mais à regarder ces choses comme il convient, du point de vue chrétien, qu'est-ce que tout cela comparé à la ruine des âmes? Car il est exact de dire que telles sont, actuellement, les conditions de la vie économique et sociale, qu'un nombre très considérable d'hommes y trouvent les

---

60. *Matth.*, VII, 24 ss.
61. Encycl. *Rerum novarum*, n° 22.

plus grandes difficultés pour opérer l'œuvre, seule nécessaire, de leur salut éternel.

142. Constitué Pasteur et gardien de ces innombrables brebis par le premier Pasteur qui les a rachetées de son sang. Nous ne pouvons sans une poignante émotion arrêter Nos regards sur leur immense détresse. C'est pourquoi, Nous souvenant de notre charge pastorale, Nous ne cessons, avec une paternelle sollicitude, de chercher les moyens de leur venir en aide, recourant aussi aux efforts infatigables de ceux qu'y invite un devoir de justice et de charité. À quoi servira d'ailleurs aux hommes de gagner tout l'univers par une plus rationnelle exploitation de ses ressources, s'ils viennent à perdre leurs âmes[62]? À quoi servira de leur inculquer les sûrs principes qui doivent gouverner leur activité économique, s'ils se laissent dévoyer par une cupidité sans frein et un égoïsme sordide, si, «connaissant la loi de Dieu, ils agissent tout à l'opposé de ses préceptes[63]»?

Les causes du mal

143. La déchristianisation de la vie sociale et économique et sa conséquence, l'apostasie des masses laborieuses, résultent des affections désordonnées de l'âme, triste suite du péché originel qui, ayant détruit l'harmonieux équilibre des facultés, dispose les hommes à l'entraînement facile des passions mauvaises et les incite violemment à mettre les biens périssables de ce monde au-dessus des biens durables de l'ordre surnaturel. De là cette soif insatiable des richesses et des biens temporels qui, de tout temps sans doute, a poussé l'homme à violer la loi de Dieu et à fouler aux pieds les droits du prochain, mais qui, dans le régime économique moderne, expose la fragilité humaine à tomber beaucoup plus fréquemment. L'instabilité de la situation économique et celle de l'organisme économique tout entier exigent de tous ceux qui y sont engagés la plus absorbante activité. Il en est résulté chez certains un tel endurcissement de la conscience

---

62. Cf. *Matth.*, XVI, 26.
63. Cf. *Judic.*, II, 17.

que tous les moyens leur sont bons qui permettent d'accroître leurs profits et de défendre contre les brusques retours de la fortune les biens si péniblement acquis; les gains si faciles qu'offre à tous l'anarchie des marchés attirent vers les fonctions de l'échange trop de gens dont le seul désir est de réaliser des bénéfices rapides par un travail insignifiant, et dont la spéculation effrénée fait monter et baisser incessamment tous les prix au gré de leur caprice et de leur avidité, déjouant par là les sages prévisions de la production. Les institutions juridiques destinées à favoriser la collaboration des capitaux, en divisant et en limitant les risques, sont trop souvent devenues l'occasion des plus répréhensibles excès; nous voyons, en effet, les responsabilités atténuées au point de ne plus toucher que médiocrement les âmes; sous le couvert d'une désignation collective se commettent les injustices et les fraudes les plus condamnables; les hommes qui gouvernent ces groupements économiques trahissent, au mépris de leurs engagements, les droits de ceux qui leur ont confié l'administration de leur épargne. Il faut signaler enfin ces hommes trop habiles qui, sans s'inquiéter du résultat honnête et utile de leur activité, ne craignent pas d'exciter les mauvais instincts de la clientèle pour les exploiter au gré de leurs intérêts.

144. Une sûre discipline morale, fortement maintenue par l'autorité sociale, pouvait corriger ou même prévenir ces défaillances. Malheureusement elle a manqué trop souvent. Le nouveau régime économique faisant ses débuts au moment où le rationalisme se propageait et s'implantait, il en résulta une science économique séparée de la loi morale, et par suite libre cours fut laissé aux passions humaines.

145. Dès lors un beaucoup plus grand nombre d'hommes, uniquement préoccupés d'accroître par tous les moyens leur fortune, ont mis leurs intérêts au-dessus de tout et ne se sont fait aucun scrupule même des plus grands crimes contre le prochain. Ceux qui se sont les premiers engagés dans cette voie large qui mène à la perdition[64], ont aisément trouvé beaucoup d'imitateurs de leur iniquité, soit grâce à l'exemple de leur

---

64. Cf. *Matth.*, VII, 13.

éclatant succès et à l'étalage insolent de leur vie fastueuse, soit
en ridiculisant les répugnances des consciences plus délicates,
soit encore en écrasant leurs concurrents plus scrupuleux.

146. La démoralisation des cercles dirigeants de la vie
économique devrait, par une pente fatale, atteindre le monde
ouvrier et l'entraîner dans la même ruine, d'autant plus qu'un
très grand nombre de maîtres, sans souci des âmes et même
totalement indifférents aux intérêts supérieurs de leurs employés, ne voyaient en eux que des instruments. On est effrayé
quand on songe aux graves dangers que courent, dans les
ateliers modernes, la moralité des travailleurs, celle des plus
jeunes surtout, la pudeur des femmes et des jeunes filles; quand
on pense aux obstacles que souvent le régime actuel du travail,
et surtout les conditions déplorables de l'habitation, apportent
à la cohésion et à l'intimité de la vie familiale; quand on se
rappelle les difficultés si grandes et si nombreuses qui s'opposent à la sanctification des jours de fête; quand on considère
l'universel affaiblissement de ce vrai sens chrétien qui portait
jadis si haut l'idéal même des simples et des ignorants, et qui a
fait place à l'unique préoccupation du pain quotidien. Contrairement aux plans de la Providence, le travail destiné, même
après le péché originel, au perfectionnement matériel et moral
de l'homme, tend, dans ces conditions, à devenir un instrument
de dépravation: la matière inerte sort ennoblie de l'atelier, tandis que les hommes s'y corrompent et s'y dégradent.

Remèdes:

a) Rationalisation chrétienne

147. À cette crise si douloureuse des âmes qui, tant qu'elle
subsistera, frappera de stérilité tout effort de régénération sociale, il n'est de remède efficace que dans un franc et sincère
retour à la doctrine de l'Évangile, aux préceptes de Celui qui a
les paroles de la vie éternelle[65], ces paroles qui demeurent
quand bien même le ciel et la terre viendraient à périr[66]. Les

---

65. Cf. *Jean*, VI, 70.
66. Cf. *Matth.*, XXIV, 35.

experts en sciences sociales appellent à grands cris une rationa-
lisation qui rétablira l'ordre dans la vie économique. Mais cet
ordre que Nous réclamons avec insistance et dont Nous aidons
de tout Notre pouvoir l'avènement, restera nécessairement incomplet, aussi longtemps que toutes les formes de l'activité
humaine ne conspireront pas harmonieusement à imiter et à
réaliser, dans la mesure du possible, l'admirable unité du plan
divin. Nous entendons parler ici de cet ordre parfait que ne se
lasse pas de prêcher l'Église, et que réclame la droite raison
elle-même, de cet ordre qui place en Dieu le terme premier et
suprême de toute activité créée, et n'apprécie les biens de ce
monde que comme de simples moyens dont il faut user dans la
mesure où ils conduisent à cette fin. Loin de déprécier, comme
moins conforme à la dignité humaine, l'exercice des professions
lucratives, cette philosophie nous apprend au contraire à y voir
la volonté sainte du Créateur qui a placé l'homme sur la terre
pour qu'il la travaille et la fasse servir à toutes ses nécessités. Il
n'est donc pas interdit à ceux qui produisent d'accroître honnê-
tement leurs biens; il est équitable, au contraire, que quiconque
rend service à la société et l'enrichit, profite lui aussi, selon sa
condition, de l'accroissement des biens communs, pourvu que,
dans l'acquisition de la fortune, il respecte la loi de Dieu et les
droits du prochain, et que, dans l'usage qu'il en fait, il obéisse
aux règles de la foi et de la raison. Si tout le monde, partout et
toujours, se conformait à ces règles de conduite, non seulement
la production et l'acquisition des biens de ce monde, mais
encore leur consommation, aujourd'hui souvent si désordonnée, seraient bientôt ramenées dans les limites de l'équité et
d'une juste répartition; à l'égoïsme sans frein qui est la honte et
le grand péché de notre siècle, la réalité des faits opposerait cette
règle à la fois très douce et très forte de la modération chrétienne
qui ordonne à l'homme de chercher avant tout le règne de Dieu
et sa justice, dans la certitude que les biens temporels eux-
mêmes lui seront donnés par surcroît en vertu d'une promesse
formelle de la libéralité divine[67].

_____

67. *Matth*, VI, 33.

b) Le rôle de la charité

148. Mais pour assurer pleinement ces réformes, il faut compter avant tout sur la loi de charité qui est le lien de la perfection[68]. Combien se trompent les réformateurs imprudents qui, satisfaits de faire observer la justice commutative, repoussent avec hauteur le concours de la charité! Certes, l'exercice de la charité ne peut être considéré comme tenant lieu des devoirs de justice qu'on se refuserait à accomplir. Mais, quand bien même chacun ici-bas aurait obtenu tout ce à quoi il a droit, un champ bien large resterait encore ouvert à la charité. La justice seule, même scrupuleusement pratiquée, peut bien faire disparaître les causes des conflits sociaux; elle n'opère pas, par sa propre vertu, le rapprochement des volontés et l'union des cœurs. Or, toutes les institutions destinées à favoriser la paix et l'entr'aide parmi les hommes, si bien conçues qu'elles paraissent, reçoivent leur solidité surtout du lien spirituel qui unit les membres entre eux. Quand ce lien fait défaut, une fréquente expérience montre que les meilleures formules restent sans résultat. Une vraie collaboration de tous en vue du bien commun ne s'établira donc que lorsque tous auront l'intime conviction d'être les membres d'une grande famille et les enfants d'un même Père céleste, de ne former même dans le Christ qu'un seul corps dont ils sont réciproquement les membres[69], en sorte que si l'un souffre, tous souffrent avec lui[70]. Alors, les riches et les dirigeants, trop longtemps indifférents au sort de leurs frères moins fortunés, leur donneront des preuves d'une charité effective, accueilleront avec une bienveillance sympathique leurs justes revendications, excuseront et pardonneront à l'occasion leurs erreurs et leurs fautes. De leur côté, les travailleurs déposeront sincèrement les sentiments de haine et d'envie, que les fauteurs de la lutte des classes exploitent avec tant d'habileté, ils accepteront sans rancœur la place que la divine Providence leur a assignée; ou plutôt ils en feront grand cas, comprenant que tous, en accomplissant leur tâche, ils collaborent utilement et honorablement au bien commun et qu'ils suivent de plus près

---

68. *Coloss.*, III, 14.

69. *Rom.*, XII, 5.

70. *I Cor.*, XII, 26.

les traces de Celui qui, étant Dieu, a voulu parmi les hommes être un ouvrier et être regardé comme un fils d'ouvrier.

La tâche est difficile.

149. C'est donc de ce nouveau rayonnement de l'esprit évangélique sur le monde, esprit de modération chrétienne et d'universelle charité que sortiront, Nous en avons la ferme confiance, cette restauration pleinement chrétienne de la société, objet de tant de désirs, et «la Paix du Christ dans le Règne du Christ», cette paix à laquelle, dès le début de Notre Pontificat, Nous avons fermement résolu de consacrer tous Nos soins et Notre pastorale sollicitude[71]. Et vous, vénérables Frères, qui gouvernez avec Nous, par la volonté de l'Esprit-Saint, l'Église de Dieu[72], vous collaborez à cette œuvre primordiale, en ce moment la plus nécessaire, avec une ardeur et un zèle dignes de toutes louanges, dans toutes les parties du monde, même en pays de Mission chez les Infidèles. Recevez donc des éloges bien mérités, ainsi que tous ces vaillants auxiliaires, prêtres et laïques, que Nous voyons avec joie prendre chaque jour leur part de cette grande tâche, nos chers Fils dévoués à l'Action catholique, qui généreusement se consacrent avec Nous à la solution des problèmes sociaux, dans la mesure où l'Église, de par son institution divine, a le droit et le devoir de s'en occuper. Nous les exhortons tous instamment dans le Seigneur à ne pas épargner leur peine, à ne se laisser vaincre par aucune difficulté, mais à montrer chaque jour un nouveau courage et de nouvelles forces[73]. Certes, c'est une œuvre ardue que Nous leur proposons. Nous le savons: dans toutes les classes de la société, et en haut et en bas, il y a bien des obstacles à vaincre. Cependant, qu'ils ne perdent pas confiance. S'exposer à d'âpres combats, c'est le propre des chrétiens; accomplir des taches difficiles, c'est le fait de ceux qui, en bons soldats du Christ[74], le suivent de plus près.

---

71. Cf. Encycl. *Ubi arcano* du 23 décembre 1922.
72. Cf. *Act.*, XX, 28.
73. Cf. *Deuter.*, XXXI, 7.
74. Cf. *II Tim.*, II, 3.

150. Aussi, comptant uniquement sur le tout-puissant concours de Celui qui a voulu ouvrir à tous les hommes les voies du salut[75], efforçons-nous d'aider autant que nous le pouvons les pauvres âmes éloignées de Dieu, de les dégager des soins temporels qui les absorbent à l'excès, et enseignons-leur à tendre avec confiance vers les biens éternels. On peut espérer obtenir ce résultat plus aisément qu'il ne semblerait de prime abord. Car, si les hommes les plus déchus gardent au fond d'eux-mêmes, comme un feu couvant sous la cendre, d'admirables ressources spirituelles, qui sont le témoignage non équivoque d'âmes naturellement chrétiennes, combien plus n'en doit-il pas rester dans les cœurs de ceux, si nombreux, qui ont erré plutôt par ignorance ou par l'effet des circonstances extérieures.

151. D'ailleurs, des signes pleins de promesses d'une rénovation sociale apparaissent dans les organisations ouvrières, parmi lesquelles nous apercevons, à la grande joie de notre âme, des phalanges serrées de jeunes travailleurs chrétiens qui se lèvent à l'appel de la grâce divine et nourrissent la noble ambition de reconquérir au Christ l'âme de leurs frères. Nous voyons avec un égal plaisir les dirigeants des organisations ouvrières qui, oublieux de leurs intérêts et soucieux d'abord du bien de leurs compagnons, s'efforcent sagement d'accorder leurs justes revendications avec la prospérité de la profession, et ne se laissent détourner de ce généreux dessein par aucun obstacle, par aucune défiance. Et parmi les jeunes gens que leur talent ou leur fortune appelle à prendre bientôt une place distinguée dans les classes supérieures de la société, on en voit un grand nombre qui étudient avec un plus vif intérêt les problèmes sociaux et donnent la joyeuse espérance qu'ils se voueront tout entiers à la rénovation sociale.

La méthode à suivre.

152. Les circonstances, vénérables Frères, nous tracent donc clairement la voie dans laquelle nous devons nous engager.

---

75. Cf. *I Tim.*, II, 4.

Comme à d'autres époques de l'histoire de l'Église, nous affrontons un monde retombé en grande partie dans la paganisme. Pour ramener au Christ ces diverses classes d'hommes qui l'ont renié, il faut avant tout recruter et former dans leur sein même des auxiliaires de l'Église, qui comprennent leur mentalité, leurs aspirations, qui sachent parler à leurs cœurs dans un esprit de fraternelle charité. Les premiers apôtres, les apôtres immédiats des ouvriers seront des ouvriers, les apôtres du monde industriel et commerçant seront des industriels et des commerçants.

153. Ces apôtres laïques du monde ouvrier ou patronal, c'est avant tout à vous, vénérables Frères, et à votre clergé, qu'il revient de les rechercher avec soin, de les choisir avec prudence, de les former et de les instruire. Une tâche très délicate s'impose dès lors aux prêtres. Que tous ceux qui grandissent pour le service de l'Église s'y préparent par une sérieuse étude des principes qui régissent la chose sociale. Mais ceux que vous désignerez plus particulièrement pour ce ministère devront posséder un sens très délicat de la justice, savoir s'opposer avec une constante fermeté aux revendications exagérées et aux injustices, d'où qu'elles viennent, se distinguer par leur sage modération éloignée de toute exagération; qu'ils soient par-dessus tout intimement pénétrés de la charité du Christ, qui seule peut soumettre, avec force et suavité, les volontés et les cœurs aux lois de la justice et de l'équité. C'est dans cette voie, qui plus d'une fois déjà a conduit au succès, qu'il faut, n'en doutons pas, nous engager courageusement.

154. Quant à Nos chers Fils qui sont choisis pour une si grande tâche, nous les exhortons vivement dans le Seigneur à se donner tout entiers à la formation des hommes qui leur sont confiés, mettant en œuvre, pour remplir cet office sacerdotal et apostolique au premier chef, toutes les ressources d'une formation chrétienne: éducation de la jeunesse, associations chrétiennes, cercles d'études selon les enseignements de la foi. Surtout qu'ils apprécient et qu'ils emploient pour le bien de leurs disciples ce précieux instrument de rénovation individuelle et sociale que sont, Nous l'avons dit déjà dans Notre Encyclique

Mens Nostra[76], les Exercices Spirituels. Ces Exercices, Nous les avons déclarés très utiles pour tous les laïques, pour les ouvriers eux-mêmes, et Nous les avons, à ce titre, vivement recommandés. Dans cette école de l'esprit se forment au feu de l'amour du Cœur de Jésus non seulement d'excellents chrétiens, mais de vrais apôtres pour tous les états de la vie. De là, ils sortiront comme jadis les Apôtres du Cénacle, forts dans leur foi, constants devant toutes les persécutions, uniquement soucieux de travailler à répandre le règne du Christ.

155. Et assurément, c'est maintenant surtout qu'on a besoin de ces vaillants soldats du Christ, qui de toutes leurs forces travaillent à préserver la famille humaine de l'effroyable ruine qui la frapperait si le mépris des doctrines de l'Évangile laissait triompher un ordre de choses qui foule aux pieds les lois de la nature non moins que celles de Dieu. L'Église du Christ, bâtie sur la pierre inébranlable, n'a rien à craindre pour elle-même, sachant bien que les portes de l'enfer ne prévaudront pas contre elle[77]: elle a même la preuve, par l'expérience de tant de siècles, qu'elle sort toujours des plus violentes tempêtes plus forte et glorieuse de nouveaux triomphes. Mais son cœur de mère ne peut pas ne pas s'émouvoir devant les maux sans nombre dont ces tempêtes accableraient des milliers d'hommes, et par-dessus tout devant les dommages spirituels très graves qui en résulteraient et qui amèneraient la ruine de tant d'âmes rachetées par le sang du Christ.

156. Tout donc doit être tenté pour détourner de la société humaine des maux si grands: là doivent tendre nos travaux, là tous nos efforts, là nos prières, assidues et ferventes. Car, avec le secours de la grâce divine, nous avons en nos mains le sort de la famille humaine.

157. Ne permettons pas, vénérables Frères et chers Fils, que les enfants de ce siècle paraissent être plus habiles entre eux que nous qui par la divine Bonté sommes enfants de la lumière[78].

---

76. Encycl. *Mens Nostra* du 20 décembre 1929.

77. *Matth.*, XVI, 18.

78. Cf. *Luc.*, XVI, 8.

Nous les voyons, en effet, avec une étonnante sagacité, se choisir des adeptes pleins d'activité et les former à répandre leurs erreurs de jour en jour plus largement, dans toutes les classes, sur tous les points du globe. Toutes les fois que leur lutte contre l'Église du Christ veut se faire plus violente, nous les voyons, renonçant à leurs querelles intestines, faire front avec une concorde parfaite et poursuivre leur dessein dans une complète unité de toutes leurs forces.

Que tous s'unissent et coopèrent étroitement.

158. Combien d'œuvres magnifiques entreprend de toutes parts le zèle infatigable des catholiques, soit pour le bien social et économique, soit en matière scolaire et religieuse, il n'est personne qui l'ignore. Mais il n'est pas rare que l'action de ce travail admirable devienne moins efficace par suite d'une excessive dispersion des forces. Qu'ils s'unissent donc, tous les hommes de bonne volonté qui, sous la direction des Pasteurs de l'Église, veulent combattre ce bon et pacifique combat du Christ; que sous la conduite de l'Église et à la lumière de ses enseignements, chacun selon son talent, ses forces, sa condition, tous s'efforcent d'apporter quelque contribution à l'œuvre de restauration sociale chrétienne que Léon XIII a inaugurée par son immortelle Lettre *Rerum novarum*; n'ayant en vue ni eux-mêmes, ni leurs avantages personnels, mais les intérêts de Jésus-Christ[79]; ne cherchant pas à faire prévaloir à tout prix leurs propres idées, mais prêts à les abandonner, si excellentes soient-elles, dès que semble le demander un bien commun plus considérable: en sorte que, en tout et sur tout, règne le Christ, domine le Christ, à qui soit honneur, gloire et puissance dans tous les siècles![80]

159. Pour qu'il en soit ainsi, à vous tous, vénérables Frères et chers Fils, à vous tous qui êtes membres de la grande famille catholique confiée à Nos soins, mais avec une particulière affection de Notre cœur à vous, ouvriers et autres travailleurs des

---

79. Cf. *Philipp.*, II, 21.
80. *Apoc.*, V, 13.

métiers manuels que la divine Providence Nous a plus fortement recommandés, ainsi qu'aux patrons chrétiens, Nous accordons paternellement la Bénédiction Apostolique.

160. Donné à Rome, près Saint-Pierre, le 15 mai 1931, de
Notre Pontificat la dixième année.

PIE XI, PAPE

PIE XII

DISCOURS DE SA SAINTETÉ PIE XII POUR COMMÉMORER LE 50e ANNIVERSAIRE DE L'ENCYCLIQUE «RERUM NOVARUM»

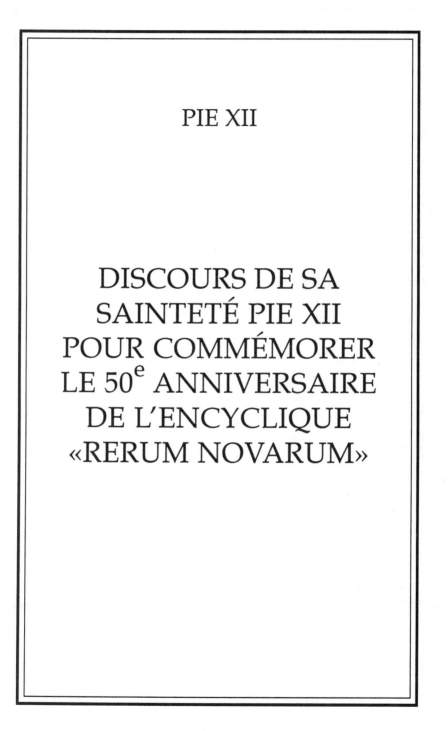

PLAN

(Fête de la Pentecôte, 1er juin 1941)

*De ce discours nous publions la partie plus spécialement doctrinale,
consacrée, selon les propres expressions du Souverain Pontife, «à
rappeler des principes directifs de morale sur trois valeurs, valeurs
fondamentales de la vie sociale et économique... Ces trois éléments
fondamentaux qui s'entrecroisent, s'unissent et s'appuient mutuellement sont: l'usage des biens matériels, le travail, la famille».*

L'usage des Biens matériels

1. L'encyclique *Rerum Novarum* expose sur la propriété et sur la
subsistance de l'homme des principes qui, avec le temps, n'ont
rien perdu de leur force originelle et, aujourd'hui, après cin-
quante ans, conservent encore et répandent aussi vivifiante leur
intime fécondité. Sur leur point fondamental, Nous avons
Nous-même rappelé l'attention générale dans notre encyclique
Sertum Lœtitiæ adressée aux Évêques des États-Unis de l'Amérique du Nord: point fondamental qui consiste, comme Nous
disions, dans l'affirmation de l'imprescriptible exigence que les
biens créés par Dieu pour tous les hommes sont également à la
disposition de tous, selon les principes de la justice et de la
charité.

2. Tout homme, en tant qu'être vivant doué de raison, tient
en fait de la nature le droit fondamental d'user des biens matériels de la terre, bien qu'il soit laissé à la volonté humaine et aux
formes juridiques des peuples de régler plus en détail l'actuation pratique de ce droit. Un tel droit individuel ne saurait en
aucune manière être supprimé, pas même par d'autres droits

certains et reconnus sur des biens matériels. Sans doute, l'ordre naturel, venant de Dieu requiert aussi la propriété privée et la liberté du commerce réciproque des biens par échanges et donations, comme en outre la fonction régulatrice du pouvoir public sur l'une et l'autre de ces institutions. Tout cela néanmoins reste subordonné à la fin naturelle des biens matériels, et ne saurait se faire indépendamment du droit premier et fondamental qui en concède l'usage à tous, mais plutôt doit servir à en rendre possible l'actuation en conformité avec cette fin. Ainsi seulement on pourra obtenir que propriété et usage des biens matériels apportent à la société paix féconde et vivante stabilité, qu'il n'en résulte pas, au contraire, un état de choses précaire, générateur de luttes et de jalousies, et abandonné à la merci du jeu impitoyable de la force et de la faiblesse.

3. Le droit originaire à l'usage des biens matériels, parce qu'il est en intime connexion avec la dignité et les autres droits de la personne humaine, offre à celle-ci, sous les formes rappelées à l'instant, une base matérielle sûre, de souveraine importance pour s'élever à l'accomplissement de ses devoirs moraux. La protection de ce droit assurera la dignité personnelle de l'homme et lui donnera la facilité de s'appliquer à remplir dans une juste liberté cet ensemble de constantes obligations dont il est directement responsable envers le Créateur. C'est en effet à l'homme qu'appartient le devoir entièrement personnel de conserver et de porter à plus de perfection sa propre vie matérielle et spirituelle, pour atteindre la fin religieuse et morale par Dieu assignée à tous les hommes et donnée comme une norme suprême, qui les oblige toujours et dans tous les cas antérieurement à tous leurs autres devoirs.

4. Sauvegarder le domaine intangible des droits de la personne humaine et lui faciliter l'accomplissement de ses devoirs doit être le rôle essentiel de tout pouvoir public. N'est-ce pas là ce que comporte le sens authentique de ce «bien commun» que l'État est appelé à promouvoir? Le souci de ce «bien commun» ne dénote donc pas un pouvoir si étendu sur les membres de la communauté, qu'en vertu de ce pouvoir il soit permis à l'autorité publique d'entraver le développement de l'action individuelle décrite tout à l'heure, de décider sur le commencement

ou le terme de la vie humaine, de fixer à son gré la manière dont on devra se conduire dans l'ordre physique, religieux, spirituel et moral, en opposition avec les devoirs et droits personnels de l'homme, et en sorte d'abolir ou de rendre inefficace le droit naturel aux biens matériels. Vouloir déduire une telle extension du pouvoir du soin de procurer le bien commun serait fausser le sens même du bien commun et tomber dans cette erreur d'affirmer que la fin propre de l'homme sur la terre est la société, que la société est elle-même sa propre fin, que l'homme n'a pas d'autre vie que celle qui se termine ici-bas.

5. L'économie nationale, elle aussi, de même qu'elle est le fruit de l'activité d'hommes qui travaillent unis dans une communauté stable, ne tend pas non plus à autre chose qu'à assurer sans interruption les conditions matérielles dans lesquelles pourra se développer pleinement la vie individuelle des citoyens. Là où ceci sera obtenu, et obtenu de façon durable, un peuple sera, à parler exactement, riche, parce que le bien-être général et, par conséquent, le droit personnel de tous à l'usage des biens terrestres se trouve ainsi réalisé conformément au plan voulu par le Créateur.

6. En conséquence, chers Fils, il vous sera facile de voir que la richesse économique d'un peuple ne consiste pas proprement dans l'abondance des biens, mesurés selon un calcul matériel pur et simple de leur valeur, mais bien plutôt dans ce qu'une telle abondance représente et fournit efficacement comme base matérielle suffisante pour le développement personnel convenable de ses membres. Si une telle distribution des biens n'était pas réalisée ou n'était qu'imparfaitement assurée, le vrai but de l'économie nationale ne serait pas atteint: quelle que fût l'opulente abondance des biens disponibles, le peuple n'étant pas appelé à y participer, ne serait pas riche, mais pauvre. Faites, au contraire, que cette juste distribution soit effectivement réalisée et de manière durable, et vous verrez un peuple, bien que disposant de biens moins considérables, devenir et être économiquement sain.

7. Ces idées fondamentales sur la richesse et la pauvreté des peuples, il nous semble particulièrement opportun de les mettre devant vos yeux aujourd'hui, où l'on est porté à mesurer

et à évaluer une telle richesse et pauvreté avec des balances et selon des critères purement quantitatifs, soit de l'espace, soit de la quantité des biens. Si, au contraire, on estime à sa valeur exacte le but de l'économie nationale, alors celui-ci deviendra une lumière pour les efforts des hommes d'État et des peuples et les éclairera pour s'engager spontanément dans une voie qui n'exigera pas de continuels sacrifices de biens, de sang, mais portera des fruits de paix et de bien-être général.

Le Travail

8. Comment à l'usage des biens matériels vient se relier le travail, vous le comprenez vous-mêmes, chers Fils. *Rerum Novarum* enseigne que le travail humain a une double propriété: il est personnel, et il est nécessaire. Il est personnel parce qu'il s'accomplit avec l'emploi des forces particulières de l'homme; il est nécessaire, parce que sans lui on ne peut se procurer ce qui est indispensable à la vie, dont la conservation est un devoir naturel, grave, individuel. Le devoir personnel du travail imposé par la nature a pour corollaire le droit naturel de chaque individu à faire du travail le moyen de pourvoir à sa vie propre et à celle de ses fils: si profondément est ordonné en vue de la conservation de l'homme l'empire de la nature.

9. Mais notez qu'un tel devoir et le droit correspondant au travail sont imposés et accordés à l'individu en première instance par la nature, et non par la société, comme si l'homme n'était qu'un simple serviteur ou fonctionnaire de la communauté. D'où il suit que le devoir et le droit d'organiser le travail du peuple appartiennent avant tout à ceux qui sont immédiatement intéressés: employeurs et ouvriers. Que si ensuite eux ne remplissent pas leur tâche, ou ne peuvent le faire par suite de spéciales circonstances extraordinaires, alors il rentre dans les attributions de l'État d'intervenir sur ce terrain, dans la division et la distribution du travail, sous la forme et dans la mesure que demande le bien commun justement compris.

10. En tout cas, une légitime et bienfaisante intervention de l'État dans le domaine du travail, doit, quelle qu'elle soit, rester telle que soit sauvegardé et respecté le caractère personnel de ce travail, et cela, soit dans l'ordre des principes, soit autant que

possible en ce qui touche à l'exécution; et il en sera ainsi si les règlements de l'État ne suppriment pas et ne rendent pas irréalisable l'exercice des autres droits et devoirs également personnels: tels le droit au vrai culte divin, le droit des époux, du père et de la mère à mener la vie conjugale et familiale, le droit à une raisonnable liberté dans le choix d'un état et dans la réponse à une vraie vocation: ce dernier droit personnel s'il en fût à l'esprit humain, et droit très haut quand s'y joignent les droits supérieurs et imprescriptibles de Dieu et de l'Église, comme dans le choix et la réalisation des vocations sacerdotales et religieuses.

La Famille

11. Selon la doctrine de *Rerum Novarum* la nature même a lié intimement la propriété privée à l'existence de la société humaine et de sa vraie civilisation, mais surtout à l'existence et au développement de la famille. Un tel lien est évident. N'est-ce pas la propriété qui doit assurer au père de famille la saine liberté dont il a besoin pour pouvoir remplir ses devoirs que le Créateur lui a assignés, pour le bien-être physique, spirituel et religieux de la famille?

12. Dans la famille, la nation trouve la racine nouvelle et féconde de sa grandeur et de sa puissance. Si la propriété privée doit mener au bien de la famille toutes les dispositions publiques, toutes celles par lesquelles l'État règle la possession doivent non seulement rendre possible et maintenir cette fonction — fonction qui, dans l'ordre naturel, est sous certains rapports supérieure à toute autre — mais encore en perfectionner toujours davantage l'exercice. Il serait contre nature de se vanter comme d'un progrès d'un développement de la société qui, ou par excès des charges ou par celui des ingérences immédiates, rendrait la propriété privée vide de sens, enlevant pratiquement à la famille et à son chef la liberté de poursuivre la fin assignée par Dieu au perfectionnement de la vie familiale.

13. Parmi tous les biens qui peuvent être l'objet de propriété privée, aucun n'est plus conforme à la nature, selon l'enseignement de *Rerum Novarum*, que la terre, le bien sur lequel habite la famille et dont les fruits lui fournissent entièrement ou

au moins en partie de quoi vivre. Et c'est rester dans l'esprit de *Rerum Novarum* que d'affirmer qu'en règle générale, seule cette stabilité puisée dans la propriété d'un bien foncier fait de la famille la cellule vitale la plus parfaite et la plus féconde de la société, cette possession réunissant en une progressive cohésion, les générations présentes et celles de l'avenir. Aujourd'hui l'idée d'espace vital et la création de tels espaces est au centre des buts sociaux et politiques: mais ne devrait-on pas, avant toute chose, penser à l'espace vital de la famille, et libérer celle-ci des liens que lui imposent des conditions de vie ne lui permettant pas de concevoir l'idée d'une maison à elle?

14. Notre planète avec ses immenses océans, ses mers, ses lacs, avec ses montagnes et ses plateaux couverts de neige et de glace éternelles, avec ses grands déserts et ses terres inhospitalières et stériles, ne manque pas cependant de régions et de lieux propres à la vie, abandonnés au caprice d'une végétation spontanée, alors qu'ils s'adapteraient bien à la culture de l'homme, à ses besoins et aux activités de la civilisation, et plus d'une fois il est inévitable que certaines familles, émigrant d'ici ou de là, cherchent ailleurs une nouvelle patrie.

15. Alors, selon l'enseignement de *Rerum Novarum*, joue le droit de la famille à un espace vital. Là où il en sera ainsi l'émigration atteindra son but naturel, comme souvent le confirme l'expérience: Nous voulons dire une distribution meilleure des hommes sur la surface de la terre apte à la colonisation agricole. Si des deux côtés, et ceux qui permettent de quitter le sol natal, et ceux qui reçoivent les nouveaux venus, ont le souci loyal et persévérant d'éliminer tout ce qui pourrait empêcher la naissance ou ce développement d'une vraie confiance entre le pays d'émigration et le pays d'immigration, tous tireront avantage d'un tel changement de lieux et de personnes, les familles recevront une terre qui sera pour elles, terre paternelle, patrie, dans le vrai sens du mot; les terres à population dense seront soulagées et leurs peuples se créeront de nouveaux amis en territoire étranger: les États enfin, qui accueillent les émigrants, s'enrichiront de citoyens laborieux. Ainsi les nations qui donnent et les États qui reçoivent contribueront à l'envi à l'accroissement du bien-être, au progrès de la civilisation humaine.

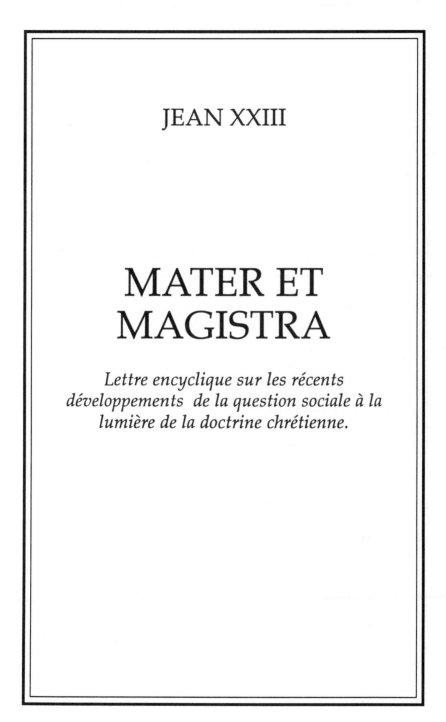

JEAN XXIII

MATER ET MAGISTRA

Lettre encyclique sur les récents développements de la question sociale à la lumière de la doctrine chrétienne.

PLAN

Lettre encyclique de S.S. Jean XXIII sur les récents développements de la question sociale à la lumière de la doctrine chrétienne

AUX VÉNÉRABLES FRÈRES, PATRIARCHES, PRIMATS, ARCHEVÊQUES, ÉVÊQUES ET AUTRES ORDINAIRES EN PAIX ET COMMUNION AVEC LE SIÈGE APOSTOLIQUE, À TOUT LE CLERGÉ ET AUX FIDÈLES DU MONDE ENTIER

VÉNÉRABLES FRÈRES ET CHERS FILS
SALUT ET BÉNÉDICTION APOSTOLIQUE

Mère et éducatrice de tous les peuples, l'Église universelle a été instituée par Jésus-Christ pour que tous les hommes au long des siècles trouvent en son sein et dans son amour la plénitude d'une vie plus élevée et la garantie de leur salut.

INTRODUCTION

À cette Église, «*colonne et fondement de vérité*»[1], son saint fondateur a confié une double tâche: engendrer des fils, les éduquer et les diriger, en veillant avec une providence maternelle sur la vie des individus et des peuples, dont elle a toujours respecté et protégé avec soin la dignité.

Le christianisme, en effet, rejoint la terre au ciel, en tant qu'il prend l'homme dans sa réalité concrète, esprit et matière, intelligence et volonté, et l'invite à élever sa pensée des conditions changeantes de la vie terrestre vers les cimes de la vie éternelle, dans un accomplissement sans fin de bonheur et de paix.

---

1.   *Cf. I Tim.*, III, 15.

Bien que le rôle de la sainte Église soit d'abord de sanctifier les âmes et de les faire participer au bien de l'ordre surnaturel, elle est cependant soucieuse des exigences de la vie quotidienne des hommes, en ce qui regarde non seulement leur subsistance et leurs conditions de vie, mais aussi la prospérité et la civilisation dans ses multiples aspects et aux différentes époques.

Réalisant tout cela, le sainte Église met en pratique le commandement de son Fondateur, le Christ, qui fait allusion surtout au salut éternel de l'homme lorsqu'il dit: «*Je suis la Voie, la Vérité et la Vie*»[2], et: «*Je suis la Lumière du monde*»[3], mais qui ailleurs, regardant la foule affamée, s'écrie gémissant: «*J'ai compassion de cette foule*»[4]; donnant ainsi la preuve qu'il se préoccupe également des exigences terrestres des peuples. Par ses paroles, mais aussi par les exemples de sa vie, le divin Rédempteur manifesta ce souci quand pour apaiser la faim de la foule, il multiplia plusieurs fois le pain d'une façon miraculeuse. Et par ce pain donné en nourriture du corps, il voulut annoncer cette nourriture céleste des âmes qu'il allait donner aux hommes la veille de sa Passion.

Rien d'étonnant donc à ce que l'Église catholique, à l'imitation et au commandement du Christ, pendant deux mille ans, de l'institution des diacres antiques jusqu'à nos jours, ait constamment tenu très haut le flambeau de la charité, par ses commandements, mais aussi par ses innombrables exemples; cette charité, en harmonisant les préceptes de l'amour mutuel et leur pratique, réalise admirablement le commandement de ce double don, qui résume la doctrine et l'action sociale de l'Église.

C'est donc comme un témoin remarquable de la doctrine et de l'action exercée par l'Église au long des siècles que l'on peut, sans aucun doute, considérer l'immortelle encyclique *Rerum novarum*[5], promulguée il y a soixante-dix ans par Notre

---

2. *Jean*, XIV, 6.
3. *Jean*, VIII, 12.
4. *Marc*, VIII, 2.
5. *Acta Leonis XIII*, XI, 1891, p. 97-144.

Prédécesseur de vénérée mémoire Léon XIII, pour énoncer les principes grâce auxquels on pourrait résoudre d'une manière chrétienne la question ouvrière.

Rarement comme alors la parole d'un Pape eut une résonance aussi universelle par la profondeur et l'ampleur des sujets traités non moins que par leur puissance de choc. En réalité, ces orientations et ces rappels de doctrine eurent une telle importance que jamais ils ne pourront tomber dans l'oubli. Une voie nouvelle s'ouvrit à l'action de l'Église. Le Pasteur suprême, faisant siennes les souffrances, les plaintes et les aspirations des humbles et des opprimés, une fois de plus se dressa comme le protecteur de leurs droits.

Et aujourd'hui, même après un temps si long, l'actualité de ce message est encore réelle. Elle l'est dans les documents des Papes qui ont succédé à Léon XIII, et qui, dans leur enseignement social, se réclament continuellement de l'encyclique léonine, tantôt pour y prendre leur inspiration, tantôt pour en éclairer la portée, toujours pour fournir encouragement à l'action des catholiques; elle l'est également dans l'organisation même des peuples. Voilà la preuve que les principes approfondis avec soin, les directives historiques et les monitions paternelles contenues dans la magistrale encyclique de Notre Prédécesseur conservent encore aujourd'hui leur valeur et même suggèrent des normes nouvelles et actuelles grâce auxquelles les hommes soient à même de mesurer le contenu de la question sociale, comme elle se présente aujourd'hui, et se décident à prendre leurs responsabilités.

LES ENSEIGNEMENTS DE L'ENCYCLIQUE «RERUM NOVARUM» ET SES DÉVELOPPEMENTS OPPORTUNS DANS LE MAGISTÈRE DE PIE XI ET DE PIE XII

L'époque de l'encyclique «Rerum novarum»

Léon XIII parla à une époque de transformations radicales, de contrastes accusés et d'âpres révoltes. Les ombres de ce temps-là nous font d'autant mieux apprécier la lumière qui émane de son enseignement.

Comme on le sait, la conception du monde économique alors la plus répandue et traduite le plus communément dans les faits était une conception naturaliste, qui nie tout lien entre morale et économie. Le motif unique de l'activité économique, affirmait-on, est l'intérêt individuel. La loi suprême qui règle les rapports entre les facteurs économiques est la libre concurrence illimitée. L'intérêt du capital, le prix des biens et services, le profit et le salaire sont exclusivement et automatiquement déterminés par les lois du marché. L'État doit s'abstenir de toute intervention dans le domaine économique. Les syndicats, suivant les pays, sont interdits, ou tolérés, ou considérés comme personnes juridiques de droit privé.

Dans un monde économique ainsi conçu, la loi du plus fort trouvait sa pleine justification sur le plan théorique et l'emportait dans les rapports concrets entre les hommes. Il en résultait un ordre social radicalement bouleversé.

Tandis que d'immenses richesses s'accumulaient entre les mains de quelques-uns, les masses laborieuses se trouvaient dans des conditions de gêne croissante: salaires insuffisants, ou de famine, conditions de travail épuisantes et sans aucun égard pour la santé physique, les mœurs et la foi religieuse; inhumaines surtout les conditions de travail auxquelles étaient soumis les enfants et les femmes; spectre du chômage toujours menaçant; la famille livrée à un processus de désintégration.

En conséquence, les classes laborieuses étaient en proie à une insatisfaction profonde; l'esprit de protestation et de révolte s'insinuait, se développait parmi elles. Ce qui explique la grande faveur que trouvaient dans ces classes des théories extrémistes proposant des remèdes pires que les maux.

Les voies de la reconstruction

Dans ce chaos, il échut à Léon XIII de publier son message social, basé sur la nature humaine et pénétré des principes et de l'esprit de l'Évangile; message qui, dès son apparition, suscita, même au milieu d'oppositions bien compréhensibles, l'admiration universelle et l'enthousiasme.

Ce n'était certes pas la première fois qu'en matière temporelle le Saint-Siège prenait la défense des humbles. En d'autres documents, Léon XIII lui-même avait déjà ouvert la voie. Mais, pour la première fois, la nouvelle encyclique présentait une synthèse générale des principes en même temps qu'un programme organique d'action; aussi n'est-il pas exagéré d'y voir une Somme de la doctrine catholique en matière économique et sociale.

Ce ne fut pas un acte dépourvu de courage. Tandis que certains osaient accuser l'Église catholique de se borner, devant la question sociale, à prêcher la résignation aux pauvres et exhorter les riches à la générosité, Léon XIII n'hésita pas à proclamer et à défendre les droits légitimes de l'ouvrier.

S'apprêtant à exposer les principes de la doctrine catholique dans le domaine social, il déclarait solennellement: «*C'est avec assurance que Nous abordons ce sujet, et dans toute la plénitude de Notre droit; car la question qui s'agite est d'une nature telle, qu'à moins de faire appel à la religion et à l'Église, il est impossible de lui trouver jamais une solution efficace.*»[6]

---

6.   *Ibid.*, p. 107.

Ils vous sont bien connus, vénérables Frères, ces principes de base que l'immortel Pontife exposait avec une clarté égale à l'autorité et selon lesquels doit être réorganisé le secteur économique et social de la société humaine.

Ceux-ci concernent d'abord le travail, qui doit être traité non plus comme une marchandise, mais comme une expression de la personne humaine. Pour la grande majorité des hommes, le travail est la source unique d'où ils tirent leurs moyens de subsistance. En conséquence, sa rétribution ne peut pas être abandonnée au jeu automatique des lois du marché. Elle doit, au contraire, être déterminée selon la justice et l'équité, qui, autrement resteraient profondément lésées, même si le contrat de travail avait été arrêté en toute liberté entre les parties. La propriété privée même des biens de production est un droit naturel que l'État ne peut supprimer. Elle comporte une fonction sociale intrinsèque; elle est donc un droit exercé à l'avantage personnel du possédant et dans l'intérêt d'autrui.

L'État, dont la raison d'être est la réalisation du bien commun dans l'ordre temporel, ne peut rester absent du monde économique; il doit être présent pour y promouvoir avec opportunité la production d'une quantité suffisante de biens matériels, *«dont l'usage est nécessaire à l'exercice de la vertu»*[7], et pour protéger les droits de tous les citoyens, surtout des plus faibles, comme les ouvriers, les femmes et les enfants. C'est également son devoir inflexible de contribuer activement à l'amélioration des conditions de vie des ouvriers.

C'est, en outre, le devoir de l'État de veiller à ce que les relations de travail se développent en justice et équité, que dans les milieux de travail la dignité de la personne humaine, corps et esprit, ne soit pas lésée. À cet égard, l'encyclique de Léon XIII marque les traits dont s'est inspirée la législation sociale des États contemporains; traits, comme l'observait déjà Pie XI, dans l'encyclique *Quadragesimo anno*[8], qui ont contribué efficacement

---

7.   S. Thom., *De regimine principum*, I, 15.

8.   Cf. *A. A. S.*, XXIII, 1931, p. 185.

à l'apparition et au développement d'une nouvelle branche du droit, «*le droit du travail*».

Aux travailleurs, affirme encore l'encyclique, on reconnaît le droit naturel de créer des associations pour ouvriers seuls ou pour ouvriers et patrons, comme aussi le droit de leur donner la structure organique qu'ils estimeront la plus apte à la poursuite de leurs intérêts légitimes, économiques et professionnels, et le droit d'agir d'une manière autonome, de leur propre initiative, à l'intérieur de ces associations, en vue de la poursuite de leurs intérêts.

Les ouvriers et les employeurs doivent régler leurs rapports en s'inspirant du principe de la solidarité humaine et de la fraternité chrétienne, puisque aussi bien la concurrence illimitée des libéraux que la lutte de classes des marxistes sont toutes deux contraires à la doctrine chrétienne et à la nature de l'homme. Voilà, vénérables Frères, les principes fondamentaux sur lesquels repose un ordre économique et social qui soit sain.

Nous ne devons donc pas nous étonner si les catholiques les plus éminents, sensibles aux avertissements de l'encyclique, ont créé de multiples initiatives pour traduire ces principes dans les faits. Dans la même direction et sous l'impulsion des exigences objectives de la nature, des hommes de bonne volonté de tous les pays du monde se sont aussi mis en branle. C'est pourquoi, à bon droit, l'encyclique a été et continue à être reconnue comme *la «grande charte»*[9] de la reconstruction économique et sociale de l'époque moderne.

L'encyclique «Quadragesimo anno»

Pie XI, Notre Prédécesseur de sainte mémoire, à quarante ans de distance, commémora l'encyclique *Rerum novarum* par un nouveau document solennel: l'encyclique *Quadragesimo anno*[10].

Dans ce document, le Souverain Pontife rappelle le droit et le devoir pour l'Église d'apporter sa contribution irremplaçable à l'heureuse solution des problèmes sociaux les plus

---

9. Cf. *Ibid.*, p. 189.
10. Cf. *Ibid.*, p. 177-228.

graves et les plus urgents qui tourmentent la famille humaine. Il réaffirme les principes fondamentaux et les directives historiques de l'encyclique de Léon XIII. Il saisit, en outre, l'occasion de préciser quelques points de doctrine sur lesquels des doutes s'étaient élevés parmi les catholiques eux-mêmes et pour expliquer la pensée sociale chrétienne eu égard aux conditions nouvelles des temps. Les doutes exprimés concernaient spécialement la propriété privée, le régime des salaires, le comportement des catholiques en présence d'une forme de socialisme modéré.

Quant à la propriété privée, Notre Prédécesseur affirme à nouveau son caractère de droit naturel, accentue son aspect et sa fonction sociale.

À propos du régime des salaires, il rejette la thèse qui le déclare injuste par nature; il réprouve cependant les formes inhumaines et injustes selon lesquelles il est parfois pratiqué; redit et développe les normes dont il doit s'inspirer et les conditions auxquelles il doit satisfaire pour ne léser ni la justice ni l'équité.

En cette matière, indique clairement Notre Prédécesseur, il est opportun, étant donné les conditions actuelles, de tempérer le contrat de travail par des éléments empruntés au contrat de société, de manière à ce que *«les ouvriers et employés soient appelés à participer à la propriété de l'entreprise, à sa gestion, et, en quelque manière, aux profits qu'elle apporte»*[11].

On doit considérer de la plus haute importance doctrinale et pratique l'affirmation selon laquelle il est impossible *«d'estimer le travail à sa juste valeur et de lui attribuer une exacte rémunération si l'on néglige de prendre en considération son aspect à la fois individuel et social»*[12].

En conséquence, pour déterminer la rémunération du travail, la justice exige, déclare le Pape, que l'on tienne compte non seulement des besoins des travailleurs et de leurs responsabilités familiales, mais aussi de la situation de l'entreprise, où les

---

11. Cf. *Ibid.*, p. 199.
12. Cf. *Ibid.*, p. 200.

ouvriers apportent leur travail, et des exigences de l'économie générale[13].

Entre le communisme et le christianisme, le Pape rappelle que l'opposition est radicale. Il ajoute qu'on ne peut admettre en aucune manière que les catholiques donnent leur adhésion au socialisme modéré, soit parce qu'il est une conception de vie close sur le temporel, dans laquelle le bien-être est considéré comme objectif suprême de la société; soit parce qu'il poursuit une organisation sociale de la vie commune au seul niveau de la production, au grand préjudice de la liberté humaine; soit parce qu'en lui fait défaut tout principe de véritable autorité sociale.

Mais il n'échappe pas à Pie XI que depuis la promulgation de l'encyclique de Léon XIII, en quarante ans, la situation historique a profondément évolué. De fait, la libre concurrence, en vertu d'une logique interne, avait fini par se détruire elle-même ou presque; elle avait conduit à une grande concentration de la richesse et à l'accumulation d'un pouvoir économique énorme entre les mains de quelques hommes, *«qui d'ordinaire ne sont pas les propriétaires, mais les simples dépositaires et gérants d'un capital qu'ils administrent à leur gré»*[14].

Entre temps, comme observe avec perspicacité le Souverain Pontife, *«à la liberté du marché a succédé une dictature économique. L'appétit du gain a fait place à une ambition effrénée de dominer. Toute la vie économique est devenue horriblement dure, implacable, cruelle»*[15], déterminant l'asservissement des pouvoirs publics aux intérêts de groupes et aboutissant à l'hégémonie internationale de l'argent.

Pour porter remède à cette situation, le Pasteur suprême indique, comme principes fondamentaux, une nouvelle insertion du monde économique dans l'ordre moral et la poursuite des intérêts, individuels ou de groupes, dans la sphère du bien commun. Ceci comporte, selon son enseignement, le remaniement de la vie en commun moyennant la reconstruction des

---

13. Cf. *Ibid.*, p. 201.
14. Cf. *Ibid.*, p. 210 s.
15. Cf. *Ibid.*, p. 211.

corps intermédiaires autonomes, à but économique et professionnel, non imposés par l'État, mais créés spontanément par
leurs membres; la reprise de l'autorité par les pouvoirs publics
pour assurer les tâches qui leur reviennent dans la réalisation
du bien commun; la collaboration économique sur le plan mondial entre communautés politiques.

Mais deux thèmes fondamentaux caractérisent la magistrale encyclique de Pie XI et s'imposent à notre considération.

Le premier interdit absolument de prendre comme règle
suprême des activités et des institutions du monde économique,
soit l'intérêt individuel ou d'un groupe, soit la libre concurrence, soit l'hégémonie économique, soit le prestige ou la puissance de la nation, soit d'autres normes du même genre.

On doit, au contraire, considérer comme règles suprêmes
de ces activités et des institutions la justice et la charité sociales.

Le second thème recommande la création d'un ordre juridique, national et international, doté d'institutions stables, publiques et privées, qui s'inspire de la justice sociale et auquel
doit se conformer l'économie; ainsi les facteurs économiques
auront moins de difficultés à s'exercer en harmonie avec les
exigences de la justice dans le cadre du bien commun.

Le radiomessage de la Pentecôte 1941

Pie XII, Notre Prédécesseur de vénérée mémoire, a beaucoup
contribué, lui aussi, à définir et à développer la doctrine sociale
chrétienne. Le 1er juin 1941, en la fête de Pentecôte, il transmet-
tait un message radiophonique *«pour attirer l'attention du monde
catholique sur un anniversaire qui mérite d'être inscrit en lettres d'or
dans les fastes de l'Église — le cinquantenaire de la publication, le
15 mai 1891, de l'encyclique sociale fondamentale de Léon XIII, Rerum novarum*[16] *— ...et pour rendre à Dieu tout-puissant... d'humbles actions de grâces pour le don accordé... à l'Église avec cette
encyclique de son Vicaire ici-bas, et pour le louer du souffle de l'Esprit
régénérateur qui, par elle, s'est répandu depuis lors et n'a cessé de
croître sur l'humanité entière»*[17].

---

16. Cf. *Ibid.*, XXXIII, 1941, p. 196.
17. Cf. *Ibid.*, p. 197.

Dans son message radiophonique, le grand Pontife revendique «*l'incontestable compétence de l'Église... pour juger si les bases d'une organisation sociale donnée sont conformes à l'ordre immuable des choses que Dieu, Créateur et Rédempteur, a manifesté par le droit naturel et la Révélation*»[18]. Il réaffirme l'immortelle vitalité des enseignements de l'encyclique *Rerum novarum* et leur fécondité inépuisable; il saisit cette occasion «*pour rappeler les principes directifs de la morale sur trois valeurs fondamentales de la vie sociale et économique... Ces trois éléments fondamentaux qui s'entrecroisent, s'unissent et s'appuient mutuellement sont: l'usage des biens matériels, le travail, la famille*»[19].

En ce qui concerne l'usage des biens matériels, Notre Prédécesseur affirme que le droit qu'a tout homme d'user de ces biens pour son entretien est prioritaire par rapport à tout autre droit de nature économique; et même par rapport au droit de propriété. Certes, ajoute Notre Prédécesseur, le droit de propriété des biens est aussi un droit naturel; cependant, selon l'ordre objectif établi par Dieu, le droit de propriété doit être délimité de manière à ne pas mettre obstacle à «*l'imprescriptible exigence que les biens, créés par Dieu pour tous les hommes, soient équitablement à la disposition de tous, selon les principes de la justice et de la charité*»[20].

Au sujet du travail, reprenant un thème que l'on retrouve dans l'encyclique de Léon XIII, Pie XII rappelle qu'il est en même temps un devoir et un droit de chaque être humain. C'est, en conséquence, aux hommes en premier lieu qu'il revient de régler leurs rapports mutuels de travail. C'est uniquement dans le cas où les intéressés ne remplissent pas ou ne peuvent pas remplir leur tâche qu'il «*entre dans les attributions de l'État d'intervenir sur ce terrain, dans la division et la distribution du travail, sous la forme et dans la mesure que demande le bien commun justement compris*»[21].

---

18. Cf. *Ibid.*, p. 196.
19. Cf. *Ibid.*, p. 198 s.
20. Cf. *Ibid.*, p. 199.
21. Cf. *Ibid.*, p. 201.

Pour ce qui regarde la famille, le Souverain Pontife affirme que la propriété privée des biens matériels doit être considérée comme l'*«espace vital de la famille»*, c'est-à-dire comme un moyen apte *«à assurer au père de famille la saine liberté dont il a besoin pour pouvoir remplir les devoirs que le Créateur lui a assignés, pour le bien-être physique, spirituel et religieux de la famille»*[22].

Cela comporte aussi pour la famille le droit à l'émigration. Sur ce point, Notre Prédécesseur relève que lorsque les États, ceux qui permettent l'émigration comme ceux qui accueillent de nouveaux sujets, mettent tout en œuvre pour éliminer ce qui *«pourrait empêcher la naissance ou le développement d'une vraie confiance»*[23] entre eux, ils obtiendront un avantage mutuel et contribueront ensemble à l'accroissement du bien-être de l'humanité comme au progrès de la culture.

Derniers changements

La situation déjà bien évoluée au moment de la commémoration faite par Pie XII a encore subi en vingt ans de profondes transformations, soit à l'intérieur des États, soit dans leurs rapports mutuels.

Dans le domaine scientifique, technique et économique: la découverte de l'énergie nucléaire, ses premières applications à des buts de guerre, son utilisation croissante pour des fins pacifiques; les possibilités illimitées offertes à la chimie par les produits synthétiques; l'extension de l'automation dans le secteur industriel et dans celui des services; la modernisation du secteur agricole; l'abolition presque complète de la distance dans les communications grâce surtout à la radio et à la télévision; la rapidité croissante des transports; le début de la conquête des espaces interplanétaires.

Dans le domaine social: le développement des assurances sociales et, dans certains pays économiquement mieux développés, l'instauration de régimes de sécurité sociale; la formation et l'extension, dans les mouvements syndicaux, d'une attitude

---

22. Cf. *Ibid.*, p. 202.
23. Cf. *Ibid.*, p. 203.

de responsabilité vis-à-vis des principaux problèmes économiques et sociaux; une élévation progressive de l'instruction de base, un bien-être toujours plus répandu; une plus grande mobilité dans la vie sociale et la réduction des barrières entre les classes; l'intérêt de l'homme de culture moyenne pour les événements quotidiens de portée mondiale. En outre, l'augmentation de l'efficacité des régimes économiques dans un nombre croissant de pays met mieux en relief le déséquilibre économique et social entre le secteur agricole d'une part et le secteur de l'industrie et des services d'autre part, entre les régions d'économie développée et les régions d'économie moins développée à l'intérieur de chaque pays; et, sur le plan mondial, le déséquilibre économique et social encore plus flagrant entre les pays économiquement développés et les pays en voie de développement économique.

Dans le domaine politique: la participation à la vie publique d'un plus grand nombre de citoyens d'origine sociale variée, en de nombreux pays; l'extension et la pénétration de l'action des pouvoirs publics dans le domaine économique et social. À cela s'ajoute sur le plan international le déclin des régimes coloniaux et la conquête de l'indépendance politique de la part des peuples d'Asie et d'Afrique; la multiplication et la complexité des rapports entre peuples; l'approfondissement de leur interdépendance; la naissance et le développement d'un réseau toujours plus dense d'organismes à la dimension du monde qui tendent à s'inspirer de critères supranationaux: des organismes à buts économiques, sociaux, culturels et politiques.

Thèmes de la nouvelle encyclique

C'est pourquoi Nous aussi Nous éprouvons le devoir de maintenir vive la flamme allumée par Nos Prédécesseurs et d'exhorter tous les hommes à en tirer élan et lumière pour résoudre la question sociale d'une manière plus adaptée à notre temps.

Ainsi donc, en commémorant solennellement l'encyclique de Léon XIII, Nous sommes heureux de saisir l'occasion de rappeler et de préciser des points de doctrine qui ont déjà été exposés par Nos Prédécesseurs et en même temps d'expliquer la pensée de l'Église du Christ sur les nouveaux et les plus importants problèmes du moment.

- II -

PRÉCISIONS ET DÉVELOPPEMENTS APPORTÉS AUX ENSEIGNEMENTS DE «RERUM NOVARUM»

*Initiative personnelle et intervention des pouvoirs publics
en matière économique.*

Qu'il soit entendu avant toute chose que le monde économique résulte de l'initiative personnelle des particuliers, qu'ils agissent individuellement ou associés de manières diverses à la poursuite d'intérêts communs.

Toutefois, en vertu des raisons déjà admises par Nos Prédécesseurs, les pouvoirs publics doivent, d'autre part, exercer leur présence active en vue de dûment promouvoir le développement de la production, en fonction du progrès social et au bénéfice de tous les citoyens. Leur action a un caractère d'orientation, de stimulant, de suppléance et d'intégration. Elle doit être inspirée par le *principe de subsidiarité*[24], formulé par Pie XI dans l'encyclique *Quadragesimo anno:* «*Il n'en reste pas moins indiscutable qu'on ne saurait ni changer ni ébranler ce principe si grave de philosophie sociale; de même qu'on ne peut enlever aux particuliers, pour les transférer à la communauté, les attributions dont ils sont capables de s'acquitter de leur seule initiative et par leurs propres moyens, ainsi ce serait commettre une injustice, en même temps que troubler d'une manière très dommageable l'ordre social, que de retirer aux groupements d'ordre inférieur, pour les confier à une collectivité plus vaste et d'un rang plus élevé, les fonctions qu'ils sont en mesure de remplir eux-mêmes. L'objet naturel de toute intervention*

---

24. *A. A. S.*, XXIII, 1931, p. 203.

*en matière sociale est d'aider les membres du corps social, et non pas
de les détruire ni de les absorber.»*[25]

Il est vrai que de nos jours le développement des sciences
et des techniques de production offre aux pouvoirs publics de
plus amples possibilités de réduire les déséquilibres entre les
divers secteurs de production, entre les différentes zones à
l'intérieur des communautés politiques, entre les divers pays
sur le plan mondial. Il permet aussi de limiter les oscillations
dans les alternances de la conjoncture économique, de faire
front aux phénomènes de chômage massif, avec la perspective
de résultats positifs. En conséquence, les pouvoirs publics, responsables du bien commun, ne peuvent manquer de se sentir
engagés à exercer dans le domaine économique une action aux
formes multiples, plus vaste, plus profonde, plus organique; à
s'adapter aussi, dans ce but, aux structures, aux compétences,
aux moyens, aux méthodes.

Mais il faut toujours rappeler ce principe: la présence de
l'État dans le domaine économique, si vaste et pénétrante
qu'elle soit, n'a pas pour but de réduire de plus en plus la sphère
de liberté de l'initiative personnelle des particuliers, tout au
contraire elle a pour objet d'assurer à ce champ d'action la plus
vaste ampleur possible, grâce à la protection effective, pour tous
et pour chacun, des droits essentiels de la personne humaine.
Et il faut retenir parmi ceux-ci le droit qui appartient à chaque
personne humaine d'être et demeurer normalement première
responsable de son entretien et de celui de sa famille. Cela
comporte que, dans tout système économique, soit permis et
facilité le libre exercice des activités productrices.

Au reste, le développement même de l'histoire fait apparaître chaque jour plus clairement qu'une vie commune ordonnée et féconde n'est possible qu'avec l'apport dans le domaine
économique, tant des particuliers que des pouvoirs publics,
apport simultané, réalisé dans la concorde, en des proportions
qui répondent aux exigences du bien commun, eu égard aux
situations changeantes et aux vicissitudes humaines.

---

25. Cf. *Ibid.*, p. 203.

Au fait, l'expérience enseigne que là où fait défaut l'initiative personnelle des individus surgit la tyrannie politique, mais languissent aussi les secteurs économiques orientés surtout à produire la gamme indéfinie des biens de consommation et services satisfaisant en plus des besoins matériels, les exigences de l'esprit: biens et services qui engagent de façon spéciale le génie créateur des individus. Tandis que là où vient à manquer l'action requise de l'État, apparaît un désordre inguérissable, l'exploitation des faibles par les forts moins scrupuleux, qui croissent en toute terre et en tout temps, comme l'ivraie dans le froment.

La «socialisation»

Origine et amplitude du phénomène

La «socialisation» est un des aspects caractéristiques de notre époque. Elle est une multiplication progressive des relations dans la vie commune; elle comporte des formes diverses de vie et d'activités associées et l'instauration d'institutions juridiques. Ce fait s'alimente à la source de nombreux facteurs historiques, parmi lesquels il faut compter les progrès scientifiques et techniques, une plus grande efficacité productive, un niveau de vie plus élevé des habitants.

La «socialisation» est à la fois cause et effet d'une intervention croissante des pouvoirs publics, même dans les domaines les plus délicats: soins médicaux, instruction et éducation des générations nouvelles, orientation professionnelle, méthodes de récupération et réadaptation des sujets diminués. Elle est aussi le fruit et l'expression d'une tendance naturelle, quasi incoercible, des humains: tendance à l'association en vue d'atteindre des objectifs qui dépassent les capacités et les moyens dont peuvent disposer les individus. Pareille disposition a donné vie, surtout en ces dernières décennies, à toute une gamme de groupes, de mouvements, d'associations, d'institutions, à buts économiques, culturels, sociaux, sportifs, récréatifs, professionnels, politiques, aussi bien à l'intérieur des communautés politiques que sur le plan mondial.

Estimation

Il est clair que la «socialisation», ainsi comprise, apporte beaucoup d'avantages. En fait, elle permet d'obtenir la satisfaction de nombreux droits personnels, en particulier ceux qu'on appelle économiques et sociaux. Par exemple, le droit aux moyens indispensables à un entretien vraiment humain, aux soins médicaux, à une instruction de base plus élevée, à une formation professionnelle plus adéquate, au logement, au travail, à un repos convenable, à la récréation. En outre, grâce à une organisation de plus en plus parfaite des moyens modernes de diffusion de la pensée — presse, cinéma, radio, télévision — il est loisible à toute personne de participer aux vicissitudes humaines sur un rayon mondial.

Par contre, la «socialisation» multiplie les méthodes d'organisation, et rend de plus en plus minutieuses la réglementation juridique des rapports humains, en tous domaines. Elle réduit en conséquence le rayon d'action libre des individus. Elle utilise des moyens, emploie des méthodes, crée des ambiances qui rendent difficile pour chacun une pensée indépendante des influences extérieures. Une action d'initiative propre, l'exercice de sa responsabilité, l'affirmation et l'enrichissement de sa personne. Faut-il conclure que la «socialisation», croissant en amplitude et profondeur, transformera nécessairement les hommes en automates? À cette question, il faut répondre négativement.

Il ne faut pas considérer la «socialisation» comme le résultat de forces naturelles mues par un déterminisme. Elle est, au contraire, comme nous l'avons noté, œuvre des hommes, êtres conscients, libres, portés par nature à agir comme responsables, même s'ils sont tenus, dans leur action, à reconnaître et respecter les lois du développement économique et du progrès social, s'ils ne peuvent se soustraire entièrement à la pression de l'ambiance.

Ainsi le développement des relations sociales peut et doit s'effectuer selon des modalités qui sont de nature à en promouvoir au maximum les avantages et à en conjurer, tout au moins à en atténuer, les inconvénients.

Dans ce but, il est requis que les hommes investis d'autorité publique soient animés par une saine conception du bien commun. Celui-ci comporte l'ensemble des conditions sociales qui permettent et favorisent dans les hommes le développement intégral de leur personnalité. Nous estimons, en outre, nécessaire que les corps intermédiaires et les initiatives sociales diverses, par lesquelles surtout s'exprime et se réalise la «socialisation», jouissent d'une autonomie efficace devant les pouvoirs publics, qu'ils poursuivent leurs intérêts spécifiques en rapports de collaboration loyale entre eux et de subordination aux exigences du bien commun.

Il n'est pas moins nécessaire que ces sociétés aient la forme et la nature de vraies communautés; elles n'y réussiront que si elles traitent toujours leurs membres en personnes humaines et les font participer à leurs activités.

Les organisations de la société contemporaine se développent et l'ordre s'y réalise de plus en plus, grâce à un équilibre renouvelé: exigence d'une part de collaboration autonome apportée par tous, individus et groupes; d'autre part, coordination en temps opportun et orientation venue des pouvoirs publics.

Si la «socialisation» s'exerçait dans le domaine moral suivant les lignes indiquées, elle ne comporterait pas par nature de périls graves d'étouffement aux dépens des particuliers. Elle favoriserait, au contraire, le développement en eux des qualités propres à la personne. Elle réorganiserait même la vie commune, telle que Notre Prédécesseur Pie XI la préconisait dans l'encyclique *Quadragesimo anno*[26] comme condition indispensable en vue de satisfaire les exigences de la justice sociale.

La rémunération du travail

Normes de justice et d'équité

Notre âme est saisie de profonde amertume devant un spectacle infiniment triste: une foule de travailleurs, en de nombreux pays et sur des continents entiers, reçoivent un salaire qui les

---

26. Cf. *Ibid.*, p. 222 s.

oblige, eux et leurs familles, à des conditions de vie sous-humaines. Cela est dû sans doute aussi à ce que dans ces pays et continents le processus d'industrialisation en est encore à ses débuts, ou en période insuffisamment avancée.

Pourtant, en certains de ces pays, criant et outrageant est le contraste entre l'extrême misère des multitudes et l'abondance, le luxe effréné de quelques privilégiés. En d'autres pays, la génération actuelle est contrainte à subir des privations inhumaines, en vue d'accroître l'efficacité de l'économie nationale suivant un rythme d'accélération disproportionné avec les exigences de la justice et de l'humanité. En d'autres, une part considérable du revenu est employée à mettre en valeur ou entretenir un prestige national mal compris, des sommes immenses sont dépensées en armements.

De plus, dans les pays économiquement développés, il n'est pas rare que des rétributions élevées, très élevées, soient accordées à des prestations peu absorbantes ou de valeur discutable, tandis que des catégories entières de citoyens honnêtes et travailleurs ne reçoivent pour leur activité assidue et féconde que des rémunérations trop infimes, insuffisantes ou, en tout état de cause, disproportionnées à leur rapport au bien commun, au rendement de l'entreprise comme au revenu global de l'économie nationale.

Aussi bien, Nous estimons être de Notre devoir d'affirmer une fois de plus que la rétribution du travail ne peut être ni entièrement abandonnée aux lois du marché ni fixée arbitrairement: elle est déterminée en justice et équité. Cela exige que soit accordée aux travailleurs une rémunération qui leur permette, avec un niveau de vie vraiment humain, de faire face avec dignité à leurs responsabilités familiales. Cela demande en outre que, pour déterminer les rétributions, on considère leur apport effectif à la production, les situations économiques des entreprises, les exigences du bien commun de la nation. On prendra en spéciale considération les répercussions sur l'emploi global du travail dans l'ensemble du pays, et aussi les exigences du bien commun universel, intéressant les communautés internationales, diverses en nature et en étendue.

Il est clair que les principes exprimés ci-dessus valent partout et toujours. On ne saurait toutefois déterminer la mesure dans laquelle ils doivent être appliqués sans tenir compte des richesses disponibles; celles-ci peuvent varier, varient en effet en quantité et qualité de pays à pays, et, dans le même pays, d'une période à l'autre.

Adaptation entre développement économique et progrès social

Tandis que les économies des divers pays se développent rapidement, avec un rythme encore plus rapide depuis la dernière guerre, il Nous paraît opportun d'attirer l'attention sur un principe fondamental. Le progrès social doit accompagner et rejoindre le développement économique, de telle sorte que toutes les catégories sociales aient leur part des produits accrus. Il faut donc veiller avec attention, et s'employer efficacement, à ce que les déséquilibres économiques et sociaux n'augmentent pas, mais s'atténuent dans la mesure du possible.

«*L'économie nationale elle aussi*, observe à bon droit Notre Prédécesseur Pie XII, *de même qu'elle est le fruit de l'activité d'hommes qui travaillent unis dans la communauté politique, ne tend pas non plus à autre chose qu'à assurer sans interruption les conditions matérielles dans lesquelles pourra se développer pleinement la vie individuelle des citoyens. Là où cela sera obtenu, et de façon durable, un peuple sera, en vérité, économiquement riche, parce que le bien-être général, et par conséquent le droit personnel de tous à l'usage des biens terrestres, se trouve ainsi réalisé conformément au plan voulu par le Créateur.*»[27]

D'où il suit que la richesse économique d'un peuple ne résulte pas seulement de l'abondance globale des biens, mais aussi et plus encore de leur distribution effective suivant la justice, en vue d'assurer l'épanouissement personnel des membres de la communauté: car telle est la véritable fin de l'économie nationale.

Nous ne saurions ici négliger le fait que de nos jours les grandes et moyennes entreprises obtiennent fréquemment, en

---

27. Cf. *A. A. S.*, XXXIII, 1941, p. 200.

de nombreuses économies, une capacité de production rapidement et considérablement accrue, grâce à l'autofinancement. En ce cas, Nous estimons pouvoir affirmer que l'entreprise doit reconnaître un titre de crédit aux travailleurs qu'elle emploie, surtout s'ils reçoivent une rémunération qui ne dépasse pas le salaire minimum.

Nous rappelons à ce sujet le principe exprimé par Notre Prédécesseur Pie XI dans l'encyclique *Quadragesimo anno*; «*Il serait donc radicalement faux de voir soit dans le seul capital, soit dans le seul travail, la cause unique de tout ce que produit leur effort combiné; c'est bien injustement que l'une des parties, contestant à l'autre toute efficacité, en revendiquerait pour soi tout le fruit.*»[28]

Il peut être satisfait à cette exigence de justice en bien des manières que suggère l'expérience. L'une d'elles, et des plus désirables, consiste à faire en sorte que les travailleurs arrivent à participer à la propriété des entreprises dans les formes et les mesures les plus convenables. Aussi bien, de nos jours plus qu'au temps de Notre Prédécesseur, «*il faut donc tout mettre en œuvre afin que, dans l'avenir du moins, la part des biens qui s'accumule aux mains des capitalistes soit réduite à une plus équitable mesure et qu'il s'en répande une suffisante abondance parmi les ouvriers*»[29].

Il Nous faut en outre rappeler que l'équilibre entre la rémunération du travail et le revenu doit être atteint en harmonie avec les exigences du bien commun, soit de la communauté nationale, soit de la famille humaine dans son ensemble.

Il faut considérer les exigences du bien commun sur le plan national: donner un emploi au plus grand nombre possible de travailleurs; éviter la formation de catégories privilégiées, même parmi ces derniers; maintenir une proportion équitable entre salaires et prix; donner accès aux biens et services au plus grand nombre possible de citoyens; éliminer ou réduire les déséquilibres entre secteurs: agriculture, industrie, services; équilibrer expansion économique et développement des ser-

---

28. *A. A. S.*, XXIII, 1931, p. 195.
29. Cf. *Ibid.*, p. 198.

vices publics essentiels; adapter, dans la mesure du possible, les structures de production aux progrès des sciences et des techniques; tempérer le niveau de vie amélioré des générations présentes par l'intention de préparer un avenir meilleur aux générations futures.

Le bien commun a en outre des exigences sur le plan mondial: éviter toute forme de concurrence déloyale entre les économies des divers pays; favoriser, par des ententes fécondes, la collaboration entre économies nationales; collaborer au développement économique des communautés politiques moins avancées.

Il va de soi que ces exigences du bien commun, national ou mondial, entrent aussi en considération quand il s'agit de fixer la part de revenu à attribuer sous forme de profits aux responsables de la direction des entreprises, et sous forme d'intérêts ou dividendes à ceux qui fournissent les capitaux.

Exigences de la justice au regard des structures

Structures conformes à la dignité de l'homme

La justice doit être observée non seulement dans la répartition des richesses, mais aussi au regard des entreprises où se développent les processus de production. Il est inscrit, en effet, dans la nature des hommes qu'ils aient la possibilité d'engager leur responsabilité et de se perfectionner eux-mêmes, là où ils exercent leur activité productrice.

C'est pourquoi si les structures, le fonctionnement, les ambiances d'un système économique sont de nature à compromettre la dignité humaine de ceux qui s'y emploient, d'émousser systématiquement leur sens des responsabilités, de faire obstacle à l'expression de leur initiative personnelle, pareil système économique est injuste, même si, par hypothèse, les richesses qu'il produit atteignent un niveau élevé, et sont réparties suivant les règles de la justice et de l'équité.

Rappel d'une consigne

Il n'est pas possible de fixer dans leur détail les structures d'un système économique qui répondent le mieux à la dignité de l'homme et soient le plus aptes à développer en lui le sens des responsabilités. Toutefois Notre-Prédécesseur Pie XII donne opportunément cette consigne: «*La petite et moyenne propriété agricole, artisanale et professionnelle, commerciale, industrielle, doit être garantie et favorisée; les unions coopératives devront leur assurer les avantages de la grande exploitation. Et là où la grande exploitation continue de se montrer, plus heureusement productive, elle doit offrir la possibilité de tempérer le contrat de travail par un contrat de société.*»[30]

Entreprise artisanale et coopératives de production

Il faut conserver et promouvoir, en harmonie avec le bien commun, et dans le cadre des possibilités techniques, l'entreprise artisanale, l'exploitation agricole à dimensions familiales et aussi l'entreprise coopérative, comme intégration des deux précédentes.

Sur l'exploitation agricole à dimensions familiales, Nous reviendrons plus loin. Nous estimons opportun de faire ici quelques remarques au sujet de l'entreprise artisanale et des coopératives.

Il faut noter tout d'abord que ces deux formes d'entreprises doivent, pour être viables, s'adapter constamment aux structures, au fonctionnement, aux productions, aux situations toujours nouvelles, déterminées par les progrès de la science et des techniques, et aussi par les exigences mouvantes et les préférences des consommateurs. Cette adaptation doit être réalisée en premier lieu par les artisans et les coopérateurs eux-mêmes.

À cette fin, il est nécessaire que les uns et les autres aient une bonne formation technique et humaine et soient organisés professionnellement. Il est non moins indispensable que soit appliquée une politique économique idoine, en ce qui regarde surtout l'instruction, le régime fiscal, le crédit, les assurances sociales.

---

30. *Nuntius radiophonicus*, d. die 1 septembris 1944; cf. *A. A. S.*, XXXVI, 1944, p. 254.

Au reste, l'action des pouvoirs publics en faveur des artisans et coopérateurs trouve sa justification dans ce fait aussi que leurs catégories sont porteuses de valeurs humaines authentiques et contribuent au progrès de la civilisation.

Pour ces raisons, Nous invitons en esprit paternel Nos très chers fils, les artisans et coopérateurs dispersés dans le monde entier, à prendre conscience de la noblesse de leur profession, de leur contribution importante à l'éveil du sens des responsabilités, de l'esprit de collaboration, pour que demeure vif, dans la nation, le goût d'un travail fin et original.

Présence active des travailleurs dans les moyennes et grandes entreprises

De plus, avançant sur les traces de Nos Prédécesseurs, Nous estimons légitime l'aspiration des ouvriers à prendre part active à la vie des entreprises où ils sont enrôlés et travaillent. On ne peut déterminer à l'avance le genre et le degré de cette participation, car ils sont en rapport avec la situation concrète de chaque entreprise. Cette situation peut varier d'entreprise à entreprise; à l'intérieur de chacune d'elles elle est sujette à des changements souvent rapides et substantiels. Nous estimons toutefois opportun d'attirer l'attention sur le fait que le problème de la présence active des travailleurs existe toujours dans l'entreprise, soit privée soit publique. Il faut tendre, en tout cas, à ce que l'entreprise devienne une communauté de personnes, dans les relations, les fonctions et les situations de tout son personnel.

Cela requiert que les relations entre entrepreneurs et dirigeants d'une part, apporteurs de travail d'autre part, soient imprégnées de respect, d'estime, de compréhension, de collaboration active et loyale, d'intérêt à l'œuvre commune; que le travail soit conçu et vécu par tous les membres de l'entreprise, non seulement comme source de revenus, mais aussi comme accomplissement d'un devoir et prestation d'un service. Cela comporte encore que les ouvriers puissent faire entendre leur voix, présenter leur apport au fonctionnement efficace de l'entreprise et à son développement. Notre Prédécesseur Pie XII fait observer: «*La fonction économique et sociale que tout homme désire accomplir exige que l'activité de chacun ne soit pas totalement soumise à l'autorité d'autrui.*»[31] Une conception humaine de l'entreprise doit sans doute sauvegarder l'autorité et l'efficacité nécessaire de l'unité de direction; mais elle ne saurait réduire ses collaborateurs quotidiens au rang de simples exécuteurs silencieux, sans aucune possibilité de faire valoir leur expérience, entièrement passifs au regard des décisions qui dirigent leur activité.

Il faut noter enfin que l'exercice de la responsabilité, de la part des ouvriers, dans les organismes de production, en même temps qu'il répond aux exigences légitimes inscrites au cœur de l'homme, est aussi en harmonie avec le déroulement de l'histoire en matière économique, sociale et politique.

Malheureusement, comme Nous l'avons déjà noté et comme on le verra plus abondamment par la suite, nombreux sont, de notre temps, les déséquilibres économiques et sociaux qui blessent la justice et l'humanité. Des erreurs profondes affectent les activités, les buts, les structures, le fonctionnement du monde économique. C'est toutefois un fait incontestable que les régimes économiques, sous la poussée du progrès scientifique et technique, se modernisent sous nos yeux, deviennent plus efficients avec des rythmes bien plus rapides qu'autrefois. Cela demande aux travailleurs des aptitudes et des qualifications professionnelles plus relevées. En même temps et par voie de conséquence, des moyens supérieurs, des marges de temps plus étendues, sont mises à leur disposition pour leur instruction et leur tenue à jour, pour leur culture et leur formation morale et religieuse. Une prolongation des années destinées à l'instruction de base et à la formation professionnelle est aussi devenue réalisable.

De la sorte, une ambiance humaine est créée, qui favorise pour les classes laborieuses la prise de plus grandes responsabilités, même à l'intérieur de l'entreprise. Les communautés politiques, de leur part, ont de plus en plus intérêt à ce que tout citoyen se sente responsable de la réalisation du bien commun, dans tous les secteurs de la vie sociale.

---

31. *Allocutio* habita die 8 octobris anno 1956; cf. A. A. S., XLVIII, 1956, p. 799-800.

Présence des travailleurs à tous les échelons

De notre temps, le mouvement vers l'association des travailleurs s'est largement développé; il a été généralement reconnu dans les dispositions juridiques des États et sur le plan international, spécialement en vue de la collaboration, surtout grâce au contrat collectif. Nous ne saurions toutefois omettre de dire à quel point il est opportun, voire nécessaire, que la voix des travailleurs ait la possibilité de se faire entendre et écouter hors des limites de chaque organisme de production, à tous les échelons.

La raison en est que les organismes particuliers de production, si larges que soient leurs dimensions, si élevées que soient leur efficacité et leur incidence, demeurent toutefois inscrits vitalement dans le contexte économique et social de leur communauté politique, et sont conditionnés par lui.

Néanmoins, les choix qui influent davantage sur ce contexte ne sont pas décidés à l'intérieur de chaque organisme productif, mais bien par les pouvoirs publics, ou des institutions à compétence mondiale, régionale ou nationale, ou bien qui relèvent soit du secteur économique, soit de la catégorie de production. D'où l'opportunité — la nécessité — de voir présents dans ces pouvoirs ou ces institutions, outre les apporteurs de capitaux et ceux qui représentent leurs intérêts, aussi les travailleurs et ceux qui représentent leurs droits, leurs exigences, leurs aspirations.

Notre pensée affectueuse, Notre encouragement paternel se tournent vers les associations professionnelles et les mouvements syndicaux d'inspiration chrétienne présents et agissant sur plusieurs continents. Malgré des difficultés souvent graves, ils ont su agir, et agissent, pour la poursuite efficace des intérêts des classes laborieuses, pour le relèvement matériel et moral, aussi bien à l'intérieur de chaque État que sur le plan mondial.

Nous remarquons avec satisfaction que leur action n'est pas mesurée seulement par ses résultats directs et immédiats, faciles à constater, mais aussi par ses répercussions positives sur l'ensemble du monde du travail, où ils répandent des idées correctement orientées et exercent une impulsion chrétiennement novatrice.

Nous observons aussi qu'il faut prendre en considération l'action exercée dans un esprit chrétien par Nos chers fils, dans les autres associations professionnelles et syndicales qu'animent les principes naturels de la vie commune, et qui respectent la liberté de conscience.

Nous sommes heureux d'exprimer Notre cordiale estime envers l'Organisation internationale du travail (O.I.T.). Depuis plusieurs décennies elle apporte sa contribution valide et précieuse à l'instauration dans le monde d'un ordre économique et social imprégné de justice et d'humanité, où les requêtes légitimes des travailleurs trouvent leur expression.

La propriété privée

Situation nouvelle

Durant ces dernières décennies, on le sait, la brèche entre propriété des biens de production est responsabilités de direction dans les grands organismes économiques est allée s'élargissant. Nous savons que cela pose des problèmes difficiles de contrôle aux pouvoirs publics. Comment s'assurer que les objectifs poursuivis par les dirigeants des grandes entreprises, celles surtout qui ont plus grande incidence sur l'ensemble de la vie économique dans la communauté politique, ne s'opposent pas aux exigences du bien commun? Ces problèmes surgissent aussi bien, l'expérience le prouve, quand les capitaux qui alimentent les grandes entreprises sont d'origine privée, et quand ils proviennent d'établissements publics.

Il est vrai aussi que de nos jours, nombreux sont les citoyens — et leur nombre va croissant — qui, du fait qu'ils appartiennent à des organismes d'assurances ou de sécurité sociale, en tirent argument pour considérer l'avenir avec sérénité; sérénité qui s'appuyait autrefois sur la possession d'un patrimoine, fût-il modeste.

On note enfin qu'aujourd'hui on aspire à conquérir une capacité professionnelle plus qu'à posséder des biens; on a confiance en des ressources qui prennent leur origine dans le

travail ou des droits fondés sur le travail, plus qu'en des revenus qui auraient leur source dans le capital, ou des droits fondés
sur le capital.

Cela du reste est en harmonie avec le caractère propre du
travail qui, procédant directement de la personne, doit passer
avant l'abondance des biens extérieurs qui, par leur nature,
doivent avoir valeur d'instrument; ce qui est assurément l'indice d'un progrès de l'humanité.

Ces aspects du monde économique ont certainement
contribué à répandre le doute suivant: est-ce que, dans la
conjoncture présente, un principe d'ordre économique et social,
fermement enseigné et défendu par Nos Prédécesseurs, à savoir
le principe de droit naturel de la propriété privée, y compris
celle des biens de production, n'aurait pas perdu sa force ou ne
serait pas de moindre importance?

Affirmation renouvelée du droit de propriété

Ce doute n'est pas fondé. Le droit de propriété, même des biens
de production, a valeur permanente, pour cette raison précise
qu'il est un droit naturel, fondé sur la priorité, ontologique et
téléologique, des individus sur la société. Au reste, il serait vain
de revendiquer l'initiative personnelle et autonome en matière
économique, si n'était pas reconnue à cette initiative la libre
disposition des moyens indispensables à son affirmation. L'histoire et l'expérience attestent, de plus, que sous les régimes
politiques qui ne reconnaissent pas le droit de propriété privée
des biens de production, les expressions fondamentales de la
liberté sont comprimées ou étouffées. Il est, par suite, légitime
d'en déduire qu'elles trouvent en ce droit garantie et stimulant.

Cela explique pourquoi des mouvements sociaux et politiques, qui se proposent de concilier dans la vie commune justice
et liberté, hier encore nettement opposés à la propriété privée
des biens de production, aujourd'hui mieux instruits de la
réalité sociale, reconsidèrent leur position et prennent à l'égard
de ce droit une attitude substantiellement positive.

Aussi bien Nous faisons Nôtres, en cette matière, les remarques de Notre Prédécesseur Pie XII: «*En défendant le principe de*

la propriété privée, l'Église poursuit un haut objectif tout à la fois moral et social. Ce n'est pas qu'elle prétende soutenir purement et simplement l'état actuel des choses, comme si elle y voyait l'expression de la volonté divine, ni protéger par principe le riche et le ploutocrate contre le pauvre et le prolétaire.

L'Église vise plutôt à faire en sorte que l'institution de la propriété devienne ce qu'elle doit être, selon les plans de la sagesse divine et selon le vœu de la nature.»[32] C'est dire qu'elle doit être à la fois garantie de la liberté essentielle de la personne humaine et élément indispensable de l'ordre social.

Nous avons noté en outre que les économies, de nos jours, accroissent rapidement leur efficacité productive en de nombreux pays. Toutefois, tandis que s'élève le revenu, justice et équité requièrent, Nous l'avons vu, que s'élève aussi la rémunération du travail, dans les limites consenties par le bien commun. Cela donnerait aux travailleurs plus grande opportunité d'épargner, et par suite de se constituer un patrimoine. On ne voit pas alors comment pourrait être contesté le caractère naturel d'un droit qui trouve sa source principale et son aliment perpétuel dans la fécondité du travail; qui constitue un moyen idoine pour l'affirmation de la personne et l'exercice de la responsabilité en tous domaines; qui est élément de stabilité sereine pour la famille, d'expansion pacifique et ordonnée dans l'existence commune.

Diffusion effective

Affirmer que le caractère naturel du droit de propriété privée concerne aussi les biens de production ne suffit pas: il faut insister, en outre, pour qu'elle soit effectivement diffusée parmi toutes les classes sociales.

Comme le déclare Notre Prédécesseur Pie XII: «*La dignité de la personne humaine exige normalement, comme fondement naturel pour vivre, le droit à l'usage des biens de la terre; à ce droit correspond l'obligation fondamentale d'accorder une propriété privée*

---

32. *Radiophonicus nuntius* datus die 1 septembris anno 1944; cf. A. A. S., XXXVI, 1944, p. 253.

autant que possible à tous.»[33] D'autre part, il faut placer parmi les exigences qui résultent de la noblesse du travail «...*la conservation et le perfectionnement d'un ordre social qui rende possible et assurée, si modeste qu'elle soit, une propriété privée à toutes les classes du peuple*»[34].

Il faut d'autant plus urger cette diffusion de la propriété en notre époque où, Nous l'avons remarqué, les structures économiques de pays de plus en plus nombreux se développent rapidement. C'est pourquoi, si on recourt avec prudence aux techniques qui ont fait preuve d'efficacité, il ne sera pas difficile de susciter des initiatives, de mettre en branle une politique économique et sociale qui encourage et facilite une plus ample accession à la propriété privée des biens durables: une maison, une terre, un outillage artisanal, l'équipement d'une ferme familiale, quelques actions d'entreprises moyennes ou grandes. Certains pays, économiquement développés et socialement avancés, en ont fait l'heureuse expérience.

Propriété publique

Ce qui vient d'être exposé n'exclut évidemment pas que l'État et les établissements publics détiennent, eux aussi, en propriété légitime, des biens de production, et spécialement lorsque ceux-ci «*en viennent à conférer une puissance économique telle qu'elle ne peut, sans danger pour le bien public, être laissée entre les mains de personnes privées*»[35].

Notre temps marque une tendance à l'expansion de la propriété publique: État et collectivités. Le fait s'explique par les attributions plus étendues que le bien commun confère aux pouvoirs publics. Cependant, il convient, ici encore, de se conformer au principe de subsidiarité sus-énoncé. Aussi bien l'État et les établissements de droit public ne doivent étendre leur domaine que dans les limites évidemment exigées par des

---

33. *Nuntius radiophonicus* datus die 24 decembris anno 1942; cf. A. A. S., XXXV, 1943, p. 17.

34. Cf. *Ibid.*, p. 20.

35. Lettre encycl. *Quadragesimo anno;* A. A. S., XXIII, 1931, p. 214.

raisons de bien commun, nullement à seule fin de réduire, pire encore, de supprimer la propriété privée.

Il convient de retenir que les initiatives d'ordre économique, qui appartiennent à l'État ou aux établissements publics, doivent être confiées à des personnes qui unissent à une compétence éprouvée un sens aigu de leur responsabilité devant le pays. De plus, leur activité doit être objet d'un contrôle attentif et constant, ne serait-ce que pour éviter la formation, au sein de l'État, de noyaux de puissance économique au préjudice du bien de la communauté, qui est pourtant leur raison d'être.

Fonction sociale

Voici un autre point de doctrine, constamment enseigné par Nos Prédécesseurs: au droit de propriété est intrinsèquement rattachée une fonction sociale. Dans les plans du Créateur, en effet, les biens de la terre sont avant tout destinés à la subsistance décente de tous les hommes, comme l'enseigne avec sagesse Notre Prédécesseur Léon XIII dans l'encyclique *Rerum novarum*: «*Quiconque a reçu de la divine bonté une plus grande abondance, soit des biens externes et du corps, soit des biens de l'âme, les a reçus dans le but de les faire servir à son propre perfectionnement, et tout ensemble, comme ministre de la Providence, au soulagement des autres. C'est pourquoi «quelqu'un a-t-il le don de la parole, qu'il prenne garde de se taire; une surabondance de biens, qu'il ne laisse pas la miséricorde s'engourdir au fond de son cœur; l'art de gouverner, qu'il s'applique avec soin à en partager avec son frère et l'exercice et les fruits.*»[36]

De nos jours, l'État et les établissements publics ne cessent d'étendre le domaine de leur initiative. La fonction sociale de la propriété privée n'en est pas pour autant désuète, comme certains auraient tendance à le croire par erreur: elle a sa racine dans la nature même du droit de propriété. Il y a toujours une multitude de situations douloureuses, d'indigences lancinantes et délicates, auxquelles l'assistance publique ne saurait atteindre ni porter remède. C'est pourquoi un vaste champ reste

---

36. *Acta Leonis XIII*, XI, 1891, p. 114.

ouvert à la sensibilité humaine, à la charité chrétienne et privée. Notons, enfin, que souvent les initiatives variées des individus et des groupes ont plus d'efficacité que les pouvoirs publics pour susciter les valeurs spirituelles.

Il nous est agréable de rappeler ici comment l'Évangile reconnaît fondé le droit de propriété privée. Mais en même temps, le Divin Maître adresse fréquemment aux riches de pressants appels, afin qu'ils convertissent leurs biens temporels en biens spirituels, que le voleur ne prend pas, que la mite ou la rouille ne rongent pas, qui s'accumulent dans les greniers du Père céleste: «*Ne vous amassez point de trésors sur la terre, où la mite et le ver consument, où les voleurs perforent et cambriolent.*»[37] Et le Seigneur tiendra pour faite ou refusée à lui-même l'aumône faite ou refusée au pauvre: «*En vérité je vous le dis, dans la mesure où vous l'avez fait à l'un de ces plus petits de mes frères, c'est à moi que vous l'avez fait.*»[38]

---

37. *Matth.*, VI, 19-20.
38. *Matth.*, XXV, 40.

III

NOUVEAUX ASPECTS DE LA QUESTION SOCIALE

Le déroulement de l'histoire met en plus grand relief les exigences de la justice et de l'équité. Elles n'interviennent pas seulement dans les relations entre ouvriers et entreprises ou direction. Elles concernent encore les rapports entre les divers secteurs économiques, entre zones développées et zones déprimées à l'intérieur de l'économie nationale, et, sur le plan mondial, elles intéressent les relations entre pays diversement développés en matière économique et sociale.

Exigences de la justice par rapport aux secteurs de production

L'agriculture, secteur sous-développé

À l'échelle mondiale, il ne semble pas, en chiffres absolus, que la population rurale ait diminué. On ne saurait toutefois contester un exode des populations rurales vers les agglomérations et les centres urbains. Il se constate en presque tous les pays; il prend parfois des proportions massives; il pose des problèmes complexes, difficiles à résoudre.

C'est un fait connu: à mesure qu'une économie se développe, se résorbe la main-d'œuvre employée en agriculture, croît le pourcentage de main-d'œuvre occupée par l'industrie et les services. Nous estimons toutefois que l'exode de populations du secteur agricole vers les autres secteurs productifs n'est pas provoqué seulement par le développement économique. Souvent aussi il est dû à de multiples raisons, où nous rencontrons l'angoisse d'échapper à un milieu fermé et sans avenir; la soif de nouveauté et d'aventure qui étreint la génération présente; l'attrait d'une fortune rapide; le mirage d'une vie plus libre, avec la jouissance de facilités qu'offrent les agglomérations urbaines. Il est à noter cependant — et cela ne fait aucun doute — que cet exode est aussi provoqué par ce fait que le secteur agricole, à peu près partout, est un secteur déprimé: qu'il s'agisse de l'indice de productivité, de la main-d'œuvre, ou du niveau de vie des populations rurales.

D'où un problème de fond qui se pose à tous les États: comment faire pour comprimer le déséquilibre de la productivité entre secteur agricole d'une part, secteur industriel et des services d'autre part; pour que le niveau de vie des populations rurales s'écarte le moins possible du niveau de vie des citadins; pour que les agriculteurs n'aient pas un complexe d'infériorité; qu'ils soient convaincus au contraire que, dans le milieu rural aussi, ils peuvent développer leur personnalité par leur travail et considérer l'avenir avec confiance?

C'est pourquoi il Nous paraît à propos d'indiquer quelques directives qui pourront contribuer à résoudre le problème. Elles valent, pensons-Nous, quelle que soit la donnée historique, à cette condition évidente d'être appliquées dans la manière et la mesure que le milieu permet.

Adaptation des services essentiels

En premier lieu, chacun doit s'employer, et d'abord les pouvoirs publics, à ce que les milieux ruraux disposent, comme il convient, des services essentiels: routes, transports, communications, eau potable, logement, soins médicaux, instruction élémentaire et formation professionnelle, service religieux, loisirs; et tout ce que requiert la maison rurale pour son ameublement et sa modernisation. Que de tels services, qui de nos jours constituent les éléments essentiels d'un niveau de vie décent, viennent à manquer dans les milieux ruraux, le développement économique et le progrès social y deviennent quasi impossibles ou trop lents. Il en résulte que l'exode des populations rurales devient à peu près irrésistible et difficilement contrôlable.

Développement graduel et harmonieux de l'ensemble économique

Il importe en outre que le développement économique de la nation s'exerce graduellement, et avec harmonie, entre tous les secteurs de production. Il convient à cet effet que soient réalisées dans le secteur agricole les transformations qui regardent les techniques de production, le choix des cultures, les structures des entreprises, telles que les tolère ou requiert la vie économique dans son ensemble; et de manière à atteindre, dès que possible, un niveau de vie décent, par rapport aux secteurs industriel et des services.

Ainsi l'agriculture pourrait consommer une plus grande abondance de produits industriels et demander des services plus qualifiés. Elle offrirait de son côté aux deux autres secteurs et à l'ensemble de la communauté, des produits qui répondent mieux, en quantité et en qualité, aux exigences des consommateurs. Elle contribuerait ainsi à la stabilité de la monnaie: apport positif au développement ordonné du système économique global.

De la sorte, il devrait, semble-t-il, être moins difficile de contrôler, dans les régions de départ et d'arrivée, les mouvements de la main-d'œuvre libérée par la modernisation progressive de l'agriculture; et on pourrait la munir de la formation professionnelle voulue pour son insertion profitable dans les autres secteurs de production. Elle recevrait aussi l'aide économique, la préparation, le secours spirituel requis pour son intégration sociale.

Politique économique adaptée

Afin d'obtenir un développement économique harmonieux entre tous les secteurs de production, une politique attentive, dans le domaine rural, est nécessaire. Elle concerne le régime fiscal, le crédit, les assurances sociales, le soutien des prix, le développement des industries de transformation, la modernisation des établissements.

Régime fiscal

Le principe de base d'un régime fiscal juste et équitable consiste en ce que les charges soient proportionnelles à la capacité contributive des citoyens.

C'est une autre exigence du bien commun, qu'il soit tenu compte de ce fait, pour la répartition des impôts, que les revenus du secteur agricole se forment plus lentement, et avec plus de risques en cours de formation. Il est plus difficile de trouver les capitaux nécessaires à leur accroissement.

Capitaux et intérêts judicieux

Pour les raisons indiquées, les porteurs de capitaux ne sont pas très enclins à investir dans le secteur agricole; ils investissent plus volontiers dans les autres domaines.

Pour les mêmes raisons, l'agriculteur ne peut verser de hauts intérêts; pas même, en principe, les intérêts courants qui lui permettraient de se procurer les capitaux nécessaires à son développement, à l'exercice normal de son entreprise. Il convient donc, pour des raisons de bien commun, de suivre une politique de crédit particulière à l'agriculture, et d'instituer des établissements de crédit, qui lui procurent des capitaux à un taux raisonnable d'intérêt.

Assurances sociales et sécurité sociale

Il semble indispensable en agriculture d'instituer deux systèmes d'assurances: l'un pour les produits agricoles, l'autre en faveur des agriculteurs et leurs familles.

Parce que l'expérience montre que le revenu par tête est généralement moindre dans l'agriculture que dans l'industrie et les services, il ne paraît entièrement conforme ni à la justice sociale ni à l'équité, d'établir des régimes d'assurances sociales ou de sécurité sociale, où les agriculteurs et leurs familles seraient traités de façon nettement inférieure à ce qui est garanti au secteur industriel ou aux services. Nous estimons en conséquence que la politique sociale devrait avoir pour objet d'offrir aux citoyens un régime d'assurances qui ne présente pas de différences trop notables suivant le secteur économique où ils s'emploient, d'où ils tirent leurs revenus.

Les régimes d'assurances ou de sécurité sociale peuvent contribuer efficacement à une distribution de revenu global de la communauté nationale, en conformité avec les normes de justice et d'équité: on peut ainsi voir en eux un moyen de réduire les déséquilibres de niveaux de vie entre les diverses catégories de citoyens.

Tutelle des prix

Vu la nature des produits agricoles, on doit recourir à une discipline efficace en vue d'en protéger les prix, utiliser à cet effet les ressources variées que la technique économique moderne est capable de proposer. Il est hautement désirable que cette discipline soit avant tout l'œuvre des intéressés; on ne saurait toutefois négliger l'action régulatrice des pouvoirs publics.

On n'oubliera pas en l'espèce que le prix des produits agricoles constitue souvent une rémunération du travail, plutôt qu'une rémunération de capitaux.

Le Souverain Pontife Pie XI observe à bon droit, dans l'encyclique *Quadragesimo anno: «Au même résultat contribuera encore un raisonnable rapport entre les différentes catégories de salaires»;* mais il ajoute aussitôt: *«Et, ce qui s'y rattache étroitement, un raisonnable rapport entre les prix auxquels se vendent les produits des diverses branches de l'activité économique, telles que l'agriculture, l'industrie et d'autres encore.»*[39]

Il est vrai que les produits agricoles sont destinés d'abord à satisfaire les besoins primaires: aussi bien leurs prix doivent-ils être tels qu'ils soient accessibles à l'ensemble des consommateurs. Mais il est clair qu'on ne peut s'appuyer sur ce motif pour réduire toute une catégorie de citoyens à un état permanent d'infériorité économique et sociale, et la priver d'un pouvoir d'achat indispensable à un niveau de vie décent, cela, au reste, en opposition évidente avec le bien commun.

Intégration des revenus agricoles

Il convient aussi de promouvoir, dans les régions agricoles, les industries et services qui se rapportent au stockage, à la transformation et au transport des produits agraires. Il est désirable

---

39. Cf. *A. A. S.,* XXIII, 1931, p. 202.

aussi que des initiatives se manifestent, concernant les autres secteurs économiques et les autres activités professionnelles. De la sorte, les familles rurales trouveront le moyen d'incorporer leurs revenus dans le milieu même où elles vivent et travaillent.

Adaptation structurelle de l'entreprise agricole

On ne saurait déterminer *a priori* la structure la plus convenable pour l'entreprise agricole, tant les milieux ruraux varient à l'intérieur de chaque pays, plus encore entre pays dans le monde. Toutefois, dans une conception humaine et chrétienne de l'homme et de la famille, on considère naturellement comme idéale l'entreprise qui se présente comme une communauté de personnes: alors les relations entre ses membres et ses structures répondent aux normes de la justice et à l'esprit que Nous avons exposé, plus spécialement s'il s'agit d'entreprises à dimensions familiales. On ne saurait trop s'employer à ce que cet idéal devienne réalité, compte tenu du milieu donné.

Il convient donc d'attirer l'attention sur ce fait que l'entreprise à dimensions familiales est viable, à condition toutefois qu'elle puisse donner à ces familles un revenu suffisant pour un niveau de vie décent. À cet effet, il est indispensable que les cultivateurs soient instruits, constamment tenus au courant et reçoivent l'assistance technique adaptée à leur profession.

Il est non moins désirable qu'ils établissent un réseau d'institutions coopératives variées, qu'ils s'organisent professionnellement, qu'ils aient leur place dans la vie publique, aussi bien dans les administrations que dans la politique.

Les agriculteurs, agents de leur promotion

Nous sommes persuadé que les promoteurs du développement économique, du progrès social, du relèvement culturel dans les milieux ruraux doivent être les intéressés eux-mêmes: les agriculteurs. Il leur est facile de constater la noblesse de leur travail: ils vivent dans le temple majestueux de la création, ils sont en rapports fréquents avec la vie animale et végétale, inépuisable en ses manifestations, inflexible en ses lois, qui sans cesse évoque la Providence du Dieu Créateur. Elle produit les aliments variés dont vit la famille humaine; elle fournit à l'industrie une provision toujours accrue de matières premières.

Ce travail, en outre, révèle la dignité de leur profession. Celle-ci manifeste la richesse de leurs aptitudes, la mécanique, la chimie, la biologie, aptitudes incessamment tenues à jour, par suite des répercussions du progrès scientifique et technique sur le secteur agricole. Ce travail est en outre caractérisé par les valeurs morales qui lui sont propres. Car il exige souplesse pour s'orienter et s'adapter, patience pour attendre, ressort et esprit d'entreprise.

Solidarité et collaboration

Il est rappelé encore que, dans le secteur agricole comme au reste dans tous les secteurs productifs, l'association est aujourd'hui de nécessité vitale, plus encore si le secteur est basé sur l'entreprise familiale. Les travailleurs de la terre doivent se sentir solidaires les uns des autres et collaborer pour donner existence à des organisations coopératives, à des associations professionnelles ou syndicales. Les unes et les autres sont indispensables pour tirer profit du progrès technique dans la production, pour contribuer efficacement à la défense des prix, pour s'établir à niveau d'égalité avec les professions des autres secteurs de production, ordinairement organisées, pour avoir voix au chapitre dans les domaines politique et administratif. De nos jours, une voix isolée n'a quasi jamais le moyen de se faire entendre, moins encore de se faire écouter.

Sensibilité aux exigences du bien commun

Les agriculteurs, comme au reste tous les autres travailleurs, doivent se maintenir dans le domaine moral et juridique, quand ils mettent en action leurs diverses organisations. C'est dire qu'ils doivent concilier leurs droits et leurs intérêts avec ceux des autres professions, subordonner au bien commun les exigences des uns et des autres. Les agriculteurs, alors qu'ils s'appliquent à promouvoir le monde rural, peuvent demander à bon droit que leur action soit appuyée par les pouvoirs publics, quand eux-mêmes se montrant sensibles aux exigences du bien commun, contribuent à y satisfaire.

Il Nous est agréable à cette occasion de féliciter ceux de Nos fils qui s'emploient de par le monde entier, dans les organisations coopératives, professionnelles et syndicales, à la promotion économique et sociale de quiconque travaille la terre.

Vocation et mission

La personne humaine trouve, dans le travail de la terre, des stimulants sans nombre pour s'affirmer, se développer, s'enrichir, y compris dans le champ des valeurs spirituelles. Ce travail doit donc être conçu, vécu, comme une vocation, comme une mission; comme une réponse à l'appel de Dieu nous invitant à prendre part à la réalisation de son plan providentiel dans l'histoire; comme un engagement à s'élever soi-même avec les autres; comme une contribution à la civilisation humaine.

Rééquilibre et promotion des régions sous-développées

Il n'est pas rare de rencontrer des déséquilibres accentués, économiques et sociaux, entre citoyens d'une même communauté politique. Ce qui provient avant tout de ce que les uns travaillent en régions économiquement plus développées, les autres en régions économiquement arriérées. Justice et équité demandent que les pouvoirs publics s'appliquent à réduire ou éliminer ces déséquilibres. À cet effet, il faut veiller à ce que les services publics essentiels soient assurés dans les régions moins développées, dans la manière et la mesure voulues par le milieu, répondant en principe au niveau de vie en vigueur dans la communauté nationale. Mais une politique économique et sociale n'est pas moins requise, concernant surtout l'offre de travail, les migrations, les salaires, les impôts, le crédit, les investissements, attentive en particulier aux industries à caractère stimulant. Cette politique devrait être capable de promouvoir l'absorption et l'emploi rentable de la main-d'œuvre, de stimuler l'esprit d'entreprise, de tirer parti des ressources locales.

Toutefois, l'action des pouvoirs publics doit toujours être justifiée par des raisons de bien commun. Elle s'exercera par suite suivant des normes d'unité sur le plan national. Elle se donnera pour objectif constant de contribuer au développement graduel, simultané, proportionnel, des trois secteurs de production: agricole, industriel et des services. Elle veillera à ce que les habitants des régions moins développées se sentent et soient le plus possible responsables et promoteurs de leur relèvement économique.

Rappelons enfin que l'initiative privée doit contribuer à établir l'équilibre économique et social entre régions d'un même pays. Et c'est pourquoi, en vertu du principe de subsidiarité, les pouvoirs publics doivent venir en aide à cette initiative et lui confier de prendre en main le développement économique, dès que c'est efficacement possible.

Élimination ou réduction des déséquilibres entre terre et peuplement

Il convient de noter ici qu'il existe en plusieurs pays des déséquilibres marqués entre terre et peuplement. Dans certains pays, les hommes sont rares et les terres cultivables abondent; en d'autres régions, à l'inverse, les hommes abondent et les terres cultivables sont rares.

En d'autres pays, malgré la richesse des ressources potentielles, le caractère primitif des cultures ne permet pas de produire des biens en suffisance pour satisfaire aux besoins élémentaires de la population. Ailleurs, la modernisation très poussée des cultures entraîne une surproduction de biens agraires, avec une incidence négative sur l'économie nationale.

Il est évident que solidarité humaine et fraternité chrétienne requièrent entre peuples des rapports de collaboration active et variée. Celle-ci doit favoriser les mouvements de biens, d'hommes, de capitaux, en vue d'éliminer ou au moins de réduire les déséquilibres trop profonds. Nous reviendrons plus loin sur ce sujet.

Mais Nous voulons exprimer ici Notre sincère estime envers l'œuvre, hautement bienfaisante, exercée par l'Organisation des Nations Unies pour l'alimentation et l'agriculture (F.A.O.); elle s'emploie à favoriser entre peuples une entente féconde, à promouvoir la modernisation des cultures, surtout dans les pays en voie de développement, à soulager la misère des populations sous-alimentées.

Exigences de la justice dans les relations entre pays inégalement développés

Le problème de notre époque

Le problème le plus important de notre époque est peut-être celui des relations entre communautés politiques économiquement développées et pays en voie de développement économique. Les premières jouissent d'un niveau de vie élevé, les autres souffrent de privations souvent graves. La solidarité qui unit tous les hommes en une seule famille impose aux nations qui surabondent en moyens de subsistance le devoir de n'être pas indifférentes à l'égard des pays dont les membres se débattent dans les difficultés de l'indigence, de la misère, de la faim, ne jouissent même pas des droits élémentaires reconnus à la personne humaine. D'autant plus, vu l'interdépendance de plus en plus étroite entre peuples, qu'une paix durable et féconde n'est pas possible entre eux si sévit un trop grand écart entre leurs conditions économiques et sociales.

Conscient de Notre universelle paternité, Nous estimons de notre devoir de répéter solennellement ce que déjà Nous avons affirmé: «*Nous sommes tous solidairement responsables des populations sous-alimentées...*[40] aussi bien *faut-il former les consciences au sens de la responsabilité qui incombe à tous et chacun et spécialement aux plus favorisés*»[41].

Il est évident que le devoir, que l'Église a toujours proclamé, de venir en aide à qui se débat dans l'indigence et la misère doit être spécialement ressenti par les catholiques. Le fait d'être membres du Corps mystique du Christ est pour eux le plus noble motif. «*En cela nous avons connu la charité divine* proclame l'apôtre Jean, *que Jésus a donné sa vie pour nous. De même, nous devons donner notre vie pour nos frères. Celui qui posséderait les biens*

---

40. *Allocutio,* habita die 3 maii anno 1960; cf. *A. A. S.,* LII, 1960, p. 465.
41. Cf. *Ibid.*

du monde, et, voyant son frère dans le besoin, lui fermerait son cœur,
comment la charité divine pourrait-elle demeurer en lui?»[42]

Nous voyons donc avec plaisir les nations qui disposent
de régimes économiques hautement productifs venir en aide
aux peuples en voie de développement économique, de sorte
qu'ils aient moins de difficultés à améliorer leurs conditions de
vie.

Secours d'urgence

En certains pays, les biens de consommation, surtout les fruits
de la terre, sont produits en excédent. En d'autres, de larges
couches de la population combattent la misère et la faim. Justice
et humanité requièrent que les premiers viennent au secours
des seconds. Détruire ou gaspiller des biens qui sont indispensables à la survie d'êtres humains, c'est blesser la justice et
l'humanité.

Nous le savons, une production de biens, surtout agricoles,
excédentaire par rapport aux besoins d'une communauté politique, peut avoir des répercussions économiques nuisibles à
certaines catégories de citoyens. Ce n'est pas là une raison qui
dispense de l'obligation de porter un secours d'urgence aux
indigents et aux affamés. Toutes mesures doivent cependant
être prises pour que ces répercussions soient limitées et équitablement réparties entre tous les citoyens.

Coopération scientifique, technique et financière

Certes, les secours d'urgence répondent à un devoir d'humanité
et de justice. Ils ne suffisent pas toutefois à éliminer, pas même
à réduire, les causes qui engendrent en beaucoup de pays un
état permanent d'indigence, de misère ou de famine. Ces causes
proviennent avant tout d'un régime économique primitif ou
arriéré. Elles ne peuvent être éliminées ou comprimées que par
diverses organisations coopératives qui donneront aux habitants aptitudes et qualifications professionnelles, compétence
technique et scientifique. Elles mettront à leur disposition les

---

42. *Jean*, III, 16-17.

capitaux indispensables pour mettre en route et accélérer le développement économique suivant les normes et les méthodes modernes.

Nous savons fort bien qu'en ces dernières années une conscience plus universelle, plus approfondie, a été prise du devoir de s'employer à favoriser le développement économique et le progrès social dans les pays qui se débattent dans les plus grandes difficultés.

Des organisations mondiales et régionales, des États, des fondations, des sociétés privées offrent à ces pays, en mesure croissante, leur coopération technique dans tous les domaines de la production. Les facilités offertes à des milliers de jeunes se multiplient afin qu'ils puissent étudier dans les Universités des pays plus développés, acquérir une formation scientifique, technique et professionnelle qui réponde à notre époque. Des instituts bancaires à rayon mondial, les États, des personnes privées apportent des capitaux, mettent en œuvre un ensemble croissant d'initiatives économiques dans les pays en voie de développement. Nous ne pouvons toutefois ne pas observer que la coopération scientifique, technique et économique entre communautés politiques économiquement développées et pays qui sont encore au début ou aux premiers pas de leur développement, veut une autre ampleur que celle que nous connaissons. Il est à désirer que les prochaines décennies soient témoins de ces relations accrues entre pays développés et pays en voie de développement.

À ce propos, Nous estimons opportuns quelques rappels et quelques réflexions.

Éviter les erreurs du passé

C'est sagesse que les pays qui sont au début ou aux premiers stades de leur développement économique tiennent compte des expériences vécues par les pays économiquement développés.

Produire plus et mieux est raison et inévitable nécessité. Il est non moins nécessaire et juste que les richesses produites soient équitablement réparties parmi tous les membres de la communauté. Il faut donc veiller à ce que développement économique et progrès social aillent de pair. Cela comporte que ce développement soit autant que possible graduel et harmonieux entre les secteurs de production: agriculture, industrie, services.

Respect dû aux caractéristiques de chaque pays

Les communautés politiques en voie de développement économique ont, d'ordinaire, leur individualité qui ne peut être confondue; qu'il s'agisse de leurs ressources, des caractères spécifiques de leur milieu naturel, de leurs traditions souvent riches de valeurs humaines, des qualités typiques de leurs membres.

Les pays économiquement développés, leur venant en aide, doivent discerner, respecter cette individualité, vaincre la tentation qui les porte à projeter leur propre image sur les pays en voie de développement.

Action désintéressée

Les États économiquement développés doivent, en outre, veiller avec le plus grand soin, tandis qu'ils viennent en aide aux pays en voie de développement, à ne pas chercher en cela leur avantage politique, en esprit de domination.

Si cela venait à se produire, il faudrait déclarer hautement que c'est là établir une colonisation d'un genre nouveau, voilée sans doute, mais non moins dominante que celles dont de nombreuses communautés politiques sont sorties récemment. Il en résulterait une gêne pour les relations internationales et un danger pour la paix du monde.

Il est donc indispensable, et la justice exige, que cette aide technique et financière soit apportée dans le désintéressement politique le plus sincère. Elle doit avoir pour objet de mettre les communautés en voie de développement économique à même de réaliser par leur propre effort leur montée économique et sociale.

De la sorte, une contribution précieuse aura été apportée à la formation d'une communauté mondiale, dont tous les membres seront sujets conscients de leurs devoirs et de leurs droits, travailleront en situation d'égalité à la réalisation du bien commun universel.

Respect de la hiérarchie des valeurs

Le progrès scientifique et technique, le développement économique de meilleures conditions de vie, voilà des éléments incontestablement positifs d'une civilisation. Il Nous faut toutefois rappeler que ce ne sont, en aucune manière, des valeurs suprêmes, mais essentiellement des moyens en vue de la Valeur Absolue.

Avec amertume il Nous faut observer que dans les pays économiquement développés la conscience de la hiérarchie des valeurs s'est affaiblie, éteinte, inversée en trop d'êtres humains. Les valeurs de l'esprit sont négligées, oubliées, niées. Le progrès des sciences et des techniques, le développement économique, le bien-être matériel ont les faveurs; souvent on les recherche comme biens supérieurs, on en fait l'unique raison de vivre. C'est l'embûche la plus dissolvante, la plus délétère, insinuée dans l'action qu'exercent les peuples économiquement développés auprès des peuples en voie de développement, alors que parmi ces derniers souvent les traditions ancestrales ont conservé vif et efficace le sens de certaines valeurs humaines et des plus importantes.

Blesser cette conscience est immoral par essence. Elle doit, au contraire, être respectée, éclairée autant que possible et développée, afin de demeurer ce qu'elle est: fondement de civilisation vraie.

L'apport de l'Église

L'Église, on le sait, est universelle de droit divin; elle l'est également en fait puisqu'elle est présente à tous les peuples ou tend à le devenir.

L'insertion de l'Église dans un peuple comporte toujours d'heureuses conséquences dans le domaine économique et social, comme le montrent l'histoire et l'expérience. Nul, en effet, de ceux qui deviennent chrétiens ne pourrait ne pas se sentir obligé d'améliorer les institutions temporelles par respect pour la dignité humaine et pour éliminer les obstacles à la diffusion du bien.

De plus, l'Église, entrant dans la vie des peuples, n'est pas une institution imposée du dehors et le sait. Sa présence, en effet, coïncide avec la nouvelle naissance ou la résurrection des hommes dans le Christ; celui qui naît à nouveau ou ressuscite dans le Christ n'éprouve jamais de contrainte extérieure; il se sent, au contraire, libéré au plus profond de lui-même pour s'ouvrir à Dieu; tout ce qui, en lui, a quelque valeur se renforce et s'ennoblit.

«*L'Église du Christ*, observe avec sagesse Notre Prédécesseur Pie XII, *fidèle dépositaire de la divine sagesse éducatrice, ne peut penser ni ne pense à attaquer ou à mésestimer les caractéristiques particulières que chaque peuple, avec une piété jalouse et une compréhensible fierté, conserve et considère comme un précieux patrimoine. Son but est l'unité surnaturelle dans l'amour universel senti et pratiqué, et non l'uniformité exclusivement extérieure, superficielle, et par là débilitante. Toutes les orientations, toutes les sollicitudes, dirigées vers un développement sage et ordonné des forces et tendances particulières, qui ont leurs racines dans les fibres les plus profondes de chaque rameau ethnique, pourvu qu'elles ne s'opposent pas aux devoirs dérivant pour l'humanité de son unité d'origine et de sa commune destinée, l'Église les salue avec joie et les accompagne de ses vœux maternels.*»[43] Nous constatons avec profonde satisfaction qu'aujourd'hui les citoyens catholiques des nations en voie de développement économique ne le cèdent, en général, à personne pour participer à l'effort de développement et d'élévation de leurs pays dans le domaine économique et social.

D'autre part, les catholiques des nations de niveau économique élevé multiplient les initiatives pour améliorer l'aide apportée aux nations en voie de développement. Nous apprécions spécialement l'assistance variés, toujours croissante, qu'ils apportent aux étudiants d'Afrique et d'Asie dispersés dans les universités d'Europe et d'Amérique; Nous louons ceux

---

43. Lettre encycl. *Summi Pontificatus; A. A. S.*, XXXI, 1939, p. 428-429.

qui se préparent à porter aux pays sous-développés leur aide technique et professionnelle.

À tous Nos chers fils qui témoignent sur tous les continents de l'éternelle vitalité de l'Église, par leur zèle pour le vrai progrès des peuples et la civilisation, Nous voulons adresser une parole paternellement affectueuse de louange et d'encouragement.

Accroissements démographiques et développement économique

Déséquilibre entre peuplement et moyens de subsistance

Un problème souvent évoqué ces derniers temps est celui des rapports entre l'accroissement démographique, le développement économique et les moyens de subsistance disponibles, soit sur le plan mondial, soit dans les pays sous-développés.

Sur le plan mondial, certains prétendent que, suivant des statistiques assez sérieuses, le genre humain, dans quelques dizaines d'années, aura sensiblement augmenté en nombre, alors que le développement économique ne fera que des progrès plus lents. Ils en déduisent que si on ne limite pas les taux d'accroissement démographique, en peu de temps le déséquilibre s'accentuera d'une manière aiguë entre population et moyens de subsistance.

Quant aux pays sous-développés, on observe, toujours sur données statistiques, que la diffusion rapide des mesures d'hygiène et des soins médicaux réduit de beaucoup le taux de mortalité, surtout infantile, tandis que, durant une période encore assez longue, le taux de natalité, assez élevé dans ces régions, tend à demeurer sensiblement constant. De la sorte, l'excédent des naissances sur les décès s'accroît sensiblement, et le rendement des régimes économiques ne croît pas en proportion. Il est donc impossible que le niveau de vie s'améliore dans les pays sous-développés; le contraire est même inévitable. C'est pourquoi, si l'on veut éviter les situations extrêmes, il devient indispensable, à leur avis, de recourir à des mesures draconiennes pour empêcher ou freiner la natalité.

Les termes du problème

À dire vrai, sur le plan mondial, le rapport entre l'accroissement démographique, d'une part, et le développement économique et des moyens de subsistance disponibles, d'autre part, ne semble pas créer de difficultés, au moins actuellement et dans un proche avenir. Du reste, pour tirer des conclusions valables, les éléments dont on dispose sont trop incertains et instables.

En outre, Dieu, dans sa bonté et sa sagesse, a doté la nature de ressources inépuisables et a donné aux hommes intelligence et génie pour inventer les instruments aptes à leur procurer les biens nécessaires à la vie. La solution de base du problème ne doit pas être cherchée dans des expédients qui offensent l'ordre moral établi par Dieu et s'attaquent aux sources mêmes de la vie humaine, mais dans un nouvel effort scientifique de l'homme pour augmenter son emprise sur la nature. Les progrès déjà réalisés par les sciences et les techniques ouvrent des horizons illimités.

Nous savons cependant que dans certaines régions et dans certains pays sous-développés peuvent surgir, surgissent, en fait, de graves problèmes dus à une organisation économique et sociale déficiente, qui n'offre pas des moyens de subsistance proportionnés au taux d'accroissement démographique, dus aussi à une solidarité insuffisante entre peuples.

Mais, même dans ce cas, Nous devons aussitôt affirmer nettement que ces problèmes ne doivent pas être affrontés, que ces difficultés ne doivent pas être résolues par le recours à des moyens indignes de l'homme, dérivant d'une conception nettement matérialiste de l'homme et de la vie.

La vraie solution se trouve seulement dans le développement économique et le progrès social, qui respectent les vraies valeurs humaines, individuelles et sociales. Ce développement économique et ce progrès social doivent être réalisés moralement, d'une manière digne de l'homme et de l'immense valeur que représente la vie de tout individu. Il requiert aussi une collaboration mondiale qui permette et favorise une circulation ordonnée et féconde des connaissances, des capitaux et des hommes.

Respect des lois de la vie

Il Nous faut proclamer solennellement que la vie humaine doit être transmise par la famille fondée sur le mariage, un et indissoluble, élevé pour les chrétiens à la dignité de sacrement. La transmission de la vie humaine est confiée par la nature à un acte personnel et conscient, et comme tel soumis aux lois très sages de Dieu, lois inviolables et immuables, que tous doivent reconnaître et observer. On ne peut donc pas employer des moyens, suivre des méthodes qui seraient licites dans la transmission de la vie des plantes et des animaux.

La vie humaine est sacrée, puisque, dès son origine, elle requiert l'action créatrice de Dieu. Celui qui viole ses lois offense la divine Majesté, se dégrade et avec soi l'humanité, affaiblit en outre la communauté dont il est membre.

Éducation au sens de la responsabilité

Il est de la plus haute importance que les nouvelles générations reçoivent non seulement une formation culturelle et religieuse adéquate — ce qui est le droit et le devoir des parents, — mais aussi une éducation solide au sens de la responsabilité dans toutes les manifestations de la vie; particulièrement en ce qui touche la fondation d'une famille, le devoir de mettre au monde et élever des enfants. Il faut leur inculquer une foi vive, une confiance profonde en la divine Providence, afin qu'ils aient le courage d'accepter peines et sacrifices dans l'accomplissement d'une mission aussi noble, souvent aussi ardue, que celle de collaborer avec Dieu dans la transmission de la vie et l'éducation des enfants. Pour cette éducation, aucune institution ne dispose d'autant de moyens efficaces que l'Église qui, pour ce motif, a le droit d'exercer sa mission en toute liberté.

Au service de la vie

On se rappelle que dans la Genèse, Dieu a adressé aux premiers hommes deux commandements qui se complètent: celui de transmettre la vie: «*Croissez et multipliez*»[44]; et celui de soumettre la nature: «*Remplissez la terre et soumettez-la*»[45].

---

44. *Gen.*, I, 28.
45. *Ibid.*

Le commandement de soumettre la nature, loin d'avoir un but destructeur, est orienté au service de la vie.

Nous relevons avec tristesse une des contradictions les plus déconcertantes qui affligent notre époque: d'une part, on met l'accent sur les pires éventualités et l'on agite le spectre de la misère et de la famine; d'autre part, on utilise largement les inventions scientifiques, les réalisations techniques et les ressources économiques pour produire de terribles instruments de ruine et de mort.

La Providence divine a accordé au genre humain des moyens suffisants pour résoudre dans la dignité les problèmes multiples et délicats de la transmission de la vie. Ces problèmes peuvent n'obtenir qu'une solution boiteuse ou même demeurer insolubles, si l'esprit faussé des hommes ou leur volonté pervertie utilisent ces moyens contre la raison, pour des fins qui ne répondent plus à leur nature sociale et au plan de la Providence.

Collaboration à l'échelle mondiale

Dimensions mondiales de tout problème humain important

Les progrès des sciences et des techniques dans tous les domaines de la vie sociale multiplient et resserrent les rapports entre les nations, rendent leur interdépendance toujours plus profonde et vitale.

Par suite, on peut dire que tout problème humain de quelque importance, quel qu'en soit le contenu, scientifique, technique, économique, social, politique, culturel, revêt aujourd'hui des dimensions supranationales et souvent mondiales.

C'est pourquoi, prises isolément, les communautés politiques ne sont plus à même de résoudre convenablement leurs plus grands problèmes par elles-mêmes et avec leurs seules forces, même si elles se distinguent par une haute culture largement répandue, par le nombre de l'activité de leurs citoyens, par l'efficience de leur régime économique, par l'étendue et la richesse de leur territoire. Les nations se conditionnent réciproquement, et on peut affirmer que chacune se développe en contribuant au développement des autres. Par suite, entente et collaboration s'imposent entre elles.

Méfiance réciproque

On peut ainsi comprendre comment se propage toujours plus dans l'esprit des individus et des peuples la conviction d'une nécessité urgente d'entente et de collaboration. Mais en même temps, il semble que les hommes, ceux surtout qui portent de plus grandes responsabilités, se montrent impuissants à réaliser l'une et l'autre. Il ne faut pas chercher la racine de cette impuissance dans des raisons scientifiques, techniques, économiques, mais dans l'absence de confiance réciproque. Les hommes et par suite les États se craignent les uns les autres. Chacun craint que l'autre ne nourrisse des projets de suprématie et ne cherche le moment favorable pour les mettre à exécution. Il organise donc sa propre défense, et il développe ses armements, non pas, déclare-t-il, pour attaquer, mais pour dissuader de toute agression l'hypothétique agresseur.

La conséquence en est que des énergies humaines immenses et des ressources gigantesques se consument en des buts non constructifs, tandis que s'insinue et grandit dans l'esprit des individus et des peuples un sentiment de malaise et de pesanteur qui ralentit l'esprit d'initiative pour des tâches de large envergure.

Méconnaissance de l'ordre moral

L'absence de confiance réciproque trouve son explication dans le fait que les hommes, les plus responsables surtout, s'inspirent dans leurs activités de conceptions de vie différentes ou radicalement opposées. Malheureusement, certaines de ces conceptions ne reconnaissent pas l'existence d'un ordre moral, d'un ordre transcendant, universel, absolu, d'égale valeur pour tous. Il devient ainsi impossible de se rencontrer et de se mettre pleinement d'accord, avec sécurité, à la lumière d'une même loi de justice admise et suivie par tous. Il est vrai que le mot «justice» et l'expression «les exigences de la justice» continuent à sortit des lèvres de tous; mais ce mot et cette expression prennent chez les uns et chez les autres des contenus différents ou opposés.

C'est pourquoi les appels répétés et passionnés à la justice et aux exigences de la justice, loin d'offrir une possibilité de rencontre ou d'entente, augmentent la confusion, avivent les contrastes, échauffent les controverses; en conséquence, la persuasion se répand que pour faire valoir ses droits et poursuivre ses intérêts, il n'est d'autre moyen que le recours à la violence, source de maux très graves.

Le vrai Dieu, fondement de l'ordre moral

La confiance réciproque entre les peuples et les États ne peut naître et se renforcer que dans la reconnaissance et le respect de l'ordre moral.

Mais l'ordre moral ne peut s'édifier que sur Dieu; séparé de Dieu, il se désintègre. Car l'homme n'est pas seulement un organisme matériel; il est aussi un esprit doué de pensée et de liberté. Il exige donc un ordre moral et religieux qui, plus que toute valeur matérielle, influe sur les orientations et les solutions à donner aux problèmes de la vie individuelle et sociale, à l'intérieur des communautés nationales et dans leurs rapports mutuels.

On a affirmé que, à l'époque des triomphes de la science et de la technique, les hommes pouvaient construire leur civilisation sans avoir besoin de Dieu. La vérité est au contraire que les progrès eux-mêmes de la science et de la technique posent des problèmes humains de dimensions mondiales qui ne peuvent trouver leur solution qu'à la lumière d'une foi sincère et vive en Dieu, principe et fin de l'homme et du monde.

Ces vérités sont confirmées par la constatation que les horizons sans mesure ouverts par la recherche scientifique contribuent eux-mêmes à faire naître dans les esprits la persuasion que les sciences mathématiques peuvent bien manifester les phénomènes, mais sont incapables de saisir et encore moins d'exprimer entièrement les aspects les plus profonds de la réalité. La tragique expérience du passé, que les forces gigantesques mises à la disposition de la technique peuvent être utilisées pour des fins aussi bien constructives que destructives, met en évidence l'importance souveraine des valeurs spirituelles pour que les progrès scientifiques conservent leur caractère essentiel de moyens pour la civilisation.

Le sentiment de croissante insatisfaction qui se propage parmi les membres de communautés nationales à haut niveau de vie détruit l'illusion rêvée d'un paradis sur terre; mais en même temps se fait toujours plus claire la conscience des droits inviolables et universels de la personne, plus vive l'aspiration à des relations plus justes et plus humaines. Ce sont là des motifs qui tous contribuent à rendre les hommes plus conscients de leurs propres limites, à faire refleurir en eux la recherche des valeurs spirituelles. Tout cela ne peut pas ne pas susciter un espoir d'ententes sincères et de collaborations fécondes.

IV

RENOUER DES LIENS DE VIE EN COMMUN DANS LA VÉRITÉ, LA JUSTICE ET L'AMOUR

Idéologies tronquées ou erronées

Après tant de progrès scientifiques, et même à cause d'eux, le problème reste encore de relations sociales plus humainement équilibrées tant à l'intérieur de chaque communauté politique que sur le plan international.

À cette fin, diverses idéologies ont été de nos jours élaborées et diffusées; quelques-unes se sont déjà dissoutes, comme brume au soleil; d'autres ont subi et subissent des retouches substantielles; d'autres enfin ont perdu beaucoup et perdent chaque jour davantage leur attirance sur les esprits. La raison en est que ces idéologies ne considèrent de l'homme que certains aspects, et souvent, les moins profonds. De plus, elles ne tiennent pas compte des inévitables imperfections de l'homme, comme la maladie et la souffrance, imperfections que les systèmes sociaux et économiques, même les plus poussés, ne réussissent pas à éliminer. Il y a enfin l'exigence spirituelle, profonde et insatiable, qui s'exprime partout et toujours, même quand elle est écrasée avec violence ou habilement étouffée.

L'erreur la plus radicale de l'époque moderne est bien celle de juger l'exigence religieuse de l'esprit humain comme une expression du sentiment ou de l'imagination, ou bien comme un produit de contingences historiques, qu'il faut éliminer comme un élément anachronique et un obstacle au progrès humain. Les hommes, au contraire, se révèlent justement dans cette exigence ce qu'ils sont en réalité: des êtres créés par Dieu pour Dieu, comme écrit saint Augustin: «*Tu nous as faits pour toi, Seigneur, et notre cœur est inquiet tant qu'il ne repose pas en toi.*»[46]

Quel que soit le progrès technique et économique, il n'y aura donc dans le monde ni justice ni paix tant que les hommes ne retrouveront pas le sens de leur dignité de créatures et de fils de Dieu, première et dernière raison d'être de toute la création. L'homme séparé de Dieu devient inhumain envers lui-même et envers les autres, car des rapports bien ordonnés entre les hommes supposent des rapports bien ordonnés de la conscience personnelle avec Dieu, source de vérité, de justice et d'amour.

Il est vrai que la persécution, qui depuis des dizaines d'années sévit sur de nombreux pays, même d'antique civilisation chrétienne, sur tant de Nos frères et de Nos fils, à Nous pour cela spécialement chers, met toujours mieux en évidence la digne supériorité des persécutés et la barbarie raffinée des persécuteurs; ce qui ne donne peut-être pas encore des fruits visibles de repentir, mais induit beaucoup d'hommes à réfléchir.

Il n'en reste pas moins que l'aspect plus sinistrement typique de l'époque moderne se trouve dans la tentative absurde de vouloir bâtir un ordre temporel solide et fécond en dehors de Dieu, unique fondement sur lequel il puisse subsister, et de vouloir proclamer la grandeur de l'homme en le coupant de la source dont cette grandeur jaillit et où elle s'alimente; en réprimant, et si possible en éteignant, ses aspirations vers Dieu. Mais l'expérience de tous les jours continue à attester, au milieu des désillusions les plus amères, et souvent en langage de sang, ce qu'affirme le Livre inspiré:«*Si ce n'est pas Dieu qui bâtit la maison, c'est en vain que travaillent ceux qui la construisent.*»[47]

Éternelle actualité de la doctrine sociale de l'Église

L'Église apporte et annonce aux hommes une conception toujours actuelle de la vie sociale.

---

46. *Conf.*, I, 1.
47. *Ps.* CXXVI, 1.

Suivant le principe de base de cette conception — comme il ressort de tout ce que Nous avons dit jusqu'ici, — les êtres humains sont et doivent être fondement, but et sujet de toutes les institutions où se manifeste la vie sociale. Chacun d'entre eux, étant ce qu'il est, doit être considéré selon sa nature intrinsèquement sociale et sur le plan providentiel de son élévation à l'ordre surnaturel.

Partant de ce principe de base qui protège la dignité sacrée de la personne, le Magistère de l'Église, avec la collaboration de prêtres et de laïcs avertis, a mis au point, spécialement en ce dernier siècle, une doctrine sociale. Celle-ci indique clairement les voies sûres pour rétablir les rapports de la vie sociale selon des normes universelles en conformité avec la nature et les divers milieux d'ordre temporel, comme aussi avec les caractéristiques de la société contemporaine; normes qui, par suite, peuvent être acceptées par tous.

Il est cependant indispensable, aujourd'hui plus que jamais, que cette doctrine soit connue, assimilée, traduite dans la réalité sociale sous les formes et dans la mesure que permettent ou réclament les situations diverses. Cette tâche est ardue, mais bien noble. C'est à sa réalisation que Nous invitons ardemment non seulement Nos frères et fils répandus dans le monde entier, mais aussi tous les hommes de bonne volonté.

Instruction

Nous réaffirmons avant tout que la doctrine sociale chrétienne est partie intégrante de la conception chrétienne de la vie.

Tout en observant avec satisfaction que dans divers instituts cette doctrine est déjà enseignée, depuis longtemps, Nous insistons pour que l'on en étende l'enseignement dans des cours ordinaires, et en forme systématique, dans tous les séminaires, dans toutes les écoles catholiques à tous les degrés. Elle doit de plus être inscrite au programme d'instruction religieuse des paroisses et des groupements d'apostolat des laïcs; elle doit être propagée par tous les moyens modernes de diffusion: presse quotidienne et périodique, ouvrages de vulgarisation ou à caractère scientifique, radiophonie, télévision.

À cette diffusion, Nos fils du laïcat peuvent contribuer beaucoup par leur application à connaître la doctrine, par leur zèle à la faire comprendre aux autres et en accomplissant à sa lumière leurs activités d'ordre temporel.

Qu'ils n'oublient pas que la vérité et l'efficacité de la doctrine sociale catholique se prouvent surtout par l'orientation sûre qu'elle offre à la solution des problèmes concrets. De cette manière, on réussit même à attirer sur elle l'attention de ceux qui l'ignorent ou qui l'attaquent parce qu'ils l'ignorent; peut-être même à faire pénétrer dans leur esprit une étincelle de sa lumière.

Éducation

Une doctrine sociale ne doit pas seulement être proclamée, mais aussi traduite en termes concrets dans la réalité. C'est d'autant plus vrai de la doctrine sociale chrétienne, dont la lumière est la Vérité, dont l'objectif est la Justice et la force dynamique l'Amour.

Nous attirons donc l'attention sur la nécessité qu'il y a pour Nos fils à ne pas être seulement instruits de la doctrine sociale, mais d'être éduqués d'une manière sociale.

L'éducation chrétienne doit être intégrale. Elle doit s'étendre à tous les devoirs. Elle doit donc faire naître et s'affirmer chez les chrétiens la conscience du devoir qui consiste à accomplir chrétiennement même les activités de nature économique et sociale.

Le passage de la théorie à la pratique est de soi difficile. Il l'est d'autant plus qu'il s'agit de traduire en termes concrets une doctrine sociale comme la doctrine chrétienne, à cause de l'égoïsme profondément enraciné dans les hommes, du matérialisme où baigne la société moderne, des difficultés à découvrir avec clarté et précision les exigences objectives de la justice dans les cas concrets.

C'est pourquoi il ne suffit pas de faire prendre conscience du devoir d'agir chrétiennement en manière économique et sociale, mais l'éducation doit viser également à enseigner la méthode qui rend apte à accomplir ce devoir.

Une tâche pour les associations d'apostolat des laïcs

L'éducation à l'action chrétienne, même en matière économique et sociale, sera rarement efficace, si les sujets eux-mêmes ne prennent pas une part active à leur propre éducation et si l'éducation ne se réalise dans l'action.

On a raison de dire que l'on n'acquiert pas l'aptitude au bon exercice de la liberté, si ce n'est pas le bon usage de la liberté. D'une manière analogue l'éducation à l'action chrétienne en matière économique et sociale ne s'acquiert que par l'action chrétienne concrète en ce domaine.

C'est pourquoi, dans l'éducation sociale, une tâche importante est réservée aux associations et aux organisations d'apostolat des laïcs, à celles en particulier qui se proposent comme objectif propre l'animation chrétienne de quelque secteur d'ordre temporel. En effet, beaucoup de membres de ces associations peuvent utiliser leurs expériences quotidiennes pour s'éduquer toujours mieux et contribuer à l'éducation sociale des jeunes.

À ce propos, il est opportun de rappeler à tous, aux grands et aux humbles, que le sens chrétien de la vie impose l'esprit de sobriété et de sacrifice. De nos jours, hélas! prévaut çà et là une tendance hédoniste, qui voudrait réduire la vie à la recherche du plaisir et à la complète satisfaction de toutes les passions, au grand dam de l'esprit et même du corps.

Sur le plan naturel, une conduite réglée et la modération des bas appétits est sagesse et source de bien; sur le plan surnaturel, l'Évangile, l'Église et toute sa tradition ascétique exigent le sens de la mortification et de la pénitence, qui assure la victoire de l'esprit sur la chair et offre un moyen efficace d'expier les peines dues pour les péchés, auxquels personne n'échappe, sauf Jésus-Christ et sa Mère immaculée.

Suggestions pratiques

Pour traduire en termes concrets les principes et les directives sociales, on passe d'habitude par trois étapes; relevé de la situation, appréciation de celle-ci à la lumière de ces principes et directives, recherche et détermination de ce qui doit se faire pour traduire en actes ces principes et ces directives selon le mode et le degré que la situation permet ou commande.

Ce sont ces trois moments que l'on a l'habitude d'exprimer par les mots: voir, juger, agir.

Il est plus que jamais opportun que les jeunes soient invités souvent à repenser ces trois moments, et, dans la mesure du possible, à les traduire en acte; de cette façon, les connaissances apprises et assimilées ne restent pas en eux à l'état d'idées abstraites, mais les rendent capables de traduire dans la pratique les principes et les directives sociales.

À ce stade de l'application concrète des principes, des divergences de vue peuvent surgir, même entre catholiques droits et sincères. Lorsque cela se produit, que jamais ne fassent défaut la considération réciproque, le respect mutuel et la bonne volonté qui recherche les points de contact en vue d'une action opportune et efficace; que l'on ne s'épuise pas en discussions interminables; et sous le prétexte du mieux, que l'on ne néglige pas le bien qui peut et doit être fait.

Les catholiques qui s'adonnent à des activités économiques et sociales se trouvent fréquemment en rapport avec des hommes qui n'ont pas la même conception de la vie. Que dans ces rapports Nos fils soient vigilants pour rester cohérents avec eux-mêmes, pour n'admettre aucun compromis en matière de religion et de morale; mais qu'en même temps ils soient animés d'esprit de compréhension, désintéressés, disposés à collaborer loyalement en des matières qui en soi sont bonnes ou dont on peut tirer le bien. Il est cependant clair que dès que la Hiérarchie ecclésiastique s'est prononcée sur un sujet, les catholiques sont tenus à se conformer à ses directives, puisque appartiennent à l'Église le droit et le devoir non seulement de défendre les principes d'ordre moral et religieux, mais aussi d'intervenir d'autorité dans l'ordre temporel, lorsqu'il s'agit de juger de l'application de ces principes à des cas concrets.

Action multiple et responsabilité

De l'instruction et de l'éducation il convient de passer à l'action. C'est une tâche qui concerne surtout Nos fils du laïcat, puisque habituellement ils s'adonnent en vertu de leur état de vie à des activités et à des institutions à contenu et finalité temporels.

Pour accomplir cette noble tâche, il est nécessaire que Nos fils ne soient pas seulement compétents dans leur profession et qu'ils exercent leurs activités temporelles selon les lois naturelles qui conduisent efficacement au but; mais il est aussi indispensable que ces activités s'exercent dans la mouvance des principes et des directives de la doctrine sociale chrétienne, dans une attitude de confiance sincère et d'obéissance filiale envers l'autorité ecclésiastique. Que Nos fils veuillent bien noter que lorsque dans l'exercice des activités temporelles ils ne suivent pas les principes et les directives de la doctrine sociale chrétienne, non seulement ils manquent à un devoir et lèsent souvent les droits de leurs propres frères, mais ils peuvent même arriver à jeter le discrédit sur la doctrine elle-même, comme si sans doute elle était noble en soi, mais dépourvue de toute vigueur efficace d'orientation.

Un grave danger

Comme Nous l'avons déjà fait remarquer, les hommes ont aujourd'hui approfondi et grandement étendu la connaissance des lois de la nature; ils ont créé des instruments pour accaparer ses forces; ils ont produit et continuent à produire des œuvres gigantesques et spectaculaires. Cependant, dans leur volonté de dominer et de transformer le monde extérieur, ils risquent de se négliger et de s'affaiblir eux-mêmes. Comme le notait avec une profonde amertume Notre Prédécesseur Pie XI dans l'Encyclique *Quadragesimo Anno*: «*Le travail corporel que la divine Providence, même après le péché originel, avait destiné au perfectionnement matériel et moral de l'homme, tend, dans ces conditions, à devenir un instrument de dépravation: la matière inerte sort ennoblie de l'atelier, tandis que les hommes s'y corrompent et s'y dégradent*».[48]

De même le Souverain Pontife Pie XII affirme avec raison que notre époque se distingue par le contraste existant entre l'immense progrès scientifique et technique et un recul ef-

---

48. *A. A. S.*, XXIII, 1931, p. 221 s.

frayant de l'humanité: notre époque achèvera «*son chef-d'œuvre monstrueux, en transformant l'homme en un géant du monde physique aux dépens de son esprit, réduit à l'état de pygmée du monde surnaturel et éternel*»[49].

Aujourd'hui encore se vérifie sur une très vaste échelle ce que le Psalmiste affirmait des païens: l'activité des hommes leur fait oublier leur nature; ils admirent leurs propres œuvres au point d'en faire des idoles: «*Leurs idoles, or et argent; une œuvre de main d'homme.*»[50]

Reconnaissance et respect de la hiérarchie des valeurs

Dans Notre paternelle sollicitude de Pasteur universel des âmes, Nous invitons avec insistance Nos fils à veiller sur eux-mêmes, pour maintenir lucide et vivante la conscience de la hiérarchie des valeurs dans l'exercice de leurs activités temporelles et dans la poursuite des fins particulières à chacune.

Il est vrai qu'en tout temps l'Église a enseigné et enseigne toujours que les progrès scientifiques et techniques, le bien-être matériel qui en résulte, sont des biens authentiques et qui marquent donc un pas important dans le progrès de la civilisation humaine. Ils doivent cependant être appréciés selon leur vraie nature, c'est-à-dire comme des instruments ou des moyens utilisés pour atteindre plus sûrement une fin supérieure, qui consiste à faciliter et promouvoir la perfection spirituelle des hommes, dans l'ordre naturel et dans l'ordre surnaturel.

La parole du divin Maître retentit comme un avertissement éternel: «*Que sert-il à l'homme de gagner l'univers, s'il ruine sa propre vie? Ou que pourra donner l'homme en échange de sa propre vie?*»[51]

---

49. *Nuntius radiophonicus* datus in pervigilio Nativitatis D. N. I. C., anno 1953; cf. *A. A. S.*, XLVI, p. 10.

50. *Ps.* CXIII, 4.

51. *Matth.*, XVI, 26.

Sanctification des jours de fête

Pour protéger la dignité de l'homme comme créature douée d'une âme faite à l'image et à la ressemblance de Dieu, l'Église a toujours rappelé l'observance exacte du troisième précepte du Décalogue: *«Souviens-toi de sanctifier le jour du sabbat»*[52]. Dieu a le droit d'exiger de l'homme qu'il dédie à son culte un jour de la semaine, pendant lequel l'esprit, délivré des occupations matérielles, puisse s'élever et s'ouvrir à la pensée et à l'amour des choses célestes, en examinant dans le secret de sa conscience ses devoirs envers son Créateur.

C'est aussi un droit, et même un besoin pour l'homme, de cesser par moments le dur travail quotidien, pour reposer ses membres fatigués, pour procurer à ses sens une honnête détente, pour fomenter dans la famille une union plus grande, qui ne peut être obtenue que par un contact fréquent et une sereine vie en commun de tous les membres de la famille.

La religion, la morale et l'hygiène sont d'accord sur la nécessité d'un repos régulier, que depuis des siècles l'Église traduit par la sanctification du dimanche, accompagnée de la participation au Saint Sacrifice de la messe, mémorial et application de l'œuvre rédemptrice du Christ aux âmes.

Avec une vive douleur, Nous devons constater et déplorer la négligence, sinon le mépris, de cette sainte loi, avec les conséquences néfastes que cela comporte pour le salut de l'âme et pour la santé du corps des chers ouvriers.

Au nom de Dieu et dans l'intérêt matériel et spirituel des hommes, Nous rappelons à tous, autorités, patrons et ouvriers, l'observance du commandement de Dieu et de l'Église, en mettant chacun d'entre eux devant la grave responsabilité qu'il encourt aux yeux de Dieu et vis-à-vis de la société.

Engagement renouvelé

Il serait cependant erroné de déduire de ce que Nous avons brièvement exposé ci-dessus que Nos fils, surtout les laïcs, doivent chercher avec prudence à diminuer leur engagement

---

52. *Exod.*, XX, 8.

chrétien dans le monde. Ils doivent, au contraire, le renouveler et l'accentuer.

Le Seigneur, dans sa prière sublime pour l'unité de l'Église, ne demande pas au Père de retirer les siens du monde, mais de les préserver du mal: «*Je ne te prie pas de les retirer du monde, mais de les garder du mal.*»[53] Il ne faut pas créer d'opposition artificielle là où elle n'existe pas, entre la perfection personnelle et l'activité de chacun dans le monde, comme si on ne pouvait se perfectionner qu'en cessant d'exercer une activité temporelle, ou comme si le fait d'exercer ces activités compromettait fatalement notre dignité d'homme et de croyant.

Il est, au contraire, parfaitement conforme au plan de la Providence que chacun se perfectionne par son travail quotidien, qui, pour la presque totalité du genre humain, est un travail à matière et finalité temporelles. L'Église affronte aujourd'hui une tâche immense: donner un accent humain et chrétien à la civilisation moderne, accent que cette civilisation même réclame, implore presque, pour le bien de son développement et de son existence même. Comme Nous y avons fait allusion, l'Église accomplit cette tâche surtout par le moyen de ses fils, les laïcs, qui, dans ce but, doivent se sentir engagés à exercer leurs activités professionnelles comme l'accomplissement d'un devoir, comme un service que l'on rend, en union intime avec Dieu, dans le Christ et pour sa gloire, comme l'indique l'apôtre saint Paul: «*Soit donc que vous mangiez, soit que vous buviez et quoi que vous fassiez, faites tout pour la gloire de Dieu.*»[54] «*Quoi que vous puissiez dire ou faire, que ce soit toujours au nom du Seigneur Jésus, rendant par lui grâces au Dieu Père.*»[55]

Une plus grande efficacité dans les activités temporelles

Lorsque dans les activités et les institutions temporelles on s'ouvre aux valeurs spirituelles et aux fins surnaturelles, leur efficacité propre et immédiate se renforce d'autant. La parole

---

53. *Jean*, XVII, 15.

54. *I Cor.*, X, 31.

55. *Col.*, III, 17.

du divin Maître reste toujours vraie: «*Cherchez avant tout le royaume de Dieu et sa justice; et tout cela vous sera donné par surcroît.*»[56]

Car celui qui est devenu «*lumière du Seigneur*»[57] et qui marche comme «*un fils de la lumière*»[58] perçoit plus sûrement les exigences fondamentales de la justice, même dans les domaines les plus complexes et les plus difficiles de l'ordre temporel, ceux dans lesquels bien souvent les égoïsmes des individus, des groupes et des races, s'insinuent et répandent d'épais brouillards. Celui qui est animé par la charité du Christ se sent uni aux autres et éprouve les besoins, les souffrances et les joies des autres comme les siennes propres.

En conséquence, l'action de chacun, quel qu'en soit l'objet ou quel que soit le milieu où elle s'exerce, ne peut pas ne pas être plus désintéressée, plus vigoureuse, plus humaine, puisque la charité «*est patiente, elle est bienveillante..., elle ne cherche pas son intérêt..., elle ne se réjouit pas de l'injustice, mais elle met sa joie dans la vérité..., elle espère tout, elle supporte tout*»[59].

Membres vivants du Corps mystique du christ

Mais Nous ne pouvons pas conclure Notre encyclique sans rappeler une autre vérité qui est en même temps une sublime réalité, c'est-à-dire que nous sommes les membres vivants du Corps mystique du Christ, qui est l'Église: «*De même, en effet, que le corps est un, tout en ayant plusieurs membres, et que tous les membres du corps, en dépit de leur pluralité, ne forment qu'un seul corps; ainsi en est-il du Christ.*»[60]

Nous invitons avec une paternelle insistance tous Nos fils, qui appartiennent tant au clergé qu'au laïcat, à prendre profondément conscience de la dignité si haute d'être entés sur le Christ, comme les sarments sur la vigne: «*Je suis la vigne, vous*

---

56. *Matth.*, VI, 33.
57. *Ephés.*, V, 8.
58. Cf. *Ibid.*
59. *I Cor.*, XIII, 4-7.
60. *I Cor.*, XII, 12.

êtes les sarments»[61], et d'être appelés par conséquent à vivre de sa vie. Si bien que lorsque chacun exerce ses propres activités, même d'ordre temporel, en union avec le divin Rédempteur Jésus, tout travail devient comme une continuation de son travail et pénétré de vertu rédemptrice: *«Celui qui demeure en moi comme moi en lui, celui-là porte beaucoup de fruits.»*[62] Le travail, grâce auquel on réalise sa propre perfection surnaturelle, contribue à répandre sur les autres les fruits de la Rédemption, et la civilisation dans laquelle on vit et travaille est pénétrée du levain évangélique.

Notre époque est envahie et pénétrée d'erreurs fondamentales, elle est en proie à de profonds désordres; cependant, elle est aussi une époque qui ouvre à l'Église des possibilités immenses de faire le bien.

Chers frères et fils, le regard que nous avons pu porter ensemble sur les divers problèmes de la vie sociale contemporaine, depuis les premières lumières de l'enseignement du Pape Léon XIII, Nous a amené à développer toute une suite de constatations et de propositions, sur lesquelles Nous vous invitons à vous arrêter, pour les méditer et pour nous encourager à collaborer chacun pour notre part à la réalisation du règne du Christ sur la terre: *«Règne de vérité et de vie; règne de sainteté et de grâce; règne de justice, d'amour et de paix»*[63], qui nous assure la jouissance des biens célestes, pour lesquels nous sommes créés et que nous appelons de tous nos vœux.

En effet, il s'agit de la doctrine de l'Église catholique et apostolique, Mère et éducatrice de tous les peuples, dont la lumière illumine et enflamme; dont la voix pleine de céleste sagesse appartient à tous les temps; dont la force apporte toujours un remède efficace et adapté aux nécessités croissantes des hommes, aux difficultés et aux craintes de la vie présente. À cette voix répond la voix antique du Psalmiste qui ne cesse de réconforter et de soulever nos âmes: *«J'écoute! Que dit Yahvé? Ce*

---

61. *Jean*, XV, 5.
62. *Ibid.*
63. *In Præfatione de Iesu Christo Rege.*

que Dieu dit, c'est la paix pour son peuple, ses amis, pourvu qu'ils ne reviennent à leur folie... La vérité et la bonté se rencontrent; la justice et la paix s'embrassent. La vérité germera de la terre et des cieux la justice se penchera. Yahvé lui-même donne le bonheur et notre terre donne son fruit; la justice marchera devant lui et la paix sur la trace de ses pas.»[64]

Tels sont les vœux, vénérables frères, que Nous formulons en conclusion de cette lettre, à laquelle Nous avons depuis longtemps appliqué Notre sollicitude pour l'Église universelle. Nous les formulons pour que le divin Rédempteur des hommes, *«qui de par Dieu est devenu pour notre sagesse, justice et sanctification, et rédemption»*[65], règne et triomphe à travers les siècles en tous et sur toutes choses. Nous les formulons encore pour qu'après le rétablissement de la société dans l'ordre, tous les peuples jouissent finalement de la prospérité, de la joie et de la paix.

Comme présage de ces vœux et en gage de Notre paternelle bienveillance, que descende sur vous la Bénédiction apostolique que de grand cœur Nous accordons dans le Seigneur à vous, vénérables frères, et à tous les fidèles confiés à votre ministère, spécialement à ceux qui répondront avec ardeur à Notre exhortation.

Donné à Rome, près Saint-Pierre, le 15 mai 1961, troisième de Notre pontificat.

---

64. *Ps*, LXXXIV, 9 s.

65. *Cor.*, I, 30.

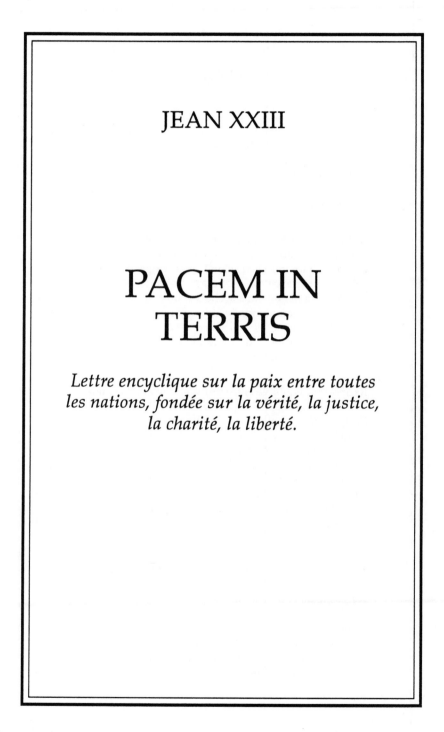

JEAN XXIII

PACEM IN TERRIS

Lettre encyclique sur la paix entre toutes les nations, fondée sur la vérité, la justice, la charité, la liberté.

PLAN

À NOS VÉNÉRABLES FRÈRES, PATRIARCHES, PRIMATS,
ARCHEVÊQUES, ÉVÊQUES ET AUTRES ORDINAIRES EN
PAIX ET COMMUNION AVEC LE SIÈGE APOSTOLIQUE, AU
CLERGÉ ET AUX FIDÈLES DE L'UNIVERS, AINSI QU'À
TOUS LES HOMMES DE BONNE VOLONTÉ.

JEAN XXIII, PAPE

VÉNÉRABLES FRÈRES ET CHERS FILS,
SALUT ET BÉNÉDICTION APOSTOLIQUE

INTRODUCTION

L'ordre dans l'univers

1. La paix sur la terre, objet du profond désir de l'humanité de tous les temps, ne peut se fonder ni s'affermir que dans le respect absolu de l'ordre établi par Dieu.

2. Les progrès des sciences et les inventions de la technique Nous en convainquent: dans les êtres vivants et dans les forces de l'univers, il règne un ordre admirable, et c'est la grandeur de l'homme de pouvoir découvrir cet ordre et se forger les instruments par lesquels il capte les énergies naturelles et les assujettit à son service.

3. Mais ce que montrent avant tout les progrès scientifiques et les inventions de la technique, c'est la grandeur infinie de Dieu, Créateur de l'univers et de l'homme lui-même. Il a créé l'univers en y déployant la munificence de sa sagesse et de sa bonté. Comme dit le Psalmiste: «Seigneur, Seigneur, que ton nom est magnifique sur la terre[1], que tes œuvres sont nom-

---

1. *Ps.* VIII, 1.

breuses, Seigneur! Tu les as toutes accomplies avec sagesse[2].»
Et il a créé l'homme intelligent et libre à son image et ressemblance[3], l'établissant maître de l'univers: «Tu l'as fait de peu
inférieur aux anges; de gloire et d'honneur tu l'as couronné; tu
lui as donné pouvoir sur les œuvres de tes mains, tu as mis
toutes choses sous ses pieds[4].»

L'ordre dans les êtres humains

4. L'ordre si parfait de l'univers contraste douloureusement
avec les désordres qui opposent entre eux les individus et les
peuples, comme si la force seule pouvait régler leurs rapports
mutuels.

5. Pourtant le Créateur du monde a inscrit l'ordre au plus
intime des hommes: ordre que la conscience leur révèle et leur
enjoint de respecter: «Ils montrent gravé dans leur cœur le
contenu même de la Loi, tandis que leur conscience y ajoute son
témoignage[5].» Comment n'en irait-il pas ainsi, puisque toutes
les œuvres de Dieu reflètent son infinie sagesse, et la reflètent
d'autant plus clairement qu'elles sont plus élevées dans l'échelle des êtres[6].

6. Mais la pensée humaine commet fréquemment l'erreur
de croire que les relations des individus avec leur communauté
politique peuvent se régler selon les lois auxquelles obéissent
les forces et les éléments irrationnels de l'univers. Alors que les
normes de la conduite des hommes sont d'une autre essence: il
faut les chercher là où Dieu les a inscrites, à savoir dans la nature
humaine.

7. Ce sont elles qui indiquent clairement leur conduite aux
hommes, qu'il s'agisse des rapports des individus les uns envers les autres dans la vie sociale; des rapports entre citoyens et
autorités publiques au sein de chaque communauté politique;

---

2. *Ps.* CIII, 24.
3. Cf. *Gen.*, I, 26.
4. *Ps.* VIII, 6-7.
5. *Rom.*, II, 15.
6. Cf. *Ps.* XVIII, 8-11.

des rapports entre les diverses communautés politiques; enfin des rapports entre ces dernières et la communauté mondiale, dont la création est aujourd'hui si impérieusement réclamée par les exigences du bien commun universel.

I

L'ORDRE ENTRE LES ÊTRES HUMAINS

Tout être humain est une personne, sujet de droits et de devoirs

8. Le fondement de toute société bien ordonnée et féconde, c'est le principe que tout être humain est une personne, c'est-à-dire une nature douée d'intelligence et de volonté libre. Par là même il est sujet de droits et de devoirs, découlant les uns et les autres, ensemble et immédiatement, de sa nature: aussi sont-ils universels, inviolables, inaliénables[7].

9. Si Nous considérons la dignité humaine à la lumière des vérités révélées par Dieu, Nous ne pouvons que la situer bien plus haut encore. Les hommes ont été rachetés par le sang du Christ Jésus, faits par la grâce enfants et amis de Dieu et institués héritiers de la gloire éternelle.

Les droits

Le droit à l'existence et à un niveau de vie décent

10. Tout être humain a droit à la vie, à l'intégrité physique et aux moyens nécessaires et suffisants pour une existence décente, notamment en ce qui concerne l'alimentation, le vêtement, l'habitation, le repos, les soins médicaux, les services sociaux. Par conséquent, l'homme a droit à la sécurité en cas de maladie, d'invalidité, de veuvage, de vieillesse, de chômage et chaque

---

7. Cf. PIE XII, Radiomessage de Noël, 1942, *A. A. S.* XXXV, 1943, pp. 9-24, et JEAN XXIII, Sermon du 4 janvier 1963, *A. A. S.* LV, 1963, pp. 89-91.

fois qu'il est privé de ses moyens de subsistance par suite de circonstances indépendantes de sa volonté[8].

Droits relatifs aux valeurs morales et culturelles

11. Tout être humain a droit au respect de sa personne, à sa bonne réputation, à la liberté dans la recherche de la vérité, dans l'expression et la diffusion de la pensée, dans la création artistique, les exigences de l'ordre moral et du bien commun étant sauvegardées; il a droit également à une information objective.

12. La nature revendique aussi pour l'homme le droit d'accéder aux biens de la culture, et, par conséquent, d'acquérir une instruction de base ainsi qu'une formation technico-professionnelle correspondant au degré de développement de la communauté politique à laquelle il appartient. Il faut faire en sorte que le mérite de chacun lui permette d'accéder aux degrés supérieurs de l'instruction et d'arriver, dans la société, à des postes et à des responsabilités aussi adaptés que possible à ses talents et à sa compétence[9].

Le droit d'honorer Dieu selon la juste exigence
de la droite conscience

13. Chacun a le droit d'honorer Dieu suivant la juste règle de la conscience et de professer sa religion dans la vie privée et publique. Lactance le déclare avec clarté: «Nous recevons l'existence pour rendre à Dieu, qui nous l'accorde, le juste hommage qui lui revient, pour le connaître lui seul et ne suivre que lui. Cette obligation de piété filiale nous enchaîne à Dieu et nous relie à lui d'où son nom de religion[10].» À ce sujet, Notre prédécesseur d'immortelle mémoire, Léon XIII, affirmait: «Cette liberté véritable, réellement digne des enfants de Dieu, qui sauvegarde comme il faut la noblesse de la personne humaine, prévaut contre toute violence et toute injuste tentative; l'Église

---

8. Cf. Pie XI, Encycl. *Divini Redemptoris*, A. A. S. XXIX, 1937, p. 78, et Pie XII, Radiomessage de Pentecôte, 1ᵉʳ juin 1941, A. A. S. XXXIII, 1941, pp. 195-205.

9. Cf. Pie XII, Radiomessage de Noël, 1942, A. A. S. XXXV, 1943, pp. 9-24.

10. *Divinæ Institutiones*, lib. IV, c. 28, 2; PL. 6, 535.

l'a toujours demandée, elle n'a jamais rien eu de plus cher. Constamment les apôtres ont revendiqué cette liberté-là, les apologistes l'ont justifiée dans leurs écrits, les martyrs en foule l'ont consacrée de leur sang[11].»

Le droit à la liberté dans le choix d'un état de vie

14. Tout homme a droit à la liberté dans le choix de son état de vie. Il a, par conséquent, le droit de fonder un foyer, où l'époux et l'épouse interviennent à égalité de droits et de devoirs, ou bien celui de suivre la vocation au sacerdoce ou à la vie religieuse[12].

15. La famille, fondée sur le mariage librement contracté un et indissoluble, est et doit être tenue pour la cellule première et naturelle de la société. De là, l'obligation de mesures d'ordre économique, social, culturel et moral de nature à en consolider la stabilité et à lui faciliter l'accomplissement du rôle qui lui incombe.

16. Aux parents, en tout premier lieu, revient le droit d'assurer l'entretien et l'éducation de leurs enfants[13].

Droits relatifs au monde économique

17. Tout homme a droit au travail et à l'initiative dans le domaine économique[14].

18. À ces droits est lié indissolublement le droit à des conditions de travail qui ne compromettent ni la santé ni la moralité et qui n'entravent pas le développement normal de la jeunesse; et, s'il s'agit des femmes, le droit à des conditions de travail en harmonie avec les exigences de leur sexe et avec leurs devoirs d'épouses et de mères[15].

---

11. Encycl. *Libertas præstantissimum, Acta Leonis XIII*, VIII, 1888, pp. 237-238.

12. Cf. Pie XII, Radiomessage de Noël, 1942, *A. A. S.* XXXV, 1943, pp. 9-24.

13. Cf. Pie XI, Encycl. *Casti Connubii, A. A. S.* XXII, 1930, pp. 539-592, et Pie XII, Radiomessage de Noël, 1942, *A. A. S.* XXXV, 1943, pp. 9-24.

14. Pie XII, Radiomessage de Pentecôte, 1er juin 1941, *A. A. S.* XXXIII, 1941, p. 201.

15. Cf. Léon XIII, Encycl. *Rerum Novarum, Acta Leonis XIII*, XI, 1891, pp. 128-129.

19. La dignité humaine fonde également le droit de déployer l'activité économique dans des conditions normales de responsabilité personnelle[16]. Il en résulte aussi — et il convient de le souligner — qu'à l'ouvrier est dû un salaire à déterminer selon les normes de la justice; compte tenu des possibilités de l'employeur, cette rémunération devra permettre au travailleur et à sa famille un niveau de vie conforme à la dignité humaine. Notre prédécesseur Pie XII, le disait: «À la loi du travail, inscrite dans la nature, répond le droit tout aussi naturel pour l'homme de tirer de son labeur de quoi vivre et faire vivre ses enfants: si profondément est ordonné en vue de la conservation de l'homme l'empire sur la nature[17].»

20. De la nature de l'homme dérive également le droit à la propriété privée des biens, y compris les moyens de production. Comme Nous l'avons enseigné ailleurs, ce droit «est une garantie efficace de la dignité de la personne humaine et une aide pour le libre exercice de ses diverses responsabilités; il contribue à la stabilité et à la tranquillité du foyer domestique, non sans profit pour la paix et la prospérité publiques[18]».

21. Par ailleurs, il n'est pas hors de propos de rappeler que la propriété privée comporte en elle-même une fonction sociale[19].

Droit de réunion et d'association

22. Du fait que l'être humain est ordonné à la vie en société découle le droit de réunion et d'association, celui de donner aux groupements les structures qui paraissent mieux servir leurs buts, le droit d'y assumer librement certaines responsabilités en vue d'atteindre ces mêmes buts[20].

---

16. Cf. Jean XXIII, Encycl. *Mater et Magistra*, A. A. S. LIII, 1961, p. 422.

17. Cf. Radiomessage de Pentecôte, 1er juin 1941, *A. A. S.* XXXIII, 1941, p. 201.

18. Encycl. *Mater et Magistra*, A. A. S. LIII, 1961, p. 428.

19. Cf. *ibid.*, p. 430.

20. Cf. Léon XIII, Encycl. *Rerum Novarum, Acta Leonis XIII*, XI, 1891, pp. 134-142; Pie XI, Encycl. *Quadragesimo Anno*, A. A. S. XXIII, 1931, pp. 199-200, et Pie XII, Encycl. *Sertum lætitiæ*, A. A. S. XXXI, 1939, pp. 635-644.

23. L'encyclique *Mater et Magistra* dit à bon droit que la création de bon nombre d'associations ou corps intermédiaires, capables de poursuivre des objectifs que les individus ne peuvent atteindre qu'en s'associant, apparaît comme un moyen absolument indispensable pour l'exercice de la liberté et de la responsabilité de la personne humaine[21].

Droit d'émigration et d'immigration

24. Tout homme a droit à la liberté de mouvement et de séjour à l'intérieur de la communauté politique dont il est citoyen, il a aussi le droit, moyennant des motifs valables, de se rendre à l'étranger et de s'y fixer[22]. Jamais l'appartenance à telle ou telle communauté politique ne saurait empêcher qui que ce soit d'être membre de la famille humaine, citoyen de cette communauté universelle où tous les hommes sont rassemblés par des liens communs.

Droits d'ordre civique

25. À la dignité de la personne humaine est attaché le droit de prendre une part active à la vie publique et de concourir personnellement au bien commun. «L'homme comme tel, bien loin d'être l'objet et un élément passif de la vie sociale, en est et doit en être et en rester le sujet, le fondement et la fin[23].»

26. Autre droit fondamental de la personne, la protection juridique de ses propres droits, protection efficace, égale pour tous et conforme aux normes objectives de la justice. «De l'ordre juridique, voulu par Dieu, découle pour les hommes ce droit inaliénable qui garantit à chacun la sécurité juridique et une sphère concrète de droits défendue contre tout empiétement arbitraire[24].»

---

21. Cf. *A. A. S.* LIII, 1961, p. 430.

22. Cf. Pie XII, Radiomessage de Noël, 1952, *A. A. S.* XLV, 1953, pp. 33-46.

23. Cf. Radiomessage de Noël, 1944, *A. A. S.* XXXVII, 1945, p. 12.

24. Cf. Radiomessage de Noël, 1942, *A. A. S.* XXXV, 1943, p. 21.

Les devoirs

Rapport indissoluble entre droits et devoirs
dans une même personne

27. Jusqu'ici Nous avons rappelé une suite de droits de nature. Chez l'homme, leur sujet, ils sont liés à autant de devoirs. La loi naturelle confère les uns, impose les autres; de cette loi ils tiennent leur origine, leur persistance et leur force indéfectible.

28. Ainsi, par exemple, le droit à la vie entraîne le devoir de la conserver; le droit à une existence décente comporte le devoir de se conduire avec dignité; au droit de chercher librement le vrai répond le devoir d'approfondir et d'élargir cette recherche.

Réciprocité de droits et de devoirs entre personnes différentes

29. Dans la vie en société, tout droit conféré à une personne par la nature crée chez les autres un devoir, celui de reconnaître et de respecter ce droit. Tout droit essentiel de l'homme emprunte en effet sa force impérative à la loi naturelle qui le donne et qui impose l'obligation correspondante. Ceux qui, dans la revendication de leurs droits, oublient leurs devoirs ou ne les remplissent qu'imparfaitement, risquent de démolir d'une main ce qu'ils construisent de l'autre.

Dans la collaboration mutuelle

30. Êtres essentiellement sociables, les hommes ont à vivre les uns avec les autres et à promouvoir le bien les uns des autres. Aussi l'harmonie d'un groupe réclame-t-elle la reconnaissance et l'accomplissement des droits et des devoirs. Mais, en outre, chacun est appelé à concourir généreusement à l'avènement d'un ordre collectif qui satisfasse toujours plus largement aux droits et aux obligations.

31. Ainsi, il ne suffit pas de reconnaître et de respecter le droit de l'homme aux moyens d'existence; il faut s'employer, chacun selon ses forces, à les lui procurer en suffisance.

32. La vie en société ne doit pas seulement assurer l'ordre; elle doit apporter des avantages à ses membres. Cela suppose

la reconnaissance et le respect des droits et devoirs, mais cela demande de plus la collaboration de tous selon les multiples modalités que le développement actuel de la civilisation rend possibles, désirables ou nécessaires.

Avec le sens des responsabilités

33. La dignité de la personne humaine exige que chacun agisse suivant une détermination consciente et libre. Dans la vie de société, c'est surtout de décisions personnelles qu'il faut attendre le respect des droits, l'accomplissement des obligations, la coopération à une foule d'activités. L'individu devra y être mû par conviction personnelle, de sa propre initiative, par son sens des responsabilités, et non sous l'effet de contraintes ou de pressions extérieures. Une société fondée uniquement sur des rapports de forces n'aurait rien d'humain: elle comprimerait nécessairement la liberté des hommes, au lieu d'aider et d'encourager celle-ci à se développer et à se perfectionner.

Vivre ensemble dans la vérité, la justice, l'amour, la liberté

34. Voilà pourquoi une société n'est dûment ordonnée, bienfaisante, respectueuse de la personne humaine, que si elle se fonde sur la vérité, selon l'avertissement de saint Paul: «Rejetez donc le mensonge; que chacun de vous dise la vérité à son prochain, car nous sommes membres les uns des autres[25].» Cela suppose que soient sincèrement reconnus les droits et les devoirs mutuels. Cette société doit, en outre, reposer sur la justice, c'est-à-dire sur le respect effectif de ces droits et sur l'accomplissement loyal de ces devoirs; elle doit être vivifiée par l'amour, attitude d'âme qui fait éprouver à chacun comme siens les besoins d'autrui, lui fait partager ses propres biens et incite à un échange toujours plus intense dans le domaine des valeurs spirituelles. Cette société, enfin, doit se réaliser dans la liberté, c'est-à-dire de la façon qui convient à des êtres raisonnables, faits pour assumer la responsabilité de leurs actes.

---

25. *Eph.*, IV, 25.

35. La vie en société, vénérables Frères et chers fils, doit être considérée avant tout comme une réalité d'ordre spirituel. Elle est, en effet, échange de connaissances dans la lumière de la vérité, exercice de droits et accomplissement de devoirs; émulation dans la recherche du bien moral; communion dans la noble jouissance du beau en toutes ses expressions légitimes; disposition permanente à communiquer à autrui le meilleur de soi-même et aspiration commune à un constant enrichissement spirituel. Telles sont les valeurs qui doivent animer et orienter toutes choses: activité culturelle, vie économique, organisation sociale, mouvements et régimes politiques, législation et toute autre expression de la vie sociale dans sa continuelle évolution.

Dieu, fondement objectif de l'ordre moral

36. L'ordre propre aux communautés humaines est d'essence morale. En effet, c'est un ordre qui a pour base la vérité, qui se réalise dans la justice, qui demande à être vivifié par l'amour et qui trouve dans la liberté un équilibre sans cesse rétabli et toujours plus humain.

37. Cet ordre moral — universel, absolu et immuable dans ses principes — a son fondement objectif dans le vrai Dieu transcendant et personnel, Vérité première et Souverain Bien, source la plus profonde de vitalité pour une société ordonnée, féconde et conforme à la dignité des personnes qui la composent[26]. Saint Thomas d'Aquin s'exprime clairement à ce sujet: «La volonté humaine a pour règle et pour mesure de son degré de bonté la raison de l'homme; celle-ci tient son autorité de la loi éternelle, qui n'est autre que la raison divine... Ainsi, c'est bien clair, la bonté du vouloir humain dépend bien plus de la loi éternelle que de la raison humaine[27].»

Signes des temps

38. Trois traits caractérisent notre époque.

---

26. Cf. Pie XII, Radiomessage de Noël, 1942, *A. A. S.* XXXV, 1943, p. 14.
27. *Summa Theol*, Iᵃ-IIᵃᵉ, q. 19, a. 4; cf. a. 9.

39. D'abord la promotion économique et sociale des classes laborieuses. Celles-ci ont, en premier lieu, concentré leur effort dans la revendication de droits surtout économiques et sociaux; puis elles ont élargi cet effort a plan politique; enfin au droit de participer dans les formes appropriées aux biens de la culture. Aujourd'hui, chez les travailleurs de tous les pays, l'exigence est vivement sentie d'être considérés et traités non comme des êtres sans raison ni liberté, dont on use à son gré, mais comme des personnes, dans tous les secteurs de la vie collective: secteur économico-social, culturel et politique.

40. Une seconde constatation s'impose à tout observateur: l'entrée de la femme dans la vie publique, plus rapide peut-être dans les peuples de civilisation chrétienne; plus lente, mais de façon toujours ample, au sein des autres traditions et cultures. De plus en plus consciente de sa dignité humaine, la femme n'admet plus d'être considérée comme un instrument; elle exige qu'on la traite comme une personne aussi bien au foyer que dans la vie publique.

41. Enfin l'humanité, par rapport à un passé récent, présente une organisation sociale et politique profondément transformée. Plus de peuples dominateurs et de peuples dominés: toutes les nations ont constitué ou constituent des communautés politiques indépendantes.

42. Les hommes de tout pays et continent sont aujourd'hui citoyens d'un État autonome indépendant, ou ils sont sur le point de l'être. Personne ne veut être soumis à des pouvoirs politiques étrangers à sa communauté ou à son groupe ethnique. On assiste, chez beaucoup, à la disparition du complexe d'infériorité qui a régné pendant des siècles et des millénaires; chez d'autres, s'atténue et tend à disparaître, au contraire, le complexe de supériorité, issu de privilèges économiques et sociaux, du sexe ou de la situation politique.

43. Maintenant, en effet, s'est propagée largement l'idée de l'égalité naturelle de tous les hommes. Aussi, du moins en théorie, ne trouve-t-on plus de justification aux discriminations raciales. Voilà qui représente une étape importante sur la route conduisant à une communauté humaine établie sur la base des principes que Nous avons rappelés. Maintenant, à mesure que

l'homme devient conscient de ses droits, germe comme nécessairement en lui la conscience d'obligations correspondantes:
ses propres droits, c'est avant tout comme autant d'expressions
de sa dignité qu'il devra les faire valoir, et à tous les autres
incombera l'obligation de reconnaître ces droits et de les respecter.

44. Et une fois que les normes de la vie collective se formu-
lent en termes de droits et de devoirs, les hommes s'ouvrent aux
valeurs spirituelles et comprennent ce qu'est la vérité, la justice,
l'amour, la liberté; ils se rendent compte qu'ils appartiennent à
une société de cet ordre. Davantage: ils sont portés à mieux
connaître le Dieu véritable, transcendant et personnel. Alors
leurs rapports avec Dieu leur apparaissent comme le fond
même de la vie, de la vie intime vécue au secret de l'âme et de
celle qu'ils mènent en communauté avec les autres.

II

RAPPORTS ENTRE LES HOMMES
ET LES POUVOIRS PUBLICS AU SEIN
DE CHAQUE COMMUNAUTÉ POLITIQUE

Nécessité de l'autorité; son origine divine

45. À la vie en société manqueraient l'ordre et la fécondité sans la présence d'hommes légitimement investis de l'autorité et qui pourvoient dans une mesure suffisante au bien commun. Leur autorité, ils la tiennent tout entière de Dieu, comme l'enseigne saint Paul: «Il n'est pas d'autorité qui ne vienne de Dieu[28].» La doctrine de l'Apôtre est ainsi expliquée par saint Jean Chrysostome: «Que voulez-vous dire? Chacun des gouvernants serait-il établi par Dieu dans sa fonction? Ce n'est pas ce que j'affirme, reprendra Paul; je ne parle pas des individus revêtus du pouvoir, mais proprement de leur mandat. Qu'il y ait des pouvoirs publics, que des hommes commandent, que d'autres soient subordonnés et que tout n'arrive pas au hasard, voilà, dis-je, ce qui est le fait de la sagesse divine[29].» En d'autres termes: puisque Dieu a doté de sociabilité la créature humaine, et puisque nulle société «n'a de consistance sans un chef dont l'action efficace et unifiante mobilise tous les membres au service des buts communs, toute communauté humaine a besoin d'une autorité qui la régisse. Celle-ci, tout comme la société, a donc pour auteur la nature et du même coup Dieu lui-même[30].»

---

28. *Rom.*, XIII, 1-6.

29. Épître aux Romains, c. 13, vv. 1-2, homil. XXIII, PG. 60, 615.

30. Léon XIII, Encycl. *Immortale Dei, Acta Leonis XIII,* V, 1885, p. 120.

46. Pour autant l'autorité n'échappe point à toute loi. Elle consiste précisément dans le pouvoir de commander selon la droite raison. Dès lors toute sa force impérative lui vient de l'ordre moral, lequel à son tour repose sur Dieu, son principe et sa fin. «L'ordre absolu des vivants et la fin même de l'homme — de l'homme libre, sujet de devoirs et de droits, de l'homme origine et fin de la société — regardent aussi la cité comme communauté nécessaire et dotée de l'autorité; sans celle-ci pas d'existence, pas de vie pour le groupe... Suivant la droite raison et surtout la foi chrétienne, cet ordre universel trouve nécessairement son origine en Dieu, être personnel et notre Créateur à tous; par conséquent, les titres des pouvoirs publics se ramènent à une certaine participation de l'autorité divine elle-même[31].»

47. Aussi bien, si le pouvoir s'appuie exclusivement ou principalement sur la menace et la crainte des sanctions pénales ou sur la promesse des récompenses, son action ne réussit aucunement à susciter la recherche du bien commun; y parviendrait-il, ce serait d'une façon étrangère à la dignité de l'homme, être libre et raisonnable. L'autorité est avant tout une force morale. Ses détenteurs doivent donc faire appel, en premier lieu, à la conscience, au devoir qui incombe à tous de servir avec empressement les intérêts communs. Mais les hommes sont tous égaux en dignité naturelle; aucun n'a le pouvoir de déterminer chez un autre le consentement intime; ce pouvoir est réservé à Dieu, le seul qui scrute et qui juge les décisions secrètes de chacun.

48. Par suite, l'autorité humaine ne peut lier les consciences que dans la mesure où elle se relie à l'autorité de Dieu et en constitue une participation[32].

49. Ainsi se trouve garantie la dignité même des citoyens, car l'obéissance qu'ils rendent aux détenteurs de l'autorité ne va pas à des hommes comme tels; elle est un hommage adressé à Dieu, Créateur et Providence, qui a soumis les rapports hu-

---

31. Cf. Radiomessage de Noël, 1944, *A. A. S.* XXXVII, 1945, p. 15.
32. Cf. Léon XIII, Encycl. *Diuturnum illud, Acta Leonis XIII*, II, 1881, p. 274.

mains à l'ordre qu'il a lui-même établi. Et, bien loin de nous abaisser en rendant à Dieu le respect qui lui est dû, nous ne faisons en cela que nous élever et nous ennoblir, puisque c'est régner que servir Dieu[33].

50. L'autorité exigée par l'ordre moral émane de Dieu. Si donc il arrive aux dirigeants d'édicter des lois ou de prendre des mesures contraires à cet ordre moral et par conséquent, à la volonté divine, ces dispositions ne peuvent obliger les consciences, car «il faut obéir à Dieu plutôt qu'aux hommes[34]». Bien plus, en pareil cas, l'autorité cesse d'être elle-même et dégénère en oppression. «La législation humaine ne revêt le caractère de loi qu'autant qu'elle se conforme à la juste raison; d'où il appert qu'elle tient sa vigueur de la loi éternelle. Mais dans la mesure où elle s'écarte de la raison, on la déclare injuste, elle ne vérifie pas la notion de loi, elle est plutôt une forme de la violence[35].»

51. L'origine divine de l'autorité n'enlève aucunement aux hommes le pouvoir d'élire leurs gouvernants, de définir la forme de l'État ou d'imposer des règles et des bornes à l'exercice de l'autorité. Ainsi la doctrine que Nous venons d'exposer convient à toute espèce de régime vraiment démocratique[36].

La réalisation du bien commun, raison d'être des pouvoirs publics

52. Tous les individus et tous les corps intermédiaires sont tenus de concourir, chacun dans sa sphère, au bien de l'ensemble. Et c'est en harmonie avec celui-ci qu'ils doivent poursuivre leurs propres intérêts et suivre, dans leurs apports — en biens et en services — les orientations que fixent les pouvoirs publics selon les normes de la justice et dans les formes et limites de leur compétence. Les actes commandés par l'autorité devront être

---

33. Cf. *ibid.*, p. 278, et LÉON XIII, Encycl. *Immortale Dei, Acta Leonis XIII, V,* 1885, p. 130.

34. *Act.*, v, 29.

35. *Summa Theol.*, 1ᵃ-IIᵃᵉ, q. 93, a. 3 ad 2ᵘᵐ; cf. PIE XII, Radiomessage de Noël, 1944, *A. A. S.* XXXVII, 1945, pp. 5-23.

36. Cf. LÉON XIII, Encycl. *Diuturnum illud, Acta Leonis XIII*, II, 1881, pp. 271-272, et PIE XII, Radiomessage de Noël, 1944, *A. A. S.* XXXVII, 1945, pp. 5-23.

parfaitement corrects en eux-mêmes, d'un contenu moralement bon, ou tout au moins susceptible d'être orienté au bien.

53. Toutefois, la fonction gouvernementale n'ayant de sens qu'en vue du bien commun, les dispositions prises par ses titulaires doivent à la fois respecter la véritable nature de ce bien et tenir compte de la situation du moment[37].

Aspects fondamentaux du bien commun

54. Les particularités ethniques qui distinguent les différents groupes humains s'inscrivent dans l'aire du bien commun, sans suffire pour autant à sa définition complète[38]. Ce bien commun ne peut être défini doctrinalement dans ses aspects essentiels et les plus profonds, ni non plus être déterminé historiquement qu'en référence à l'homme; il est, en effet, un élément essentiellement relatif à la nature humaine[39].

55. Ensuite, la nature même de ce bien impose que tous les citoyens y aient leur part, sous des modalités diverses d'après l'emploi, le mérite et la condition de chacun. C'est pourquoi l'effort des pouvoirs publics doit tendre à servir les intérêts de tous sans favoritisme à l'égard de tel particulier ou de telle classe de la société. Notre prédécesseur Léon XIII le disait en ces termes: «On ne saurait en aucune façon permettre que l'autorité civile tourne au profit d'un seul ou d'un petit nombre, car elle a été instituée pour le bien commun de tous[40].» Mais des considérations de justice et d'équité dicteront parfois aux responsables de l'État une sollicitude particulière pour les membres les plus faibles du corps social, moins armés pour la défense de leurs droits et de leurs intérêts légitimes[41].

---

37. Cf. Pie XII, Radiomessage de Noël, 1942, *A. A. S.* XXXV, 1943, p. 13, et Léon XIII, Encycl. *Immortale Dei, Acta Leonis XIII,* V, 1885, p. 120.

38. Cf. Pie XII, Encycl. *Summi Pontificatus, A. A. S.* XXXI, 1939, pp. 412-453.

39. Cf. Pie XI, Encycl. *Mit brennender Sorge, A. A. S.* XXIX, 1937, p. 159, et Encycl. *Divini Redemptoris, A. A. S.* XXIX, 1937, pp. 65-106.

40. Encycl. *Immortale Dei, Acta Leonis XIII,* V, 1885, p. 121.

41. Cf. Léon XIII, Encycl. *Rerum Novarum, Acta Leonis XIII,* XI, 1891, pp. 133-134.

56. Ici Nous devons attirer l'attention sur le fait que le bien commun concerne l'homme tout entier, avec ses besoins tant spirituels que matériels. Conçu de la sorte, le bien commun réclame des gouvernements une politique appropriée, respectueuse de la hiérarchie des valeurs, ménageant en juste proportion au corps et à l'âme les ressources qui leur conviennent[42].

57. Ces principes sont en parfaite harmonie avec ce que Nous avons exposé dans Notre encyclique *Mater et Magistra*: le bien commun «embrasse l'ensemble des conditions de vie en société qui permettent à l'homme d'atteindre sa perfection propre de façon plus complète et plus aisée[43]».

58. Composé d'un corps et d'une âme immortelle, l'homme ne peut, au cours de cette existence mortelle, satisfaire à toutes les requêtes de sa nature ni atteindre le bonheur parfait. Aussi les moyens mis en œuvre au profit du bien commun ne peuvent-ils faire obstacle au salut éternel des hommes mais encore doivent-ils y aider positivement[44].

Rôle des pouvoirs publics à l'égard des droits
et des devoirs de la personne

59. Pour la pensée contemporaine, le bien commun réside surtout dans la sauvegarde des droits et des devoirs de la personne humaine; dès lors, le rôle des gouvernants consiste surtout à garantir la reconnaissance et le respect des droits, leur conciliation mutuelle, leur défense et leur expansion, et en conséquence à faciliter à chaque citoyen l'accomplissement de ses devoirs. Car «la mission essentielle de toute autorité politique est de protéger les droits inviolables de l'être humain et de faire en sorte que chacun s'acquitte plus aisément de sa fonction particulière[45]».

---

42. Cf. Pie XII, Encycl. *Summi Pontificatus*, A. A. S. XXXI, 1939, p. 433.

43. A. A. S. LIII, 1961, p. 19.

44. Cf. Pie XI, Encycl. *Quadragesimo Anno*, A. A. S. XXIII, 1931, p. 215.

45. Cf. Pie XII, Radiomessage de Pentecôte, 1er juin 1941, A. A. S. XXXIII, 1941, p. 200.

60. C'est pourquoi, si les pouvoirs publics viennent à méconnaître ou à violer les droits de l'homme, non seulement ils manquent au devoir de leur charge, mais leurs dispositions sont dépourvues de toute valeur juridique[46].

Conciliation harmonieuse et protection efficace des droits et des devoirs de la personne

61. C'est donc là un devoir fondamental des pouvoirs publics d'ordonner les rapports juridiques des citoyens entre eux, de manière que l'exercice des droits chez les uns n'empêche ou ne compromette pas chez les autres le même usage et s'accompagne de l'accomplissement des devoirs correspondants. Il s'agit enfin de maintenir l'intégrité des droits pour tout le monde et de la rétablir en cas de violation[47].

Promotion des droits de la personne

62. Il incombe encore aux pouvoirs publics de contribuer à la création d'un état de choses qui facilite à chacun la défense de ses devoirs. Car l'expérience nous montre que si l'autorité n'agit pas opportunément en matière économique, sociale ou culturelle, des inégalités s'accentuent entre les citoyens, surtout à notre époque, au point que les droits fondamentaux de la personne restent sans portée efficace et que soit compromis l'accomplissement des devoirs correspondants.

63. Il est donc indispensable que les pouvoirs publics se préoccupent de favoriser l'aménagement social parallèlement au progrès économique; ainsi veilleront-ils à développer dans la mesure de la productivité nationale des services essentiels tels que le réseau routier, les moyens de transport et de communication, la distribution d'eau potable, l'habitat, l'assistance sanitaire, l'instruction, les conditions propices à la pratique religieuse, les loisirs. Ils s'appliqueront à organiser des sys-

---

46. Cf. Pie XI, Encycl. *Mit brennender Sorge, A. A. S.* XXIX, 1937, p. 159, et Encycl. *Divini Redemptoris, A. A. S.* XXIX, 1937, p. 79, et Pie XII, Radiomessage de Noël, 1942, *A. A. S.* XXXV, 1943, pp. 9-24.

47. Cf. Pie XI, Encycl. *Divini Redemptoris, A. A. S.* XXIX, 1937, p. 81 et Pie XII, Radiomessage de Noël, 1942, *A. A. S.* XXXV, 1943, pp. 9-24.

tèmes d'assurances pour les cas d'événements malheureux et d'accroissement de charges familiales, de sorte qu'aucun être humain ne vienne à manquer des ressources indispensables pour mener une vie décente. Ils auront soin que les ouvriers en état de travailler trouvent un emploi proportionné à leurs capacités; que chacun d'eux reçoive le salaire conforme à la justice et à l'équité; que les travailleurs puissent se sentir responsables dans les entreprises; qu'on puisse constituer opportunément des corps intermédiaires qui ajoutent à l'aisance et à la fécondité des rapports sociaux; qu'à tous enfin les biens de la culture soient accessibles sous la forme et au niveau appropriés.

Équilibre entre les deux formes d'action des pouvoirs publics

64. L'intérêt commun exige que les pouvoirs publics, en ce qui concerne les droits de la personne, exercent une double action: l'une de conciliation et de protection, l'autre de valorisation, tout en veillant soigneusement à leur judicieux équilibre. D'une part, on veillera à ce que la prédominance accordée à des individus ou à certains groupes n'installe dans la nation des situations privilégiées; par ailleurs, le souci de sauvegarder les droits de tous ne doit pas déterminer une politique qui, par une singulière contradiction, réduirait excessivement ou rendrait impossible le plein exercice de ces mêmes droits. «Une chose demeure acquise: l'action de l'État en matière économique, si loin qu'elle porte, si profondément qu'elle atteigne les ressorts de la société, ne peut supprimer la liberté d'action des individus; elle doit au contraire la favoriser, pourvu que soient sauvegardés les droits essentiels de chaque personne humaine[48].»

65. C'est toujours à cet équilibre que doivent tendre les multiples efforts entrepris par les pouvoirs publics pour faciliter aux citoyens la jouissance de leurs droits et leur rendre moins ardu l'accomplissement de leurs obligations dans tous les secteurs de la vie sociale.

Structure et fonctionnement des pouvoirs publics

66. Il est impossible de définir une fois pour toutes quelle est la structure la meilleure pour l'organisation des pouvoirs publics,

---

48. Jean XXIII, Encycl. *Mater et Magistra*, A. A. S. LIII, 1961, p. 415.

et selon quelles formes s'exerceront le mieux les pouvoirs législatif, exécutif et judiciaire.

67. En effet, pour déterminer la forme du gouvernement et les modalités de son fonctionnement, la situation particulière et les circonstances historiques de chaque peuple sont d'un très grand poids; or, elles varient selon les temps et les lieux. Cependant, Nous estimons conforme aux données de la nature humaine l'organisation politique des communautés humaines fondée sur une convenable division des pouvoirs, correspondant aux trois fonctions principales de l'autorité publique. En effet, dans ce régime sont définis en termes de droit non seulement les attributions et le fonctionnement des pouvoirs publics, mais aussi les rapports entre simples citoyens et représentants de l'autorité, ce qui constitue, pour les premiers, une garantie dans l'exercice de leurs droits et l'accomplissement de leurs devoirs.

68. Toutefois, pour qu'un système juridique et politique de ce genre procure les avantages escomptés, il faut que, dans leur action et dans leurs méthodes, les pouvoirs publics soient conscients de la nature et de la complexité des problèmes qu'ils sont appelés à résoudre conformément aux conjonctures du pays. Et il est indispensable que chacun d'eux exerce de façon pertinente sa propre fonction. Cela suppose que le pouvoir législatif s'exerce dans les limites prescrites par l'ordre moral et par les normes constitutionnelles, et qu'il interprète objectivement les exigences du bien commun dans l'évolution continuelle des situations; que le pouvoir exécutif fasse régner partout le droit, à la lumière d'une parfaite connaissance des lois et d'une consciencieuse analyse des circonstances; que le pouvoir judiciaire administre la justice avec une impartialité pénétrée de sens humain, et soit inflexible en face des pressions dictées par l'intérêt des parties en cause. Le bon ordre veut enfin que les citoyens non moins que les corps intermédiaires, dans l'exercice de leurs droits et l'accomplissement de leurs devoirs bénéficient d'une protection juridique efficace tant dans leurs rapports réciproques que dans leurs rapports avec les agents publics[49].

---

49. Cf. Pie XII, Radiomessage de Noël, 1942, *A. A. S.* XXXV. 1943, p. 21.

Ordre juridique et conscience morale

69. Un ordre juridique en harmonie avec l'ordre moral et répondant aux degrés de la maturité politique dont il est l'expression constitue sans aucun doute un facteur fondamental pour la réalisation du bien commun.

70. Mais à notre époque, la vie sociale est si variée, complexe et dynamique, que les dispositions juridiques, même si elles sont le fruit d'une expérience consommée et de la plus sage prévoyance, apparaissent toujours insuffisantes.

71. De plus, les rapports des particuliers entre eux, ceux des individus ou des corps intermédiaires avec les pouvoirs publics, ceux enfin qui existent entre les divers organes du pouvoir au sein d'un même État, posent parfois des problèmes compliqués et délicats au point de ne pas trouver leur solution adéquate dans les cadres juridiques bien définis. En pareil cas, les gouvernants, pour être à la fois fidèles à l'ordre juridique existant, considéré dans ses éléments et dans son inspiration profonde, et ouverts aux appels qui montent de la vie sociale pour savoir adapter le cadre juridique à l'évolution des situations et résoudre au mieux des problèmes sans cesse nouveaux, doivent avoir des idées claires sur la nature et l'ampleur de leur charge; il leur faut un équilibre, une droiture morale, une pénétration, un sens pratique qui leur permettent d'interpréter rapidement et objectivement les cas concrets, et une volonté décidée et vigoureuse pour agir avec promptitude et efficacité[50].

Participation des citoyens à la vie publique

72. Que les citoyens puissent prendre une part active à la vie publique, c'est là un droit inhérent à leur dignité de personnes, encore que les modalités de cette participation soient subordonnées au degré de maturité atteint par la communauté politique dont ils sont membres et dans laquelle ils agissent.

73. Cette faculté d'intervention ouvre aux êtres humains de nouvelles et vastes possibilités de service à rendre. Invités à

---

50. Cf. Pie XII, Radiomessage de Noël, 1944, *A. A. S.* XXXVII, 1945, pp. 15-16.

multiplier les contacts et les échanges avec leurs administrés, les dirigeants comprennent mieux les exigences objectives du bien commun; par ailleurs, le renouvellement périodique des titulaires des charges publiques préserve l'autorité de tout vieillissement et lui procure comme un regain de vitalité en harmonie avec l'avance de la société[51].

Signes des temps

74. Dans l'organisation juridique des communautés politiques à l'époque moderne, on note tout d'abord une tendance à rédiger en des formules claires et concises une charte des droits fondamentaux de l'homme: charte qui est souvent insérée dans les Constitutions ou en constitue une partie intégrante.

75. En second lieu, on tend à fixer en termes juridiques, dans ces Constitutions, le mode de désignation des mandataires publics, leurs rapports réciproques, le rayon de leurs compétences, et enfin les moyens et modes qu'ils sont tenus d'observer dans leur gestion.

76. On établit enfin, en termes de droits et de devoirs, quels sont les rapports entre citoyens et pouvoirs publics; et on assigne à l'autorité le rôle primordial de reconnaître et de respecter les droits et les devoirs des citoyens, d'en assurer la conciliation réciproque, la défense et le développement.

77. On ne peut, certes, admettre la théorie selon laquelle la seule volonté des hommes — individus ou groupes sociaux — serait la source unique et première d'où naîtraient droits et devoirs des citoyens, et d'où dériveraient la force obligatoire des constitutions et l'autorité des pouvoirs publics[52].

78. Toutefois, les tendances que Nous venons de relever le prouvent à suffisance: les hommes de notre temps ont acquis une conscience plus vive de leur dignité; ce qui les amène à

---

51. Cf. Pie XII, Radiomessage de Noël, 1942, *A. A. S.* XXXV, 1943, p. 12.

52. Cf. Léon XIII, Lettre apost. *Annum ingressi, Acta Leonis XIII*, XXII, 1902-1903, pp. 52-80.

prendre une part active aux affaires publiques et à exiger que les stipulations du droit positif des États garantissent l'inviola- bilité de leurs droits personnels. Ils exigent en outre que les gouvernants n'accèdent au pouvoir que suivant une procédure définie par les lois et n'exercent leur autorité que dans les limites de celles-ci.

III

RAPPORTS ENTRE LES COMMUNAUTÉS POLITIQUES

Droits et devoirs

79. Nous affirmons à nouveau l'enseignement maintes fois donné par Nos prédécesseurs: les communautés politiques ont, entre elles, des droits et des devoirs réciproques: elles doivent donc harmoniser leurs relations selon la vérité et la justice, en esprit d'active solidarité et dans la liberté. La même loi morale qui régit la vie des hommes doit régler aussi les rapports entre les États.

80. Ce principe s'impose clairement quand on considère que les gouvernants, lorsqu'ils agissent au nom et pour l'intérêt de leur communauté, ne peuvent en aucune façon renoncer à leur dignité d'homme; dès lors, il ne leur est absolument pas permis de trahir la loi de leur nature, qui est la loi morale.

81. Ce serait d'ailleurs un non-sens que le fait d'être promus à la conduite de la chose publique contraigne des hommes à abdiquer leur dignité humaine. N'occupent-ils pas précisément ces postes éminents parce que, en raison de qualités singulières, on a vu en eux les membres les meilleurs du corps social?

82. En outre, c'est l'ordre moral qui postule dans toute société la présence d'une autorité; fondée sur cet ordre, l'autorité ne peut être utilisée contre lui sans se ruiner elle-même. L'Esprit-Saint nous en avertit: «Écoutez donc, rois, et comprenez! Instruisez-vous, souverains des terres lointaines! Prêtez l'oreille, vous qui commandez aux foules, qui êtes fiers de la multitude de vos peuples! Car c'est le Seigneur qui vous a

donné le pouvoir et le Très-Haut la souveraineté; c'est lui qui examinera votre conduite et scrutera vos desseins[53].»

83. Faut-il enfin rappeler, en ce qui concerne les rapports internationaux, que l'autorité doit s'exercer en vue du bien commun? Telle est sa première raison d'être.

84. Or, l'un des premiers impératifs majeurs du bien commun concerne justement la reconnaissance et le respect de l'ordre moral. «La bonne organisation des États trouve son assise sur le roc inébranlable et immuable de la loi morale, que le Créateur lui-même manifesta par le moyen d'un ordre naturel, et qu'il a gravée, en caractères indélébiles, dans le cœur des hommes... Comme un phare resplendissant, elle éclaire de ses principes la route à tenir par les hommes et les peuples. Qu'ils se guident sur les signes et les avertissements si sûrs qu'elle leur adresse, s'ils ne veulent pas livrer à la tempête et au naufrage toute la peine et l'ingéniosité dépensées pour établir une organisation nouvelle[54].»

Dans la vérité

85. La vérité doit présider aux relations entre les communautés politiques. Cette vérité bannit notamment toute trace de racisme; l'égalité naturelle de toutes les communautés politiques en dignité humaine doit être hors de conteste. Chacune a donc droit à l'existence, au développement, à la possession des moyens nécessaires pour le réaliser, à la responsabilité première de leur mise en œuvre. Chacune revendiquera légitimement son droit à la considération et aux égards.

86. L'expérience nous montre les différences souvent notables de savoir, de vertus, de capacités intellectuelles et de ressources matérielles qui distinguent les hommes les uns des autres. Mais cet état de fait ne donne aux plus favorisés aucun droit d'exploiter les plus faibles; il leur crée, à tous et à chacun, un devoir plus pressant de collaborer à leur élévation réciproque.

---

53. *Sap.*, VI, 2-4.
54. Cf. Pie XII, Radiomessage de Noël, 1941, *A. A. S.* XXXIV, 1942, p. 16.

87. De même, certaines communautés politiques peuvent se trouver en avance sur d'autres dans le domaine des sciences, de la culture, du développement économique. Bien loin d'autoriser une domination injuste sur les peuples moins favorisés, cette supériorité oblige à contribuer plus largement au progrès général.

88. Il ne peut, certes, pas exister d'êtres humains supérieurs à d'autres par nature; par nature, tous sont d'égale noblesse. Et pas davantage les communautés politiques ne connaissent d'inégalité entre elles au point de vue de la dignité naturelle. Chacune est comme un corps dont les membres sont des hommes. D'ailleurs, l'histoire montre que rien n'affecte les peuples comme ce qui touche de près ou de loin à leur honneur, et cette sensibilité est légitime.

89. La vérité exige encore que, dans les nombreuses initiatives rendues possibles par les dernières inventions de la technique et qui favorisent une plus large connaissance mutuelle entre peuples différents, on observe toujours une sereine objectivité. Chaque communauté peut assurément mettre en relief ses richesses propres, mais il faut absolument proscrire les méthodes d'information qui, en violation de la vérité, porteraient injustement atteinte à la réputation de tel ou tel peuple[55].

Dans la justice

90. Les rapports entre les communautés politiques doivent se conformer aussi aux règles de la justice; ceci implique la reconnaissance des droits mutuels et l'accomplissement des devoirs correspondants.

91. Puisque les communautés politiques ont droit à l'existence, au progrès, à l'acquisition des ressources nécessaires pour leur développement, à la première place dans les réalisations qui les concernent, à la défense de leur réputation et de leur dignité, on en conclura qu'elles sont obligées, à titre égal, de sauvegarder chacun de ces droits et de s'interdire tout acte qui les léserait. Dans leurs rapports privés, les hommes ne

---

55. Cf. Pie XII, Radiomessage de Noël, 1940, *A. A. S.* XXXIII, 1941, pp. 5-14.

peuvent poursuivre leurs intérêts propres au prix d'une injustice envers les autres; pareillement, les communautés politiques
ne peuvent légitimement se développer en causant un préjudice
aux autres ou en exerçant sur elles une pression injuste. Il n'est
pas hors de propos de citer ici le mot de saint Augustin: «Une
fois la justice mise de côté, que deviennent les empires, sinon
des brigandages en grand[56]?»

92. Il peut évidemment arriver, et de fait il arrive, que les
communautés politiques entrent en rivalité d'intérêts; ces
conflits ne peuvent pourtant se régler ni par la force des armes
ni par la fraude ou la tromperie, mais comme il convient à des
hommes, grâce à la compréhension mutuelle, par une estimation objective des données et moyennant un compromis équitable.

Le sort des minorités

93. Depuis le XIXe siècle, s'est accentuée et répandue un peu
partout la tendance des communautés politiques à coïncider
avec les communautés nationales. Pour divers motifs, il n'est
pas toujours possible de faire coïncider les frontières géographiques et ethniques; d'où le phénomène des minorités et les
problèmes si difficiles qu'elles soulèvent.

94. À ce propos, Nous devons déclarer de la façon la plus
explicite que toute politique tendant à contrarier la vitalité et
l'expansion des minorités constitue une faute grave contre la
justice, plus grave encore quand ces manœuvres visent à les
faire disparaître.

95. Par contre, rien de plus conforme à la justice que l'action menée par les pouvoirs publics pour améliorer les conditions de vie des minorités ethniques, notamment en ce qui
concerne leur langue, leur culture, leurs coutumes, leurs ressources et leurs entreprises économiques[57].

---

56. *De civitate Dei*, lib. IV, c. 4; PL. 41, 115; cf. Pie XII, Radiomessage de Noël,
    1939, *A. A. S.* XXXII, 1940, pp. 5-13.
57. Cf. Pie XII, Radiomessage de Noël, 1941, *A. A. S.* XXXIV, 1942, pp. 10-21.

96. On observera pourtant que ces minorités, soit par réaction contre la situation pénible qui leur est imposée, soit en raison des vicissitudes de leur passé, sont assez souvent portées à exagérer l'importance de leurs particularités, au point même de les faire passer avant les valeurs humaines universelles, comme si le bien de toute la famille humaine devait être subordonné aux intérêts de leur propre nation. Il serait normal, au contraire, que les intéressés prennent également conscience des avantages de leur condition: le contact quotidien avec des hommes dotés d'une culture ou d'une civilisation différente les enrichit spirituellement et intellectuellement et leur offre la possibilité d'assimiler progressivement les valeurs propres au milieu dans lequel ils se trouvent implantés. Cela se réalisera s'ils constituent comme un pont qui facilite la circulation de la vie, sous ses formes diverses, entre les différentes traditions ou cultures, et non pas une zone de friction, cause de dommages sans nombre et obstacle à tout progrès et à toute évolution.

Solidarité efficace

97. La vérité et la justice présideront donc aux relations entre les communautés politiques, et celles-ci seront animées par une solidarité efficace, mise en œuvre sous les mille formes de collaboration économique, sociale, politique, culturelle, sanitaire et sportive: formes possibles et fécondes pour notre époque. À ce propos, ne perdons pas de vue que la mission naturelle du pouvoir politique n'est pas de limiter aux frontières du pays l'horizon des citoyens, mais de sauvegarder avant tout le bien commun national, lequel assurément est inséparable du bien de toute la communauté humaine.

98. Ainsi, il ne suffit pas que les communautés politiques, dans la poursuite de leurs intérêts, se gardent de se causer du tort les unes aux autres. Il leur faut mettre en commun leurs projets et leurs ressources pour atteindre les objectifs qui leur seraient autrement inaccessibles. Dans ce cas, toutefois, on évitera par-dessus tout que des arrangements avantageux pour tel ou tel groupe de communautés politiques ne se soldent pour d'autres par plus de dommages que de profits.

99. Pour satisfaire à une autre exigence du bien commun universel, chaque communauté politique doit favoriser en son sein les échanges de toute sorte, soit entre les particuliers, soit entre les corps intermédiaires. En beaucoup de régions du monde coexistent des groupes plus ou moins différents sous le rapport ethnique; il faut veiller à ce que les éléments qui caractérisent un groupe ne constituent pas une cloison étanche entravant les relations entre des hommes de groupes divers. Cela détonnerait brutalement à notre époque, où les distances d'un pays à l'autre ont à peu près disparu. On n'oubliera pas non plus que, si chaque famille ethnique possède des particularités qui forment sa richesse singulière, les hommes ont en commun des éléments essentiels et sont portés par nature à se rencontrer dans le monde des valeurs spirituelles, dont l'assimilation progressive leur permet un développement toujours plus poussé. Il faut donc leur reconnaître le droit et le devoir d'entrer en communauté les uns avec les autres.

Équilibre entre populations, terres et capitaux

100. Personne n'ignore la disproportion qui règne en certaines zones entre les terrains cultivables et l'effectif de la population, ou bien entre les richesses du sol et l'équipement nécessaire à leur exploitation. Cet état de choses réclame, de la part des peuples, une collaboration qui facilite la circulation des biens, des capitaux et des personnes[58].

101. Nous estimons opportun que, dans toute la mesure du possible, le capital se déplace pour rejoindre la main-d'œuvre et non l'inverse. Ainsi, on permet à des foules de travailleurs d'améliorer leur condition sans avoir à s'expatrier, démarche qui entraîne toujours des déchirements et des périodes difficiles de réadaptation et d'assimilation au nouveau milieu.

Le problème des réfugiés politiques

102. L'affection paternelle que Dieu Nous inspire envers tous les hommes Nous fait considérer avec tristesse le phénomène

---

58. Cf. JEAN XXIII, Encycl. *Mater et Magistra*, A. A. S. LIII, 1961, p. 439.

des réfugiés politiques. Ce phénomène a pris d'amples proportions et cache toujours d'innombrables et très douloureuses souffrances.

103. Ce fait montre que certains gouvernements restreignent à l'excès la sphère de liberté à laquelle chaque citoyen a droit et dont il a besoin pour vivre en homme; ces régimes vont parfois jusqu'à contester le droit même à la liberté, quand ils ne le suppriment pas tout à fait. Une telle spoliation constitue sans aucun doute un renversement de l'ordre social, puisque la raison d'être des pouvoirs publics est de réaliser le bien commun, dont un élément fondamental consiste à reconnaître le juste domaine de la liberté et d'en protéger les droits.

104. Il n'est pas superflu de rappeler que le réfugié politique est une personne, avec sa dignité, avec tous ses droits. Ceux-ci doivent lui être reconnus; ils ne sont point caducs du fait que l'exilé serait, dans son pays, déclaré déchu de ses titres civiques ou politiques.

105. Aussi bien est-ce un droit inhérent à la personne humaine que la faculté de se rendre en tel pays où l'on espère trouver des conditions de vie plus convenables pour soi et sa famille. Il incombe donc aux gouvernements d'accueillir les immigrants et, dans la mesure compatible avec le bien réel de leur peuple, d'encourager ceux qui désirent s'intégrer à la communauté nationale.

106. Nous saisissons cette occasion d'exprimer officiellement Notre approbation et Nos éloges pour les initiatives qui, selon les principes de la solidarité fraternelle et de la charité chrétienne, travaillent à alléger les épreuves des personnes contraintes à s'expatrier.

107. Nous proposons à l'attention et à la gratitude de tout homme loyal les multiples activités que déploient, dans un domaine si délicat, les institutions internationales spécialisées.

Désarmement

108. Mais, par ailleurs, il Nous est douloureux de voir, dans des pays à l'économie plus développée, les armements redoutables déjà créés et d'autres toujours en voie de création, non sans

d'énormes dépenses d'énergie humaine et de ressources matérielles. De là, des charges très lourdes pour les citoyens de ces
pays, tandis que d'autres nations manquent de l'aide nécessaire
à leur développement économique et social.

109. On a coutume de justifier les armements en répétant
que dans les conjonctures du moment la paix n'est assurée que
moyennant l'équilibre des forces armées. Alors, toute augmentation du potentiel militaire en quelque endroit provoque de la
part des autres États un redoublement d'efforts dans le même
sens. Que si une communauté politique est équipée d'armes
atomiques, ce fait détermine les autres à se fournir de moyens
similaires, d'une égale puissance de destruction.

110. Et ainsi les populations vivent dans une appréhension
continuelle et comme sous la menace d'un épouvantable oura-
gan, capable de se déchaîner à tout instant. Et non sans raison,
puisque l'armement est toujours prêt. Qu'il y ait des hommes
au monde pour prendre la responsabilité des massacres et des
ruines sans nombre d'une guerre, cela peut paraître incroyable;
pourtant, on est contraint de l'avouer, une surprise, un accident
suffiraient à provoquer une déflagration. Mais admettons que
la monstruosité même des effets promis à l'usage de l'armement
moderne détourne tout le monde d'entrer en guerre; si on ne
met un terme aux expériences nucléaires tentées à des fins
militaires, elles risquent d'avoir, on peut le craindre, des suites
fatales pour la vie sur le globe.

111. La justice, la sagesse, le sens de l'humanité réclament,
par conséquent, qu'on arrête la course aux armements; elles
réclament la réduction parallèle et simultanée de l'armement
existant dans les divers pays, la proscription de l'arme atomique et enfin le désarmement dûment effectué d'un commun
accord et accompagné de contrôles efficaces. «Il faut empêcher
à tout prix, proclamait Pie XII, que la guerre mondiale, avec ses
ruines économiques et sociales, ses aberrations et ses désordres
moraux, déferle une troisième fois sur l'humanité[59].»

---

59. Cf. Pie XII, Radiomessage de Noël, 1941, *A. A. S.* XXXIV, 1942, p. 17, et
Benoît XV, Exhortation aux gouvernants des peuples belligérants, 1er
août 1917, *A. A. S.* IX, 1917, p. 418.

112. Mais que tous en soient bien convaincus: l'arrêt de l'accroissement du potentiel militaire, la diminution effective des armements et — à plus forte raison — leur suppression, sont choses irréalisables ou presque sans un désarmement intégral qui atteigne aussi les âmes: il faut s'employer unanimement et sincèrement à y faire disparaître la peur et la psychose de guerre. Cela suppose qu'à l'axiome qui veut que la paix résulte de l'équilibre des armements, on substitue le principe que la vraie paix ne peut s'édifier que dans la confiance mutuelle. Nous estimons que c'est là un but qui peut être atteint, car il est à la fois réclamé par la raison, souverainement désirable, et de la plus grande utilité.

113. D'abord, il s'agit d'un objectif voulu par la raison. Pour tous la chose est évidente ou du moins elle devrait l'être: tout comme les rapports entre les particuliers, les relations internationales ne peuvent se régler par la force des armes; ce qui doit les régir, c'est la norme de la sagesse, autrement dit la loi de vérité, de justice, de solidarité cordialement pratiquée.

114. Objectif souverainement désirable. Qui ne voudrait voir les risques de guerre éliminés, la paix sauvegardée et toujours mieux garantie?

115. Enfin, rien de fécond comme un tel résultat. La paix rend service à tous: individus, familles, nations, humanité entière. Il résonne encore à nos oreilles, l'avertissement de Pie XII: «Avec la paix, rien n'est perdu; mais tout peut l'être par la guerre[60].»

116. Aussi, comme Vicaire du Christ Jésus, Sauveur du monde et Auteur de la paix, traduisant les aspirations les plus ardentes de la famille humaine tout entière et suivant l'impulsion de Notre cœur, anxieux du bien de tous, Nous estimons de Notre devoir d'adjurer tous les hommes, et surtout les gouvernants, de n'épargner aucun effort pour imprimer aux événements un cours conforme à la raison et à l'humanité.

117. Que les assemblées les plus hautes et les plus qualifiées étudient à fond le problème d'un équilibre international

---

60. Cf. Pie XII, Radiomessage du 24 août 1939, *A. A. S.* XXXI, 1939, p. 334.

vraiment humain, d'un équilibre à base de confiance réciproque, de loyauté dans la diplomatie, de fidélité dans l'observation des traités. Qu'un examen approfondi et complet dégage le point à partir duquel se négocieraient des accords amiables, durables et bénéfiques.

118. De Notre côté, Nous implorerons sans cesse les bénédictions de Dieu sur ces travaux, afin qu'ils créent des résultats positifs.

Dans la liberté

119. L'organisation internationale doit respecter la liberté. Ce principe interdit aux nations toute ingérence dans les affaires internes des autres comme toute action oppressive à leur égard. À chacune, au contraire, de favoriser chez les autres l'épanouissement du sens des responsabilités, d'encourager leurs bonnes initiatives et de les aider à promouvoir elles-mêmes leur développement dans tous les secteurs.

La promotion des pays en voie de développement économique

120. Une commune origine, une égale Rédemption, un semblable destin unissent tous les hommes et les appellent à former ensemble une unique famille chrétienne. C'est pourquoi Notre encyclique *Mater et Magistra* a recommandé aux pays mieux pourvus l'assistance à départir sous les formes les plus variées aux nations en voie de développement[61].

121. Nous éprouvons une vive satisfaction à constater l'accueil très favorable fait à Notre appel. Nous espérons que celui-ci trouvera encore plus d'écho à l'avenir et que les peuples pauvres, en améliorant leur situation matérielle le plus vite possible, parviendront à un degré de développement permettant à chacun de mener une existence plus humaine.

122. Mais, soulignons-le avec insistance, l'aide apportée à ces peuples ne peut s'accompagner d'aucun empiétement sur leur indépendance. Ils doivent d'ailleurs se sentir les princi-

---

61. *A. A. S.* LIII, 1961, pp. 440-441.

paux artisans et les premiers responsables de leur progrès économique et social.

123. C'est l'enseignement si sage de Notre prédécesseur Pie XII: «L'organisation nouvelle fondée sur les principes moraux exclut toute atteinte à la liberté, à l'intégrité ou à la sécurité des nations étrangères, quelles que soient l'étendue de leur territoire ou leur capacité de défense. Forcément, en raison de la supériorité de leurs ressources et de leur influence, les grandes puissances définissent, en général, par priorité, le statut des unions économiques qu'elles forment avec des nations plus petites et plus faibles. Mais à celles-ci non moins qu'aux autres, dans le domaine de l'intérêt général, on doit laisser leur indépendance politique et la faculté réelle de rester neutres lors des conflits internationaux, conformément au droit de défendre leur développement économique propre. Moyennant ces conditions, elles pourront concourir au bien commun de l'humanité et assurer le progrès matériel et spirituel de leur peuple[62].»

124. Les communautés politiques économiquement développées, dans leur action multiforme d'assistance aux pays moins favorisés, sont tenues de reconnaître et de respecter les valeurs morales et les particularités ethniques de ceux-ci, et de s'interdire à leur égard le moindre calcul de domination. C'est ainsi qu'elles apportent «une précieuse contribution à la formation d'une communauté mondiale dont tous les membres, conscients de leurs obligations comme de leurs droits, travailleraient sur un pied d'égalité à la mise en œuvre du bien commun universel[63]».

Signes des temps

125. Il est une persuasion qui, à notre époque, gagne de plus en plus les esprits, c'est que les éventuels conflits entre les peuples ne doivent pas être réglés par le recours aux armes, mais par la négociation.

---

62. Cf. Pie XII, Radiomessage de Noël, 1941, *A. A. S.* XXXIV, 1942, pp. 16-17.
63. Jean XXIII, Encycl. *Mater et Magistra*, *A. A. S.* LIII, 1961, p. 443.

126. Il est vrai que, d'ordinaire, cette persuasion vient de la terrifiante puissance de destruction des armes modernes et de la crainte des cataclysmes et des ruines épouvantables qu'occasionnerait l'emploi de ces armes. C'est pourquoi, il devient humainement impossible de penser que la guerre soit, en notre ère atomique, le moyen adéquat pour obtenir justice d'une violation de droits.

127. Le fait est, cependant, que nous voyons encore, hélas! régner bien souvent sur les peuples la loi de la crainte, ce qui les conduit à consacrer des sommes énormes aux dépenses militaires. Ils agissent ainsi non dans un dessein offensif, affirment-ils, — et il n'y a pas de raison de mettre en doute leur sincérité — mais pour dissuader les autres de les attaquer.

128. Néanmoins, il est permis d'espérer que les peuples, intensifiant entre eux les relations et les échanges, découvriront mieux les liens d'unité qui découlent de leur nature commune; ils comprendront plus parfaitement que l'un des devoirs primordiaux issus de leur communauté de nature, c'est de fonder les relations des hommes et des peuples sur l'amour et non sur la crainte. C'est, en effet, le propre de l'amour d'amener les hommes à une loyale collaboration, susceptible de formes multiples et porteuse d'innombrables bienfaits.

IV

RAPPORTS DES INDIVIDUS
ET DES COMMUNAUTÉS POLITIQUES
AVEC LA COMMUNAUTÉ MONDIALE

Interdépendance entre les communautés politiques

129. Les récents progrès de la science et de la technique ont exercé une profonde influence sur les hommes et ont déterminé chez eux, sur toute la surface de la terre, un mouvement tendant à intensifier leur collaboration et à renforcer leur union. De nos jours, les échanges de biens et d'idées ainsi que les mouvements de populations se sont beaucoup développés. On voit se multiplier les rapports entre les citoyens, les familles et les corps intermédiaires des divers pays, ainsi que les contacts entre les gouvernants des divers États. De même, la situation économique d'un pays se trouve de plus en plus dépendante de celle des autres pays. Les économies nationales se trouvent peu à peu tellement liées ensemble qu'elles finissent par constituer chacune une partie intégrante d'une unique économie mondiale. Enfin, le progrès social, l'ordre, la sécurité et la tranquillité de chaque communauté politique sont nécessairement solidaires de ceux des autres.

130. On voit par là qu'un pays pris isolément n'est absolument plus en mesure de subvenir convenablement à ses besoins, ni d'atteindre son développement normal. Le progrès et la prospérité de chaque nation sont à la fois cause et effet de la prospérité et du progrès de toutes les autres.

Insuffisance de l'organisation actuelle des pouvoirs publics
pour assurer le bien commun universel

131. L'unité de la famille humaine a existé en tout temps, puisqu'elle rassemble des êtres qui sont tous égaux en dignité natu-

relle. C'est donc une nécessité de nature qui exigera toujours qu'on travaille de façon suffisante au bien commun universel, celui qui intéresse l'ensemble de la famille humaine.

132. Autrefois, les gouvernements passaient pour être suffisamment à même d'assurer le bien commun universel. Ils s'efforçaient d'y pourvoir par la voie des relations diplomatiques normales ou par des rencontres à un niveau plus élevé, à l'aide des instruments juridiques que sont les conventions et les traités: procédés et moyens que fournissent le droit naturel, le droit des gens et le droit international.

133. De nos jours, de profonds changements sont intervenus dans les rapports entre les États. D'une part, le bien commun universel soulève des problèmes extrêmement graves, difficiles, et qui exigent une solution rapide, surtout quand il s'agit de la défense de la sécurité et de la paix mondiales. D'autre part, au regard du droit, les pouvoirs publics des diverses communautés politiques se trouvent sur un pied d'égalité les uns à l'égard des autres; ils ont beau multiplier les congrès et les recherches en vue d'établir de meilleurs instruments juridiques, ils ne parviennent plus à affronter et à résoudre efficacement ces problèmes. Non pas qu'eux-mêmes manquent de bonne volonté et d'initiative, mais c'est l'autorité dont ils sont investis qui est insuffisante.

134. Dans les conditions actuelles de la communauté humaine, l'organisation et le fonctionnement des États aussi bien que l'autorité conférée à tous les gouvernements ne permettent pas, il faut l'avouer, de promouvoir comme il faut le bien commun universel.

Rapports entre l'évolution historique du bien commun et le fonctionnement des pouvoirs publics

135. À bien y regarder, un rapport essentiel unit le bien commun avec la structure et le fonctionnement des pouvoirs publics. L'ordre moral, qui postule une autorité publique pour servir le bien commun dans la société civile, réclame en même temps pour cette autorité les moyens nécessaires à sa tâche. Il en résulte que les organes de l'État — dans lesquels l'autorité prend corps, s'exerce et atteint sa fin — doivent avoir une forme

et une efficacité telles qu'ils trouvent pour assurer le bien commun les voies et moyens nouveaux, adaptés à l'évolution de la société.

136. De nos jours, le bien commun universel pose des problèmes de dimensions mondiales. Ils ne peuvent être résolus que par une autorité publique dont le pouvoir, la constitution et les moyens d'action prennent eux aussi des dimensions mondiales et qui puisse exercer son action sur toute l'étendue de la terre. C'est donc l'ordre moral lui-même qui exige la constitution d'une autorité publique de compétence universelle.

Pouvoirs publics constitués d'un commun accord
et non imposés par la force

137. Cet organisme de caractère général, dont l'autorité vaille au plan mondial et qui possède les moyens efficaces pour promouvoir le bien universel, doit être constitué par un accord unanime et non pas imposé par la force. La raison en est que l'autorité en question doit pouvoir s'acquitter efficacement de sa fonction; mais il faut aussi qu'elle soit impartiale envers tous, absolument étrangère à l'esprit de parti et attentive aux exigences objectives du bien commun universel. Si ce pouvoir supra-national ou mondial était instauré de force par les nations plus puissantes, on pourrait craindre qu'il ne soit au service d'intérêts particuliers ou bien qu'il ne prenne le parti de telle ou telle nation; ce qui compromettrait la valeur et l'efficacité de son action. En dépit des inégalités que le développement économique et l'armement introduisent entre les communautés politiques, elles sont toutes très sensibles en matière de parité juridique et de dignité morale. C'est la raison très valable pour laquelle les communautés nationales n'acceptent qu'à contre-cœur un pouvoir, qui leur serait imposé de force, ou aurait été constitué sans leur intervention ou auquel elles ne se seraient pas librement ralliées.

Le bien commun universel et les droits de la personne

138. Pas plus que le bien commun d'une nation en particulier, le bien commun universel ne peut être défini sans référence à la personne humaine. C'est pourquoi les pouvoirs publics de la

communauté mondiale doivent se proposer comme objectif fondamental la reconnaissance, le respect, la défense et le développement des droits de la personne humaine. Ce qui peut être obtenu soit par son intervention directe, s'il y a lieu, soit en créant sur le plan mondial les conditions qui permettront aux gouvernements nationaux de mieux remplir leur mission.

Le principe de subsidiarité

139. À l'intérieur de chaque pays, les rapports des pouvoirs publics avec les citoyens, les familles et les corps intermédiaires doivent être régis et équilibrés par le principe de subsidiarité. Il est normal que le même principe régisse les rapports de l'autorité universelle avec les gouvernements des États. Le rôle de cette autorité universelle est d'examiner et de résoudre les problèmes que pose le bien commun universel en matière économique, sociale, politique ou culturelle. C'est la complexité, l'ampleur et l'urgence de ces problèmes qui ne permettent pas aux gouvernements nationaux de les résoudre à souhait.

140. Il n'appartient pas à l'autorité de la communauté mondiale de limiter l'action que les États exercent dans leur sphère propre, ni de se substituer à eux. Elle doit au contraire tâcher de susciter dans tous les pays du monde des conditions qui facilitent non seulement aux gouvernements, mais aussi aux individus et aux corps intermédiaires l'accomplissement de leurs fonctions, l'observation de leurs devoirs et l'usage de leurs droits dans des conditions de plus grande sécurité[64].

Signes des temps

141. Comme chacun sait, le 26 juin 1945, a été fondée l'Organisation des Nations Unies (O. N. U.), à laquelle sont venus se rattacher, par la suite, des organismes intergouvernementaux. À ces organisations ont été confiées de vastes attributions de portée internationale, sur le plan économique et social, culturel, éducatif et sanitaire. Le but essentiel de l'Organisation des

---

64. Cf. PIE XII, Allocution aux jeunes de l'Action catholique des diocèses d'Italie réunis à Rome, 12 septembre 1948, *A. A. S.* XL, p. 412.

Nations Unies est de maintenir et de consolider la paix entre les peuples, de favoriser et de développer entre eux des relations amicales, fondées sur le principe de l'égalité, du respect réciproque et de la collaboration la plus large dans tous les secteurs de l'activité humaine.

142. Un des actes les plus importants accomplis par l'O. N. U. a été la *Déclaration universelle des droits de l'homme*, approuvée le 10 décembre 1948 par l'Assemblée générale des Nations Unies. Son préambule proclame comme objectif commun à promouvoir par tous les peuples et toutes les nations la reconnaissance et le respect effectifs de tous les droits et libertés énumérés dans la Déclaration.

143. Nous n'ignorons pas que certains points de la Déclaration ont soulevé des objections et fait l'objet de réserves justifiées. Cependant, Nous considérons cette Déclaration comme un pas vers l'établissement d'une organisation juridico-politique de la communauté mondiale. Cette Déclaration reconnaît solennellement à tous les hommes, sans exception, leur dignité de personne; elle affirme pour chaque individu ses droits de rechercher librement la vérité, de suivre les normes de la moralité, de pratiquer les devoirs de justice, d'exiger des conditions de vie conformes à la dignité humaine, ainsi que d'autres droits liés à ceux-ci.

144. Nous désirons donc vivement que l'organisation des Nations Unies puisse de plus en plus adapter ses structures et ses moyens d'action à l'étendue et à la haute valeur de sa mission. Puisse-t-il arriver bientôt le moment où cette Organisation garantira efficacement les droits de la personne humaine: ces droits, qui dérivent directement de notre dignité naturelle, et qui, pour cette raison, sont universels, inviolables et inaliénables. Ce vœu est d'autant plus ardent qu'aujourd'hui les hommes participent davantage aux affaires publiques de leur propre pays, qu'ils témoignent d'un intérêt croissant pour les problèmes de portée mondiale et prennent une conscience plus vive de leur qualité de membres actifs de la famille humaine universelle.

V

DIRECTIVES PASTORALES

Devoir de participer à la vie publique

145. Une fois de plus, Nous invitons Nos fils à participer activement à la gestion des affaires publiques et Nous leur demandons de contribuer à promouvoir le bien commun de toute la famille humaine ainsi que de leur propre pays. Éclairés par leur foi et mus par la charité, ils s'efforceront aussi d'obtenir que les institutions relatives à la vie économique, sociale, culturelle ou politique ne mettent pas d'entrave, mais au contraire apportent une aide à l'effort de perfectionnement des hommes, tant au plan naturel qu'au plan surnaturel.

Compétence scientifique, capacité technique,
qualification professionnelle

146. Pour pénétrer de sains principes une civilisation et pour l'imprégner d'esprit chrétien, Nos fils ne se contenteront pas des lumières de la foi ni d'une bonne volonté ardente à promouvoir le bien. Mais il faut qu'ils soient présents dans les institutions de la société et qu'ils exercent du dedans une influence sur les structures.

147. Or, la civilisation moderne se caractérise surtout par les acquisitions de la science et de la technique. Il n'est donc pas d'action sur les institutions sans compétence scientifique, aptitude technique et qualification professionnelle.

Synthèse des facteurs scientifiques, techniques, professionnels
et des valeurs spirituelles dans l'action

148. Ces qualités, toutefois, ne suffisent nullement, il faut bien s'en rendre compte, pour imprimer aux rapports de la vie

quotidienne un caractère pleinement humain. Celui-ci réclame la vérité comme fondement des relations, la justice comme règle, l'amour mutuel comme moteur et la liberté comme climat.

149. Les hommes ne pourront atteindre cet objectif que s'ils veillent attentivement aux points suivants: d'abord, dans leurs activités temporelles, observer les lois propres à chaque domaine et adopter ses méthodes propres; ensuite, confronter leur conduite personnelle aux règles de la morale, et donc se comporter en sujets qui exercent leurs droits, accomplissent leurs devoirs et s'acquittent d'un service. Enfin, il faut déployer son activité comme une réponse fidèle au commandement de Dieu, comme une collaboration à son œuvre créatrice et comme un apport personnel à la réalisation de son plan providentiel dans l'histoire. Ce qui exige des hommes qu'ils vivent leur action comme une synthèse de l'effort scientifique, technique et professionnel avec les plus hautes valeurs spirituelles.

Harmonie entre la foi religieuse du croyant et ses activités temporelles

150. C'est un fait bien connu: dans des pays imprégnés depuis longtemps de la tradition chrétienne, le progrès des sciences et des techniques est actuellement très florissant, et les moyens aptes à réaliser ce qu'on désire ne manquent pas; mais souvent, l'esprit et le ferment chrétiens y tiennent peu de place.

151. On s'interroge à bon droit sur les raisons de ce déficit. En effet, l'élaboration de ce système a été et reste largement redevable à des hommes qui, faisant profession de christianisme, règlent au moins partiellement leur vie sur les préceptes de l'Évangile. Le dommage tient au fait que leur action au plan temporel n'est pas en harmonie avec leur foi. Il est donc nécessaire qu'ils rétablissent leur unité intérieure de pensée et de dispositions, de manière que toute leur activité soit pénétrée par la lumière de la foi et le dynamisme de l'amour.

Développement intégral dans l'éducation de la jeunesse

152. Si la foi religieuse des croyants est maintes fois en désaccord avec leur manière d'agir, cela provient encore, pensons-

Nous, du fait que leur formation en matière de doctrine et de morale chrétiennes est restée insuffisante. Trop souvent, dans beaucoup de milieux, se trouve rompu l'équilibre entre les études religieuses et l'instruction profane, celle-ci se poursuivant jusqu'au stade le plus élevé, tandis que pour la formation religieuse on reste au degré élémentaire. Il faut donc absolument à la jeunesse une éducation complète et continue, conduite de telle façon que la culture religieuse et l'affinement de la conscience progressent du même pas que les connaissances scientifiques et le savoir-faire technique, sans cesse en développement. Il faut enfin préparer les jeunes à remplir dignement les tâches qui attendent chacun d'entre eux[65].

Nécessité d'un effort constant

153. Soulignons ici comme il est difficile de saisir correctement le rapport réel des faits humains aux exigences de la justice, autrement dit de définir avec exactitude de quelle façon et à quel degré les principes doctrinaux et les directives doivent trouver leur application dans la situation actuelle de la société.

154. Difficulté accrue du fait qu'aujourd'hui chacun devant mettre son activité au service du bien commun universel, tout subit une accélération de plus en plus marquée. C'est jour après jour qu'il faut examiner comment soumettre les conditions sociales aux exigences de la justice; et voilà qui interdit à Nos fils de s'imaginer qu'il leur est permis de s'arrêter, contents du chemin déjà parcouru.

155. Du reste, les hommes en général auront plutôt raison de juger insuffisant ce qu'ils ont fait jusqu'ici. Ils ont à entreprendre des réalisations toujours plus importantes et plus adaptées dans les domaines les plus divers: organismes de production, groupements syndicaux, unions professionnelles, services de sécurité sociale, œuvres culturelles, institutions juridiques et politiques, assistance sanitaire, activités sportives et autres semblables. C'est là ce que désirent les générations actuelles qui, avec l'investigation de l'atome et les premières incursions dans

---

65. Cf. Jean XXIII, Encycl. *Mater et Magistra*, A. A. S. LIII, 1961, p. 454.

l'espace, s'ouvrent des voies totalement nouvelles aux perspectives presque infinies.

Rapports entre catholiques et non-catholiques dans le domaine
économique, social et politique

156. Les principes que Nous venons d'exposer ici trouvent leur fondement dans les exigences mêmes de la nature humaine, et sont le plus souvent du domaine du droit naturel. Assez fréquemment, dans la mise en œuvre de tels principes, les catholiques collaborent de multiples manières soit avec des chrétiens séparés de ce Siège apostolique, soit avec des hommes qui vivent en dehors de toute foi chrétienne, mais qui, guidés par les lumières de la raison, sont fidèles à la morale naturelle. «Qu'alors les catholiques veillent avec grand soin à rester conséquents avec eux-mêmes et à n'admettre aucun compromis nuisible à l'intégrité de la religion ou de la morale. Mais aussi qu'ils ne considèrent pas leurs seuls intérêts et collaborent en toute matière bonne en soi ou qui peut mener au bien[66].»

157. C'est justice de distinguer toujours entre l'erreur et ceux qui la commettent, même s'il s'agit d'hommes dont les idées fausses ou l'insuffisance des notions concernent la religion ou la morale. L'homme égaré dans l'erreur reste toujours un être humain et conserve sa dignité de personne à laquelle il faut toujours avoir égard. Jamais non plus l'être humain ne perd le pouvoir de se libérer de l'erreur et de s'ouvrir un chemin vers la vérité. Et pour l'y aider, le secours providentiel de Dieu ne lui manque jamais. Il est donc possible que tel homme, aujourd'hui privé des clartés de la foi ou fourvoyé dans l'erreur, se trouve demain, grâce à la lumière divine, capable d'adhérer à la vérité. Si, en vue de réalisations temporelles, les croyants entrent en relations avec des hommes que des conceptions erronées empêchent de croire ou d'avoir une foi complète, ces contacts peuvent être l'occasion ou le stimulant d'un mouvement qui mène ces hommes à la vérité.

---

66. *Ibid.*, p. 456.

158. De même, on ne peut identifier de fausses théories philosophiques sur la nature, l'origine et la finalité du monde et de l'homme, avec des mouvements historiques fondés dans un but économique, social, culturel ou politique, même si ces derniers ont dû leur origine et puisent encore leur inspiration dans ces théories. Une doctrine, une fois fixée et formulée, ne change plus, tandis que des mouvements ayant pour objet les conditions concrètes et changeantes de la vie ne peuvent pas ne pas être largement influencés par cette évolution. Du reste, dans la mesure où ces mouvements sont d'accord avec les sains principes de la raison et répondent aux justes aspirations de la personne humaine, qui refuserait d'y reconnaître des éléments positifs et dignes d'approbation?

159. Il peut arriver, par conséquent, que certaines rencontres, au plan des réalisations pratiques qui jusqu'ici avaient paru inopportunes ou stériles, puissent maintenant présenter des avantages réels ou en promettre pour l'avenir. Quant à juger si ce moment est arrivé ou non, et à déterminer les modalités et l'ampleur d'une coordination des efforts en matière économique, sociale, culturelle ou politique à des fins utiles au vrai bien de la communauté, ce sont là des problèmes dont la solution et l'ampleur relèvent de la prudence, régulatrice de toutes les vertus qui ordonnent la vie individuelle et sociale. Quand il s'agit des catholiques, la décision à cet égard appartient avant tout aux hommes les plus influents sur le plan politique et les plus compétents dans le domaine en question, pourvu que, fidèles aux principes du droit naturel, ils suivent la doctrine sociale de l'Église et obéissent aux directives des autorités ecclésiastiques. On se souviendra, en effet, que les droits et les devoirs de l'Église ne se limitent pas à sauvegarder l'intégrité de la doctrine concernant la foi ou les mœurs, mais que son autorité auprès de ses fils s'étend aussi au domaine profane, lorsqu'il s'agit de juger de l'application de cette doctrine aux cas concrets[67].

---

67. *Ibid.*, p. 456; cf. Léon XIII, Encycl. *Immortale Dei, Acta Leonis XIII*, V, 1885, p. 128; Pie XI, Encycl. *Ubi Arcano, A. A. S.* XIV, 1922, p. 698, et Pie XII, Allocution aux délégués de l'Union mondiale des organisations féminines catholiques réunies en congrès à Rome, 11 septembre 1947, *A. A. S.* XXXIX, 1947, p. 486.

Agir par étapes

160. Il ne manque pas d'hommes au cœur généreux qui, mis en face de situations peu conformes ou contraires à la justice, sont portés par leur zèle à entreprendre une réforme complète et dont l'élan, brûlant les étapes, prend alors des allures quasiment révolutionnaires.

161. Nous voudrions leur rappeler que la progression est la loi de toute vie et que les institutions humaines, elles aussi, ne peuvent être améliorées qu'à condition qu'on agisse sur elles de l'intérieur et de façon progressive. C'est l'avertissement de Notre prédécesseur Pie XII: «Ce n'est pas la révolution mais une évolution harmonieuse qui apportera le salut et la justice. L'œuvre de la violence a toujours consisté à abattre, jamais à construire; à exaspérer les passions, jamais à les apaiser. Génératrice de haine et de désastres, au lieu de réunir fraternellement, elle jette hommes et partis dans la dure nécessité de reconstruire lentement, après de douloureuses épreuves, sur les ruines amoncelées par la discorde[68].»

Tâches immenses

162. À tous les hommes de bonne volonté incombe aujourd'hui une tâche immense, celle de rétablir les rapports de la vie en société sur les bases de la vérité, de la justice, de la charité et de la liberté: rapports des particuliers entre eux, rapports entre les citoyens de l'État, rapports des États entre eux, rapports enfin entre individus, familles, corps intermédiaires et États d'une part et communauté mondiale d'autre part. Tâche noble entre toutes, puisqu'elle consiste à faire régner la paix véritable, dans l'ordre établi par Dieu.

163. Ceux qui s'y emploient sont trop peu nombreux, certes, mais ils ont magnifiquement mérité de la société humaine, et il est juste que Nous leur décernions un éloge public. En même temps, Nous les engageons à intensifier leur action si bienfaisante. Nous osons espérer qu'à eux se joindront d'autres

---

68. Cf. Pie XII, Allocution aux ouvriers des diocèses d'Italie, Pentecôte, 13 juin 1943, *A. A. S.* XXXV, 1943, p. 175.

hommes en grand nombre, tout spécialement des croyants, poussés par la charité et la conscience du devoir. À tout croyant, il revient d'être, dans le monde d'aujourd'hui, comme une étincelle lumineuse, un centre d'amour et un ferment pour toute la masse. Cela, chacun le sera dans la mesure de son union à Dieu.

164. De fait, la paix ne saurait régner entre les hommes, si elle ne règne d'abord en chacun d'eux, c'est-à-dire si chacun n'observe en lui-même l'ordre voulu par Dieu. «Ton âme veut-elle vaincre les passions qui sont en elle?» interroge saint Augustin. Et il répond: «Qu'elle se soumette à celui qui est en haut et elle vaincra ce qui est en bas. Et tu auras la paix: la vraie paix, la paix sans équivoque, la paix pleinement établie sur l'ordre. Et quel est l'ordre propre à cette paix? Dieu commande à l'âme et l'âme commande au corps. Rien de plus ordonné[69].»

Le Prince de la paix

165. L'enseignement que Nous venons de consacrer aux problèmes qui, à l'heure actuelle, préoccupent si fort l'humanité et intéressent immédiatement le progrès de la société humaine, Nous a été dicté par une profonde aspiration que Nous savons commune à tous les hommes de bonne volonté: celle de voir régner dans le monde une paix plus solide.

166. Remplissant, malgré Notre indignité, la charge de Vicaire de Celui que le prophète a nommé par avance le «Prince de la paix[70]», Nous estimons qu'il est de Notre devoir de vouer Nos préoccupations et Nos énergies à promouvoir ce bien commun universel. Mais la paix n'est qu'un mot vide de sens, si elle n'est pas fondée sur l'ordre dont Nous avons, avec une fervente espérance, esquissé dans cette encyclique, les lignes essentielles; ordre qui repose sur la vérité, se construit selon la justice, reçoit de la charité sa vie et sa plénitude, et enfin s'exprime efficacement dans la liberté.

---

69. *Miscellanea Augustiniana.* Saint Augustin, *Sermones post Maurinos reperti*, Rome, 1930, p. 633.

70. Cf. *Is.*, IX, 6.

167. Il s'agit là, en fait, d'une entreprise trop sublime et trop élevée, pour que sa réalisation soit au pouvoir de l'homme laissé à ses seules forces, fût-il par ailleurs animé de la plus louable bonne volonté. Pour que la société humaine présente avec la plus parfaite fidélité l'image du royaume de Dieu, le secours d'En haut est absolument nécessaire.

168. C'est la raison pour laquelle, durant ces jours saints, Notre prière monte avec plus de ferveur vers Celui qui, par sa douloureuse passion et par sa mort, a vaincu le péché, source première de toutes les discordes, détresses et inégalités, et qui, par son sang, a réconcilié le genre humain avec son Père céleste. «C'est lui qui est notre paix, lui qui des deux n'a fait qu'un peuple... Il est venu proclamer la paix, paix pour vous qui étiez loin, et paix pour ceux qui étaient proches[71].»

169. Et c'est le même message que nous fait entendre la liturgie de ces jours saints: «Jésus Notre-Seigneur, ressuscité, se dressa au milieu de ses disciples et leur dit: *Pax vobis, alleluia.* Et les disciples, ayant vu le Seigneur, furent remplis de joie[72].» Le Christ nous a apporté la paix, nous a laissé la paix: «Je vous laisse la paix, je vous donne ma paix. Je ne vous la donne pas comme le monde la donne[73].»

170. C'est cette paix apportée par le Rédempteur que Nous lui demandons instamment dans Nos prières. Qu'il bannisse des âmes ce qui peut mettre la paix en danger, et qu'il transforme tous les hommes en témoins de vérité, de justice et d'amour fraternel. Qu'il éclaire ceux qui président aux destinées des peuples, afin que, tout en se préoccupant du légitime bien-être de leurs compatriotes, ils assurent le maintien de l'inestimable bienfait de la paix. Que le Christ, enfin, enflamme le cœur de tous les hommes et leur fasse renverser les barrières qui divisent, resserrer les liens de l'amour mutuel, user de compréhension à l'égard d'autrui et pardonner à ceux qui leur ont fait du tort. Et qu'ainsi, grâce à lui, tous les peuples de la

71. *Eph.* II, 14-17.
72. Répons de Matines, vendredi après Pâques.
73. JEAN, XIV, 27.

terre forment entre eux une véritable communauté fraternelle,
et que parmi eux ne cesse de fleurir et de régner la paix tant
désirée.

171. Pour que cette paix s'étende à tout le troupeau confié
à vos soins, et spécialement pour l'avantage des classes les plus
modestes, qui appellent une aide et une protection particulières, Nous vous accordons de grand cœur dans le Seigneur la
bénédiction apostolique, à vous-mêmes, vénérables Frères, aux
prêtres du clergé séculier et régulier, aux religieux et religieuses,
et à tous les fidèles, très particulièrement à ceux qui répondront
généreusement à Notre exhortation. Et pour tous les hommes
de bonne volonté à qui Notre lettre s'adresse aussi, Nous im-
plorons du Dieu très-haut bonheur et prospérité.

172. Donné à Rome, près Saint-Pierre, le Jeudi saint, 11 avril
de l'année 1963, le cinquième de Notre pontificat.

JOANNES XXIII

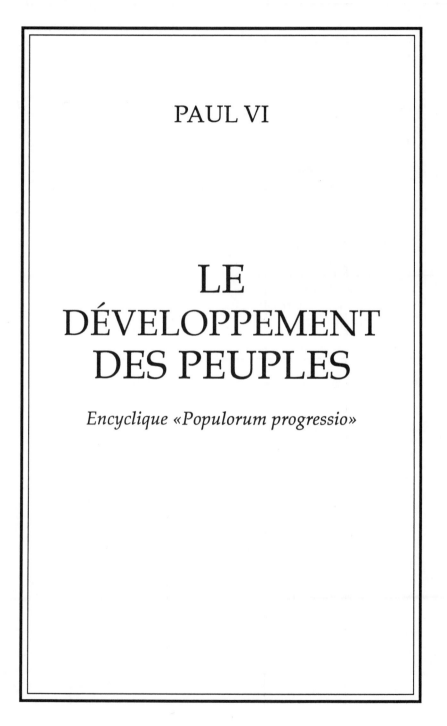

PAUL VI

LE DÉVELOPPEMENT DES PEUPLES

Encyclique «Populorum progressio»

PLAN

LETTRE ENCYCLIQUE DE S.S. PAUL VI
SUR LE DÉVELOPPEMENT DES PEUPLES

INTRODUCTION

1. Développement des peuples

Le développement des peuples, tout particulièrement de ceux qui s'efforcent d'échapper à la faim, à la misère, aux maladies endémiques, à l'ignorance; qui cherchent une participation plus large aux fruits de la civilisation, une mise en valeur plus active de leurs qualités humaines; qui s'orientent avec décision vers leur plein épanouissement, est considéré avec attention par l'Église. Au lendemain du deuxième Concile œcuménique du Vatican, une prise de conscience renouvelée des exigences du message évangélique lui fait un devoir de se mettre au service des hommes pour les aider à saisir toutes les dimensions de ce grave problème et pour les convaincre de l'urgence d'une action solidaire en ce tournant décisif de l'histoire de l'humanité.

2. Enseignement social des papes

Dans leurs grandes encycliques, *Rerum Novarum*[1], de Léon XIII, *Quadragesimo Anno*[2], de Pie XI, *Mater et Magistra*[3], et *Pacem in Terris*[4], de Jean XXIII — sans parler des messages au monde de

1. Cf. *Acta Leonis XIII*, t. XI (1892), p. 97-148.
2. Cf. *A. A. S.*, 23 (1931), p. 177-228.
3. Cf. *A. A. S.*, 53 (1961), p. 401-464.
4. Cf. *A. A. S.*, 55 (1963), p. 257-304.

Pie XII[5] —nos prédécesseurs ne manquèrent pas au devoir de leur charge de projeter sur les questions sociales de leur temps la lumière de l'Évangile.

3. Fait majeur

Aujourd'hui, le fait majeur dont chacun doit prendre conscience est que la question sociale est devenue mondiale. Jean XXIII l'a affirmé sans ambages[6], et le Concile lui a fait écho par sa Constitution pastorale sur l'*Église dans le monde de ce temps*[7]. Cet enseignement est grave et son application urgente. Les peuples de la faim interpellent aujourd'hui de façon dramatique les peuples de l'opulence. L'Église tressaille devant ce cri d'angoisse et appelle chacun à répondre avec amour à l'appel de son frère.

4. Nos voyages

Avant Notre élévation au souverain pontificat, deux voyages en Amérique latine (1960) et en Afrique (1962) Nous avaient mis au contact immédiat des lancinants problèmes qui étreignent des continents pleins de vie et d'espoir. Revêtu de la paternité universelle, Nous avons pu, lors de nouveaux voyages en Terre Sainte et aux Indes, voir de Nos yeux et comme toucher de Nos mains les très graves difficultés qui assaillent des peuples d'antique civilisation aux prises avec le problème du développement. Tandis que se tenait à Rome le second Concile œcuménique du Vatican, des circonstances providentielles Nous amenèrent à Nous adresser directement à l'Assemblée générale des nations Unies: Nous nous fîmes devant ce vaste aréopage l'avocat des peuples pauvres.

---

5.   Cf., en particulier, radiomessage du 1er juin 1941 pour le 50e anniversaire de *Rerum Novarum*, dans *A. A. S.*, 33 (1941), p. 195-205; radiomessage de Noël 1942, dans *A. A. S.*, 35 (1943), p. 9, 24; allocution à un groupe de travailleurs pour l'anniversaire de *Rerum Novarum*, le 14 mai 1953, dans *A. A. S.*, 45 (1953), p. 402-408.

6.   Cf. encyclique *Mater et Magistra*, 15 mai 1961, *A. A. S.*, 53 (1961), p. 440.

7.   *Gaudium et Spes*, n. 63-72, *A. A. S.*, 58 (1966), p. 1084-1094.

5. Justice et paix

Enfin, tout dernièrement, dans le désir de répondre au vœu du Concile et de concrétiser l'apport du Saint-Siège à cette grande cause des peuples en voie de développement, Nous avons estimé qu'il était de Notre devoir de créer parmi les organismes centraux de l'Église une Commission pontificale chargée de «susciter dans tout le peuple de Dieu la pleine connaissance du rôle que les temps actuels réclament de lui de façon à promouvoir le progrès des peuples plus pauvres, à favoriser la justice sociale entre les nations, à offrir à celles qui sont moins développées une aide telle qu'elles puissent pourvoir elles-mêmes et pour elles-mêmes à leur progrès»[8]: *Justice et paix* est son nom et son programme. Nous pensons que celui-ci peut et doit rallier, avec Nos fils catholiques et frères chrétiens, les hommes de bonne volonté. Aussi est-ce à tous que Nous adressons aujourd'hui cet appel solennel à une action concertée pour le développement intégral de l'homme et le développement solidaire de l'humanité.

---

8. *Motu proprio «Catholicam Christi Ecclesiam»*, 6 janvier 1967, A. A. S., 59 (1967), p. 27.

POUR UN DÉVELOPPEMENT INTÉGRAL
DE L'HOMME

1. Les données du problème

6. *Aspirations des hommes*

Être affranchis de la misère, trouver plus sûrement leur subsistance, la santé, un emploi stable; participer davantage aux responsabilités, hors de toute oppression, à l'abri de situations qui offensent leur dignité d'hommes; être plus instruits; en un mot, faire, connaître, et avoir plus, pour être plus: telle est l'aspiration des hommes d'aujourd'hui, alors qu'un grand nombre d'entre eux sont condamnés à vivre dans des conditions qui rendent illusoire ce désir légitime. Par ailleurs, les peuples parvenus depuis peu à l'indépendance nationale éprouvent la nécessité d'ajouter à cette liberté politique une croissance autonome et digne, sociale non moins qu'économique, afin d'assurer à leurs citoyens leur plein épanouissement humain et de prendre la place qui leur revient dans le concert des nations.

7. *Colonisation et colonialisme*

Devant l'ampleur et l'urgence de l'œuvre à accomplir, les moyens hérités du passé, pour être insuffisants, ne font cependant pas défaut. Il faut certes reconnaître que les puissances colonisatrices ont souvent poursuivi leur intérêt, leur puissance ou leur gloire, et que leur départ a parfois laissé une situation économique vulnérable, liée par exemple au rendement d'une seule culture dont les cours sont soumis à de brusques et amples variations. Mais, tout en reconnaissant les méfaits d'un certain colonialisme et de ses séquelles, il faut en même temps rendre hommage aux qualités et aux réalisations des colonisateurs qui, en tant de régions déshéritées, ont apporté leur science et leur technique et laissé des fruits heureux de leur présence. Si incomplètes qu'elles soient, les structures établies demeurent qui ont fait reculer l'ignorance et la maladie, établi des communications bénéfiques et amélioré les conditions d'existence.

8. Déséquilibre croissant

Cela dit et reconnu, il n'est que trop vrai que cet équipement est notoirement insuffisant pour affronter la dure réalité de l'économie moderne. Laissé à son seul jeu, son mécanisme entraîne le monde vers l'aggravation, et non l'atténuation, de la disparité des niveaux de vie: les peuples riches jouissent d'une croissance rapide, tandis que les pauvres se développent lentement. Le déséquilibre s'accroît: certains produisent en excédent des denrées alimentaires qui manquent cruellement à d'autres, et ces derniers voient leurs exportations rendues incertaines.

9. Prise de conscience accrue

En même temps, les conflits sociaux se sont élargis aux dimensions du monde. La vive inquiétude qui s'est emparée des classes pauvres dans les pays en voie d'industrialisation gagne maintenant ceux dont l'économie est presque exclusivement agraire: les paysans prennent conscience, eux aussi, de leur *misère imméritée*[9]. S'ajoute à cela le scandale de disparités criantes, non seulement dans la jouissance des biens, mais plus encore dans l'exercice du pouvoir. Cependant qu'une oligarchie jouit en certaines régions d'une civilisation raffinée, le reste de la population, pauvre et dispersée, est «privée de presque toute possibilité d'initiative personnelle et de responsabilité, et souvent même placée dans des conditions de vie et de travail indignes de la personne humaine»[10].

---

9.   Encyclique *Rerum Novarum*, 15 mai 1891, *Acta Leonis XIII*, t. XI, (1892), p. 98.

10. *Gaudium et Spes*, n. 63, § 3.

10. Heurt des civilisations

En outre, le heurt entre les civilisations traditionnelles et les nouveautés de la civilisation industrielle brise les structures qui ne s'adaptent pas aux conditions nouvelles. Leur cadre, parfois rigide, était l'indispensable appui de la vie personnelle et familiale, et les anciens y restent attachés, cependant que les jeunes s'en évadent, comme d'un obstacle inutile, pour se tourner avidement vers de nouvelles formes de vie sociale. Le conflit des générations s'aggrave ainsi d'un tragique dilemme: ou garder institutions et croyances ancestrales, mais renoncer au progrès; ou s'ouvrir aux techniques et civilisations venues du dehors, mais rejeter avec les traditions du passé toute leur richesse humaine. En fait, les soutiens moraux, spirituels et religieux du passé fléchissent trop souvent, sans que l'insertion dans le monde nouveau soit pour autant assurée.

11. Conclusion

Dans ce désarroi, la tentation se fait plus violente qui risque d'entraîner vers les messianismes prometteurs, mais bâtisseurs d'illusions. Qui ne voit les dangers qui en résultent, de réactions populaires violentes, de troubles insurrectionnels et de glissement vers les idéologies totalitaires? Telles sont les données du problème, dont la gravité n'échappe à personne.

2. L'Église et le développement

12. Œuvre des missionnaires

Fidèle à l'enseignement et à l'exemple de son divin fondateur qui donnait l'annonce de la Bonne Nouvelle aux pauvres comme signe de sa mission[11], l'Église n'a jamais négligé de promouvoir l'élévation humaine des peuples auxquels elle apportait la foi au Christ. Ses missionnaires ont construit, avec des églises, des hospices et des hôpitaux, des écoles et des universités. Enseignant aux indigènes le moyen de tirer meilleur parti de leurs ressources naturelles, ils les ont souvent protégés de la

---

11. Cf. *Luc*, 7, 22.

cupidité des étrangers. Sans doute leur œuvre, pour ce qu'elle avait d'humain, ne fut pas parfaite, et certains purent mêler parfois bien des façons de penser et de vivre de leur pays d'origine à l'annonce de l'authentique message évangélique. Mais ils surent aussi cultiver les institutions locales et les promouvoir. En maintes régions, ils se sont trouvés parmi les pionniers du progrès matériel comme de l'essor culturel. Qu'il suffise de rappeler l'exemple du P. Charles de Foucauld, qui fut jugé digne d'être appelé pour sa charité, le «Frère universel» et qui rédigea un précieux dictionnaire de la langue touareg. Nous Nous devons de rendre hommage à ces précurseurs trop souvent ignorés que pressait la charité du Christ, comme à leurs émules et successeurs qui continuent d'être, aujourd'hui encore, au service généreux et désintéressé de ceux qu'ils évangélisent.

13. Église et monde

Mais désormais, les initiatives locales et individuelles ne suffisent plus. La situation présente du monde exige une action d'ensemble à partir d'une claire vision de tous les aspects économiques, sociaux, culturels et spirituels. Experte en humanité, l'Église, sans prétendre aucunement s'immiscer dans la politique des États, «ne vise qu'un seul but: continuer, sous l'impulsion de l'Esprit consolateur, l'œuvre même du Christ venu dans le monde pour rendre témoignage à la vérité, pour sauver, non pour condamner, pour servir, non pour être servi»[12]. Fondée pour instaurer dès ici-bas le royaume des cieux et non pour conquérir un pouvoir terrestre, elle affirme clairement que les deux domaines sont distincts, comme sont souverains les deux pouvoirs, ecclésiastique et civil, chacun dans son ordre[13]. Mais, vivant dans l'histoire, elle doit «scruter les signes des temps et les interpréter à la lumière de l'Évangile»[14]. Communiant aux meilleures aspirations des hommes et souffrant de

---

12. *Gaudium et Spes,* n. 3, § 2.
13. Cf. encyclique *Immortale Dei,* 1er novembre 1885, *Acta Leonis XIII,* t. V (1885), p. 127.
14. *Gaudium et Spes,* n. 4 § 1.

les voir insatisfaites, elle désire les aider à atteindre leur plein épanouissement, et c'est pourquoi elle leur propose ce qu'elle possède en propre: une vision globale de l'homme et de l'humanité.

14. *Vision chrétienne du développement*

Le développement ne se réduit pas à la simple croissance économique. Pour être authentique, il doit être intégral, c'est-à-dire promouvoir tout homme et tout l'homme. Comme l'a fort justement souligné un éminent expert: «Nous n'acceptons pas de séparer l'économique de l'humain, le développement des civilisations où il s'inscrit. Ce qui compte pour nous, c'est l'homme, chaque homme, chaque groupement d'hommes, jusqu'à l'humanité tout entière»[15].

15. *Vocation à la croissance*

Dans le dessein de Dieu, chaque homme est appelé à se développer, car toute vie est vocation. Dès la naissance, est donné à tous en germe un ensemble d'aptitudes et de qualités à faire fructifier: leur épanouissement, fruit de l'éducation reçue du milieu et de l'effort personnel, permettra à chacun de s'orienter vers la destinée que lui propose son créateur. Doué d'intelligence et de liberté, il est responsable de sa croissance, comme de son salut. Aidé, parfois gêné par ceux qui l'éduquent et l'entourent, chacun demeure, quelles que soient les influences qui s'exercent sur lui, l'artisan principal de sa réussite ou de son échec: par le seul effort de son intelligence et de sa volonté, chaque homme peut grandir en humanité, valoir plus, être plus.

16. *Devoir personnel...*

Cette croissance n'est d'ailleurs pas facultative. Comme la création tout entière est ordonnée à son créateur, la créature spirituelle est tenue d'orienter spontanément sa vie vers Dieu, vérité première et souverain bien. Aussi la croissance humaine consti-

---

15. L.-J. Lebret, O.P., *Dynamique concrète du développement*, Paris, Économie et Humanisme, les Éditions Ouvrières, 1963, p. 28.

tue-t-elle comme un résumé de nos devoirs. Bien plus, cette harmonie de nature enrichie par l'effort personnel et responsable est appelée à un dépassement. Par son insertion dans le Christ vivifiant, l'homme accède à un épanouissement nouveau, à un humanisme transcendant, qui lui donne sa plus grande plénitude: telle est la finalité suprême du développement personnel.

17. ...et communautaire

Mais chaque homme est membre de la société; il appartient à l'humanité tout entière. Ce n'est pas seulement tel ou tel homme, mais tous les hommes qui sont appelés à ce développement plénier. Les civilisations naissent, croissent et meurent. Mais, comme les vagues à marée montante pénètrent chacune un peu plus avant sur la grève, ainsi l'humanité avance sur le chemin de l'histoire. Héritiers des générations passées et bénéficiaires du travail de nos contemporains, nous avons des obligations envers tous, et ne pouvons nous désintéresser de ceux qui viendront agrandir après nous le cercle de la famille humaine. La solidarité universelle qui est un fait, et un bénéfice pour nous, est aussi un devoir.

18. Échelle des valeurs

Cette croissance personnelle et communautaire serait compromise si se détériorait la véritable échelle des valeurs. Légitime est le désir du nécessaire, et le travail pour y parvenir est un devoir: «si quelqu'un ne veut pas travailler, qu'il ne mange pas non plus[16]». Mais l'acquisition des biens temporels peut conduire à la cupidité, au désir d'avoir toujours plus et à la tentation d'accroître sa puissance. L'avarice des personnes, des familles et des nations peut gagner les moins pourvus comme les plus riches et susciter chez les uns et les autres un matérialisme étouffant.

19. Croissance ambivalente

Avoir plus, pour les peuples comme pour les personnes, n'est donc pas le but dernier. Toute croissance est ambivalente. Né-

---

16. 2 *Thess*, 3, 10.

cessaire pour permettre à l'homme d'être plus homme, elle
l'enferme comme dans une prison dès lors qu'elle devient le
bien suprême qui empêche de regarder au-delà. Alors les cœurs
s'endurcissent et les esprits se ferment, les hommes ne se réunissent plus par amitié, mais par l'intérêt, qui a tôt fait de les
opposer et de les désunir. La recherche exclusive de l'avoir fait
dès lors obstacle à la croissance de l'être et s'oppose à sa véritable grandeur: pour les nations comme pour les personnes, l'a-
varice est la forme la plus évidente du sous-développement
moral.

20. Vers une condition plus humaine

Si la poursuite du développement demande des techniciens de
plus en plus nombreux, elle exige encore plus des sages de
réflexion profonde, à la recherche d'un humanisme nouveau,
qui permette à l'homme moderne de se retrouver lui-même, en
assumant les valeurs supérieures d'amour, d'amitié, de prière
et de contemplation[17]. Ainsi pourra s'accomplir en plénitude le
vrai développement, qui est le passage, pour chacun et pour
tous, de conditions moins humaines à des conditions plus humaines.

21. L'idéal à poursuivre

Moins humaines: les carences matérielles de ceux qui sont privés du minimum vital, et les carences morales de ceux qui sont
mutilés par l'égoïsme. Moins humaines: les structures oppres-
sives, qu'elles proviennent des abus de la possession ou des
abus du pouvoir, de l'exploitation des travailleurs ou de l'injustice des transactions. Plus humaines: la montée de la misère
vers la possession du nécessaire, la victoire sur les fléaux sociaux, l'amplification des connaissances, l'acquisition de la culture. Plus humaines aussi: la considération accrue de la dignité
d'autrui, l'orientation vers l'esprit de pauvreté[18], la coopération

---

17. Cf., par exemple, J. Maritain, «Les conditions spirituelles du progrès et
    de la paix», dans *Rencontre des cultures à l'UNESCO sous le signe du Concile
    œcuménique Vatican II*, Paris, Mame, 1966, p. 66.

18. Cf. *Matth.*, 5, 3.

au bien commun, la volonté de paix. Plus humaine encore la reconnaissance par l'homme des valeurs suprêmes, et de Dieu qui en est la source et le terme. Plus humaines enfin et surtout la foi, don de Dieu accueilli par la bonne volonté de l'homme, et l'unité dans la charité du Christ qui nous appelle tous à participer en fils à la vie du Dieu vivant, Père de tous les hommes.

3. L'action à entreprendre

22. *La destination universelle des biens*

«Emplissez la terre et soumettez-la»[19]: la Bible, dès sa première page, nous enseigne que la création entière est pour l'homme, à charge pour lui d'appliquer son effort intelligent à la mettre en valeur, et, par son travail, la parachever pour ainsi dire à son service. Si la terre est faite pour fournir à chacun les moyens de sa subsistance et les instruments de son progrès, tout l'homme a donc le droit d'y trouver ce qui lui est nécessaire. Le récent Concile l'a rappelé: «Dieu a destiné la terre et tout ce qu'elle contient à l'usage de tous les hommes et de tous les peuples, en sorte que les biens de la création doivent équitablement affluer entre les mains de tous, selon la règle de la justice, inséparable de la charité[20]». Tous les autres droits, quels qu'ils soient, y compris ceux de propriété et de libre commerce, y sont subordonnés: ils n'en doivent donc pas entraver, mais bien au contraire faciliter la réalisation, et c'est un devoir social grave et urgent de les ramener à leur finalité première.

23. *La propriété*

«Si quelqu'un, jouissant des richesses du monde, voit son frère dans la nécessité et lui ferme ses entrailles, comment l'amour de Dieu demeurerait-il en lui[21]?» On sait avec quelle fermeté les Pères de l'Église ont précisé quelle doit être l'attitude de ceux

---

19. *Gen.*, 1, 28.
20. *Gaudium et Spes*, n. 69, § 1.
21. 1 *Jean*, 3, 17.

qui possèdent, en face de ceux qui sont dans le besoin: «Ce n'est pas de ton bien, affirme ainsi saint Ambroise, que tu fais largesse au pauvre, tu lui rends ce qui lui appartient. Car ce qui est donné en commun pour l'usage de tous, voilà ce que tu t'arroges. La terre est donnée à tout le monde, et pas seulement aux riches[22]». C'est dire que la propriété privée ne constitue pour personne un droit inconditionnel et absolu. Nul n'est fondé à réserver à son usage exclusif ce qui passe son besoin, quand les autres manquent du nécessaire. En un mot, «le droit de propriété ne doit jamais s'exercer au détriment de l'utilité commune, selon la doctrine traditionnelle chez les Pères de l'Église et les grands théologiens». S'il arrive qu'un conflit surgisse «entre droits privés acquis et exigences communautaires primordiales», il appartient aux pouvoirs publics «de s'attacher à le résoudre, avec l'active participation des personnes et des groupes sociaux[23]».

24. L'usage des revenus

Le bien commun exige donc parfois l'expropriation si, du fait de leur étendue, de leur exploitation faible ou nulle, de la misère qui en résulte pour les populations, du dommage considérable porté aux intérêts du pays, certains domaines font obstacle à la prospérité collective. En l'affirmant avec netteté[24], le Concile a rappelé aussi non moins clairement que le revenu disponible n'est pas abandonné au libre caprice des hommes et que les spéculations égoïstes doivent être bannies. On ne saurait dès lors admettre que des citoyens pourvus de revenus abondants, provenant des ressources et de l'activité nationales, en transfèrent une part considérable à l'étranger pour leur seul avantage personnel, sans souci du tort évident qu'ils font par là subir à leur patrie[25].

---

22. *De Nabuthe*, c. 12, n. 53, *P. L.*, 14, 747. Cf. J.-R. Palanque, *Saint Ambroise et l'Empire romain*, Paris, de Boccard, 1933, p. 336 sq.

23. Lettre à la Semaine sociale de Brest, dans *l'Homme et la révolution urbaine*, Lyon, Chronique sociale, 1965, p. 8 et 9.

24. *Gaudium et Spes*, n. 71, § 6.

25. Cf. *ibid.*, n. 65, § 3.

25. L'industrialisation

Nécessaire à l'accroissement économique et au progrès humain, l'introduction de l'industrie est à la fois signe et facteur de développement. Par l'application tenace de son intelligence et de son travail, l'homme arrache peu à peu ses secrets à la nature, tire de ses richesses un meilleur usage. En même temps qu'il discipline ses habitudes, il développe chez lui le goût de la recherche et de l'invention, l'acceptation du risque calculé, l'audace dans l'entreprise, l'initiative généreuse, le sens des responsabilités.

26. Capitalisme libéral

Mais un système s'est malheureusement édifié sur ces conditions nouvelles de la société, qui considérait le profit comme motif essentiel du progrès économique, la concurrence comme loi suprême de l'économie, la propriété privée des biens de production comme un droit absolu; sans limites ni obligations sociales correspondantes. Ce libéralisme sans frein conduisait à la dictature à bon droit dénoncée par Pie XI comme génératrice de «l'impérialisme international de l'argent[26]». On ne saurait trop réprouver de tels abus, en rappelant encore une fois solennellement que l'économie est au service de l'homme[27]. Mais s'il est vrai qu'un certain capitalisme a été la source de trop de souffrances, d'injustices et de luttes fratricides aux effets encore durables, c'est à tort qu'on attribuerait à l'industrialisation elle-même des maux qui sont dus au néfaste système qui l'accompagnait. Il faut au contraire en toute justice reconnaître l'apport irremplaçable de l'organisation du travail et du progrès industriel à l'œuvre du développement.

27. Le travail

De même, si parfois peut régner une mystique exagérée du travail, il n'en reste pas moins que celui-ci est voulu et béni de

---

26. Encyclique *Quadragesimo anno*, 15 mai 1931, *A. A. S.*, 23 (1931), p. 212.

27. Cf., par exemple, Colin Clark, «*The conditions of economic progress*», 3ᵉ ed., London, Macmillan & Co., New York, St-Martin's Press, 1960, p. 3-6.

Dieu. Créé à son image, «l'homme doit coopérer avec le créateur à l'achèvement de la création, et marquer à son tour la terre de l'empreinte spirituelle qu'il a lui-même reçue[28]». Dieu qui a doté l'homme d'intelligence, d'imagination et de sensibilité, lui a donné ainsi le moyen de parachever en quelque sorte son œuvre: qu'il soit artiste ou artisan, entrepreneur, ouvrier ou paysan, tout travailleur est un créateur. Penché sur une matière qui lui résiste, le travailleur lui imprime sa marque, cependant qu'il acquiert ténacité, ingéniosité et esprit d'invention. Bien plus, vécu en commun, dans l'espoir, la souffrance, l'ambition et la joie partagés, le travail unit les volontés, rapproche les esprits, et soude les cœurs; en l'accomplissant, les hommes se découvrent frères[29].

28. Son ambivalence

Sans doute ambivalent, car il promet l'argent, la jouissance et la puissance, invite les uns à l'égoïsme et les autres à la révolte, le travail développe aussi la conscience professionnelle, le sens du devoir et la charité envers le prochain. Plus scientifique et mieux organisé, il risque de déshumaniser son exécutant, devenu son servant, car le travail n'est humain que s'il demeure intelligent et libre. Jean XXIII a rappelé l'urgence de rendre au travailleur sa dignité, en le faisant réellement participer à l'œuvre commune: «on doit tendre à ce que l'entreprise devienne une communauté de personnes, dans les relations, les fonctions et les situations de tout son personnel[30]». Le labeur des hommes, bien plus, pour le chrétien, a encore mission de collaborer à la création du monde surnaturel[31], inachevé jusqu'à ce que nous parvenions tous ensemble à constituer cet Homme parfait dont parle saint Paul, «qui réalise la plénitude du Christ[32]».

---

28. Lettre à la Semaine sociale de Lyon, dans le *Travail et les travailleurs dans la société contemporaine*, Lyon, Chronique sociale, 1965, p. 6.

29. Cf., par exemple, M.-D. Chenu, O.P., *Pour une théologie du travail*, Paris, Éditions du Seuil, 1955.

30. *Mater et Magistra*, A. A. S., 53 (1961), p. 423.

31. Cf., par exemple, O. von Nell-Breuning, S. J., *Wirtschaft und Gesellschaft*, t. 1: *Grundfragen*, Freiburg, Herder, 1956, p. 183-184.

32. *Ephés*, 4, 13.

29. L'urgence de l'œuvre à accomplir

Il faut se hâter: trop d'hommes souffrent, et la distance s'accroît qui sépare le progrès des uns et la stagnation, voire la régression des autres. Encore faut-il que l'œuvre à accomplir progresse harmonieusement, sous peine de rompre d'indispensables équilibres. Une réforme agraire improvisée peut manquer son but. Une industrialisation brusquée peut disloquer des structures encore nécessaires, et engendrer des misères sociales qui seraient un recul en humanité.

30. Tentation de la violence

Il est certes des situations dont l'injustice crie vers le ciel. Quand des populations entières, dépourvues du nécessaire, vivent dans une dépendance telle qu'elle leur interdit toute initiative et responsabilité, toute possibilité aussi de promotion culturelle et de participation à la vie sociale et politique, grande est la tentation de repousser par la violence de telles injures à la dignité humaine.

31. Révolution

On le sait pourtant: l'insurrection révolutionnaire — sauf le cas de tyrannie évidente et prolongée qui porterait gravement atteinte aux droits fondamentaux de la personne et nuirait dangereusement au bien commun du pays — engendre de nouvelles injustices, introduit de nouveaux déséquilibres, et provoque de nouvelles ruines. On ne saurait combattre un mal réel au prix d'un plus grand malheur.

32. Réforme

Qu'on nous entende bien: la situation présente doit être affrontée courageusement et les injustices qu'elle comporte combattues et vaincues. Le développement exige des transformations audacieuses profondément novatrices. Des réformes urgentes doivent être entreprises sans retard. À chacun d'y prendre généreusement sa part, surtout à ceux qui par leur éducation, leur situation, leur pouvoir, ont de grandes possibilités d'action. Que, payant d'exemple, ils prennent sur leur avoir, comme l'ont fait plusieurs de nos frères dans l'épiscopat[33]. Ils répondront ainsi à l'attente des hommes et seront fidèles à l'Esprit de Dieu, car c'est «le ferment évangélique qui a suscité et suscite dans le cœur humain une exigence incoercible de dignité[34]».

33. Programmes et planification

La seule initiative individuelle et le simple jeu de la concurrence ne sauraient assurer le succès du développement. Il ne faut pas risquer d'accroître encore la richesse des riches et la puissance des forts, en confirmant la misère des pauvres et en ajoutant à la servitude des opprimés. Des programmes sont donc nécessaires pour «encourager, stimuler, coordonner, suppléer et intégrer[35]», l'action des individus et des corps intermédiaires. Il appartient aux pouvoirs publics de choisir, voire d'imposer les objectifs à poursuivre, les buts à atteindre, les moyens d'y parvenir, et c'est à eux de stimuler toutes les forces regroupées dans cette action commune. Mais qu'ils aient soin d'associer à cette œuvre les initiatives privées et les corps intermédiaires. Ils éviteront ainsi le péril d'une collectivisation intégrale ou d'une planification arbitraire qui, négatrices de liberté, excluraient l'exercice des droits fondamentaux de la personne humaine.

34. Au service de l'homme

Car tout programme, fait pour augmenter la production, n'a en définitive de raison d'être qu'au service de la personne. Il est là pour réduire les inégalités, combattre les discriminations, libérer l'homme de ses servitudes, le rendre capable d'être lui-même l'agent responsable de son mieux-être matériel, de son progrès moral, et de son épanouissement spirituel. Dire: développement, c'est en effet se soucier autant de progrès social que de croissance économique. Il ne suffit pas d'accroître la richesse commune pour qu'elle se répartisse équitablement. Il ne suffit

---

33. Cf., par exemple, Mgr M. Labrain Errazuriz, évêque de Talca (Chili), président du C. E. L. A. M., *Lettre pastorale sur le développement et la paix*, Paris, Pax Christi, 1965.

34. *Gaudium et Spes*, n. 26, § 4.

35. *Mater et Magistra*, A. A. S., 53 (1961), p. 414.

pas de promouvoir la technique pour que la terre soit plus humaine à habiter. Les erreurs de ceux qui les ont devancés doivent avertir ceux qui sont sur la voie du développement des périls à éviter en ce domaine. La technocratie de demain peut engendrer des maux non moins redoutables que le libéralisme d'hier. Économie et technique n'ont de sens que par l'homme qu'elles doivent servir. Et l'homme n'est vraiment homme que dans la mesure où, maître de ses actions et juge de leur valeur, il est lui-même auteur de son progrès, en conformité avec la nature que lui a donnée son Créateur et dont il assume librement les possibilités et les exigences.

35. Alphabétisation

On peut même affirmer que la croissance économique dépend au premier chef du progrès social: aussi l'éducation de base est-elle le premier objectif d'un plan de développement. La faim d'instruction n'est en effet pas moins déprimante que la faim d'aliments: un analphabète est un esprit sous-alimenté. Savoir lire et écrire, acquérir une formation professionnelle, c'est reprendre confiance en soi et découvrir que l'on peut progresser avec les autres. Comme Nous le disions dans Notre message au Congrès de l'U.N.E.S.C.O., en 1965, à Téhéran, l'analphabétisation est pour l'homme «un facteur primordial d'intégration sociale aussi bien que d'enrichissement personnel, pour la société un instrument privilégié de progrès économique et de développement[36]». Aussi Nous réjouissons-Nous du bon travail accompli en ce domaine par les initiatives privées, les pouvoirs publics et les organisations internationales: ce sont les premiers ouvriers du développement, car ils rendent l'homme apte à l'assumer lui-même.

36. Famille

Mais l'homme n'est lui-même que dans son milieu social, où la famille joue un rôle primordial. Celui-ci a pu être excessif, selon les temps et les lieux, lorsqu'il s'est exercé au détriment de

36. *L'Osservatore Romano*, 11 septembre 1965; *Documentation catholique*, t. 62, Paris, 1965, col. 1674-1675.

libertés fondamentales de la personne. Souvent trop rigides et mal organisés, les anciens cadres sociaux des pays en voie de développement sont pourtant nécessaires encore un temps, tout en desserrant progressivement leur emprise exagérée. Mais la famille naturelle, monogamique et stable, telle que le dessein divin l'a conçue[37] et que le christianisme l'a sanctifiée, doit demeurer ce «lieu de rencontres de plusieurs générations qui s'aident mutuellement à acquérir une sagesse plus étendue et à harmoniser les droits de la personne avec les autres exigences de la vie sociale[38]».

37. Démographie

Il est vrai que trop fréquemment une croissance démographique accélérée ajoute ses difficultés aux problèmes du développement: le volume de la population s'accroît plus rapidement que les ressources disponibles et l'on se trouve apparemment enfermé dans une impasse. La tentation, dès lors, est grande de freiner l'accroissement démographique par des mesures radicales. Il est certain que les pouvoirs publics, dans les limites de leur compétence peuvent intervenir, en développant une information appropriée et en prenant les mesures adaptées, pourvu qu'elles soient conformes aux exigences de la loi morale et respectueuses de la juste liberté du couple. Sans droit inaliénable au mariage et à la procréation, il n'est plus de dignité humaine. C'est finalement aux parents de décider, en pleine connaissance de cause, du nombre de leurs enfants, en prenant leurs responsabilités devant Dieu, devant eux-mêmes, devant les enfants qu'ils ont déjà mis au monde, et devant la communauté à laquelle ils appartiennent, suivant les exigences de leur conscience instruite par la loi de Dieu authentiquement interprétée et soutenue par la confiance en Lui[39].

38. Organisations professionnelles

Dans l'œuvre du développement, l'homme, qui trouve dans la famille son milieu de vie primordial, est souvent aidé par des

---

37. Cf. *Matth.*, 19, 6.
38. *Gaudium et Spes*, n. 52, § 2.
39. Cf. *Ibid.*, n. 50-51 (et note 14), et n. 87, § 2 et 3.

organisations professionnelles. Si leur raison d'être est de promouvoir les intérêts de leurs membres, leur responsabilité est grande devant la tâche éducative qu'elles peuvent et doivent en même temps accomplir. À travers l'information qu'elles donnent, la formation qu'elles proposent, elles peuvent beaucoup pour donner à tous le sens du bien commun et des obligations qu'il entraîne pour chacun.

39. Pluralisme légitime

Toute action sociale engage une doctrine. Le chrétien ne saurait admettre celle qui suppose une philosophie matérialiste et athée, qui ne respecte ni l'orientation religieuse de la vie à sa fin dernière, ni la liberté ni la dignité humaines. Mais pourvu que ces valeurs soient sauves, un pluralisme des organisations professionnelles et syndicales est admissible, et à certains points de vue utile s'il protège la liberté et provoque l'émulation. Et de grand cœur Nous rendons hommage à tous ceux qui y travaillent au service désintéressé de leurs frères.

40. Promotion culturelle

Par-delà les organisations professionnelles, sont aussi à l'œuvre les institutions culturelles. Leur rôle n'est pas moindre pour la réussite du développement. «L'avenir du monde serait en péril, affirme gravement le Concile, si notre époque ne savait pas se donner des sages.» Et il ajoute: «de nombreux pays pauvres en biens matériels, mais riches en sagesse, pourront puissamment aider les autres sur ce point»[40]. Riche ou pauvre, chaque pays possède une civilisation reçue des ancêtres: institutions exigées pour la vie terrestre et manifestations supérieures — artistiques, intellectuelles et religieuses — de la vie de l'esprit. Lorsque celles-ci possèdent de vraies valeurs humaines, il y aurait grave erreur à les sacrifier à celles-là. Un peuple qui y consentirait perdrait par là le meilleur de lui-même, il sacrifierait pour vivre, ses raisons de vivre. L'enseignement du Christ vaut aussi pour les peuples: «que servirait à l'homme de gagner l'univers, s'il vient à perdre son âme?»[41]

---

40. *Ibid.*, n. 15, § 3.
41. *Matth.*, 16, 26.

41. *Tentation matérialiste*

Les peuples pauvres ne seront jamais trop en garde contre cette tentation qui leur vient des peuples riches. Ceux-ci apportent trop souvent, avec l'exemple de leur succès dans une civilisation technicienne et culturelle, le modèle d'une activité principalement appliquée à la conquête de la prospérité matérielle. Non que cette dernière interdise par elle-même l'activité de l'esprit. Au contraire, celui-ci «moins esclave des choses, peut facilement s'élever à l'adoration et à la contemplation du Créateur»[42]. Mais pourtant, «la civilisation moderne, non certes par son essence même, mais parce qu'elle se trouve trop engagée dans les réalités terrestres, peut rendre souvent plus difficile l'approche de Dieu»[43]. Dans ce qui leur est proposé, les peuples en voie de développement doivent donc savoir choisir: critiquer et éliminer les faux biens qui entraîneraient un abaissement de l'idéal humain, accepter les valeurs saines et bénéfiques pour les développer, avec les leurs, selon leur génie propre.

4. Vers un humanisme plénier

42. *Conclusion*

C'est un humanisme plénier qu'il faut promouvoir[44]. Qu'est-ce à dire, sinon le développement intégral de tout l'homme et de tous les hommes? Un humanisme clos, fermé aux valeurs de l'esprit et à Dieu qui en est la source, pourrait apparemment triompher. Certes l'homme peut organiser la terre sans Dieu, mais «sans Dieu il ne peut en fin de compte que l'organiser contre l'homme. L'humanisme exclusif est un humanisme inhumain»[45]. Il n'est donc d'humanisme vrai qu'ouvert à l'Absolu, dans la reconnaissance d'une vocation, qui donne l'idée vraie de la vie humaine. Loin d'être la norme dernière des valeurs, l'homme ne se réalise lui-même qu'en se dépassant. Selon le mot si juste de Pascal: *l'homme passe infiniment l'homme*.[46]

---

42. *Gaudium et Spes*, n. 57, § 4.

43. *Ibid.*, n. 19, § 2.

44. Cf., par exemple, J. Maritain, *l'Humanisme intégral*, Paris, Aubier, 1936.

45. H. de Lubac, S.J., *le Drame de l'humanisme athée*, 3e éd., Paris, 1945, p. 10.

46. *Pensées*, éd. Brunschvicg, n. 434. Cf. M. Zundel, *l'Homme passe l'homme*, Le Caire, Éditions du Lien, 1944.

- II -

VERS LE DÉVELOPPEMENT SOLIDAIRE DE L'HUMANITÉ

43. Introduction

Le développement intégral de l'homme ne peut aller sans le développement solidaire de l'humanité. Nous le disions à Bombay: «l'homme doit rencontrer l'homme, les nations doivent se rencontrer comme des frères et sœurs, comme les enfants de Dieu. Dans cette compréhension et cette amitié mutuelles, dans cette communion sacrée, Nous devons également commencer à œuvrer ensemble pour édifier l'avenir commun de l'humanité[47]. Aussi suggérions-Nous la recherche de moyens concrets et pratiques d'organisation et de coopération, pour mettre en commun les ressources disponibles et réaliser ainsi une véritable communion entre toutes les nations.

44. Fraternité des peuples

Ce devoir concerne en premier lieu les plus favorisés. Leurs obligations s'enracinent dans la fraternité humaine et surnaturelle et se présentent sous un triple aspect: devoir de solidarité, l'aide que les nations riches doivent apporter aux pays en voie de développement; devoir de justice sociale, le redressement des relations commerciales défectueuses entre peuples forts et peuples faibles; devoir de charité universelle, la promotion d'un monde plus humain pour tous, où tous auront à donner et à recevoir, sans que le progrès des uns soit un obstacle au

---

47. Allocution aux représentants des religions non chrétiennes, le 3 décembre 1964, *A. A. S.*, 57 (1965), p. 132.

développement des autres. La question est grave, car l'avenir de la civilisation mondiale en dépend.

5. L'assistance aux faibles

45. *Lutte contre la faim...*

«Si un frère et une sœur sont nus, dit saint Jacques, s'ils manquent de leur nourriture quotidienne, et que l'un d'entre vous leur dise: «allez en paix, chauffez-vous, rassasiez-vous» sans leur donner ce qui est nécessaire à leurs corps, à quoi cela sert-il?»[48]. Aujourd'hui, personne ne peut plus l'ignorer, sur des continents entiers, innombrables sont les hommes et les femmes torturés par la faim, innombrables les enfants sous-alimentés, au point que bon nombre d'entre eux meurent en bas âge, que la croissance physique et le développement mental de beaucoup d'autres en sont compromis, que des régions entières sont de ce fait condamnées au plus morne découragement.

46. *Aujourd'hui*

Des appels angoissés ont déjà retenti. Celui de Jean XXIII a été chaleureusement accueilli[49]. Nous l'avons Nous-même réitéré en notre message de Noël 1963[50], et de nouveau en faveur de l'Inde en 1966[51]. La campagne contre la faim engagée par l'Organisation internationale pour l'alimentation et l'agriculture (F.A.O.) et encouragée par le Saint-Siège à été généreusement suivie. Notre *Caritas internationalis* est partout à l'œuvre et de nombreux catholiques, sous l'impulsion de nos frères dans l'épiscopat, donnent et se dépensent eux-mêmes sans compter pour aider ceux qui sont dans le besoin, élargissant progressivement le cercle de leur prochain.

47. *Demain*

Mais cela, pas plus que les investissements privés et publics réalisés, les dons et les prêts consentis, ne saurait suffire. Il ne

---

48. *Jacques*, 2, 15-16.

49. Cf. *Mater et Magistra* A. A. S., 53 (1961), p. 440 s.

50. Cf. *A. A. S.*, 56 (1964), p. 57-58.

51. Cf. *Encicliche e Discorsi di Paolo VI*, vol. IX, Roma, ed. Paoline, 1966, p. 132-136; *Documentation Catholique*, t. 43, Paris, 1966, col. 403-406.

s'agit pas seulement de vaincre la faim ni même de faire reculer la pauvreté. Le combat contre la misère, urgent et nécessaire, est insuffisant. Il s'agit de construire un monde où tout homme, sans exception de race, de religion, de nationalité, puisse vivre une vie pleinement humaine, affranchie des servitudes qui lui viennent des hommes et d'une nature insuffisamment maîtrisée; un monde où la liberté ne soit pas un vain mot et où le pauvre Lazare puisse s'asseoir à la même table que le riche[52]. Cela demande à ce dernier beaucoup de générosité, de nombreux sacrifices, et un effort sans relâche. À chacun d'examiner sa conscience, qui a une voix nouvelle pour notre époque. Est-il prêt à soutenir de ses deniers les œuvres et les missions organisées en faveur des plus pauvres? À payer davantage d'impôts pour que les pouvoirs publics intensifient leur effort pour le développement? À acheter plus cher les produits importés pour rémunérer plus justement le producteur? À s'expatrier lui-même au besoin, s'il est jeune, pour aider cette croissance des jeunes nations?

48. Devoir de solidarité

Le devoir de solidarité des personnes est aussi celui des peuples: «les nations développées ont le très pressant devoir d'aider les nations en voie de développement»[53]. Il faut mettre en œuvre cet enseignement conciliaire. S'il est normal qu'une population soit la première bénéficiaire des dons que lui a faits la Providence comme des fruits de son travail, aucun peuple ne peut, pour autant, prétendre réserver ses richesses à son seul usage. Chaque peuple doit produire plus et mieux, à la fois pour donner à tous ses ressortissants un niveau de vie vraiment humain et aussi pour contribuer au développement solidaire de l'humanité. Devant l'indigence croissante des pays sous-développés, on doit considérer comme normal qu'un pays évolué consacre une partie de sa production à satisfaire leurs besoins; normal aussi qu'il forme des éducateurs, des ingénieurs,

---

52. Cf. *Luc*, 16, 19-31.
53. *Gaudium et Spes*, n. 86 § 3.

des techniciens, des savants qui mettront science et compétence à leur service.

49. Superflu

Il faut aussi le redire: le superflu des pays riches doit servir aux pays pauvres. La règle qui valait autrefois en faveur des plus proches doit s'appliquer aujourd'hui à la totalité des nécessiteux du monde. Les riches en seront d'ailleurs les premiers bénéficiaires. Sinon, leur avarice prolongée ne pourrait que susciter le jugement de Dieu et la colère des pauvres, aux imprévisibles conséquences. Repliées dans leur égoïsme, les civilisations actuellement florissantes porteraient atteinte à leurs valeurs les plus hautes, en sacrifiant la volonté d'être plus au désir d'avoir davantage. Et à elles s'appliquerait la parabole de l'homme riche dont les terres avaient beaucoup rapporté, et qui ne savait où entreposer sa récolte: «Dieu lui dit: Insensé, cette nuit même on va te redemander ton âme.»[54]

50. Programmes

Ces efforts, pour atteindre leur pleine efficacité, ne sauraient demeurer dispersés et isolés, moins encore opposés pour des raisons de prestige ou de puissance: la situation exige des programmes concertés. Un programme est en effet plus et mieux qu'une aide occasionnelle laissée à la bonne volonté d'un chacun. Il suppose, Nous l'avons dit plus haut, études approfondies, fixation des buts, détermination des moyens, regroupement des efforts, pour répondre aux besoins présents et aux exigences prévisibles. Bien plus, il dépasse les perspectives de la croissance économique et du progrès social: il donne sens et valeur à l'œuvre à réaliser. En aménageant le monde, il valorise l'homme.

51. Fonds mondial

Il faudrait encore aller plus loin. Nous demandions à Bombay la constitution d'un grand *Fonds mondial*, alimenté par une partie des dépenses militaires, pour venir en aide aux plus

---

54. *Luc*, 12, 20.

déshérités[55]. Ce qui vaut pour la lutte immédiate contre la misère vaut aussi à l'échelle du développement. Seule une collaboration mondiale, dont un fonds commun serait à la fois le symbole et l'instrument, permettrait de surmonter les rivalités stériles et de susciter un dialogue fécond et pacifique entre tous les peuples.

52. Ses avantages

Sans doute des accords bilatéraux ou multilatéraux peuvent être maintenus: ils permettent de substituer aux rapports de dépendance et aux amertumes issues de l'ère coloniale d'heureuses relations d'amitié, développées sur un pied d'égalité juridique et politique. Mais incorporés dans un programme de collaboration mondiale, ils seraient exempts de tout soupçon. Les défiances des bénéficiaires en seraient atténuées. Ils auraient moins à redouter, dissimulées sous l'aide financière ou l'assistance technique, certaines manifestations de ce qu'on a appelé le néo-colonialisme, sous forme de pressions politiques et de dominations économiques visant à défendre ou à conquérir une hégémonie dominatrice.

53. Son urgence

Qui ne voit par ailleurs qu'un tel fonds faciliterait les prélèvements sur certains gaspillages, fruit de la peur ou de l'orgueil? Quand tant de peuples ont faim, quand tant de foyers souffrent de la misère, quand tant d'hommes demeurent plongés dans l'ignorance, quand tant d'écoles, d'hôpitaux, d'habitations dignes de ce nom demeurent à construire, tout gaspillage public ou privé, toute dépense d'ostentation nationale ou personnelle, toute course épuisante aux armements devient un scandale intolérable. Nous nous devons de le dénoncer. Veuillent les responsables Nous entendre avant qu'il ne soit trop tard.

54. Dialogue à instaurer

C'est dire qu'il est indispensable que s'établisse entre tous ce dialogue que Nous appelions de Nos vœux dans Notre pre-

---

55. Message au monde remis aux journalistes le 4 décembre 1964. Cf. *A. A. S.*, 57 (1965), p. 135.

mière encyclique, *Ecclesiam Suam*[56]. Ce dialogue entre ceux qui apportent les moyens et ceux qui en bénéficient permettra de mesurer les apports, non seulement selon la générosité et les disponibilités des uns, mais aussi en fonction des besoins réels et des possibilités d'emploi des autres. Les pays en voie de développement ne risqueront plus dès lors d'être accablés de dettes dont le service absorbe le plus clair de leurs gains. Taux d'intérêt et durées des prêts pourront être aménagés de manière supportable pour les uns et pour les autres, équilibrant les dons gratuits, les prêts sans intérêts ou à intérêt minime, et la durée des amortissements. Des garanties pourront être données à ceux qui fournissent les moyens financiers, sur l'emploi qui en sera fait selon le plan convenu et avec une efficacité raisonnable, car il ne s'agit pas de favoriser paresseux et parasites. Et les bénéficiaires pourront exiger qu'on ne s'ingère pas dans leur politique, qu'on ne perturbe pas leur structure sociale. États souverains, il leur appartient de conduire eux-mêmes leurs affaires, de déterminer leur politique, et de s'orienter librement vers la société de leur choix. C'est donc une collaboration volontaire qu'il faut instaurer, une participation efficace des uns avec les autres, dans une égale dignité, pour la construction d'un monde plus humain.

55. Sa nécessité

La tâche pourrait sembler impossible dans des régions où le souci de la subsistance quotidienne accapare toute l'existence de familles incapables de concevoir un travail susceptible de préparer un avenir moins misérable. Ce sont pourtant ces hommes et ces femmes qu'il faut aider, qu'il faut convaincre d'opérer eux-mêmes leur propre développement et d'en acquérir progressivement les moyens. Cette œuvre commune n'ira certes pas sans effort concerté, constant, et courageux. Mais que chacun en soit bien persuadé: il y va de la vie des peuples pauvres, de la paix civile dans les pays en voie de développement, et de la paix du monde.

---

56. Cf. *A. A. S.*, 56 (1964), p. 639 s.

6. L'équité dans les relations commerciales

56. Les efforts, même considérables, qui sont faits pour aider au plan financier et technique les pays en voie de développement seraient illusoires, si leurs résultats étaient partiellement annulés par le jeu des relations commerciales entre pays riches et pays pauvres. La confiance de ces derniers serait ébranlée s'ils avaient l'impression qu'une main leur enlève ce que l'autre leur apporte.

57. Distorsion croissante

Les nations hautement industrialisées exportent en effet surtout des produits fabriqués, tandis que les économies peu développées n'ont à vendre que des produits agricoles et des matières premières. Grâce au progrès technique, les premiers augmentent rapidement de valeur et trouvent un marché suffisant. Au contraire, les produits primaires en provenance des pays sous-développés subissent d'amples et brusques variations de prix, bien loin de cette plus-value progressive. Il en résulte pour les nations peu industrialisées de grandes difficultés, quand elles doivent compter sur leur exportations pour équilibrer leur économie et réaliser leur plan de développement. Les peuples pauvres restent toujours pauvres, et les riches deviennent toujours plus riches.

58. Au-delà du libéralisme

C'est dire que la règle de libre échange ne peut plus — à elle seule — régir les relations internationales. Ses avantages sont certes évidents quand les partenaires ne se trouvent pas en conditions trop inégales de puissance économique: elle est un stimulant au progrès et récompense l'effort. C'est pourquoi les pays industriellement développés y voient une loi de justice. Il n'en est plus de même quand les conditions deviennent trop inégales de pays à pays: les prix qui se forment «librement» sur le marché peuvent entraîner des résultats iniques. Il faut le reconnaître: c'est le principe fondamental du libéralisme comme règle des échanges commerciaux qui est ici mis en question.

59. *Justice des contrats à l'échelle des peuples*

L'enseignement de Léon XIII dans *Rerum Novarum* est toujours valable: le consentement des parties, si elles sont en situation trop inégale, ne suffit pas à garantir la justice du contrat, et la règle du libre consentement demeure subordonnée aux exigences du droit naturel[57]. Ce qui était vrai du juste salaire individuel l'est aussi des contrats internationaux: une économie d'échange ne peut plus reposer sur la seule loi de libre concurrence, qui engendre trop souvent elle aussi une dictature économique. La liberté des échanges n'est équitable que soumise aux exigences de la justice sociale.

60. *Mesures à prendre*

Au reste, les pays développés l'ont eux-mêmes compris, qui s'efforcent de rétablir par des mesures appropriées, à l'intérieur de leur propre économie, un équilibre que la concurrence laissée à elle-même tend à compromettre. C'est ainsi qu'ils soutiennent souvent leur agriculture au prix de sacrifices imposés aux secteurs économiques plus favorisés. C'est ainsi encore que, pour soutenir les relations commerciales qui se développent entre eux, particulièrement à l'intérieur d'un marché commun, leur politique financière, fiscale et sociale s'efforce de redonner à des industries concurrentes inégalement prospères des chances comparables.

61. *Conventions internationales*

On ne saurait user ici de deux poids et deux mesures. Ce qui vaut en économie nationale, ce qu'on admet entre pays développés, vaut aussi dans les relations commerciales entre pays riches et pays pauvres. Sans abolir le marché de la concurrence, il faut le maintenir dans des limites qui le rendent juste et moral, et donc humain. Dans le commerce entre économies développées et sous-développées, les situations sont trop disparates et les libertés réelles trop inégales. La justice sociale exige que le commerce international, pour être humain et moral, rétablisse

---

57. Cf. *Acta Leonis XIII*. t. XI (1892), p. 131.

entre partenaires au moins une certaine égalité de chances. Cette dernière est un but à long terme. Mais pour y parvenir il faut dès maintenant créer une réelle égalité dans les discussions et négociations. Ici encore des conventions internationales à rayon suffisamment vaste seraient utiles: elles poseraient des normes générales en vue de régulariser certains prix, de garantir certaines productions, de soutenir certaines industries naissantes. Qui ne voit qu'un tel effort commun vers plus de justice dans les relations commerciales entre les peuples apporterait aux pays en voie de développement une aide positive, dont les effets ne seraient pas seulement immédiats, mais durables?

62. Obstacles à surmonter: nationalisme

D'autres obstacles encore s'opposent à la formation d'un monde plus juste et plus structuré dans une solidarité universelle: Nous voulons parler du nationalisme et du racisme. Il est naturel que des communautés récemment parvenues à leur indépendance politique soient jalouses d'une unité nationale encore fragile et s'efforcent de la protéger. Il est normal aussi que des nations de vieille culture soient fières du patrimoine que leur a livré leur histoire. Mais ces sentiments légitimes doivent être sublimés par la charité universelle qui englobe tous les membres de la famille humaine. Le nationalisme isole les peuples contre leur bien véritable. Il serait particulièrement nuisible là où la faiblesse des économies nationales exige au contraire la mise en commun des efforts, des connaissances et des moyens financiers, pour réaliser les programmes de développement et accroître les échanges commerciaux et culturels.

63. Racisme

Le racisme n'est pas l'apanage exclusif des jeunes nations, où il se dissimule parfois sous les rivalités de clans et de partis politiques, au grand préjudice de la justice et au péril de la paix civile. Durant l'ère coloniale il a sévi souvent entre colons et indigènes, mettant obstacle à une féconde intelligence mutuelle et provoquant beaucoup de rancœurs à la suite de réelles injustices. Il est encore un obstacle à la collaboration entre nations défavorisées et un ferment de division et de haine au sein même des États quand, au mépris des droits imprescriptibles de la personne humaine, individus et familles se voient injustement soumis à un régime d'exception, en raison de leur race ou de leur couleur.

64. *Vers un monde solidaire*

Une telle situation, si lourde de menaces pour l'avenir, Nous afflige profondément. Nous gardons cependant espoir: un besoin plus senti de collaboration, un sens plus aigu de la solidarité finiront par l'emporter sur les incompréhensions et les égoïsmes. Nous espérons que les pays dont le développement est moins avancé sauront profiter de leur voisinage pour organiser entre eux, sur des aires territoriales élargies, des zones de développement concerté: établir des programmes communs, coordonner les investissements, répartir les possibilités de production, organiser les échanges. Nous espérons aussi que les organisations multilatérales et internationales trouveront, par une réorganisation nécessaire, les voies qui permettront aux peuples encore sous-développés de sortir des impasses où ils semblent enfermés et de découvrir eux-mêmes, dans la fidélité à leur génie propre, les moyens de leur progrès social et humain.

65. *Peuples artisans de leur destin*

Car c'est là qu'il faut en venir. La solidarité mondiale, toujours plus efficiente, doit permettre à tous les peuples de devenir eux-mêmes les artisans de leur destin. Le passé a été trop souvent marqué par des rapports de force entre nations: vienne le jour où les relations internationales seront marquées au coin du respect mutuel et de l'amitié, de l'interdépendance dans la collaboration, et de la promotion commune sous la responsabilité de chacun. Les peuples plus jeunes ou plus faibles demandent leur part active dans la construction d'un monde meilleur, plus respectueux des droits et de la vocation de chacun. Cet appel est légitime: à chacun de l'entendre et d'y répondre.

7. La charité universelle

66. Le monde est malade. Son mal réside moins dans la stérilisation des ressources ou leur accaparement par quelques-uns,

que dans le manque de fraternité entre les hommes et entre les peuples.

67. Devoir d'accueil

Nous ne saurions trop insister sur le devoir d'accueil — devoir de solidarité humaine et de charité chrétienne —, qui incombe soit aux familles, soit aux organisations culturelles des pays hospitaliers. Il faut, surtout pour les jeunes, multiplier les foyers et les maisons d'accueil. Cela d'abord en vue de les protéger contre la solitude, le sentiment d'abandon, la détresse, qui brisent tout ressort moral. Aussi, pour les défendre contre la situation malsaine où ils se trouvent, forcés de comparer l'extrême pauvreté de leur patrie avec le luxe et le gaspillage qui souvent les entourent. Encore, pour les mettre à l'abri des doctrines subversives et des tentations agressives qui les assaillent, au souvenir de tant de «misère imméritée»[58]. Enfin surtout en vue de leur apporter, avec la chaleur d'un accueil fraternel, l'exemple d'une vie saine, l'estime de la charité chrétienne authentique et efficace, l'estime des valeurs spirituelles.

68. Drame des jeunes étudiants

Il est douloureux de le penser: de nombreux jeunes, venus dans des pays plus avancés pour recevoir la science, la compétence et la culture qui les rendront plus aptes à servir leur patrie, y acquièrent certes une formation de haute qualité, mais y perdent trop souvent l'estime des valeurs spirituelles qui se rencontraient souvent, comme un précieux patrimoine, dans les civilisations qui les avaient vu grandir.

69. Travailleurs émigrés

Le même accueil est dû aux travailleurs émigrés qui vivent dans des conditions souvent inhumaines, en épargnant sur leur salaire pour soulager un peu leur famille demeurée dans la misère sur le sol natal.

---

58. Cf. *Ibid.*, p. 98.

70. Sens social

Notre seconde recommandation est pour ceux que leurs affaires appellent en pays récemment ouverts à l'industrialisation: industriels, commerçants, chefs ou représentants de plus grandes entreprises. Il arrive qu'ils ne soient pas dépourvus de sens social dans leur propre pays: pourquoi reviendraient-ils aux principes inhumains de l'individualisme quand ils opèrent en ce pays moins développés? Leur situation supérieure doit au contraire les inciter à se faire les initiateurs du progrès social et de la promotion humaine, là où leurs affaires les appellent. Leur sens même de l'organisation devrait leur suggérer les moyens de valoriser le travail indigène, de former des ouvriers qualifiés, de préparer des ingénieurs et des cadres, de laisser place à leur initiative, de les introduire progressivement dans les postes plus élevés, les préparant ainsi à partager avec eux dans un avenir rapproché, les responsabilités de la direction. Que, du moins, la justice règle toujours les relations entre chefs et subordonnés. Que des contrats réguliers aux obligations réciproques les régissent. Que nul enfin, quelle que soit sa situation, ne demeure injustement soumis à l'arbitraire.

71. Missions de développement

De plus en plus nombreux, Nous Nous en réjouissons, sont les experts envoyés en mission de développement par des institutions internationales ou bilatérales ou des organismes privés: «ils ne doivent pas se conduire en maîtres, mais en assistants et collaborateurs»[59]. Une population perçoit vite si ceux qui viennent à son aide le font avec ou sans affection, pour appliquer des techniques ou pour donner à l'homme toute sa valeur. Leur message est exposé à n'être point accueilli, s'il n'est comme enveloppé d'amour fraternel.

72. Qualités des experts

À la compétence technique nécessaire, il faut donc joindre les marques authentiques d'un amour désintéressé. Affranchis de

---

59. *Gaudium et Spes*, n. 85, § 2.

toute superbe nationaliste comme de toute apparence de racisme, les experts doivent apprendre à travailler en étroite collaboration avec tous. Ils savent que leur compétence ne leur confère pas une supériorité dans tous les domaines. La civilisation qui les a formés contient certes des éléments d'humanisme universel, mais elle n'est ni unique ni exclusive, et ne peut être importée sans adaptation. Les agents de ces missions auront à cœur de découvrir, avec son histoire, les composantes et les richesses culturelles du pays qui les accueille. Un rapprochement s'établira qui fécondera l'une et l'autre civilisation.

73. Dialogue des civilisations

Entre les civilisations comme entre les personnes, un dialogue sincère est, en effet, créateur de fraternité. L'entreprise du développement rapprochera les peuples dans les réalisations poursuivies d'un commun effort si tous, depuis les gouvernements et leurs représentants jusqu'au plus humble expert, sont animés d'un amour fraternel et mus par le désir sincère de construire une civilisation de solidarité mondiale. Un dialogue centré sur l'homme, et non sur les denrées ou les techniques, s'ouvrira alors. Il sera fécond s'il apporte aux peuples qui en bénéficient les moyens de s'élever et de se spiritualiser; si les techniciens se font éducateurs et si l'enseignement donné est marqué par une qualité spirituelle et morale si élevée qu'il garantisse un développement, non seulement économique, mais humain. Passée l'assistance, les relations ainsi établies dureront. Qui ne voit de quel poids elles seront pour la paix du monde?

74. Appel aux jeunes

Beaucoup de jeunes ont déjà répondu avec ardeur et empressement à l'appel de Pie XII pour un laïcat missionnaire[60]. Nombreux sont aussi ceux qui se sont spontanément mis à la disposition d'organismes, officiels ou privés, de collaboration avec les peuples en voie de développement. Nous Nous réjouissons

---

60. Cf. encyclique *Fidei Donum*, 21 avril 1957, *A. A. S.*, 49 (1957), p. 246.

d'apprendre que dans certaines nations le «service militaire» peut devenir en partie un «service social», un «service tout court». Nous bénissons ces initiatives et les bonnes volontés qui y répondent. Puissent tous ceux qui se réclament du Christ entendre son appel: «J'ai eu faim et vous m'avez donné à manger, j'ai eu soif et vous m'avez donné à boire, j'étais un étranger et vous m'avez accueilli, nu et vous m'avez vêtu, malade et vous m'avez visité, prisonnier et vous êtes venus me voir»[61]. Personne ne peut demeurer indifférent au sort de ses frères encore plongés dans la misère, en proie à l'ignorance, victimes de l'insécurité. Comme le cœur du Christ, le cœur du chrétien doit compatir à cette misère: «J'ai pitié de cette foule»[62].

75. Prière et action

La prière de tous doit monter avec ferveur vers le Tout-Puissant, pour que l'humanité, ayant pris conscience de si grands maux, s'applique avec intelligence et fermeté à les abolir.

À cette prière doit correspondre l'engagement résolu de chacun, à la mesure de ses forces et de ses possibilités, dans la lutte contre le sous-développement. Puissent les personnes, les groupes sociaux et les nations se donner la main fraternellement, le fort aidant le faible à grandir, y mettant toute sa compétence, son enthousiasme et son amour désintéressé. Plus que quiconque, celui qui est animé d'une vraie charité est ingénieux à découvrir les causes de la misère, à trouver les moyens de la combattre, à la vaincre résolument. Faiseur de paix, «il poursuivra son chemin, allumant la joie et versant la lumière et la grâce au cœur des hommes sur toute la surface de la terre, leur faisant découvrir, par-delà toutes les frontières, des visages de frères, des visages d'amis»[63].

76. Conclusion

Les disparités économiques, sociales et culturelles trop grandes entre peuples provoquent tensions et discordes, et mettent la

---

61. Matth., 25, 35-36.

62. Marc, 8, 2.

63. Allocution de Jean XXIII lors de la remise du prix Balzan, le 10 mai 1963, A. A. S., 55 (1963), p. 455.

paix en péril. Comme Nous le disions aux Pères conciliaires au retour de notre voyage de paix à l'O.N.U.: «La condition des populations en voie de développement doit être l'objet de notre considération, disons mieux, notre charité pour les pauvres qui sont dans le monde — et ils sont légions infinies — doit devenir plus attentive, plus active, plus généreuse»[64]. Combattre la misère et lutter contre l'injustice, c'est promouvoir, avec le mieux-être, le progrès humain et spirituel de tous, et donc le bien commun de l'humanité. La paix ne se réduit pas à une absence de guerre, fruit de l'équilibre toujours précaire des forces. Elle se construit jour après jour, dans la poursuite d'un ordre voulu de Dieu, qui comporte une justice plus parfaite entre les hommes[65].

77. Sortir de l'isolement

Ouvriers de leur propre développement, les peuples en sont les premiers responsables. Mais ils ne le réaliseront pas dans l'isolement. Des accords régionaux entre peuples faibles pour se soutenir mutuellement, des ententes plus amples pour leur venir en aide, des conventions plus ambitieuses entre les uns et les autres pour établir des programmes concertés sont les jalons de ce chemin du développement qui conduit à la paix.

78. Vers une autorité mondiale efficace

Cette collaboration internationale à vocation mondiale requiert des institutions qui la préparent, la coordonnent et la régissent, jusqu'à constituer un ordre juridique universellement reconnu. De tout cœur, Nous encourageons les organisations qui ont pris en main cette collaboration au développement, et souhaitons que leur autorité s'accroisse. «Votre vocation, disions-Nous aux représentants des Nations Unies à New York, est de faire fraterniser, non pas quelques-uns des peuples, mais tous les peuples (...) Qui ne voit la nécessité d'arriver ainsi progressivement à instaurer une autorité mondiale en mesure d'agir efficacement sur le plan juridique et politique?»[66]

---

64. *A. A. S.*, 57 (1965), p. 896.

65. Cf. encyclique *Pacem in terris*, 11 avril 1963, *A. A. S.*, 55 (1963), p. 301.

66. *A. A. S.*, 57 (1965), p. 880.

79. *Espoir fondé en un monde meilleur*

Certains estimeront utopiques de telles espérances. Il se pourrait que leur réalisme fût en défaut et qu'ils n'aient pas perçu le dynamisme d'un monde qui veut vivre plus fraternellement, et qui, malgré ses ignorances, ses erreurs, ses péchés mêmes, ses rechutes en barbarie et ses longues divagations hors de la voie du salut, se rapproche lentement, même sans s'en rendre compte, de son Créateur. Cette voie vers plus d'humanité demande effort et sacrifice, mais la souffrance même, acceptée par amour pour nos frères, est porteuse de progrès pour toute la famille humaine. Les chrétiens savent que l'union au sacrifice du Sauveur contribue à l'édification du Corps du Christ dans sa plénitude: le peuple de Dieu rassemblé[67].

80. *Tous solidaires*

Dans ce cheminement, nous sommes tous solidaires. À tous, Nous avons voulu rappeler l'ampleur du drame et l'urgence de l'œuvre à accomplir. L'heure de l'action a maintenant sonné: la survie de tant d'enfants innocents, l'accès à une condition humaine de tant de familles malheureuses, la paix du monde, l'avenir de la civilisation sont en jeu. À tous les hommes et à tous les peuples de prendre leurs responsabilités.

APPEL FINAL

81. *Catholiques*

Nous adjurons d'abord tous nos fils. Dans les pays en voie de développement non moins qu'ailleurs, les laïcs doivent assumer comme leur tâche propre le renouvellement de l'ordre temporel. Si le rôle de la hiérarchie est d'enseigner et d'interpréter authentiquement les principes moraux à suivre en ce domaine, il leur appartient, par leurs libres initiatives et sans attendre passivement consignes et directives, de pénétrer d'esprit chrétien la mentalité et les mœurs, les lois et les structures de leur communauté de vie[68]. Des changements sont néces-

---

67. Cf. *Ephés.*, 4, 12; *Lumen Gentium*, n. 13.
68. Cf. *Apostolicam Actuositatem*, n. 7, 13 et 24.

saires, des réformes profondes, indispensables: ils doivent s'employer résolument à leur insuffler l'esprit évangélique. À nos fils catholiques appartenant aux pays plus favorisés, Nous demandons d'apporter leur compétence et leur active partici- pation aux organisations officielles ou privées, civiles ou reli- gieuses, appliquées à vaincre les difficultés des nations en voie de développement. Ils auront, bien sûr, à cœur d'être au premier rang de ceux qui travaillent à établir dans les faits une morale internationale de justice et d'équité.

82. Chrétiens et croyants

Tous les chrétiens, nos frères, Nous en sommes sûr, voudront amplifier leur effort commun et concerté en vue d'aider le monde à triompher de l'égoïsme, de l'orgueil et des rivalités, à surmonter les ambitions et les injustices, à ouvrir à tous les voies d'une vie plus humaine où chacun soit aimé et aidé comme son prochain, son frère. Et, encore ému de notre inoubliable rencon- tre de Bombay avec nos frères non chrétiens, de nouveau Nous les convions à œuvrer avec tout leur cœur et leur intelligence, pour que tous les enfants des hommes puissent mener une vie digne des enfants de Dieu.

83. Hommes de bonne volonté

Enfin, Nous Nous tournons vers tous les hommes de bonne volonté conscients que le chemin de la paix passe par le déve- loppement. Délégués aux institutions internationales, hommes d'État, publicistes, éducateurs, tous, chacun à votre place, vous êtes les constructeurs d'un monde nouveau. Nous supplions le Dieu Tout-Puissant d'éclairer votre intelligence et de fortifier votre courage pour alerter l'opinion publique et entraîner les peuples. Éducateurs, il vous appartient d'éveiller dès l'enfance l'amour pour les peuples en détresse. Publicistes, il vous revient de mettre sous nos yeux les efforts accomplis pour promouvoir l'entraide des peuples tout comme le spectacle des misères que les hommes ont tendance à oublier pour tranquilliser leur cons- cience: que les riches du moins sachent que les pauvres sont à leur porte et guettent les reliefs de leurs festins.

84. Hommes d'État

Hommes d'État, il vous incombe de mobiliser vos communautés pour une solidarité mondiale plus efficace, et d'abord de leur faire accepter les nécessaires prélèvements sur leur luxe et leurs gaspillages, pour promouvoir le développement et sauver la paix. Délégués aux organisations internationales, il dépend de vous que les dangereux et stériles affrontements de forces fassent place à la collaboration amicale, pacifique et désintéressée pour un développement solidaire de l'humanité dans laquelle tous les hommes puissent s'épanouir.

85. Sages

Et s'il est vrai que le monde soit en malaise faute de pensée, Nous convoquons les hommes de réflexion et les sages, catholiques, chrétiens, honorant Dieu, assoiffés d'absolu, de justice et de vérité: tous les hommes de bonne volonté. À la suite du Christ, Nous osons vous prier avec instance: «cherchez et vous trouverez»[69], ouvrez les voies qui conduisent par l'entraide, l'approfondissement du savoir, l'élargissement du cœur, à une vie plus fraternelle dans une communauté humaine vraiment universelle.

86. Tous à l'œuvre

Vous tous qui avez entendu l'appel des peuples souffrants, vous tous qui travaillez à y répondre, vous êtes les apôtres du bon et vrai développement qui n'est pas la richesse égoïste et aimée pour elle-même, mais l'économie au service de l'homme, le pain quotidien distribué à tous, comme source de fraternité et signe de la Providence.

87. Bénédiction

De grand cœur Nous vous bénissons, et Nous appelons tous les hommes de bonne volonté à vous rejoindre fraternellement. Car

---

69. *Luc,* 11, 9.

si le développement est le nouveau nom de la paix, qui ne voudrait y œuvrer de toutes ses forces? Oui, tous, Nous vous convions à répondre à notre cri d'angoisse, au nom du Seigneur.

Du Vatican, en la fête de Pâques, 26 mars 1967.

PAULUS P.P. VI

PAUL VI

L'ÉGLISE ET LES NOUVEAUX PROBLÈMES SOCIAUX

Lettre apostolique «Octogesima adveniens»

PLAN

À MONSIEUR LE CARDINAL MAURICE ROY PRÉSIDENT DU CONSEIL DES LAÏCS ET DE LA COMMISSION PONTIFICALE «JUSTICE ET PAIX»

À L'OCCASION DU 80ᵉ ANNIVERSAIRE DE L'ENCYCLIQUE «RERUM NOVARUM»

INTRODUCTION

Monsieur le Cardinal,

1. Le 80ᵉ anniversaire de la publication de l'Encyclique *Rerum Novarum*, dont le message continue à inspirer l'action pour la justice sociale, Nous incite à reprendre et à prolonger l'enseignement de nos prédécesseurs, en réponse aux besoins nouveaux d'un monde en changement. L'Église, en effet, chemine avec l'humanité et partage son sort au sein de l'histoire. Tout en annonçant aux hommes la Bonne Nouvelle de l'amour de Dieu et du salut dans le Christ, elle éclaire leur activité à la lumière de l'Évangile et les aide par là à correspondre au dessein d'amour de Dieu et à réaliser la plénitude de leurs aspirations.

L'appel universel à plus de justice

2. Avec confiance, Nous voyons l'esprit du Seigneur poursuivre son œuvre au cœur des hommes et rassembler partout des communautés chrétiennes conscientes de leurs responsabilités dans la société. Dans tous les continents, parmi toutes les races, les nations, les cultures, au sein de toutes les conditions, le

Seigneur continue à susciter d'authentiques apôtres de l'Évangile.

Il Nous a été donné de les rencontrer, de les admirer, de les encourager au cours de nos récents voyages. Nous avons approché les foules et entendu leurs appels, cris de détresse et d'espérance à la fois. En ces circonstances, les graves problèmes de notre temps Nous sont apparus avec un nouveau relief, comme particuliers certes à chaque région, mais pourtant communs à une humanité qui s'interroge sur son avenir, sur l'orientation et la signification des mutations en cours. Des écarts flagrants subsistent dans le développement économique, culturel et politique des nations: à côté de régions fortement industrialisées, d'autres en sont encore au stade agraire; à côté de pays qui connaissent le bien-être, d'autres luttent contre la faim; à côté de peuples de haut niveau culturel, d'autres s'emploient toujours à éliminer l'analphabétisme. De partout monte une aspiration à plus de justice et s'élève le désir d'une paix mieux assurée, dans un respect mutuel entre les hommes et entre les peuples.

La diversité des situations des chrétiens dans le monde

3. Certes, bien diverses sont les situations dans lesquelles, de gré ou de force, les chrétiens se trouvent engagés, selon les régions, selon les systèmes socio-politiques, selon les cultures. Ici, ils sont réduits au silence, soupçonnés et pour ainsi dire tenus en marge de la société, encadrés sans liberté dans un système totalitaire. Là, ils sont une faible minorité dont la voix se fait difficilement entendre. En d'autres nations, où l'Église voit sa place reconnue et parfois de façon officielle, elle se trouve elle-même soumise aux contre-coups de la crise qui ébranle la société, et certains de ses membres sont tentés par des solutions radicales et violentes dont ils croient pouvoir espérer une issue plus heureuse. Tandis que d'aucuns, inconscients des injustices présentes, s'efforcent de prolonger la situation existante, d'autres se laissent séduire par des idéologies révolutionnaires qui leur promettent, non sans illusion, un monde définitivement meilleur.

4. Face à des situations aussi variées, il Nous est difficile de prononcer une parole unique, comme de proposer une solution qui ait valeur universelle. Telle n'est pas notre ambition, ni même notre mission. Il revient aux communautés chrétiennes d'analyser avec objectivité la situation propre de leur pays, de l'éclairer par la lumière des paroles inaltérables de l'Évangile, de puiser les principes de réflexion, des normes de jugement et des directives d'action dans l'enseignement social de l'Église tel qu'il s'est élaboré au cours de l'histoire et notamment, en cette ère industrielle, depuis la date historique du message de Léon XIII sur «la condition des ouvriers», dont Nous avons l'honneur et la joie de célébrer aujourd'hui l'anniversaire. À ces communautés chrétiennes de discerner, avec l'aide de l'Esprit Saint, en communion avec les évêques responsables, en dialogue avec les autres frères chrétiens et tous les hommes de bonne volonté, les options et les engagements qu'il convient de prendre pour opérer les transformations sociales, politiques et économiques qui s'avèrent nécessaires avec urgence en bien des cas. Dans cette recherche des changements à promouvoir, les chrétiens devront d'abord renouveler leur confiance dans la force et l'originalité des exigences évangéliques. L'Évangile n'est pas dépassé parce qu'il a été annoncé, écrit, vécu dans un contexte socio-culturel différent. Son inspiration, enrichie par l'expérience vivante de la tradition chrétienne au long des siècles, reste toujours neuve pour la conversion des hommes et le progrès de la vie en société, sans que pour autant, on en vienne à l'utiliser au profit d'options temporelles particulières, en oubliant son message universel et éternel[1].

Le message spécifique de l'Église

5. Dans les perturbations et les incertitudes de l'heure présente, l'Église a un message spécifique à proclamer, un soutien à donner aux hommes dans leurs efforts pour prendre en main et orienter leur avenir. Depuis l'époque où *Rerum Novarum* dénonçait de manière vive et impérative le scandale de la condition ouvrière dans la société industrielle naissante, l'évolution his-

---

1.   Cf. Constitution Pastorale *Gaudium et Spes*, 10: A.A.S. 58 (1966), p. 1033.

torique a fait prendre conscience, comme le constataient déjà *Quadragesimo anno*[2] et *Mater et Magistra*[3], d'autres dimensions et d'autres applications de la justice sociale. Le récent Concile s'est employé, pour sa part, à les dégager, en particulier dans la Constitution pastorale *Gaudium et Spes*. Nous-même déjà avons prolongé ces orientations par notre encyclique *Populorum Progressio*: «Aujourd'hui, disions-Nous, le fait majeur dont chacun doit prendre conscience est que la question sociale est devenue mondiale.»[4] «Une prise de conscience renouvelée des exigences du message évangélique fait un devoir à l'Église de se mettre au service des hommes pour les aider à saisir toutes les dimensions de ce grave problème et pour les convaincre de l'urgence d'une action solidaire en ce tournant de l'histoire de l'humanité.»[5]

Ce devoir, dont Nous avons une vive conscience, Nous incite aujourd'hui à proposer quelques réflexions et suggestions suscitées par l'ampleur des problèmes posés au monde d'aujourd'hui.

6. Il reviendra par ailleurs au prochain Synode des Évêques d'étudier lui-même de plus près et d'approfondir la mission de l'Église devant les graves questions que pose aujourd'hui la justice dans le monde. Mais l'anniversaire de *Rerum Novarum* Nous fournit aujourd'hui l'occasion, Monsieur le Cardinal, de vous confier nos soucis et nos pensées devant ce problème, en votre qualité de Président de la Commission «Justice et Paix» et du Conseil des Laïcs. Nous voulons par là aussi encourager ces organismes du Saint-Siège dans leur action d'Église au service des hommes.

Ampleur des mutations actuelles

7. Ce faisant, notre but — sans oublier pour autant les problèmes permanents déjà abordés par nos prédécesseurs — est d'attirer

2. A.A.S. 23 (1931), p. 209 ss.
3. A.A.S. 53 (1961), p. 429.
4. A.A.S. 59 (1967), p. 258.
5. *Ibidem*, 1: p. 257.

l'attention sur quelques questions qui, par leur urgence, leur ampleur, leur complexité, doivent être au cœur des préoccupations des chrétiens pour les années à venir, afin qu'avec les autres hommes, ils s'emploient à résoudre les difficultés nouvelles mettant en cause l'avenir même de l'homme. Il faut situer les problèmes sociaux posés par l'économie moderne — conditions humaines de production, équité dans les échanges de biens et la répartition des richesses, signification des besoins accrus de consommation, partage des responsabilités — dans un contexte plus large de civilisation nouvelle. Dans les mutations actuelles, si profondes et si rapides, chaque jour l'homme se découvre nouveau, et il s'interroge sur le sens de son être propre et de sa survie collective. Hésitant à recueillir les leçons d'un passé qu'il estime révolu et trop différent, il a néanmoins besoin d'éclairer son avenir — qu'il perçoit aussi incertain que mouvant — par des vérités permanentes, éternelles, qui le dépassent certes, mais dont il peut, s'il le veut bien, retrouver lui-même les traces[6].

NOUVEAUX PROBLÈMES SOCIAUX

L'urbanisation

8. Un phénomène majeur attire notre attention: l'urbanisation, aussi bien dans les pays industrialisés que dans les nations en voie de développement.

Après de longs siècles, la civilisation agraire s'affaiblit. Apporte-t-on, du reste, une attention suffisante à l'aménagement et à l'amélioration de la vie des ruraux, dont la condition économique inférieure et parfois misérable provoque l'exode vers les tristes entassements des banlieues, où ne les attendent ni emploi ni logement?

Cet exode rural permanent, la croissance industrielle, la poussée démographique continue, l'attrait des centres urbains conduisent à des concentrations de population dont on a peine à imaginer l'ampleur, puisque déjà l'on parle de mégapolis

---

6. Cf. 2 *Cor.* 4, 17.

regroupant plusieurs dizaines de millions d'habitants. Certes, il existe des villes dont la dimension assure un meilleur équilibre de la population. Susceptibles d'offrir un emploi à ceux que le progrès de l'agriculture auraient rendus disponibles, elles permettent un aménagement de l'environnement humain de nature à éviter la prolétarisation et l'entassement des grandes agglomérations.

9. La croissance démesurée de ces cités accompagne l'expansion industrielle, sans se confondre avec elle. Basée sur la recherche technologique et la transformation de la nature, l'industrialisation poursuit toujours son chemin, faisant preuve d'une créativité incessante. Tandis que certaines entreprises se développent et se concentrent, d'autres meurent ou se déplacent, créant de nouveaux problèmes sociaux: chômage professionnel ou régional, reconversion et mobilité des personnes, adaptation permanente des travailleurs, disparité des conditions dans les diverses branches industrielles. Une compétition sans mesure, utilisant les moyens modernes de la publicité, lance sans cesse de nouveaux produits et essaie de séduire le consommateur, tandis que les anciennes installations industrielles, encore en état de marche, deviennent inutiles. Alors que de très larges couches de population ne peuvent encore satisfaire leurs besoins primaires, on s'ingénie à créer des besoins de superflu. On peut alors se demander, à bon droit, si malgré toutes ses conquêtes, l'homme ne retourne pas contre lui-même les fruits de son activité. Après avoir assuré une emprise nécessaire sur la nature[7], ne devient-il pas maintenant esclave des objets qu'il fabrique?

Les chrétiens dans la ville

10. Le surgissement d'une civilisation urbaine, qui accompagne la montée de la civilisation industrielle, n'est-il pas en effet un véritable défi jeté à la sagesse de l'homme, à sa capacité d'organisation, à son imagination prospective? Au sein de la société industrielle, l'urbanisation bouleverse les modes de vie et les

---

7.   Encyclique *Populorum Progressio*, 25: A.A.S. 59 (1967), pp. 269-270.

structures habituelles de l'existence: la famille, le voisinage, les cadres de la communauté chrétienne eux-mêmes. L'homme éprouve une nouvelle solitude, non point face à une nature hostile qu'il a mis des siècles à dominer, mais dans la foule anonyme qui l'entoure et où il se sent comme étranger. Étape sans doute irréversible dans le développement des sociétés humaines, l'urbanisation pose à l'homme de difficiles problèmes: comment maîtriser sa croissance, régler son organisation, réussir son animation pour le bien de tous?

Dans cette croissance désordonnée, en effet, de nouveaux prolétariats prennent naissance. Ils s'installent au cœur des villes que les riches parfois abandonnent; ils campent dans les faubourgs, ceinture de misère qui vient assiéger, dans une protestation encore silencieuse, le luxe trop criant des cités de consommation et du gaspillage. Au lieu de favoriser la rencontre fraternelle et l'entr'aide, la ville développe les discriminations et aussi les indifférences; elle prête à de nouvelles formes d'exploitation et de domination, où certains, spéculant sur les besoins des autres, en tirent des profits inadmissibles. Derrière les façades, beaucoup de misères se cachent, ignorées même des plus proches voisins; d'autres s'étalent où sombre la dignité de l'homme: délinquance, criminalité, drogue, érotisme.

11. Ce sont en effet les plus faibles qui sont les victimes des conditions de vie déshumanisantes, dégradantes pour les consciences et nuisibles à l'institution de la famille: la promiscuité des logements populaires rend impossible un minimum d'intimité; les jeunes foyers, attendant vainement un logement décent et à prix accessible, se démoralisent et leur unité peut même s'en trouver compromise; les jeunes fuient un foyer trop exigu et cherchent dans la rue des compensations et des compagnonnages incontrôlables. Il est du devoir grave des responsables de chercher à maîtriser et à orienter ce processus.

Il est urgent de reconstituer à l'échelle de la rue, du quartier ou du grand ensemble, le tissu social où l'homme puisse épanouir les besoins de sa personnalité. Des centres d'intérêt et de culture sont à créer ou à développer au niveau des communautés et des paroisses, dans ces diverses formes d'associations, ces cercles de loisirs, ces lieux de rassemblement, ces rencontres spirituelles communautaires où chacun, échappant à l'isolement, recréera des rapports fraternels.

12. Construire aujourd'hui la ville, lieu d'existence des hommes et de leurs communautés élargies, créer de nouveaux modes de proximité et de relations, percevoir une application originale de la justice sociale, prendre en charge cet avenir collectif qui s'annonce difficile, c'est une tâche à laquelle des chrétiens doivent participer. À ces hommes entassés dans une promiscuité urbaine qui devient intolérable, il faut apporter un message d'espérance, par une fraternité vécue et une justice concrète. Que les chrétiens, conscients de cette responsabilité nouvelle, ne perdent pas cœur dans l'immensité sans visage de la cité mais qu'ils se souviennent de Jonas qui longuement parcourt Ninive la grande ville, pour y annoncer la bonne nouvelle de la miséricorde divine, soutenu dans sa faiblesse par la seule force de la parole du Dieu Tout-Puissant.

Dans la Bible, la ville est souvent le lieu du péché et de l'orgueil, orgueil d'un homme qui se sent assez assuré pour bâtir sa vie sans Dieu et même s'affirmer puissant contre lui. Mais c'est aussi Jérusalem, la ville sainte, le lieu de rencontre avec Dieu, la promesse de la cité qui vient d'en haut[8].

Les jeunes

13. Vie urbaine et mutation industrielle mettent par ailleurs en vive lumière des questions jusqu'ici mal perçues. Quelle sera, par exemple, dans ce monde en gestation, la place des femmes et celle des jeunes?

Partout le dialogue s'avère difficile entre une jeunesse porteuse d'aspirations, de renouveau et aussi d'insécurité pour l'avenir, et les générations adultes. Qui ne voit qu'il y a là une source de conflits graves, de ruptures, et de démissions, même au sein de la famille, et une question posée sur les modes d'autorité, l'éducation de la liberté, la transmission des valeurs et des croyances, qui touche aux racines profondes de la société?

---

8.   Cf. *Apoc.* 3, 12; 21, 2.

La place de la femme

De même, dans beaucoup de pays, un statut de la femme qui fasse cesser une discrimination effective et établisse des rapports d'égalité dans les droits et le respect de sa dignité est l'objet de recherches, parfois de revendications vives. Nous ne parlons pas de cette fausse égalité qui nierait les distinctions établies par le Créateur lui-même et qui serait en contradiction avec le rôle spécifique, combien capital, de la femme au cœur du foyer aussi bien qu'au sein de la société. L'évolution des législations doit au contraire aller dans le sens de la protection de sa vocation propre en même temps que de la reconnaissance de son indépendance en tant que personne, de l'égalité de ses droits à participer à la vie culturelle, économique, sociale et politique.

Les travailleurs

14. L'Église l'a solennellement réaffirmé au dernier Concile: «La personne humaine est et doit être le principe, le sujet et la fin de toutes les institutions.»[9] Tout homme a droit au travail, à la possibilité de développer ses qualités et sa personnalité dans l'exercice de sa profession, à une rémunération équitable qui lui permette, à lui et à sa famille, de «mener une vie digne sur le plan matériel, social, culturel et spirituel»[10], à l'assistance en cas de besoin, du fait de la maladie ou de l'âge.

Si, pour la défense de ces droits, les sociétés démocratiques acceptent le principe du droit syndical, elles ne sont pas, pour autant, toujours ouvertes à son exercice. L'on doit admettre le rôle important des syndicats: ils ont pour objet la représentation des diverses catégories de travailleurs, leur légitime collaboration à l'essor économique de la société, le développement du sens de leurs responsabilités pour la réalisation du bien commun. Leur action ne va pas, cependant, sans difficultés: la tentation peut apparaître, ici ou là, de profiter d'une position de force pour imposer notamment par la grève — dont le droit

---

9. Constitution Pastorale *Gaudium et Spes*, 25: A.A.S. 58 (1966), p. 1045.
10. *Ibidem*, 67: p. 1089.

comme moyen ultime de défense reste, certes, reconnu — des conditions trop lourdes pour l'ensemble de l'économie ou du corps social ou pour vouloir faire aboutir des revendications d'ordre directement politique. Lorsqu'il s'agit en particulier de services publics, nécessaires à la vie quotidienne de toute une communauté, on devra savoir estimer le seuil au-delà duquel le tort causé devient inadmissible.

Les victimes des mutations

15. Bref, des progrès ont déjà été accomplis pour introduire, au sein des rapports humains, plus de justice et de participation aux responsabilités. Mais, en cet immense domaine, il reste encore beaucoup à faire. Aussi faut-il poursuivre activement la réflexion, la recherche et l'expérimentation, sous peine de demeurer en retard par rapport aux aspirations légitimes des travailleurs, aspirations qui s'affirment davantage au fur et à mesure que se développent leur formation, la conscience de leur dignité, la vigueur de leurs organisations.

L'égoïsme et la domination sont chez les hommes des tentations permanentes. Aussi un discernement toujours plus affiné est-il nécessaire pour saisir, à leur racine, les situations naissantes d'injustice et instaurer progressivement une justice de moins en moins imparfaite. Dans la mutation industrielle, qui réclame une adaptation rapide et constante, ceux qui vont se trouver lésés seront plus nombreux et plus défavorisés pour faire entendre leurs voix. Vers ces nouveaux «pauvres» — handicapés et inadaptés, vieillards, marginaux, d'origine diverse —, l'attention de l'Église se porte pour les reconnaître, les aider, défendre leur place et leur dignité dans une société durcie par la compétition et l'attrait de la réussite.

Les discriminations

16. Au nombre des victimes des situations d'injustice — encore que le phénomène ne soit, malheureusement, pas nouveau — il faut placer ceux qui sont l'objet de discriminations, de droit ou de fait, à cause de leur race, leur origine, leur couleur, leur culture, leur sexe ou leur religion.

La discrimination raciale revêt, en ce moment, un caractère de plus forte actualité par la tension qu'elle soulève tant à l'intérieur de certains pays qu'au plan international lui-même. Avec raison, les hommes tiennent pour injustifiable et rejettent comme inadmissible la tendance à maintenir ou à introduire une législation ou des comportements, inspirés systématiquement par les préjugés racistes: les membres de l'humanité partagent la même nature et, par conséquent, la même dignité avec les mêmes droits et mêmes devoirs fondamentaux, comme la même destinée surnaturelle. Au sein d'une commune patrie, tous doivent être égaux devant la loi, trouver un accès égal à la vie économique, culturelle, civique ou sociale et bénéficier d'une équitable répartition de la richesse nationale.

Un droit à l'émigration

17. Nous songeons aussi à la situation précaire d'un grand nombre de travailleurs émigrés, dont la condition d'étrangers rend d'autant plus difficile, de leur part, toute revendication sociale, malgré leur réelle participation à l'effort économique du pays d'accueil. Il est urgent que l'on sache dépasser à leur égard une attitude étroitement nationaliste pour leur créer un statut qui reconnaisse un droit à l'émigration, favorise leur intégration, facilite leur promotion professionnelle et leur permette l'accès à un logement décent, où puissent les rejoindre, le cas échéant, leurs familles[11].

À cette catégorie se rattachent les populations qui, pour trouver du travail, fuir une catastrophe ou un climat hostile, quittent leurs régions et se retrouvent déracinés chez les autres.

Il est du devoir de tous — et spécialement des chrétiens[12] — de travailler avec énergie à instaurer la fraternité universelle, base indispensable d'une justice authentique et condition d'une paix durable: «Nous ne pouvons invoquer Dieu, Père de tous les hommes, si nous refusons de nous conduire fraternellement envers certains des hommes créés à

---

11. Encyclique *Populorum Progressio*, 69: A.A.S. 59 (1967), pp. 290-291.
12. Cf. *Rom.* 25, 35.

l'image de Dieu. La relation de l'homme à Dieu le Père et la relation de l'homme à ses frères humains sont tellement liées que l'Écriture dit: «Qui n'aime pas ne connaît pas Dieu.»[13]

Créer des emplois

18. Avec la croissance démographique, surtout marquée dans les jeunes nations, le nombre de ceux qui n'arrivent pas à trouver du travail et sont contraints à la misère ou au parasitisme ira, grandissant dans les prochaines années, à moins qu'un sursaut de la conscience humaine n'entraîne un mouvement général de solidarité par une politique efficace d'investissements, d'organisation de la production et de la commercialisation, aussi bien du reste que de formation. Nous savons l'attention qui est portée à ces problèmes au sein des instances internationales et Nous souhaitons vivement que leurs membres ne tardent pas à conformer leurs actes à leurs déclarations.

Il est inquiétant de constater en ce domaine une sorte de fatalisme qui s'empare même des responsables. Ce sentiment conduit parfois jusqu'aux solutions malthusiennes prônées par une propagande active en faveur de la contraception et de l'avortement. Dans cette situation critique, il faut au contraire affirmer que la famille, sans laquelle nulle société ne peut subsister, a droit à l'assistance qui lui assure les conditions d'un sain épanouissement. «Il est certain, disions-Nous dans notre encyclique *Populorum Progressio*, que les pouvoirs publics, dans les limites de leur compétence, peuvent intervenir, en développant une information appropriée et en prenant des mesures adaptées, pourvu qu'elles soient conformes aux exigences de la loi morale et respectueuses de la juste liberté du couple. Sans droit inaliénable au mariage et à la procréation, il n'est plus de dignité humaine.»[14]

19. Jamais à aucune autre époque l'appel à l'imagination sociale n'a été aussi explicite. Il faut y consacrer des efforts d'invention et des capitaux aussi importants que ceux qui sont

---

13. Déclaration *Nostra Aetate*, 5: A.A.S. 58 (1966), p. 743.
14. 37: A.A.S. 59 (1967), p. 276.

investis pour l'armement ou pour les performances technologiques. Si l'homme se laisse déborder et ne prévoit pas à temps l'émergence des nouvelles questions sociales, celles-ci deviendront trop graves pour qu'une solution pacifique puisse être espérée.

Les moyens de communications sociales

20. Parmi les changements majeurs de notre temps, Nous ne voulons pas oublier de souligner le rôle croissant que prennent les moyens de communications sociales et leur influence sur la transformation des mentalités, des connaissances, des organisations et de la société elle-même. Certes, ils ont bien des aspects positifs: grâce à eux, les informations du monde entier nous parviennent quasi instantanément, créant un contact par-delà les distances et des éléments d'unité entre tous les hommes; une diffusion plus étendue de la formation et de la culture devient possible. Toutefois, ces moyens de communications sociales, par leur action même, en arrivent à représenter comme un nouveau pouvoir. Comment ne pas alors s'interroger sur les détenteurs réels de ce pouvoir, sur les buts qu'ils poursuivent et les moyens qu'ils mettent en œuvre, sur le retentissement, enfin, de leur action, quant à l'exercice des libertés individuelles, aussi bien dans les domaines politique et idéologique que dans la vie sociale, économique et culturelle? Les hommes qui détiennent cette puissance ont une grave responsabilité morale par rapport à la vérité des informations qu'ils doivent diffuser, par rapport aux besoins et aux réactions qu'ils font naître, par rapport aux valeurs qu'ils proposent. Plus encore, avec la télévision, c'est un mode original de connaissance et une nouvelle civilisation qui s'ébauche: celle de l'image.

Naturellement, les pouvoirs publics ne peuvent ignorer ni l'emprise croissante des moyens de communications sociales ni les avantages ou les risques que leur usage comporte pour le développement et l'avancement véritable de la société civile.

Il leur revient, de ce fait, d'exercer positivement leur fonction de service du bien commun, en apportant leur encouragement aux initiatives constructives et leur appui aux individus et aux groupes dans leur action pour défendre les valeurs fondamentales de la personne humaine et de la communauté humaine. Ils s'emploieront, d'autre part, à éviter, par des mesures opportunes, que se propage ce qui serait de nature à léser le patrimoine commun des valeurs sur lesquelles se fonde le progrès authentique de la société[15].

L'environnement

21. Tandis que l'horizon de l'homme se modifie ainsi à partir des images qu'on choisit pour lui, une autre transformation se fait sentir, conséquence aussi dramatique qu'inattendue de l'activité humaine. Brusquement l'homme en prend conscience: par une exploitation inconsidérée de la nature il risque de la détruire et d'être à son tour la victime de cette dégradation. Non seulement l'environnement matériel devient une menace permanente: pollutions et déchets, nouvelles maladies, pouvoir destructeur absolu; mais c'est le cadre humain que l'homme ne maîtrise plus, créant ainsi pour demain un environnement qui pourra lui être intolérable. Problème social d'envergure qui regarde la famille humaine tout entière.

C'est vers ces perceptions neuves que le chrétien doit se tourner pour prendre en responsabilité, avec les autres hommes, un destin désormais commun.

ASPIRATIONS FONDAMENTALES ET COURANTS D'IDÉES

22. En même temps que le progrès scientifique et technique continue à bouleverser le paysage de l'homme, ses modes de connaissance, de travail, de consommation et de relations, s'exprime toujours, dans ces contextes nouveaux, une double aspiration plus vive au fur et à mesure que se développent son information et son éducation: aspiration à l'égalité, aspiration à la participation; deux formes de la dignité de l'homme et de sa liberté.

---

15. Décret *Inter Mirifica*, 12: A.A.S. 56 (1964), p. 149.

Avantages et limites des reconnaissances juridiques

23. Pour inscrire dans les faits et les structures cette double aspiration, des progrès ont été accomplis dans l'énoncé des droits de l'homme et la recherche d'accords internationaux pour l'application de ces droits[16]. Cependant les discriminations — ethniques, culturelles, religieuses, politiques... — renaissent toujours. En fait, les droits humains demeurent encore trop souvent méconnus, sinon bafoués, ou leur respect est purement formel. En bien des cas, la législation est en retard sur les situations réelles. Nécessaire, elle est insuffisante à établir de véritables rapports de justice et d'égalité. L'Évangile, en nous enseignant la charité, nous apprend le respect privilégié des pauvres et leur situation particulière dans la société: les plus favorisés doivent renoncer à certains de leurs droits, pour mettre avec plus de libéralité leurs biens au service des autres. Si, en effet, au-delà des règles juridiques, manque un sens plus profond du respect et du service d'autrui, même l'égalité devant la loi pourra servir d'alibi à des discriminations flagrantes, à des exploitations maintenues, à un mépris effectif. Sans une éducation renouvelée de la solidarité, une affirmation excessive de l'égalité peut donner lieu à un individualisme où chacun revendique ses droits, sans se vouloir responsable du bien commun.

Qui ne voit l'apport capital, dans ce domaine, de l'esprit chrétien qui va d'ailleurs à la rencontre des aspirations de l'homme à être aimé? L'amour de l'homme, première valeur de l'ordre terrestre, assure les conditions de la paix, tant sociale qu'internationale, en affirmant notre fraternité universelle[17].

La société politique

24. La double aspiration vers l'égalité et la participation cherche à promouvoir un type de société démocratique. Divers modèles sont proposés, certains sont expérimentés; aucun ne donne complète satisfaction et la recherche reste ouverte entre les

---

16. Encyclique *Pacem in Terris*: A.A.S. 55 (1963), p. 261. sq.
17. Cf. *Message pour la Journée Mondiale de la Paix*: A.A.S. 63 (1971), pp. 5-9.

tendances idéologiques et pragmatiques. Le chrétien a le devoir
de participer à cette recherche et à l'organisation comme à la vie
de la société politique. Être social, l'homme construit son destin
dans une série de groupements particuliers qui appellent,
comme leur achèvement et comme une condition nécessaire de
leur développement, une société plus vaste, de caractère universel, la société politique. Toute activité particulière doit se
replacer dans cette société élargie et prend, par là même, la
dimension du bien commun[18].

C'est dire l'importance d'une éducation à la vie en société,
où, en plus de l'information sur les droits de chacun, soit
rappelé leur nécessaire corrélatif: la reconnaissance des devoirs
à l'égard des autres; le sens et la pratique du devoir sont eux-
mêmes conditionnés par la maîtrise de soi, l'acceptation des
responsabilités et des limites posées à l'exercice de la liberté de
l'individu ou du groupe.

25. L'action politique — est-il besoin de marquer qu'il
s'agit d'abord d'une action et non pas d'une idéologie? — doit
être soustendue par un projet de société, cohérent dans ses
moyens concrets et dans son inspiration qui s'alimente à une
conception plénière de la vocation de l'homme et de ses différentes expressions sociales. Il n'appartient ni à l'État, ni même
à des partis politiques qui seraient clos sur eux-mêmes, de
chercher à imposer une idéologie, par des moyens qui abouti-
raient à la dictature des esprits, la pire de toutes. C'est aux
groupements culturels et religieux — dans la liberté d'adhésion
qu'ils supposent — qu'il appartient, de manière désintéressée
et par leurs voies propres, de développer dans le corps social
ces convictions ultimes sur la nature, l'origine et la fin de
l'homme et de la société.

En ce domaine, il convient de rappeler le principe proclamé au Concile Vatican II: «La vérité ne s'impose que par la force
de la vérité elle-même qui pénètre l'esprit avec autant de dou-
ceur que de puissance.»[19]

---

18. Constitution Pastorale *Gaudium et Spes*, 74: A.A.S. 58 (1969), pp. 1095-
    1096.

19. Déclaration *Dignitatis Humanæ*, 1: A.A.S. 58 (1966), p. 930.

Idéologies et liberté humaine

26. Aussi le chrétien qui veut vivre sa foi dans une action politique conçue comme un service, ne peut-il, sans se contredire, adhérer à des systèmes idéologiques qui s'opposent radicalement ou sur des points substantiels, à sa foi et à sa conception de l'homme: ni à l'idéologie marxiste, à son matérialisme athée, à sa dialectique de violence et à la manière dont elle résorbe la liberté individuelle dans la collectivité, en niant en même temps toute transcendance à l'homme et à son histoire, personnelle et collective; ni à l'idéologie libérale, qui croit exalter la liberté individuelle en la soustrayant à toute limitation, en la stimulant par la recherche exclusive de l'intérêt et de la puissance, et en considérant les solidarités sociales comme des conséquences plus ou moins automatiques des initiatives individuelles et non pas comme un but et un critère majeur de la valeur de l'organisation sociale.

27. Est-il besoin de souligner l'ambiguïté possible de toute idéologie sociale? Tantôt elle ramène l'action, politique ou sociale, à être simplement l'application d'une idée abstraite, purement théorique; tantôt c'est la pensée qui devient un pur instrument au service de l'action comme un simple moyen d'une stratégie. Dans les deux cas, n'est-ce pas l'homme qui risque de se trouver aliéné? La foi chrétienne se situe au-dessus et parfois à l'opposé des idéologies dans la mesure où elle reconnaît Dieu, transcendant et créateur, qui interpelle, à travers tous les niveaux du créé, l'homme comme liberté responsable.

28. Le danger serait aussi d'adhérer fondamentalement à une idéologie qui ne repose pas sur une doctrine vraie et organique, de s'y réfugier comme dans une explication dernière et suffisante de tout et de se construire ainsi une nouvelle idole dont on accepte, parfois sans en prendre conscience, le caractère totalitaire et contraignant. Et l'on pense trouver là une justification à son action, même violente, une adéquation à un désir généreux de service; celui-ci demeure, mais il se laisse absorber par une idéologie qui — même si elle propose certaines voies de libération pour l'homme — aboutit finalement à l'asservir.

29. Si l'on a pu parler aujourd'hui d'un recul des idéologies, ce peut être un temps favorable pour une ouverture sur la transcendance concrète du christianisme. Ce peut être aussi le glissement plus accentué vers un nouveau positivisme: la technique universalisée comme forme dominante d'activité, comme mode envahissant d'exister, comme langage même, sans que la question de son sens ne soit réellement posée.

Les mouvements historiques

30. Mais en dehors de ce positivisme qui réduit l'homme à une seule dimension — fût-elle importante aujourd'hui — et en cela le mutile, le chrétien rencontre, dans son action, des mouvements historiques concrets issus des idéologies, et, pour une part, distincts d'elles. Déjà notre vénéré Prédécesseur Jean XXIII, dans *Pacem in Terris*, montre qu'il est possible d'opérer une distinction: «On ne peut identifier, écrit-il, de fausses théories philosophiques sur la nature, l'origine et la finalité du monde et de l'homme, avec des mouvements historiques fondés dans un but économique, social, culturel ou politique, même si ces derniers ont dû leur origine à ces théories et puisent encore leur inspiration en elles. Une doctrine, une fois fixée et formulée, ne change plus, tandis que des mouvements ayant pour objet des conditions concrètes et changeantes de la vie ne peuvent pas ne pas être largement influencés par celle évolution. Du reste, dans la mesure où ces mouvements sont d'accord avec les sains principes de la raison et répondent aux justes aspirations de la personne humaine, qui refuserait d'y reconnaître des éléments positifs et dignes d'approbation?»[20]

L'attrait des courants socialistes

31. Aujourd'hui des chrétiens sont attirés par les courants socialistes et leurs évolutions diverses. Ils cherchent à y reconnaître un certain nombre d'aspirations qu'ils portent en eux-mêmes au nom de leur foi. Ils se sentent insérés dans ce courant historique et veulent y mener une action. Or, selon les conti-

---

20. 159: A.A.S. (1963), p. 300.

nents et les cultures, ce courant historique prend des formes différentes sous un même vocable, même s'il a été et demeure, en bien des cas, inspiré par des idéologies incompatibles avec la foi. Un discernement attentif s'impose. Trop souvent les chrétiens attirés par le socialisme ont tendance à l'idéaliser en termes d'ailleurs très généraux: volonté de justice, de solidarité et d'égalité. Ils refusent de reconnaître les contraintes des mouvements historiques socialistes, qui restent conditionnés par leurs idéologies d'origine. Entre les divers niveaux d'expression du socialisme — une aspiration généreuse et une recherche d'une société plus juste, des mouvements historiques ayant une organisation et un but politiques, une idéologie prétendant donner une vision totale et autonome de l'homme —, des distinctions sont à établir qui guideront les choix concrets. Toutefois ces distinctions ne doivent pas tendre à considérer ces niveaux comme complètement séparés et indépendants. Le lien concret qui, selon les circonstances, existe entre eux, doit être lucidement repéré, et cette perspicacité permettra aux chrétiens d'envisager le degré d'engagement possible dans cette voie, étant sauves les valeurs, notamment de liberté, de responsabilité et d'ouverture au spirituel, qui garantissent l'épanouissement intégral de l'homme.

L'évolution historique du marxisme

32. D'autres chrétiens se demandent même si une évolution historique du marxisme n'autoriserait pas certains rapprochements concrets. Ils constatent en effet un certain éclatement du marxisme qui, jusqu'ici, se présentait comme une idéologie unitaire, explicative de la totalité de l'homme et du monde dans son processus de développement, et donc athée. En dehors de l'affrontement idéologique qui sépare officiellement les divers tenants du marxisme-léninisme dans leur interprétation respective de la pensée des fondateurs, et des oppositions ouvertes entre les systèmes politiques qui se réclament aujourd'hui d'elle, certains établissent les distinctions entre divers niveaux d'expression du marxisme.

33. Pour les uns, le marxisme demeure essentiellement une pratique active de la lutte de classes. Expérimentant la vigueur

toujours présente et sans cesse renaissante des rapports de domination et d'exploitation entre les hommes, ils réduisent le marxisme à n'être que lutte, parfois sans autre projet, lutte qu'il faut poursuivre et même susciter de façon permanente. Pour d'autres, il sera d'abord l'exercice collectif d'un pouvoir politique et économique sous la direction d'un parti unique, qui se veut être — et lui seul — expression et garant du bien de tous, enlevant aux individus et aux autres groupes toute possibilité d'initiative et de choix. À un troisième niveau, le marxisme — qu'il soit au pouvoir ou non — se réfère à une idéologie socialiste à base de matérialisme historique et de négation de tout transcendant. Ailleurs enfin, il se présente sous une forme plus atténuée, plus séduisante aussi pour l'esprit moderne: comme une activité scientifique, comme une méthode rigoureuse d'examen de la réalité sociale et politique, comme le lien rationnel et expérimenté par l'histoire entre la connaissance théorique et la pratique de la transformation révolutionnaire. Bien que ce type d'analyse privilégie certains aspects de la réalité au détriment des autres et les interprète en fonction de l'idéologie, il fournit pourtant à certains, avec un instrument de travail, une certitude préalable à l'action, avec la prétention de déchiffrer, sous un mode scientifique, les ressorts de l'évolution de la société.

34. Si à travers le marxisme, tel qu'il est concrètement vécu, on peut distinguer ces divers aspects et les questions qu'ils posent aux chrétiens pour la réflexion et pour l'action, il serait illusoire et dangereux d'en arriver à oublier le lien intime qui les unit radicalement, d'accepter les éléments de l'analyse marxiste sans reconnaître leurs rapports avec l'idéologie, d'entrer dans la pratique de la lutte des classe et de son interprétation marxiste en négligeant de percevoir le type de société totalitaire et violente à laquelle conduit ce processus.

L'idéologie libérale

35. D'autre part, on assiste à un renouveau de l'idéologie libérale. Ce courant s'affirme, soit au nom de l'efficacité économique, soit pour défendre l'individu contre les emprises de plus en plus envahissantes des organisations, soit contre les ten-

dances totalitaires des pouvoirs politiques. Et certes l'initiative personnelle est à maintenir et à développer. Mais les chrétiens qui s'engagent dans cette voie n'ont-ils pas tendance à idéaliser, à leur tour, le libéralisme qui devient alors une proclamation en faveur de la liberté? Ils voudraient un modèle nouveau, plus adapté aux conditions actuelles, en oubliant facilement que, dans sa racine même, le libéralisme philosophique est une affirmation erronée de l'autonomie de l'individu, dans son activité, ses motivations, l'exercice de sa liberté. C'est dire que l'idéologie libérale requiert, également, de leur part, un discernement attentif.

Le discernement chrétien

36. Dans cette approche renouvelée des diverses idéologies, le chrétien puisera aux sources de sa foi et dans l'enseignement de l'Église les principes et les critères opportuns pour éviter de se laisser séduire, puis enfermer, dans un système dont les limites et le totalitarisme risquent de lui apparaître trop tard s'il ne les perçoit pas dans leurs racines. Dépassant tout système, sans pour autant omettre l'engagement concret au service de ses frères, il affirmera, au sein même de ses options, la spécificité de l'apport chrétien pour une transformation positive de la société[21].

Renaissance des utopies

37. Aujourd'hui d'ailleurs, les faiblesses des idéologies sont mieux perçues à travers les systèmes concrets où elles essaient de se réaliser. Socialisme bureaucratique, capitalisme technocratique, démocratie autoritaire manifestent la difficulté de résoudre le grand problème humain de vivre ensemble dans la justice et l'égalité. Comment pourraient-ils, en effet, échapper au matérialisme, à l'égoïsme ou à la contrainte qui, fatalement, les accompagnent? D'où une contestation qui surgit un peu partout, signe d'un malaise profond, tandis qu'on assiste à la renaissance de ce qu'il est convenu d'appeler les «utopies», qui

---

21. Cf. Const. Past. *Gaudium et Spes*, 11: A.A.S. 58 (1966), p. 1033.

prétendent, mieux que les idéologies, résoudre les problèmes politiques des sociétés modernes? Il serait dangereux de le méconnaître, l'appel à l'utopie est souvent un prétexte commode à qui veut fuir les tâches concrètes pour se réfugier dans un monde imaginaire. Vivre dans un futur hypothétique est un alibi facile pour repousser des responsabilités immédiates. Mais il faut bien le reconnaître, cette forme de critique de la société existante provoque souvent l'imagination prospective, à la fois pour percevoir dans le présent le possible ignoré qui s'y trouve inscrit et pour orienter vers un avenir neuf; elle soutient ainsi la dynamique sociale par la confiance qu'elle donne aux forces inventives de l'esprit et du cœur humains; et, si elle ne refuse aucune ouverture, elle peut aussi rencontrer l'appel chrétien. L'Esprit du Seigneur, qui anime l'homme rénové dans le Christ, bouscule sans cesse les horizons où son intelligence aime trouver sa sécurité, et les limites où volontiers son action s'enfermerait; une force l'habite qui l'appelle à dépasser tout système et toute idéologie. Au cœur du monde demeure le mystère de l'homme qui se découvre fils de Dieu au cours d'un processus historique et psychologique où luttent et alternent contraintes et liberté, pesanteur du péché et souffle de l'Esprit.

Le dynamisme de la foi chrétienne triomphe alors des calculs étroits de l'égoïsme. Animé par la puissance de l'Esprit de Jésus-Christ, Sauveur des hommes, soutenu par l'Espérance, le chrétien s'engage dans la construction d'une cité humaine, pacifique, juste et fraternelle, qui soit une offrande agréable à Dieu[22]. En effet, «l'attente de la nouvelle terre, loin d'affaiblir en nous le souci de cultiver cette terre doit plutôt le réveiller: le corps de la nouvelle famille humaine y grandit, qui offre déjà quelque ébauche du siècle à venir»[23].

L'interrogation des sciences humaines

38. Dans ce monde dominé par la mutation scientifique et technique qui risque de l'entraîner vers un nouveau positi-

---

22. Cf. *Rom.* 15, 16.
23. Const. Past. *Gaudium et Spes*, 39: A.A.S. 58 (1966), p. 1057.

visme, un autre doute se lève, plus essentiel. Après s'être appliqué à soumettre rationnellement la nature, voici que l'homme se trouve comme enfermé lui-même dans sa propre rationalité: il devient à son tour objet de science. Les «sciences humaines» connaissent aujourd'hui un essor significatif. D'une part, elles soumettent à un examen critique et radical les connaissances admises jusqu'ici par l'homme, parce qu'elles leur apparaissent ou trop empiriques ou trop théoriques. D'autre part, la nécessité méthodologique et l'a priori idéologique les conduisent trop souvent à isoler, à travers les situations variées, certains aspects de l'homme et à leur donner pourtant une explication qui prétend être globale, ou du moins une interprétation qui se voudrait totalisante à partir d'un point de vue purement quantitatif ou phénoménologiste. Cette réduction «scientifique» trahit une prétention dangereuse. Privilégier ainsi tel aspect de l'analyse, c'est mutiler l'homme et, sous les apparences d'un processus scientifique, se rendre incapable de le comprendre dans sa totalité.

39. Il ne faut pas être moins attentif à l'action que les «sciences humaines» peuvent susciter, en donnant naissance à l'élaboration de modèles sociaux que l'on voudrait imposer ensuite comme types de conduite scientifiquement éprouvés. L'homme peut alors devenir objet de manipulations, orientant ses désirs et ses besoins, modifiant ses comportements et jusqu'à son système de valeurs. Nul doute qu'il n'y ait là un danger grave pour les sociétés de demain et pour l'homme lui-même. Car si tous s'accordent pour construire une société nouvelle qui sera au service des hommes, encore faut-il savoir de quel homme il s'agit.

40. Le soupçon des sciences humaines atteint le chrétien plus que d'autres, mais ne le trouve pas désarmé. Car, Nous l'écrivions Nous-même dans *Populorum Progressio*, c'est là que se situe l'apport spécifique de l'Église aux civilisations: «Communiant aux meilleures aspirations des hommes et souffrant de les voir insatisfaites, l'Église désire les aider à atteindre leur plein épanouissement, et c'est pourquoi elle leur propose ce qu'elle possède en propre: une vision globale de l'homme et de

l'humanité.»[24] Faudrait-il alors que l'Église conteste les sciences humaines dans leur démarche et dénonce leur prétention? Comme pour les sciences de la nature, l'Église fait confiance à cette recherche et invite les chrétiens à y être activement présents[25]. Animés par la même exigence scientifique et le désir de mieux connaître l'homme, mais en même temps éclairés par leur foi, les chrétiens adonnés aux sciences humaines ouvriront un dialogue, qui s'annonce fructueux, entre l'Église et ce champ nouveau de découvertes. Certes chaque discipline scientifique ne pourra saisir, dans sa particularité, qu'un aspect partiel mais vrai de l'homme; la totalité et le sens lui échappent. Mais à l'intérieur de ces limites, les sciences humaines assurent une fonction positive que l'Église reconnaît volontiers. Elles peuvent même élargir les perspectives de la liberté humaine plus largement que les conditionnements perçus ne la laissaient prévoir. Elles pourraient aussi aider la morale sociale chrétienne, qui verra sans doute son champ se limiter lorsqu'il s'agit de proposer certains modèles sociaux, tandis que sa fonction de critique et de dépassement se renforcera en montrant le caractère relatif des comportements et des valeurs que telle société présentait comme définitives et inhérentes à la nature même de l'homme. Condition à la fois indispensable et insuffisante d'une meilleure découverte de l'humain, ces sciences sont un langage de plus en plus complexe, mais qui élargit, plus qu'il ne comble, le mystère du cœur de l'homme et n'apporte pas la réponse complète et définitive au désir qui monte du plus profond de son être.

L'ambiguïté du progrès

41. Cette meilleure connaissance de l'homme permet de mieux critiquer et éclairer une notion fondamentale qui demeure à la base des sociétés modernes, à la fois comme mobile, comme mesure et comme objectif: le progrès. Depuis le XIXe siècle, les sociétés occidentales et beaucoup d'autres à leur contact ont mis leur espoir dans un progrès sans cesse renouvelé, indéfini. Ce

---

24. 13: A.A.S. 59 (1967), p. 264.
25. Cf. Const. Past. *Gaudium et Spes*, 36: A.A.S. 58 (1966), p. 1054.

progrès leur apparaissait comme l'effort de libération de l'homme à l'égard des nécessités de la nature et des contraintes sociales; c'était la condition et la mesure de la liberté humaine. Diffusé par les moyens modernes d'information et par la sollicitation de savoirs et de consommations plus étendus, le progrès devient une idéologie omniprésente. Un doute aujourd'hui se lève pourtant et sur sa valeur et sur son issue. Que signifie cette quête inexorable d'un progrès qui fuit chaque fois que l'on croit l'avoir conquis? Non maîtrisé, le progrès laisse insatisfait. Sans doute a-t-on dénoncé, à juste titre, les limites et même les méfaits d'une croissance économique purement quantitative et souhaite-t-on atteindre aussi des objectifs d'ordre qualitatif. La qualité et la vérité des rapports humains, le degré de participation et de responsabilité sont non moins significatifs et importants pour le devenir de la société, que la quantité et la variété des biens produits et consommés. Surmontant la tentation de vouloir tout mesurer en termes d'efficacité et d'échanges, en rapports de forces et d'intérêts, l'homme désire aujourd'hui substituer de plus en plus à ces critères quantitatifs l'intensité de la communication, la diffusion des savoirs et des cultures, le service réciproque, la concertation pour une tâche commune. Le vrai progrès n'est-il pas dans le développement de la conscience morale qui conduira l'homme à prendre en charge des solidarités élargies et à s'ouvrir librement aux autres et à Dieu? Pour un chrétien, le progrès rencontre nécessairement le mystère eschatologique de la mort: la mort du Christ et sa résurrection, l'impulsion de l'Esprit du Seigneur aident l'homme à situer sa liberté créatrice et reconnaissante, dans la vérité de tout progrès, dans la seule espérance qui ne déçoit pas[26].

LES CHRÉTIENS DEVANT CES NOUVEAUX PROBLÈMES

Dynamisme de l'enseignement social de l'Église

42. Devant tant de questions nouvelles, l'Église fait un effort de réflexion pour répondre, dans son domaine propre, à l'attente

---

26. Cf. *Rom.* 5, 5.

des hommes. Si aujourd'hui les problèmes paraissent originaux par leur ampleur et leur urgence, l'homme est-il démuni pour les résoudre? C'est avec tout son dynamisme que l'enseignement social de l'Église accompagne les hommes dans leur recherche. S'il n'intervient pas pour authentifier une structure donnée ou pour proposer un modèle préfabriqué, il ne se limite pas non plus à rappeler quelques principes généraux: il se développe par une réflexion menée au contact des situations changeantes de ce monde, sous l'impulsion de l'Évangile comme source de renouveau, dès lors que son message est accepté dans sa totalité et dans ses exigences. Il se développe aussi avec la sensibilité propre de l'Église, marquée par une volonté désintéressée de service et une attention aux plus pauvres. Il puise enfin dans une expérience riche de plusieurs siècles qui lui permet d'assumer, dans la continuité de ses préoccupations permanentes, l'innovation hardie et créatrice que requiert la situation présente du monde.

Pour une plus grande justice

43. Une plus grande justice reste à instaurer dans la répartition des biens, tant à l'intérieur des communautés nationales que sur le plan international. Dans les échanges mondiaux, il faut dépasser les rapports de force pour arriver à des ententes concertées en vue du bien de tous. Les rapports de force n'ont jamais établi en effet la justice de façon durable et vraie, même si à certains moments l'alternance des positions peut souvent permettre de trouver des conditions plus faciles de dialogue. L'usage de la force suscite du reste la mise en œuvre de forces adverses, d'où un climat de luttes qui ouvrent à des situations extrêmes de violence et à des abus[27]. Mais, nous l'avons souvent affirmé, le devoir le plus important de justice est de permettre à chaque pays de promouvoir son propre développement, dans le cadre d'une coopération exempte de tout esprit de domination, économique et politique. Certes, la complexité des problèmes soulevés est grande dans l'enchevêtrement actuel des interdépendances; aussi faut-il avoir le courage d'entreprendre

---

27. Cf. *Populorum Progressio*, 56 ss.: A.A.S. 59 (1967), p. 285 ss.

une révision des rapports entre les nations, qu'il s'agisse de répartition internationale de la production, de structure des échanges, de contrôle des profits, de système monétaire — sans oublier les actions de solidarité humanitaire —, de mettre en question les modèles de croissance des nations riches, de transformer les mentalités pour les ouvrir à la priorité du devoir international, de rénover les organismes internationaux en vue d'une plus grande efficacité.

44. Sous la poussée de nouveaux systèmes de production, les frontières nationales éclatent et l'on voit apparaître de nouvelles puissances économiques, les entreprises multinationales, qui par la concentration et la souplesse de leurs moyens peuvent mener des stratégies autonomes, en grande partie indépendantes des pouvoirs politiques nationaux, donc sans contrôle au point de vue du bien commun. En étendant leurs activités, ces organismes privés peuvent conduire à une nouvelle forme abusive de domination économique sur le domaine social, culturel et même politique. La concentration excessive des moyens et des pouvoirs que dénonçait déjà Pie XI pour le 40e anniversaire de *Rerum Novarum* prend un nouveau visage concret.

Changement des cœurs et des structures

45. Aujourd'hui les hommes aspirent à se libérer du besoin et de la dépendance. Mais cette libération commence par la liberté intérieure qu'ils doivent retrouver face à leurs biens et à leurs pouvoirs; ils n'y arriveront que par un amour transcendant de l'homme, et par conséquent, par une disponibilité effective au service. Sinon, on ne le voit que trop, les idéologies les plus révolutionnaires n'aboutissent qu'à un changement de maîtres: installés à leur tour au pouvoir, les nouveaux maîtres s'entourent de privilèges, limitent les libertés et laissent s'instaurer d'autre formes d'injustice.

Aussi, beaucoup en viennent à s'interroger sur le modèle même de société. L'ambition de nombreuses nations, dans la compétition qui les oppose et les entraîne est d'atteindre à la puissance technologique, économique, militaire; elle s'oppose alors à la mise en place de structures où le rythme du progrès serait réglé en fonction d'une plus grande justice, au lieu d'ac-

centuer les disparités et de vivre dans un climat de méfiance et
de lutte qui compromet sans cesse la paix.

Signification chrétienne de l'action politique

46. N'est-ce pas ici qu'apparaît une limite radicale de l'économie? Nécessaire, l'activité économique peut, si elle est au service de l'homme, «être source de fraternité et signe de la Providence»[28]; elle est l'occasion d'échanges concrets entre les hommes, de droits reconnus, de service rendus, de dignité affirmée dans le travail. Souvent terrain d'affrontement et de domination, elle peut ouvrir des dialogues et susciter des coopérations. Pourtant elle risque d'absorber à l'excès les forces et la liberté[29]. C'est pourquoi le passage de l'économique au politique s'avère nécessaire. Certes, sous le terme «politique», beaucoup de confusions sont possibles et doivent être éclairées — mais chacun sent que, dans les domaines sociaux et économiques —, la décision ultime revient au pouvoir politique.

Celui-ci, qui est le lien naturel et nécessaire pour assurer la cohésion du corps social, doit avoir pour but la réalisation du bien commun. Il agit, dans le respect des libertés légitimes des individus, des familles et des groupes subsidiaires, afin de créer, efficacement et au profit de tous, les conditions requises pour atteindre le bien authentique et complet de l'homme, y compris sa fin spirituelle. Il se déploie dans les limites de sa compétence qui peuvent être diverses selon les pays et les peuples. Il intervient toujours avec un souci de justice et de dévouement au bien commun, dont il a la responsabilité ultime. Il n'enlève pas pour autant aux individus et aux corps intermédiaires leur champ d'activités et leurs responsabilités propres, qui les conduit à concourir à la réalisation de ce bien commun. En effet, «l'objet de toute intervention en matière sociale est d'aider les membres du corps social et non de les détruire ni de les absorber»[30].

---

28. *Ibidem*, 86: p. 299.

29. Cf. Const. Past. *Gaudium et Spes*, 63: A.A.S. 58 (1966), p. 1085.

30. *Quadragesimo Anno*: A.A.S. 23 (1931), p. 203; Cf. *Mater et Magistra*: A.A.S. 53 (1961), pp. 414, 428; Const. Past. *Gaudium et Spes*, 74, 75, 76: A.A.S. 58 (1966), pp. 1095-1100.

Selon sa vocation propre, le pouvoir politique doit savoir se dégager des intérêts particuliers pour envisager sa responsabilité à l'égard du bien de tous les hommes, en dépassant même les limites nationales. Prendre au sérieux la politique à ses divers niveaux — local, régional, national et mondial —, c'est affirmer le devoir de l'homme, de tout homme, de reconnaître la réalité concrète et la valeur de la liberté de choix qui lui est offerte de chercher à réaliser ensemble le bien de la cité, de la nation, de l'humanité. La politique est une matière exigeante — mais non la seule — de vivre l'engagement chrétien au service des autres. Sans résoudre certes tous les problèmes, elle s'efforce d'apporter des solutions aux rapports des hommes entre eux. Son domaine large et englobant n'est pas exclusif. Une attitude envahissante qui tendrait à en faire un absolu, deviendrait un grave danger. Tout en reconnaissant l'autonomie de la réalité politique, les chrétiens sollicités d'entrer dans l'action politique s'efforceront de rechercher une cohérence entre leurs options et l'Évangile et de donner, au sein d'un pluralisme légitime, un témoignage, personnel et collectif, du sérieux de leur foi par un service efficace et désintéressé des hommes.

Partage des responsabilités

47. Le passage à la dimension politique exprime aussi une requête actuelle de l'homme: un plus grand partage des responsabilités et des décisions. Cette aspiration légitime se manifeste davantage à mesure que croît le niveau culturel, que se développe le sens de la liberté, et que l'homme perçoit mieux comment, dans un monde ouvert sur un avenir incertain, les choix d'aujourd'hui conditionnent déjà la vie de demain. Dans *Mater et Magistra*[31] Jean XXIII soulignait combien l'accès aux responsabilités est une exigence fondamentale de la nature de l'homme, un exercice concret de sa liberté, une voie pour son développement, et il indiquait comment, dans la vie économique et en particulier dans l'entreprise, cette participation aux responsabilités devait être assurée[32]. Aujourd'hui le domaine

---

31. A.A.S. 53 (1961), pp. 420-422.

32. Cf. Const. Past. *Gaudium et Spes*, 68, 75: A.A.S. 58 (1966), pp. 1089-1090; 1097.

est plus vaste, il s'étend au champ social et politique où doit être
institué et intensifié un partage raisonnable dans les responsabilités et les décisions. Certes les choix proposés à la décision
sont de plus en plus complexes; les considérations à inclure
multiples, la prévision des conséquences aléatoire, même si des
sciences nouvelles s'efforcent d'éclairer la liberté dans ces moments importants. Pourtant, bien que des limites s'imposent
parfois, ces obstacles ne doivent pas ralentir une diffusion plus
grande de la participation à l'élaboration de la décision, comme
aux choix eux-mêmes et à leur mise en application. Pour faire
contrepoids à une technocratie grandissante, il faut inventer des
formes de démocratie moderne, non seulement en donnant à
chaque homme la possibilité de s'informer et de s'exprimer,
mais en l'engageant dans une responsabilité commune. Ainsi
les groupes humains se transforment peu à peu en communautés de partage et de vie. Ainsi la liberté, qui s'affirme trop
souvent comme revendication d'autonomie en s'opposant à la
liberté d'autrui, s'épanouit dans sa réalité humaine la plus
profonde: s'engager et se dépenser pour construire des solidarités actives et vécues. Mais, pour le chrétien, c'est en se perdant
en Dieu qui le libère, que l'homme trouve une vraie liberté,
rénovée dans la mort et la résurrection du Seigneur.

APPEL À L'ACTION

Nécessité de s'engager dans l'action

48. Dans le domaine social, l'Église a toujours voulu assurer une
double fonction: éclairer les esprits pour les aider à découvrir
la vérité et discerner la voie à suivre au milieu des doctrines
diverses qui le sollicitent; entrer dans l'action et diffuser, avec
un souci réel du service et de l'efficacité, les énergies de l'Évangile. N'est-ce pas pour être fidèle à cette volonté que l'Église a
envoyé en mission apostolique parmi les travailleurs, des prêtres qui, en partageant intégralement la condition ouvrière,
veulent y être les témoins de sa sollicitude et de sa recherche?

C'est à tous les chrétiens que Nous adressons à nouveau et
de façon pressante un appel à l'action. Dans notre encyclique
sur le *Développement des Peuples*, Nous insistions pour que tous

se mettent à l'œuvre: «Les laïcs doivent assumer comme leur tâche propre le renouvellement de l'ordre temporel; si le rôle de la hiérarchie est d'enseigner et d'interpréter authentiquement les principes moraux à suivre en ce domaine, il leur appartient, par leurs libres initiatives et sans attendre passivement consignes et directives, de pénétrer d'esprit chrétien la mentalité et les mœurs, les lois et les structures de leur communauté de vie.»[33] Que chacun s'examine pour voir ce qu'il a fait jusqu'ici et ce qu'il devrait faire. Il ne suffit pas de rappeler des principes, d'affirmer des intentions, de souligner des injustices criantes et de proférer des dénonciations prophétiques: ces paroles n'auront de poids réel que si elles s'accompagnent pour chacun d'une prise de conscience plus vive de sa propre responsabilité et d'une action effective. Il est trop facile de rejeter sur les autres la responsabilité des injustices, si on ne perçoit pas en même temps comment on y participe soi-même et comment la conversion personnelle est d'abord nécessaire. Cette humilité fondamentale enlèvera à l'action toute raideur et tout sectarisme; elle évitera aussi le découragement en face d'une tâche qui apparaît démesurée. L'espérance du chrétien lui vient d'abord de ce qu'il sait que le Seigneur est à l'œuvre avec nous dans le monde, continuant en son Corps qui est l'Église — et par elle dans l'humanité entière — la Rédemption qui s'est accomplie sur la Croix et qui a éclaté en victoire au matin de la Résurrection[34]. Elle vient aussi de ce qu'il sait que d'autres hommes sont à l'œuvre pour entreprendre des actions convergentes de justice et de paix; car sous une apparente indifférence, il y a au cœur de chaque homme une volonté de vie fraternelle et une soif de justice et de paix, qu'il s'agit d'épanouir.

49. Ainsi, dans la diversité des situations, des fonctions, des organisations, chacun doit situer sa responsabilité et discerner, en conscience, les actions auxquelles il est appelé à participer. Mêlé à des courants divers où, à côté d'aspirations légitimes, se glissent des orientations plus ambiguës, le chrétien doit opérer un tri vigilant et éviter de s'engager dans des colla-

---

33. *Populorum Progressio*, 81: A.A.S. 59 (1967), pp. 296-297.
34. Cf. *Mt.* 28, 30; *Phil.* 2, 8-11.

borations inconditionnelles et contraires aux principes d'un véritable humanisme, même au nom de solidarités effective-ment ressenties. S'il veut, en effet, jouer un rôle spécifique, comme chrétien en accord avec sa foi — rôle que les incroyants eux-mêmes attendent de lui —, il doit veiller, au sein de son engagement actif, à élucider ses motivations, à dépasser les objectifs poursuivis dans une vue plus compréhensive qui évi-tera le danger des particularismes égoïstes et des totalitarismes oppresseurs.

Pluralisme des options

50. Dans les situations concrètes et compte tenu des solidarités vécues par chacun, il faut reconnaître une légitime variété d'op-tions possibles. Une même foi chrétienne peut conduire à des engagements différents[35]. L'Église invite tous les chrétiens à une double tâche d'animation et d'innovation afin de faire évoluer les structures pour les adapter aux vrais besoins actuels. Aux chrétiens qui paraissent, à première vue, s'opposer à partir d'options différentes, elle demande un effort de compréhension réciproque des positions et des motivations de l'autre; un exa-men loyal, de ses comportements et de leur rectitude suggèrera à chacun une attitude de charité plus profonde qui, tout en reconnaissant les différences, n'en croit pas moins aux possibi-lités de convergence et d'unité. «Ce qui unit les fidèles en effet est plus fort que ce qui les sépare.»[36]

Il est vrai que beaucoup, insérés dans les structures et les conditionnements modernes, sont déterminés par leurs habi-tudes de pensée, leurs fonctions, quand ce n'est pas par la sauvegarde d'intérêts matériels. D'autres ressentent si profon-dément les solidarités de classes et de cultures, qu'ils en vien-nent à partager sans réserve tous les jugements et les options de leur milieu[37]. Chacun aura à cœur de s'éprouver soi-même et de faire surgir cette vraie liberté selon le Christ qui ouvre à l'universel au sein même des conditions plus particulières.

---

35. Cf. Const. Past. *Gaudium et Spes*, 43: A.A.S. 58 (1966), p. 1061.

36. *Ibidem*, 93; p. 1113.

37. Cf. *I Thes.* 5, 21.

C'est là aussi que les organisations chrétiennes, sous leurs formes diverses, ont également une responsabilité d'action collective. Sans se substituer aux institutions de la société civile, elles ont à exprimer, à leur manière et en dépassant leur particularité, les exigences concrètes de la foi chrétienne dans une transformation juste et par conséquent nécessaire de la société[38].

Aujourd'hui plus que jamais, la Parole de Dieu, ne pourra être annoncée et entendue que si elle s'accompagne du témoignage de la puissance de l'Esprit Saint, opérant dans l'action des chrétiens au service de leurs frères, aux points où se jouent leur existence et leur avenir.

51. En vous livrant ces réflexions, Nous avons certes conscience, Monsieur le Cardinal, de n'avoir pas abordé tous les problèmes sociaux qui se posent aujourd'hui à l'homme de foi et aux hommes de bonne volonté. Nos récentes déclarations — auxquelles s'ajoute votre Message à l'occasion du lancement de la deuxième décennie du Développement — concernant notamment les devoirs de l'ensemble des nations dans la grave question du développement intégral et solidaire de l'homme, — demeurent encore dans les esprits. Nous vous adressons celles-ci dans le dessein de fournir au Conseil des Laïcs et à la Commission Pontificale «Justice et Paix» de nouveaux éléments, en même temps qu'un encouragement, pour la poursuite de leur tâche «d'éveiller le Peuple de Dieu à une pleine intelligence de son rôle à l'heure actuelle» et de «promouvoir l'apostolat au plan international»[39].

C'est dans ces sentiments que Nous vous donnons, Monsieur le Cardinal, notre bénédiction apostolique.

Du Vatican, le 14 mai 1971.

PAULUS P. P. VI

---

38. Cf. Const. Dogm. *Lumen Gentium*, 31: A.A.S. 57 (1965), pp. 37-38; Decr. *Apostolicam Actuositatem*, 5: A.A.S. 58 (1966), p. 842.

39. Motu Proprio *Catholicam Christi Ecclesiam*: A.A.S. 59 (1967), p. 27 et p. 26.

JEAN-PAUL II

LE TRAVAIL HUMAIN

Lettre encyclique «Laborem exercens» à l'occasion du 90ᵉ anniversaire de l'encyclique «Rerum novarum»

PLAN

C'EST PAR LE TRAVAIL que l'homme doit se procurer le pain quotidien[1] et contribuer au progrès continuel des sciences et de la technique, et surtout à l'élévation constante, culturelle et morale, de la société dans laquelle il vit en communauté avec ses frères. Le mot «travail» désigne tout travail accompli par l'homme, quelles que soient les caractéristiques et les circonstances de ce travail, autrement dit toute activité humaine qui peut et qui doit être reconnue comme travail parmi la richesse des activités dont l'homme est capable et auxquelles il est prédisposé par sa nature même, en vertu de son caractère humain. Fait à l'image, à la ressemblance de Dieu lui-même[2] dans l'univers visible et établi dans celui-ci pour dominer la terre,[3] l'homme est donc dès le commencement *appelé au travail*. *Le travail est l'une des caractéristiques qui distinguent l'homme* du reste des créatures dont l'activité, liée à la subsistance, ne peut être appelée travail; seul l'homme est capable de travail, seul l'homme l'accomplit et par le fait même remplit de son travail son existence sur la terre. Ainsi, le travail porte la marque particulière de l'homme et de l'humanité, la marque d'une personne qui agit dans une communauté de personnes; et cette marque détermine sa qualification intérieure, elle constitue en un certain sens sa nature même.

---

1.   Cf. *Ps* 127 (128), 2; cf. aussi *Gn* 3, 17-19; *Pr* 10, 22; *Ex* 1, 8-14; *Jr* 22, 13.
2.   Cf. *Gn* 1, 26.
3.   Cf. *Gn* 1, 28.

INTRODUCTION

1. Le travail humain quatre-vingt-dix ans après «Rerum Novarum»

À la date du 15 mai de cette année, *quatre-vingt-dix ans* se sont écoulés depuis la publication — par le grand Pontife de la «question sociale», Léon XIII — de l'encyclique d'importance décisive qui commence par les mots «Rerum novarum». C'est pourquoi je désire consacrer le présent document au *travail humain*, et je désire encore plus le consacrer *à l'homme* dans le vaste contexte de la réalité qu'est le travail. Si, en effet, comme je l'ai dit dans l'encyclique *Redemptor hominis* publiée au début de mon service sur le siège romain de saint Pierre, l'homme «est la première route et la route fondamentale de l'Église»,[4] et cela en vertu du mystère insondable de la Rédemption dans le Christ, il faut alors revenir sans cesse sur cette route et la suivre toujours de nouveau selon les divers aspects sous lesquels elle nous révèle toute la richesse et en même temps toute la difficulté de l'existence humaine sur la terre.

Le travail est l'un de ces aspects, un aspect permanent et fondamental, toujours actuel et exigeant constamment une attention renouvelée et un témoignage décidé. De nouvelles *interrogations*, de nouveaux *problèmes* se posent sans cesse, et ils font naître toujours de nouvelles espérances, mais aussi des craintes et des menaces liées à cette dimension fondamentale de l'existence humaine, par laquelle la vie de l'homme est

---

4.   Encyclique *Redemptor hominis*, 14; AAS 71 (1979), p. 284.

construite chaque jour, où elle puise sa propre dignité spécifique, mais dans laquelle est en même temps contenue la constante mesure de la peine humaine, de la souffrance et aussi du préjudice et de l'injustice qui pénètrent profondément la vie sociale de chacune des nations et des nations entre elles. S'il est vrai que l'homme se nourrit du pain gagné par le travail de ses mains,[5] c'est-à-dire non seulement du pain quotidien qui maintient son corps en vie, mais aussi du pain de la science et du progrès, de la civilisation et de la culture, c'est également une vérité permanente qu'il se nourrit de ce pain en le gagnant *à la sueur de son front*,[6] autrement dit par son effort et sa peine personnels, et aussi au milieu de multiples tensions, conflits et crises qui, en rapport avec la réalité du travail, bouleversent la vie de chaque société et même de toute l'humanité.

Nous célébrons le quatre-vingt-dixième anniversaire de l'encyclique *Rerum novarum* à la veille de nouveaux développements dans les conditions technologiques, économiques et politiques qui, selon nombre d'experts, n'auront pas moins d'influence sur le monde du travail et de la production que n'en eut la révolution industrielle du siècle dernier. Les facteurs de portée générale sont multiples: l'introduction généralisée de l'automation dans de nombreux secteurs de la production, l'augmentation du prix de l'énergie et des matières de base, la prise de conscience toujours plus vive du caractère limité du patrimoine naturel et de son insupportable pollution, l'apparition sur la scène politique des peuples qui, après des siècles de sujétion, réclament leur place légitime parmi les nations et dans les décisions internationales. Ces nouvelles conditions et exigences requéreront une réorganisation et un réaménagement des structures de l'économie d'aujourd'hui comme aussi de la distribution du travail. Malheureusement de tels changements pourront éventuellement signifier aussi, pour des millions de travailleurs qualifiés, le chômage, au moins temporaire, ou la nécessité d'un nouvel apprentissage; ils comporteront selon toute probabilité une diminution ou une croissance moins ra-

---

5.   Cf. *Ps* 127 (128), 2.
6.   *Gn* 3, 19.

pide du bien-être matériel pour les pays les plus développés; mais ils pourront également apporter soulagement et espoir aux millions de personnes qui vivent actuellement dans des conditions de misère honteuse et indigne.

Il n'appartient pas à l'Église d'analyser scientifiquement les conséquences possibles de tels changements sur la vie de la société humaine. Mais l'Église estime de son devoir de rappeler toujours la dignité et les droits des travailleurs, de stigmatiser les conditions dans lesquelles ils sont violés, et de contribuer pour sa part à orienter ces changements vers un authentique progrès de l'homme et de la société.

2. Dans le développement organique de l'action et de l'enseignement social de l'Église

Il est certain que le travail, comme problème de l'homme, se trouve au centre même de la «question sociale» vers laquelle, pendant les presque cent années qui se sont écoulées depuis l'encyclique mentionnée ci-dessus, se sont orientés d'une manière spéciale l'enseignement de l'Église et les multiples initiatives liées à sa mission apostolique. Si je désire concentrer sur le travail es présentes réflexions, je veux le faire non pas d'une manière originale mais plutôt en lien organique avec toute la tradition de cet enseignement et de ces initiatives. En même temps, je le fais selon l'orientation de l'Évangile, afin de tirer *du patrimoine de l'Évangile du vieux et du neuf*.[7] Le travail, c'est certain, est quelque chose de «vieux», d'aussi vieux que l'homme et que sa vie sur terre. Toutefois, la situation générale de l'homme dans le monde d'aujourd'hui, telle qu'elle est diagnostiquée et analysée sous ses divers aspects — géographie, culture, civilisation — exige que l'on découvre les *nouvelles significations du travail* humain et que l'on formule aussi les *nouvelles tâches* qui, dans ce secteur, se présentent à tout homme, à la famille, aux nations particulières, à tout le genre humain, et enfin à l'Église elle-même.

---

7.   Cf. *Mt* 13, 52.

Durant les années écoulées depuis la publication de l'encyclique *Rerum novarum*, la question sociale n'a pas cessé d'occuper l'attention de l'Église. Nous en avons le témoignage dans les nombreux documents du Magistère, qu'ils émanent des Souverains Pontifes ou du Concile Vatican II; nous en avons le témoignage dans les documents des divers Épiscopats; nous en avons le témoignage dans l'activité des différents centres de pensée et d'initiatives apostoliques concrètes, tant au niveau international qu'au niveau des Églises locales. Il est difficile d'énumérer ici en détail toutes les manifestations de l'engagement vital de l'Église et des chrétiens dans la question sociale car elles sont fort nombreuses. Comme résultat du Concile, la *Commission pontificale «Iustitia et Pax»* est devenue le principal centre de coordination dans ce domaine, avec ses Organismes correspondants dans le cadre des Conférences épiscopales. Le nom de cette institution est très expressif: il signifie que la question sociale doit être traitée dans sa dimension intégrale, dans son ensemble. L'engagement en faveur de la justice doit être intimement lié à l'engagement pour la paix dans le monde contemporain. C'est bien en faveur de ce double engagement qu'a plaidé la douloureuse expérience des deux grandes guerres mondiales qui, durant les quatre-vingt-dix dernières années, ont bouleversé nombre de pays tant du continent européen que, du moins partiellement, des autres continents. C'est en sa faveur aussi que plaident, spécialement depuis la fin de la seconde guerre mondiale, la menace permanente d'une guerre nucléaire et la perspective de la terrible auto-destruction qui en résulte.

Si nous suivons la *ligne principale de développement des documents* du Magistère suprême de l'Église, nous trouvons précisément dans ces derniers la confirmation explicite d'une telle manière de poser le problème. La position clé, en ce qui concerne la question de la paix dans le monde, est celle de l'encyclique *Pacem in terris* de Jean XXIII. Si l'on considère par ailleurs l'évolution de la question de la justice sociale, on doit noter que, si dans la période qui va de *Rerum novarum* à *Quadragesimo anno* de Pie XI, l'enseignement de l'Église se concentre surtout sur la juste solution de ce qu'on appelle la question ouvrière, dans le cadre des nations particulières, au cours de la phase suivante, cet enseignement élargit l'horizon aux dimensions du monde. La distribution inégale des richesses et de la misère, l'existence de pays et de continents développés et d'autres qui ne le sont pas, exigent une péréquation et aussi la recherche des chemins menant à un juste développement pour tous. C'est dans cette direction que va l'enseignement contenu dans l'encyclique *Mater et magistra* de Jean XXIII, dans la constitution pastorale *Gaudium et spes* du Concile Vatican II et dans l'encyclique *Populorum progressio* de Paul VI.

Cette orientation dans laquelle se développent l'enseignement et l'engagement de l'Église dans la question sociale correspond exactement à l'observation objective des situations de fait. Si, autrefois, on mettait surtout en évidence, au centre de cette question, *le problème de la «classe»*, à une époque plus récente on met au premier plan le problème du «monde». On considère donc non seulement le cadre de la classe mais, à l'échelon mondial, celui des inégalités et des injustices, et, par voie de conséquence, non seulement la dimension de classe mais la dimension mondiale des tâches à accomplir pour avancer vers la réalisation de la justice dans le monde contemporain. L'analyse complète de la situation du monde d'aujourd'hui a mis en évidence de manière encore plus profonde et plus pleine la signification de l'analyse antérieure des injustices sociales, signification qui doit être aujourd'hui donnée aux efforts tendant à établir la justice sur la terre, sans pour autant cacher les structures injustes mais en sollicitant au contraire leur examen et leur transformation à une échelle plus universelle.

3. Le problème du travail, clé de la question sociale

Au milieu de tous ces processus — qu'il s'agisse du diagnostic de la réalité sociale objective ou même de l'enseignement de l'Église dans le domaine de la question sociale complexe et à multiple face —, *le problème du travail humain* apparaît naturellement fort souvent. Il est d'une certaine façon une «composante fixe de l'enseignement de l'Église comme il l'est de la vie sociale. Dans cet enseignement, du reste, l'attention portée à un

tel problème remonte bien au-delà des quatre-vingt-dix dernières années. La doctrine sociale de l'Église, en effet, trouve sa
source dans l'Écriture Sainte, à commencer par le Livre de la
Genèse, et particulièrement dans l'Évangile et dans les écrits
apostoliques. Elle faisait partie, dès le début, de l'enseignement
de l'Église elle-même, de sa conception de l'homme et de la vie
sociale, et spécialement de la morale sociale élaborée selon les
nécessités des diverses époques. Ce patrimoine traditionnel a
été ensuite reçu en héritage et développé par l'enseignement
des Souverains Pontifes sur la moderne «question sociale», à
partir de l'encyclique *Rerum novarum*. Dans le contexte de cette
question, les approfondissements du problème du travail ont
connu une mise à jour continuelle, en conservant toujours la
base chrétienne de vérité que nous pouvons qualifier de permanente.

Si, dans le présent document, nous revenons de nouveau
sur ce problème, — sans d'ailleurs avoir l'intention de toucher
tous les thèmes qui le concernent —, ce n'est pas tellement pour
recueillir et répéter ce qui est déjà contenu dans l'enseignement
de l'Église, mais plutôt pour mettre en évidence — peut être
plus qu'on ne l'a jamais effectué — le fait que le travail humain
est une clé, et probablement la clé essentielle, de toute la question
sociale, si nous essayons de la voir vraiment du point de vue du
bien de l'homme. Et si la solution — ou plutôt la solution
progressive — de la question sociale, qui continue sans cesse à
se présenter et qui se fait toujours plus complexe, doit être
cherchée dans un effort pour «rendre la vie humaine plus humaine»,[8] alors précisément la clé qu'est le travail humain acquiert une importance fondamentale et décisive.

---

8.   Conc. Oecum. Vat. II, const. past. sur l'Église dans le monde de ce temps
      Gaudium et spes, 38: *AAS* 58 (1966), p. 1055.

LE TRAVAIL ET L'HOMME

4. Au livre de la Genèse

L'Église est convaincue que le travail constitue une dimension fondamentale de l'existence de l'homme sur la terre. Elle est confirmée dans cette conviction par la prise en compte de l'ensemble du patrimoine des multiples sciences consacrées à l'homme: l'anthropologie, la paléontologie, l'histoire, la sociologie, la psychologie, etc.; toutes semblent témoigner de cette réalité de façon irréfutable. Toutefois, l'Église tire cette conviction avant tout de la source qu'est la parole de Dieu révélée, et c'est pourquoi ce qui est *une conviction de l'intelligence* acquiert aussi le caractère d'une *conviction de foi*. La raison en est que l'Église — il vaut la peine de le noter dès maintenant — croit en l'homme: *elle pense à l'homme* et s'adresse à lui, *non seulement* à la lumière de l'expérience historique ou avec l'aide des multiples méthodes de la connaissance scientifique, mais encore et surtout à la lumière de la parole révélée du Dieu vivant. Se référant à l'homme, elle cherche *à exprimer les desseins* éternels et les *destins* transcendants que le Dieu vivant, Créateur et Rédempteur, a liés à l'homme.

L'Église trouve *dès les premières pages du Livre de la Genèse* la source de sa conviction que le travail constitue une dimension fondamentale de l'existence humaine sur la terre. L'analyse de ces textes nous rend conscients de ce que en eux — parfois sous un mode archaïque de manifester la pensée — ont été exprimées les vérités fondamentales sur l'homme, et cela déjà dans le contexte du mystère de la création. Ces vérités sont celles qui décident de l'homme depuis le commencement et qui, en même temps, tracent les grandes lignes de son existence terrestre, aussi bien dans l'état de justice originelle qu'après la rupture, déterminée par le péché, de l'alliance originelle du Créateur avec la création dans l'homme. Lorsque celui-ci, fait «à l'image de Dieu..., homme et femme»,[9] entend ces mots: «Soyez féconds, *multipliez-vous, emplissez la terre et soumettez-la*»,[10] même si ces paroles ne se réfèrent pas directement et explicitement au travail, elles y font sans aucun doute allusion indirectement, comme une activité à exercer dans le monde. Bien plus, elles en démontrent l'essence la plus profonde. L'homme est l'image du Dieu notamment par le mandat qu'il a reçu de son Créateur de soumettre, de dominer la terre. En accomplissant ce mandat, l'homme, tout être humain, reflète l'action même du Créateur de l'univers.

Le travail, entendu comme une activité «transitive» — c'est-à-dire que, prenant sa source dans le sujet humain, il est tourné vers un objet externe —, suppose une domination spécifique de l'homme sur la «terre», et à son tour il confirme et développe cette domination. Il est clair que sous le nom de «terre» dont parle le texte biblique, il faut entendre avant tout la portion de l'univers visible dans laquelle l'homme habite; mais par extension on peut l'entendre de tout le monde visible en tant que se trouvant à la portée de l'influence de l'homme, notamment lorsque ce dernier cherche à répondre à ses propres besoins. L'expression «dominez la terre» a une portée immense. Elle indique toutes les ressources que la terre (et indirectement le monde visible) cache en soi et qui, par l'activité consciente de l'homme, peuvent être découvertes et utilisées à sa convenance. Ainsi ces mots, placés au début de la Bible, *ne cessent jamais d'être actuels*. Ils s'appliquent aussi bien à toutes les époques passées de la civilisation et de l'économie qu'à toute la réalité contemporaine et aux phases futures du développement qui se dessinent déjà peut-être dans une certaine mesure, mais qui pour une grande part restent encore pour l'homme quasiment inconnues et cachées.

---

9. Cf. *Gn* 1, 27.

10. *Gn* 1, 28.

Si parfois on parle de périodes «d'accélération» dans la vie économique et dans la civilisation de l'humanité ou des diverses nations, en rapprochant ces «accélérations» des progrès de la science et de la technique et spécialement des découvertes décisives pour la vie socio-économique, on peut dire en même temps qu'aucune de ces «accélérations» ne dépasse le contenu essentiel de ce qui a été dit dans ce très antique texte biblique. En devenant toujours plus maître de la terre grâce à son travail et en affermissant, par le travail également, sa domination sur le monde visible, l'homme reste, dans chaque cas et à chaque phase de ce processus, dans la ligne du plan originel du Créateur; et ce plan est nécessairement et indissolublement lié au fait que l'être humain a été créé, en qualité d'homme et de femme, «à l'image de Dieu». Ce *processus* est également *universel*: il concerne tous les hommes, chaque génération, chaque phase du développement économique et culturel, et *en même temps* c'est un processus qui se réalise en *chaque homme,* en chaque être humain conscient. Tous et chacun sont en même temps concernés par lui. Tous et chacun, dans une mesure appropriée et avec un nombre incalculable de modalités, prennent part à ce gigantesque processus par lequel l'homme «soumet la terre» au moyen de son travail.

5. Le travail au sens objectif: la technique

Ce caractère universel et multiple du processus par lequel l'homme «soumet la terre» éclaire bien le travail de l'homme, puisque la domination de l'homme sur la terre se réalise dans le travail et par le travail. Ainsi apparaît la signification du *travail au sens objectif,* qui trouve son expression selon les diverses époques de la culture et de la civilisation. L'homme domine la terre déjà par le fait qu'il domestique les animaux, les élevant et tirant d'eux sa nourriture et les vêtements nécessaires, et par le fait qu'il peut extraire de la terre et de la mer diverses ressources naturelles. Mais l'homme domine bien plus la terre lorsqu'il commence à la cultiver, puis lorsqu'il transforme ses produits pour les adapter à ses besoins. L'agriculture constitue ainsi un secteur primaire de l'activité économique;

elle est, grâce au travail de l'homme, un facteur indispensable de la production. L'industrie à son tour consistera toujours à combiner les richesses de la terre — ressources brutes de la nature, produits de l'agriculture, ressources minières ou chimiques — et le travail de l'homme, son travail physique comme son travail intellectuel. Cela vaut aussi en un certain sens dans le secteur de ce que l'on appelle l'industrie de service, et dans celui de la recherche, pure ou appliquée.

Aujourd'hui, dans l'industrie et dans l'agriculture, l'activité de l'homme a cessé dans de nombreux cas d'être un travail surtout manuel parce que la fatigue des mains et des muscles est soulagée par l'emploi de *machines et de mécanismes toujours plus perfectionnés*. Dans l'industrie mais aussi dans l'agriculture, nous sommes témoins des transformations rendues possibles par le développement graduel et continuel de la science et de la technique. Et cela, dans son ensemble, est devenu historiquement une cause de tournants importants dans la civilisation, depuis le début de «l'ère industrielle» jusqu'aux phases suivantes de développement grâce à de nouvelles techniques comme l'électronique ou, ces dernières années, les microprocesseurs.

Il peut sembler que dans le processus industriel c'est la machine qui «travaille» tandis que l'homme se contente de la surveiller, rendant possible son fonctionnement et le soutenant de diverses façons; mais il est vrai aussi que, précisément à cause de cela, le développement industriel établit un point de départ pour reposer d'une manière nouvelle le problème du travail humain. La première industrialisation qui a créé la question dite ouvrière comme les changements industriels et post-industriels intervenus par la suite démontrent clairement que, même à l'époque du «travail» toujours plus mécanisé, *le sujet propre du travail reste l'homme*.

Le développement de l'industrie et des divers secteurs connexes, jusqu'aux technologies les plus modernes de l'électronique, spécialement dans le domaine de la miniaturisation, de l'informatique, de la télématique, etc., montre le rôle immense qu'assume justement, dans l'interaction du sujet et de l'objet du travail (au sens le plus large du mot), celle alliée du travail, engendrée par la pensée de l'homme, qu'est la technique. Entendue dans ce cas, non comme une capacité ou une aptitude au travail, mais comme *un ensemble d'instruments* dont l'homme se sert dans son travail, la technique est indubitablement une alliée de l'homme. Elle lui facilite le travail, le perfectionne, l'accélère et le multiplie. Elle favorise l'augmentation de la quantité des produits du travail, et elle perfectionne également la qualité de beaucoup d'entre eux. C'est un fait, par ailleurs, qu'en certains cas, cette alliée qu'est la technique peut aussi se transformer en quasi-adversaire de l'homme, par exemple lorsque la mécanisation du travail «supplante» l'homme en lui ôtant toute satisfaction personnelle, et toute incitation à la créativité et à la responsabilité, lorsqu'elle supprime l'emploi de nombreux travailleurs ou lorsque, par l'exaltation de la machine, elle réduit l'homme à en être l'esclave.

Si l'expression biblique «soumettez la terre», adressée à l'homme dès le commencement, est comprise dans le contexte de toute notre époque moderne, industrielle et post-industrielle, elle contient indubitablement aussi *un rapport avec la technique*, avec le monde de la mécanisation et de la machine, rapport qui est le fruit du travail de l'intelligence humaine et qui confirme historiquement la domination de l'homme sur la nature.

L'époque récente de l'histoire de l'humanité, et spécialement de certaines sociétés, porte en soi une juste affirmation de la technique comme élément fondamental de progrès économique; mais, en même temps, de cette affirmation ont surgi et surgissent encore continuellement les questions essentielles concernant le travail humain dans ses rapports avec son sujet qui est justement l'homme. Ces questions contiennent un ensemble particulier *d'éléments et de tensions de caractère éthique et même éthico-social*. Et c'est pourquoi elles constituent un défi continuel pour de multiples institutions, pour les États et les gouvernements, pour les systèmes et les organisations internationales; elles constituent également un défi pour l'Église.

6. Le travail au sens subjectif: l'homme, sujet du travail

Pour continuer notre analyse du travail liée à la parole de la Bible selon laquelle l'homme doit soumettre la terre, il nous faut maintenant concentrer notre attention *sur le travail au sens subjectif,* beaucoup plus que nous ne l'avons fait en nous référant au sens objectif du travail: nous avons tout juste effleuré ce vaste problème qui est parfaitement connu, et dans tous ses détails, des spécialistes des divers secteurs et aussi des hommes mêmes du monde du travail, chacun dans son domaine. Si les paroles du Livre de la Genèse auxquelles nous nous référons dans cette analyse parlent de façon indirecte du travail au sens objectif, c'est de la même façon qu'elles parlent aussi du sujet du travail; mais ce qu'elles disent est fort éloquent et rempli d'une grande signification.

L'homme doit soumettre la terre, il doit la dominer, parce que comme «image de Dieu» il est une personne, c'est-à-dire un sujet, un sujet capable d'agir d'une manière programmée et rationnelle, capable de décider de lui-même et tendant à se réaliser lui-même. C'est *en tant que personne que l'homme est sujet du travail.* C'est en tant que personne qu'il travaille, qu'il accomplit diverses actions appartenant au processus du travail; et ces actions, indépendamment de leur contenu objectif, doivent toutes servir à la réalisation de son humanité, à l'accomplissement de la vocation qui lui est propre en raison de son humanité même: celle d'être une personne. Les principales vérités sur ce thème ont été rappelées dernièrement par le Concile Vatican II dans la constitution *Gaudium et spes,* en particulier par le chapitre I consacré à la vocation de l'homme.

Ainsi la «domination» dont parle le texte biblique que nous méditons ici ne se réfère pas seulement à la dimension objective du travail: elle nous introduit en même temps à la compréhension de sa dimension subjective. Le travail entendu comme processus par lequel l'homme et le genre humain soumettent la terre ne correspond à ce concept fondamental de la Bible que lorsque, dans tout ce processus, l'homme se manifeste en même temps et se confirme *comme celui qui «domine».* Cette domination, en un certain sens, se réfère à la dimension subjective plus encore qu'à la dimension objective: cette dimension conditionne *la nature éthique du travail.* Il n'y a en effet aucun doute que le travail humain a une valeur éthique qui, sans moyen terme, reste directement liée au fait que celui qui l'exécute est une personne, un sujet conscient et libre, c'est-à-dire un sujet qui décide de lui-même.

Cette vérité, qui constitue en un certain sens le noyau central et permanent de la doctrine chrétienne sur le travail humain, a eu et continue d'avoir une signification fondamentale pour la formulation des importants problèmes sociaux au cours d'époques entières.

L'âge antique a introduit parmi les hommes une différenciation typique par groupes selon le genre de travail qu'ils faisaient. Le travail qui exigeait du travailleur l'emploi des forces physiques, le travail des muscles et des mains, était considéré comme indigne des hommes libres, et on y destinait donc les esclaves. Le christianisme, élargissant certains aspects déjà propres à l'Ancien Testament, a accompli ici une transformation fondamentale des concepts, en partant de l'ensemble du message évangélique et surtout du fait que Celui *qui, étant Dieu*, est devenu en tout semblable à nous,[11] a consacré la plus grande partie de sa vie sur terre *au travail manuel*, à son établi de charpentier. Cette circonstance constitue par elle-même le plus éloquent «évangile du travail». Il en résulte que le fondement permettant de déterminer la valeur du travail humain n'est pas avant tout le genre de travail que l'on accomplit mais le fait que celui qui l'exécute est une personne. Les sources de la dignité du travail doivent être cherchées surtout, non pas dans sa dimension objective mais dans sa dimension subjective.

Avec une telle conception disparaît pratiquement le fondement même de l'ancienne distinction des hommes en groupes déterminés par le genre de travail qu'ils exécutent. Cela ne veut pas dire que le travail humain ne puisse et ne doive en aucune façon être valorisé et qualifié d'un point de vue objectif. Cela veut dire seulement que *le premier fondement de la valeur du travail est l'homme lui-même*, son sujet. Ici vient tout de suite une conclusion très importante de nature éthique: bien qu'il soit vrai que l'homme est destiné et est appelé au travail, le travail est avant tout «pour l'homme» et non l'homme «pour le travail». Par cette

---

11. Cf. *He* 2, 17; *Ph* 2, 5-8.

conclusion, on arrive fort justement à reconnaître la prééminence de la signification subjective du travail par rapport à sa signification objective. En partant de cette façon de comprendre les choses et en supposant que différents travaux accomplis par les hommes puissent avoir une plus ou moins grande valeur objective, nous cherchons toutefois à mettre en évidence le fait que chacun d'eux doit être estimé surtout *à la mesure de la dignité* du sujet même du travail, c'est-à-dire de la personne, *de l'homme qui l'exécute.* D'un autre côté, indépendamment du travail que tout homme accomplit, et en supposant qu'il constitue un but — parfois fort absorbant — de son activité, ce but ne possède pas par lui-même une signification définitive. En fin de compte, *le but du travail,* de tout travail exécuté par l'homme — fût-ce le plus humble service, le travail le plus monotone selon l'échelle commune d'évaluation, voire le plus marginalisant — reste toujours l'homme lui-même.

7. Une menace contre la véritable hiérarchie des valeurs

Ces affirmations essentielles sur le travail ont toujours résulté des richesses de la vérité chrétienne, spécialement du message même de l'«évangile du travail», et elles ont créé le fondement de la nouvelle façon de penser, de juger et d'agir des hommes. À l'époque moderne, dès le début de l'ère industrielle, la vérité chrétienne sur le travail devait s'opposer aux divers courants de la pensée *matérialiste et «économiste».*

Pour certains partisans de ces idées, le travail était compris et traité comme une espèce de «marchandise» que le travailleur — et spécialement l'ouvrier de l'industrie — vend à l'employeur, lequel est en même temps le possesseur du capital, c'est-à-dire de l'ensemble des instruments de travail et des moyens qui rendent possible la production. Cette façon de concevoir le travail s'est répandue plus spécialement, peut-être, dans la première moitié du XIXe siècle. Par la suite, les formulations explicites de ce genre ont presque complètement disparu, laissant la place à une façon plus humaine de penser et d'évaluer le travail. L'interaction du travailleur et de l'ensemble des instruments et des moyens de production a donné lieu au développement de diverses formes de capitalisme — parallèlement à diverses formes de collectivisme — dans lesquelles se sont insérés d'autres éléments socio-économiques à la suite de nouvelles circonstances concrètes, de l'action des associations de travailleurs et des pouvoirs publics, de l'apparition de grandes entreprises transnationales. Malgré cela, le *danger* de traiter le travail comme une «marchandise sui generis», ou comme une «force» anonyme nécessaire à la production (on parle même de «force-travail»), *existe toujours*, lorsque la manière d'aborder les problèmes économiques est caractérisée par les principes de l'«économisme» matérialiste.

Ce qui, pour cette façon de penser et de juger, constitue une occasion systématique et même en un certain sens, un stimulant, c'est le processus accéléré de développement de la civilisation unilatéralement matérialiste, dans laquelle on donne avant tout de l'importance à la dimension objective du travail, tandis que la dimension subjective — tout ce qui est en rapport indirect ou direct avec le sujet même du travail — reste sur un plan secondaire. Dans tous les cas de ce genre, dans chaque situation sociale de ce type, survient une confusion, ou même une inversion de l'ordre établi depuis le commencement par les paroles du Livre de la Genèse: *l'homme est alors traité comme un instrument de production*[12] alors que lui — lui seul, quel que soit le travail qu'il accomplit — devrait être traité comme son sujet efficient, son véritable artisan et son créateur. C'est précisément cette inversion d'ordre, abstraction faite du programme et de la dénomination sous les auspices desquels elle se produit, qui mériterait — au sens indiqué plus amplement ci-dessous — le nom de «capitalisme». On sait que le capitalisme a sa signification historique bien définie en tant que système, et système économico-social qui s'oppose au «socialisme» ou «communisme». Mais si l'on prend en compte l'analyse de la réalité fondamentale de tout le processus économique et, avant tout, des structures de production — ce qu'est, justement, le travail —, il convient de reconnaître que l'erreur du capitalisme primitif peut se répéter partout où l'homme est en quelque sorte

---

12. Cf. Pie IX, encyclique *Quadragesimo anno*: AAS 23 (1931), p. 221.

traité de la même façon que l'ensemble des moyens matériels de production, comme un instrument et non selon la vraie dignité de son travail, c'est-à-dire comme sujet et auteur, et par là même comme véritable but de tout le processus de production.

Cela étant, on comprend que l'analyse du travail humain faite à la lumière de ces paroles, qui concernent la «domination» de l'homme sur la terre, s'insère au centre même de la problématique éthico-sociale. Cette conception devrait même trouver une *place centrale dans toute la sphère de la politique sociale et économique*, à l'échelle des divers pays comme à celle, plus vaste, des rapports internationaux et intercontinentaux, avec une référence particulière aux tensions qui se font sentir dans le monde non seulement sur l'axe Orient-Occident mais aussi sur l'axe Nord-Sur. Le Pape Jean XXIII dans son encyclique *Mater et magistra*, puis le Pape Paul VI dans l'encyclique *Populorum progressio*, ont porté une grande attention à ces dimensions des problèmes éthiques et sociaux contemporains.

8. Solidarité des travailleurs

S'il s'agit du travail humain, envisagé dans la dimension fondamentale de celui qui en est le sujet, c'est-à-dire de l'homme en tant que personne exécutant ce travail, on doit de ce point de vue faire au moins une estimation sommaire des développements qui sont intervenus, au cours des quatre-vingt-dix ans écoulés depuis l'encyclique *Rerum novarum*, quant à la dimension subjective du travail. En effet, si le sujet du travail est toujours le même, à savoir l'homme, des modifications notables se produisent dans l'aspect objectif du travail. Bien que l'on puisse dire que *le travail*, en raison de son sujet, *est un* (un et tel qu'on n'en trouve jamais d'exactement semblable), un examen de ses conditions objectives amène à constater qu'*il existe beaucoup de travaux*, un très grand nombre de travaux divers. Le développement de la civilisation humaine apporte en ce domaine en enrichissement continuel. En même temps, cependant, on ne peut s'empêcher de noter que, dans le processus de ce développement, on voit apparaître de nouvelles formes de travail, tandis que d'autres disparaissent. En admettant qu'en principe il s'agisse là d'un phénomène normal, il y a lieu cependant de bien voir si en lui ne se glissent pas, plus ou moins profondément, certaines irrégularités qui peuvent être dangereuses pour des motifs d'éthique sociale.

C'est précisément *en raison d'une telle anomalie aux répercussions importantes* qu'est née, au siècle dernier, ce qu'on a appelé la question ouvrière, définie parfois comme «question du prolétariat». Cette question — comme les problèmes qui lui sont connexes — a suscité une juste réaction sociale; elle a fait surgir, on pourrait même dire jaillir, un grand élan de solidarité entre les travailleurs et, avant tout, entre les travailleurs de l'industrie. L'appel à la solidarité et à l'action commune, lancé aux hommes du travail, avait sa valeur, une valeur importante, et sa force persuasive, du point de vue de l'éthique sociale, surtout lorsqu'il s'agissait du travail sectoriel, monotone, dépersonnalisant dans les complexes industriels, quand la machine avait tendance à dominer sur l'homme.

C'était la réaction *contre la dégradation de l'homme comme sujet du travail* et contre l'exploitation inouïe qui l'accompagnait dans le domaine des profits, des conditions de travail et de prévoyance en faveur de la personne du travailleur. Une telle réaction a uni le monde ouvrier en un ensemble communautaire caractérisé par une grande solidarité.

Dans le sillage de l'encyclique *Rerum novarum* et des nombreux documents du Magistère de l'Église qui ont suivi, il faut franchement reconnaître que se justifiait, *du point de vue de la morale sociale*, la réaction contre le système d'injustice et de préjudices qui criait vengeance vers le Ciel[13] et qui pesait sur le travailleur dans cette période de rapide industrialisation. Cet état de choses était favorisé par le système socio-politique libéral qui, selon ses principes économiques, renforçait et assurait l'initiative économique des seuls possesseurs de capitaux, mais ne se préoccupait pas suffisamment des droits du travailleur, en affirmant que le travail humain est seulement un instrument

---

13. *Dt* 24, 15; *Jc* 5, 4; et aussi *Gn* 4, 10.

de production, et que le capital est le fondement, le facteur et le but de la production.

Depuis lors, la solidarité des travailleurs, en même temps que, chez les autres, une prise de conscience plus nette et plus engagée concernant les droits des travailleurs, ont produit en beaucoup de cas des changements profonds. On a imaginé divers systèmes nouveaux. Diverses formes de néo-capitalisme ou de collectivisme se sont développées. Il n'est pas rare que les travailleurs puissent participer, et qu'ils participent effectivement, à la gestion et au contrôle de la productivité des entreprises. Au moyen d'associations appropriées, ils ont une influence sur les conditions de travail et de rémunération, comme aussi sur la législation sociale. Mais en même temps, divers systèmes fondés sur l'idéologie ou sur le pouvoir, comme aussi de nouveaux rapports apparus aux différents niveaux de la vie sociale, *ont laissé persister des injustices flagrantes ou en ont créé de nouvelles*. Au plan mondial, le développement de la civilisation et des communications a rendu possible un diagnostic plus complet des conditions de vie et de travail de l'homme dans le monde entier, mais il a aussi mis en lumière d'autres formes d'injustice bien plus étendues que celles qui, au siècle passé, ont suscité l'union des travailleurs en vue d'une solidarité particulière dans le monde ouvrier. Il en est ainsi dans les pays qui ont déjà accompli un certain processus de révolution industrielle; il en est également ainsi dans les pays où le premier chantier de travail continue à être *la culture de la terre* ou d'autres occupations du même type.

Des mouvements de solidarité dans le domaine du travail — d'une solidarité qui ne doit jamais être fermeture au dialogue et à la collaboration avec les autres — peuvent être nécessaires, même par rapport aux conditions de groupes sociaux qui auparavant n'étaient pas compris parmi ces mouvements, mais qui subissent, dans les mutations des systèmes sociaux et des conditions de vie, *une «prolétarisation» effective* ou même se trouvent déjà en réalité dans une situation de «prolétariat» qui, même si on ne la connaît pas encore sous ce nom, est telle qu'en fait elle le mérite. Dans cette situation peuvent se trouver plusieurs catégories ou groupes de l'«intelligentsia» du travail, spécialement lorsque l'accès toujours plus large à l'instruction, le nombre toujours croissant des personnes ayant obtenu des diplômes par leur préparation culturelle, vont de pair avec une diminution de demandes de leur travail. Un tel *chômage des intellectuels* arrive ou augmente lorsque l'instruction accessible n'est pas orientée vers les types d'emplois ou de services que requièrent les vrais besoins de la société, ou quand le travail pour lequel on exige l'instruction, au moins professionnelle, est moins recherché ou moins bien payé qu'un travail manuel. Il est évident que l'instruction, en soi, constitue toujours une valeur et un enrichissement important de la personne humaine; néanmoins, certains processus de «prolétarisation» restent possibles indépendamment de ce fait.

Aussi *faut-il continuer à s'interroger sur le sujet du travail* et sur les conditions dans lesquelles il vit. Pour réaliser la justice sociale dans les différentes parties du monde, dans les divers pays, et dans les rapports entre eux, il faut toujours qu'il y ait de *nouveaux mouvements de solidarité des* travailleurs et de solidarité *avec* les travailleurs. Une telle solidarité doit toujours exister là où l'exigent la dégradation sociale du sujet du travail, l'exploitation des travailleurs et les zones croissantes de misère et même de faim. L'Église est vivement engagée dans cette cause, car elle la considère comme sa mission, son service, comme un test de sa fidélité au Christ, de manière à être vraiment l'«Église des pauvres». Et les *«pauvres»* apparaissent sous bien des aspects; ils apparaissent en des lieux divers et à différents moments; ils apparaissent en de nombreux cas comme *un résultat de la violation de la dignité du travail humain*: soit parce que les possibilités du travail humain sont limitées — c'est la plaie du chômage —, soit parce qu'on mésestime la valeur du travail et les droits qui en proviennent, spécialement le droit au juste salaire, à la sécurité de la personne du travailleur et de sa famille.

9. Travail et dignité de la personne

En demeurant encore dans la perspective de l'homme comme sujet du travail, il convient que nous abordions, au moins de façon synthétique, quelques problèmes *qui définissent de plus près la dignité du travail humain*, car ils permettent de caractériser plus pleinement sa valeur morale spécifique. Il faut le faire en ayant toujours sous les yeux l'appel biblique de «soumettre la terre»,[14] par lequel s'est exprimée la volonté du Créateur, afin que le travail permette à l'homme d'atteindre cette «domination» qui lui est propre dans le monde visible.

L'intention fondamentale et primordiale de Dieu par rapport à l'homme qu'«il créa ... à sa ressemblance, à son image»,[15] n'a pas été rétractée ni effacée, même pas lorsque l'homme, après avoir rompu l'alliance originelle avec Dieu, entendit les paroles: «À la sueur de ton front tu mangeras ton pain».[16] Ces paroles se réfèrent à la *fatigue parfois pesante* qui depuis lors accompagne le travail humain; elles ne changent pas pour autant le fait que celui-ci est la voie conduisant l'homme à *réaliser la «domination»* qui lui est propre sur le monde visible en «soumettant» la terre. Cette fatigue est un fait universellement connu, parce qu'universellement expérimenté. Ils le savent bien, ceux qui accomplissent un travail physique dans des conditions parfois exceptionnellement pénibles. Ils le savent bien les agriculteurs qui, en de longues journées, s'usent à cultiver une terre qui, parfois, «produit des ronces et des épines».[17] et aussi les mineurs dans les mines ou les carrières de pierre, les travailleurs de la sidérurgie auprès des hauts-fourneaux, les hommes qui travaillent dans les chantiers de construction et dans le secteur du bâtiment, alors qu'ils risquent fréquemment leur vie ou l'invalidité. Ils le savent bien également, les hommes attachés au chantier du travail intellectuel, ils le savent bien les hommes de science, ils le savent bien, les hommes qui ont sur leurs épaules la grave responsabilité de décisions destinées à avoir une vaste résonance sur le plan social. Ils le savent bien les médecins et les infirmiers, qui veillent jour et nuit auprès des malades. Elles le savent bien les femmes qui, sans que parfois la société et leurs proches eux-

---

14. Cf. *Gn* 1, 28.
15. Cf. *Gn* 1, 26, 27.
16. *Gn* 3, 19.
17. *He* 6, 8; cf. *Gn* 3, 18.

mêmes le reconnaissent de façon suffisante, portent chaque jour la fatigue et la responsabilité de leur maison et de l'éducation de leurs enfants. Oui, *ils le savent bien, tous les travailleurs* et, puisque le travail est vraiment une vocation universelle, on peut même dire: tous les hommes.

Et pourtant, avec toute cette fatigue — et peut-être, en un certain sens, à cause d'elle — le travail est un bien de l'homme. Si ce bien porte la marque d'un *bonum arduum*, d'un «bien ardu», selon la terminologie de saint Thomas,[18] cela n'empêche pas que, comme tel, il est un bien de l'homme. Il n'est pas seulement un bien «utile» ou dont on peut «jouir», mais il est un bien «digne», c'est-à-dire qu'il correspond à la dignité de l'homme, un bien qui exprime cette dignité et qui l'accroît. En voulant mieux préciser le sens éthique du travail, il faut avant tout prendre en considération cette vérité. Le travail est un bien de l'homme — il est un bien de son humanité — car, par le travail, *non seulement l'homme transforme la nature* en l'adaptant à ses propres besoins, mais encore *il se réalise lui-même* comme homme et même, en un certain sens, «il devient plus homme».

Sans cette considération, on ne peut comprendre le sens de la vertu de l'ardeur au travail, plus précisément on ne peut comprendre pourquoi l'ardeur au travail devrait être une vertu; en effet la vertu, comme disposition morale, est ce qui permet à l'homme de devenir bon en tant qu'homme.[19] Ce fait ne change en rien notre préoccupation d'éviter que dans le travail l'homme lui-même ne subisse une *diminution* de sa propre dignité, alors qu'*il permet à la matière d'être ennoblie*.[20] On sait aussi que, de bien des façons, il est possible de se servir du travail *contre l'homme*, qu'on peut punir l'homme par le système du travail forcé dans les camps de concentration, qu'on peut faire du travail un moyen d'oppression de l'homme, qu'enfin on peut, de différentes façons, exploiter le travail humain, c'est-à-dire le travailleur. Tout ceci plaide pour l'obligation morale

---

18. Cf. *Somme théologique* I-II, q. 40, a. 1, c.; I-II, q. 34, a. 2, ad 1.

19. Cf. *Somme théologique* I-II, q. 40, a. 1, c.; I-II, q. 34, a. 2, ad 1.

20. Cf. Pie XI, encyclique *Quadragesimo anno*: AAS 23 (1931), pp. 221-222.

d'unir l'ardeur au travail comme vertu à *un ordre social du travail*, qui permette à l'homme de «devenir plus homme» dans le travail, et lui évite de s'y dégrader en usant ses forces physiques (ce qui est inévitable, au moins jusqu'à un certain point), et surtout en entamant la dignité et la subjectivité qui lui sont propres.

10. Travail et société: famille, nation

La dimension personnelle du travail humain étant ainsi confirmée, on doit en venir à la seconde *sphère de valeurs* qui lui est nécessairement unie. Le travail est le fondement sur lequel s'édifie *la vie familiale*, qui est un droit naturel et une vocation pour l'homme. Ces deux sphères de valeurs — l'une liée au travail, l'autre dérivant du caractère familial de la vie humaine — doivent s'unir et s'influencer de façon correcte. Le travail est, d'une certaine manière, la condition qui rend possible la fondation d'une famille, puisque celle-ci exige les moyens de subsistance que l'homme acquiert normalement par le travail. Le travail et l'ardeur au travail conditionnent aussi tout *le processus d'éducation* dans la famille, précisément pour la raison que chacun «devient homme», entre autres, par le travail, et que ce fait de devenir homme exprime justement le but principal de tout le processus éducatif. C'est ici qu'entrent en jeu, dans un certain sens, deux aspects du travail: celui qui assure la vie et la subsistance de la famille, et celui par lequel se réalisent les buts de la famille, surtout l'éducation. Néanmoins ces deux aspects du travail sont unis entre eux et se complètent sur différents points.

Dans l'ensemble, on doit se souvenir et affirmer que la famille constitue l'un des termes de référence les plus importants, selon lesquels doit se former l'ordre social et éthique du travail humain. La doctrine de l'Église a toujours réservé une attention spéciale à ce problème et, dans le présent document, il faudra que nous y revenions encore. Car la famille est à la fois une *communauté rendue possible par le travail* et la première *école interne de travail* pour tout homme.

La troisième sphère de valeurs que nous rencontrons dans la perspective retenue ici — celle du sujet du travail — regarde *la grande société* à laquelle l'homme appartient en vertu des liens culturels et historiques particuliers. Cette société, même si elle n'a pas encore pris la forme achevée d'une nation, est la grande «éducatrice» de tout homme, encore qu'indirectement (car chacun assume dans sa famille les éléments et les valeurs dont l'ensemble compose la culture d'une nation donnée), et elle est aussi une grande incarnation historique et sociale du travail de toutes les générations. Le résultat de tout cela est que l'homme lie son identité humaine la plus profonde à l'appartenance à sa nation, et qu'il voit aussi dans son travail un moyen d'accroître le bien commun élaboré avec ses compatriotes, en se rendant compte ainsi que, par ce moyen, le travail sert à multiplier le patrimoine de toute la famille humaine, de tous les hommes vivant dans le monde.

Ces trois sphères conservent de façon permanente leur *importance pour le travail humain* dans sa dimension subjective. Cette dimension, c'est-à-dire la réalité concrète de l'homme au travail, l'emporte sur la dimension objective. Dans la dimension subjective se réalise avant tout la «domination» sur le monde de la nature, à laquelle l'homme est appelé depuis les origines selon les paroles du Livre de la Genèse. Si le processus de soumission de la terre, c'est-à-dire le travail sous l'aspect de la technique, est caractérisé au cours de l'histoire, et spécialement ces derniers siècles, par un immense développement des moyens de production, il s'agit là d'un phénomène avantageux et positif, à condition que la dimension objective du travail ne prenne pas le dessus sur la dimension subjective, en enlevant à l'homme ou en diminuant sa dignité et ses droits inaliénables.

LE CONFLIT ENTRE LE TRAVAIL ET LE CAPITAL DANS LA PHASE ACTUELLE DE L'HISTOIRE

11. Dimensions de ce conflit

L'ébauche de la problématique fondamentale du travail, telle qu'elle a été esquissée ci-dessus, de même qu'elle se réfère aux premiers textes bibliques, constitue, en un certain sens, l'armature de l'enseignement de l'Église, qui se maintient inchangé à travers les siècles, dans le contexte des diverses expériences de l'histoire. Toutefois, sur la toile de fond des expériences qui ont précédé la publication de l'encyclique *Rerum novarum* et qui l'ont suivie, cet enseignement acquiert une possibilité particulière d'expression et un caractère de vive actualité. Le travail apparaît dans cette analyse comme une grande réalité, qui exerce une influence fondamentale sur la formation, au sens humain, du monde confié à l'homme par le Créateur et sur son humanisation; il est aussi une réalité étroitement liée à l'homme, comme à son propre sujet, et à sa façon rationnelle d'agir. Cette réalité, dans le cours normal des choses, remplit la vie humaine et a une forte incidence sur sa valeur et sur son sens. Même s'il est associé à la fatigue et à l'effort, le travail ne cesse pas d'être un bien, en sorte que l'homme se développe en aimant son travail. Ce caractère *du travail humain*, tout à fait *positif et créateur, éducatif et méritoire*, doit constituer le fondement des estimations et des décisions qui se prennent aujourd'hui à son égard, même en référence aux *droits subjectifs de l'homme*, comme l'attestent les *Déclarations* internationales et aussi les multiples *Codes du travail*, élaborés par les institutions législatives compétentes des divers pays comme par les organi-

sations qui consacrent leur activité sociale ou scientifico-sociale
à la problématique du travail. Il y a un organisme qui promeut
de telles initiatives au niveau international: c'est l'*Organisation
internationale du Travail*, la plus ancienne Institution spécialisée
de l'Organisation des Nations Unies.

Dans une partie subséquente des présentes considérations,
j'ai l'intention de revenir de façon plus détaillée sur ces problèmes importants, en rappelant au moins les éléments fondamentaux de la doctrine de l'Église sur ce thème. Auparavant cependant, il convient d'aborder une sphère très importante de
problèmes qui ont servi de cadre à la formation de cet enseignement dans la dernière étape, autrement dit dans la période dont
le début, en un certain sens symbolique, correspond à l'année
de la publication de l'encyclique *Rerum novarum*.

On sait que, durant toute cette période qui n'est d'ailleurs
pas terminée, le problème du travail s'est posé en fonction du
grand *conflit* qui, à l'époque du développement industriel et en
liaison avec lui, s'est manifesté entre le «*monde du capital*» et le
«*monde du travail*», autrement dit entre le groupe restreint, mais
très influent, des entrepreneurs, des propriétaires ou détenteurs
des moyens de production et la multitude plus large des gens
qui, privés de ces moyens, ne participaient au processus de
production que par leur travail. Ce conflit a eu son origine dans
le fait que les travailleurs mettaient leurs forces à la disposition
du groupe des entrepreneurs, et que ce dernier, guidé par le
principe du plus grand profit, cherchait à maintenir le salaire le
plus bas possible pour le travail exécuté par les ouvriers. À cela
il faut encore ajouter d'autres éléments d'exploitation, liés au
manque de sécurité dans le travail et à l'absence de garanties
quant aux conditions de santé et de vie des ouvriers et de leurs
familles.

Ce conflit, interprété par certains comme un *conflit* socio-
économique *à caractère de classe*, a trouvé son expression dans *le
conflit idéologique* entre le libéralisme, entendu comme idéologie
du capitalisme, et le marxisme, entendu comme idéologie du
socialisme scientifique et du communisme, qui prétend intervenir en qualité de porte-parole de la classe ouvrière, de tout le
prolétariat mondial. De cette façon, le conflit réel qui existait

entre le monde du travail et celui du capital s'est transformé *en lutte de classe systématique*, conduite avec des méthodes non seulement idéologiques mais aussi et surtout politiques. On connaît l'histoire de ce conflit, comme on connaît aussi les exigences de l'une et de l'autre partie. Le programme marxiste, basé sur la philosophie de Marx et d'Engels, voit dans la lutte des classes l'unique moyen d'éliminer les injustices de classe existant dans la société, et d'éliminer les classes elles-mêmes. La réalisation de ce programme envisage tout d'abord de «*collectiviser*» *des moyens de production*, afin que, par le transfert de ces moyens des personnes privées à la collectivité, le travail humain soit préservé de l'exploitation.

C'est à cela que tend la lutte conduite par des méthodes idéologiques et aussi politiques. Les regroupements inspirés par l'idéologie marxiste, comme partis politiques, tendent, conformément au principe de la «dictature du prolétariat» et en exerçant des influences de divers types, y compris la pression révolutionnaire, *au monopole du pouvoir dans chacune des sociétés*, et veulent y introduire le système collectiviste grâce à l'élimination de la propriété privée des moyens de production. Selon les principaux idéologues et les chefs de cet ample mouvement international, le but d'un tel programme d'action est d'accomplir la révolution sociale et d'introduire dans le monde entier le socialisme et, en définitive, le système communiste.

En abordant cette sphère extrêmement importante de problèmes qui constituent non seulement une théorie mais la trame de la vie socio-économique, politique et internationale, de notre époque, *on ne peut entrer dans les détails*, et d'ailleurs ce n'est pas nécessaire, puisque ces problèmes sont connus aussi bien grâce à une abondante littérature qu'à partir des expériences pratiques. On doit, par contre, remonter de leur contexte au problème fondamental du travail humain auquel sont consacrées avant tout les considérations du présent document. Il est en effet évident que ce problème capital, toujours du point de vue de l'homme — problème qui constitue l'une des dimensions fondamentales de son existence terrestre et de sa vocation —, ne saurait être expliqué autrement qu'en tenant compte de tout le contexte de la réalité contemporaine.

12. Priorité du travail

En face de cette réalité contemporaine, dont la structure porte
si profondément inscrits tant de conflits causés par l'homme et
dans laquelle les moyens techniques, fruits du travail humain,
jouent un rôle de premier plan (on pense également ici à la
perspective d'un cataclysme mondial dans l'éventualité d'une
guerre nucléaire dont les possibilités de destruction seraient
quasi inimaginables), on doit avant tout rappeler un principe
toujours enseigné par l'Église. C'est *le principe de la priorité du
«travail» par rapport au «capital»*. Ce principe concerne directement le processus même de la production dont le travail est
toujours *une cause efficiente* première, tandis que le «capital»,
comme ensemble des moyens de production, demeure seulement un *instrument* ou la cause instrumentale. Ce principe est
une vérité évidente qui ressort de toute l'expérience historique
de l'homme.

Lorsque, dans le premier chapitre de la Bible, nous lisons
que l'homme doit soumettre la terre, nous savons que ces paroles se réfèrent à toutes les ressources que le monde visible
renferme en lui-même et qui sont mises à la disposition de
l'homme. Toutefois ces ressources ne peuvent *servir à l'homme
que par le travail*. Au travail demeure également lié depuis les
origines le problème de la propriété, car, pour faire servir à soi
et aux autres les ressources cachées dans la nature, l'homme a
comme unique moyen son travail. Et afin de pouvoir faire
fructifier ces ressources par son travail, l'homme s'approprie
des petites parties des diverses richesses de la nature: du sous-
sol, de la mer, de la terre, de l'espace. L'homme s'approprie tout
cela en en faisant le chantier de son travail. Il se l'approprie par
le travail et pour avoir encore du travail.

Le même principe s'applique aux phases successives de ce
processus, dans lequel *la première phase* demeure toujours le
rapport de l'homme *avec les ressources et les richesses de la nature*.
Tout l'effort de connaissance qui tend à découvrir ces richesses,
à déterminer leurs diverses possibilités d'utilisation par
l'homme et pour l'homme, nous fait prendre conscience de ceci:
tout ce qui, dans l'ensemble de l'œuvre de production économique, provient de l'homme, aussi bien le travail que l'ensem-

ble des moyens de production et la technique qui leur est liée (c'est-à-dire la capacité de mettre en œuvre ces moyens dans le travail), suppose ces richesses et ces ressources du monde visible *que l'homme trouve*, mais qu'il ne crée pas. Il les trouve, en un certain sens, déjà prêtes, préparées pour leur découverte et leur utilisation correcte dans le processus de production. En toute phase du développement de son travail, l'homme rencontre le fait que tout lui est principalement *donné* par la «nature», autrement dit, en définitive, par le *Créateur*. Au début du travail humain, il y a le mystère de la création. Cette affirmation, déjà indiquée comme point de départ, constitue le fil conducteur de ce document et sera développée ultérieurement, dans la dernière partie de ces réflexions.

La considération qui vient ensuite sur le même problème doit nous confirmer dans la conviction de *la priorité du travail humain par rapport à ce que*, avec le temps, on a pris l'habitude d'appeler «*capital*». Si en effet, dans le cadre de ce dernier concept, on fait entrer, outre les ressources de la nature mises à la disposition de l'homme, l'ensemble des moyens par lesquels l'homme se les approprie en les transformant à la mesure de ses besoins (et ainsi, en un sens, en les «humanisant»), on doit alors constater dès maintenant que *cet ensemble de moyens est le fruit du patrimoine historique du travail humain*. Tous les moyens de production, des plus primitifs aux plus modernes, c'est l'homme qui les a progressivement élaborés: l'expérience et l'intelligence de l'homme. De cette façon sont apparus, non seulement les instruments les plus simples qui servent à la culture de la terre, mais aussi — grâce au progrès adéquat de la science et de la technique — les plus modernes et les plus complexes: les machines, les usines, les laboratoires et les ordinateurs. Ainsi, *tout ce qui sert au travail*, tout ce qui constitue, dans l'état actuel de la technique, son «instrument» toujours plus perfectionné, *est le fruit du travail*.

Cet instrument gigantesque et puissant, à savoir l'ensemble des moyens de production considérés en un certain sens comme synonyme de «capital», est né du travail et porte les marques du travail humain. Au stade présent de l'avancement de la technique, l'homme, qui est le sujet du travail, quand il

veut se servir de cet ensemble d'instruments modernes, c'est-à-
dire des moyens de production, doit commencer par assimiler,
au plan de la connaissance, le fruit du travail des hommes qui
ont découvert ces instruments, qui les ont programmés,
construits et perfectionnés, et qui continuent à le faire. *La capacité de travail* — c'est-à-dire la possibilité de participer efficacement au processus moderne de production — exige une *préparation* toujours plus grande et, avant tout, une *instruction*
adéquate. Évidemment, il reste clair que tout homme, participant au processus de production, même dans le cas où il exécute
seulement un type de travail qui ne requiert pas une instruction
particulière et des qualifications spéciales, continue à être, dans
ce processus de production, le vrai sujet efficace, tandis que
l'ensemble des instruments, fût-il le plus parfait, est seulement
et exclusivement un instrument subordonné au travail de
l'homme.

Cette vérité, qui appartient au patrimoine stable de la
doctrine de l'Église, doit être toujours soulignée en rapport avec
le problème du système de travail et aussi de tout le système
socio-économique. Il faut souligner et mettre en relief le primat
de l'homme dans le processus de production, *le primat de
l'homme par rapport aux choses*. Tout ce qui est contenu dans le
concept de «capital», au sens restreint du terme, est seulement
un ensemble de choses. Comme sujet du travail, et quel que soit
le travail qu'il accomplit, l'homme, et lui seul, est une personne.
Cette vérité contient en elle-même des conséquences importantes et décisives.

13. «Économisme» et matérialisme

Avant tout, à la lumière de cette vérité, on voit clairement qu'on
ne saurait séparer le «capital» du travail, qu'on ne saurait en
aucune manière opposer le travail au capital, ni le capital au
travail, et moins encore — comme on l'expliquera plus loin —
les hommes concrets, désignés par ces concepts. Le système de
travail qui peut être juste, c'est-à-dire conforme à l'essence
même du problème ou, encore, intrinsèquement vrai et en
même temps moralement légitime, est celui qui, en ses fondements, *dépasse l'antinomie entre travail et capital*, en cherchant à

se structurer selon le principe énoncé plus haut de la priorité substantielle et effective du travail, de l'aspect subjectif du travail humain et de sa participation efficiente à tout le processus de production, et cela quelle que soit la nature des prestations fournies par le travailleur.

L'antinomie entre travail et capital ne trouve sa source ni dans la structure du processus de production ni dans celle du processus économique en général. Ce processus révèle en effet une compénétration réciproque entre le travail et ce que nous sommes habitués à nommer le capital; il montre leur lien indissoluble. L'homme, à quelque tâche qu'il soit attelé, relativement primitive ou, au contraire, ultra-moderne, peut aisément se rendre compte de ce que, *par son travail, il hérite d'un double patrimoine:* il hérite d'une part de ce qui est donné à tous les hommes sous forme de ressources naturelles et, d'autre part, de tout ce que les autres ont déjà élaboré à partir de ces ressources, avant tout en développant la technique, c'est-à-dire en réalisant un ensemble d'instruments de travail toujours plus parfaits. Tout en travaillant, l'homme «hérite du travail d'autrui».[21] Nous acceptons sans difficulté cette vision du domaine et du processus du travail humain, guidés que nous sommes tant par l'intelligence que par la foi qui reçoit sa lumière de la parole de Dieu. Il s'agit là d'*une vision cohérente, à la fois théologique et humaniste.* En elle, l'homme apparaît comme le «patron» des créatures, mises à sa disposition dans le monde visible. Si, dans le processus du travail, on découvre quelque dépendance, il s'agit de celle qui lie au donateur de toutes les ressources de la création, et qui devient à son tour dépendance envers d'autres hommes, envers ceux qui, par leur travail et leurs initiatives, ont donné à notre propre travail des possibilités déjà perfectionnées et accrues. De tout ce qui, dans le processus de production, constitue un ensemble de «choses», des instruments, du capital, nous pouvons seulement affirmer qu'il *«conditionne»* le travail de l'homme. Mais nous ne pouvons pas affirmer qu'il soit comme le «sujet» anonyme qui *met en position dépendante* l'homme et son travail.

---

21. Cf. *Jn* 4, 38.

La *rupture de cette vision cohérente*, dans laquelle est strictement sauvegardé le principe du primat de la personne sur les
choses, *s'est réalisée dans la pensée humaine*, parfois après une
longue période de préparation dans la vie pratique. Elle s'est
opérée de telle sorte que le travail a été séparé du capital et
opposé à lui, de même que le capital a été opposé au travail,
presque comme s'il s'agissait de deux forces anonymes, de deux
facteurs de production envisagés tous les deux dans une même
perspective «économiste». Dans cette façon de poser le problème, il y avait l'erreur fondamentale que l'on peut appeler l'*erreur de l'«économisme»* et qui consiste à considérer le travail
humain exclusivement sous le rapport de sa finalité économique. On peut et on doit appeler cette erreur fondamentale de la
pensée *l'erreur du matérialisme* en ce sens que l'«économisme»
comporte, directement ou indirectement, la conviction du primat et de la supériorité de ce qui est matériel, tandis qu'il place,
directement ou indirectement, ce qui est spirituel et personnel
(l'agir de l'homme, les valeurs morales et similaires) dans une
position subordonnée à la réalité matérielle. Cela ne constitue
pas encore le *matérialisme théorique* au sens plénier du mot; mais
c'est déjà certainement un *matérialisme* pratique qui, moins en
vertu des prémisses dérivant de la théorie matérialiste qu'en
raison d'un mode déterminé de porter des jugements de valeur
— et donc en vertu d'une certaine hiérarchie des biens, fondée
sur l'attraction forte et immédiate de ce qui est matériel —, est
jugé capable de satisfaire les besoins de l'homme.

L'erreur de penser selon les catégories de l'«économisme»
est allée de pair avec l'apparition de la philosophie matérialiste
et avec le développement de cette philosophie depuis sa phase
la plus élémentaire et la plus commune (encore appelée matérialisme vulgaire parce qu'il prétend réduire la réalité spirituelle à un phénomène superflu) jusqu'à celle de ce qu'on
nomme matérialisme dialectique. Il semble pourtant que, dans
le cadre des considérations présentes, pour le problème fondamental du travail humain et, en particulier, pour cette séparation et cette opposition entre «travail» et «capital», comme entre
deux facteurs de la production envisagés dans la même perspective «économiste» dont nous avons parlé, l'*«économisme» ait*

eu une importance décisive et ait influé sur cette manière non humaniste de poser le problème, avant le système philosophique matérialiste. Néanmoins il est évident que le matérialisme, même sous sa forme dialectique, n'est pas en état de fournir à la réflexion sur le travail humain des bases suffisantes et définitives pour que le primat de l'homme sur l'instrument-capital, le primat de la personne sur la chose, puissent trouver en lui une *vérification* adéquate et irréfutable et un véritable *soutien*. Même dans le matérialisme dialectique, l'homme n'est pas d'abord sujet du travail et cause efficiente du processus de production, mais il reste traité et compris en dépendance de ce qui est matériel, comme une sorte de «résultante» des rapports économiques et des rapports de production qui prédominent à une époque donnée.

Évidemment, l'antinomie, envisagée ici, entre le travail et le capital — *antinomie* dans le cadre de laquelle *le travail a été séparé du capital et opposé à lui*, en un certain sens de façon ontique, comme s'il était un élément quelconque du processus économique — a son origine, non seulement dans la philosophie et les théories économiques du XVIIIᵉ siècle, mais plus encore dans la pratique économico-sociale de cette époque qui fut celle de l'industrialisation naissant et se développant de manière impétueuse et dans laquelle on percevait en premier lieu la possibilité de multiplier abondamment les richesses matérielles, c'est-à-dire les moyens, mais en perdant de vue la fin, c'est-à-dire l'homme à qui ces moyens doivent servir. Cette *erreur* d'ordre pratique a *touché* d'abord le travail humain, *l'homme au travail*, et a causé la réaction sociale éthiquement juste dont on a parlé plus haut. La même erreur, qui a désormais son aspect historique déterminé, lié à la période du capitalisme et du libéralisme primitifs, peut encore se répéter en d'autres circonstances de temps et de lieu si, dans les raisonnement, on part des mêmes prémisses tant théoriques que pratiques. On ne voit pas d'autre possibilité de dépassement radical de cette erreur si n'interviennent pas des changements adéquats dans le domaine de la théorie comme dans celui de la pratique, changements *allant dans une ligne* de ferme conviction du primat de la personne sur la chose, du travail de l'homme sur le capital entendu comme ensemble des moyens de production.

14. Travail et propriété

Le processus historique — qui est ici brièvement présenté — est assurément sorti de sa phase initiale, mais il continue et tend même à s'étendre dans les rapports entre nations et continents. Il appelle encore un éclaircissement sous un autre point de vue. Il est évident que lorsque l'on parle de l'antinomie entre travail et capital, il ne s'agit pas seulement de concepts abstraits ou de «forces anonymes» agissant dans la production économique. Derrière ces concepts, il y a des hommes, des hommes vivants, concrets. D'un côté, il y a ceux qui exécutent le travail sans être propriétaires des moyens de production, et, de l'autre, il y a ceux qui remplissent la fonction d'entrepreneurs et sont propriétaires de ces moyens, ou du moins représentent ces derniers. Ainsi donc s'insère dans l'ensemble de ce difficile processus historique, et depuis le début, le *problème de la propriété*. L'encyclique *Rerum novarum*, qui a pour thème la question sociale, met aussi l'accent sur ce problème, en rappelant et en confirmant la doctrine de l'Église sur la propriété, sur le droit à la propriété privée, même lorsqu'il s'agit des moyens de production. L'encyclique *Mater et magistra* a une position identique.

Ce principe, rappelé alors par l'Église et qu'elle enseigne toujours, *diverge* radicalement d'avec le programme du *collectivisme*, proclamé par le marxisme et réalisé dans divers pays du monde au cours des décennies qui ont suivi l'encyclique de Léon XIII. Il diffère encore du programme du *capitalisme*, pratiqué par le libéralisme et les systèmes politiques qui se réclament de lui. Dans ce second cas, la différence réside dans la manière de comprendre le droit de propriété. La tradition chrétienne n'a jamais soutenu ce droit comme un droit absolu et intangible. Au contraire, elle l'a toujours entendu dans le contexte plus vaste du droit commun de tous à utiliser les biens de la création entière: *le droit à la propriété privée est subordonné à celui de l'usage commun*, à la destination universelle des biens.

En outre, la propriété, selon l'enseignement de l'Église, n'a jamais été comprise de façon à pouvoir constituer un motif de désaccord social dans le travail. Comme il a déjà été rappelé plus haut, la propriété s'acquiert avant tout par le travail et pour servir au travail. Cela concerne de façon particulière la propriété des moyens de production. Les considérer séparément comme un ensemble de propriétés à part dans le but de les opposer, sous forme de «capital», au «travail» et, qui plus est, dans le but d'exploiter ce travail, est contraire à la nature de ces moyens et à celle de leur possession. Ils ne sauraient être *possédés contre le travail*, et ne peuvent être non plus *possédés pour posséder*, parce que l'unique titre légitime à leur possession — et cela aussi bien sous la forme de la propriété privée que sous celle de la propriété publique ou collective — *est qu'ils servent au travail* et qu'en conséquence, en servant au travail, ils rendent possible la réalisation du premier principe de cet ordre qu'est la destination universelle des biens et le droit à leur usage commun. De ce point de vue, en considération du travail humain et de l'accès commun aux biens destinés à l'homme, on ne peut pas exclure non plus *la socialisation*, sous les conditions qui conviennent, de certains moyens de production. Dans l'espace des décennies nous séparant de la publication de l'encyclique *Rerum novarum*, l'enseignement de l'Église a toujours rappelé tous ces principes, en remontant aux arguments formulés dans une tradition beaucoup plus ancienne, par exemple aux arguments connus de la *Somme théologique* de saint Thomas d'Aquin.[22]

Dans le présent document, dont le thème principal est le travail humain, il convient de confirmer tout l'effort par lequel l'enseignement de l'Église sur la propriété a cherché et cherche toujours à assurer le primat du travail et, par là, la *subjectivité* de l'homme dans la vie sociale et, spécialement, dans la *structure dynamique de tout le processus économique*. De ce point de vue, demeure inacceptable la position du capitalisme «rigide», qui défend le droit exclusif de la propriété privée des moyens de production, comme un «dogme» intangible de la vie économi-

---

22. Pour le droit de propriété, cf. *Somme théologique* II-II, q. 66, a. 2 et a. 6; *De regimine principum*, L. I, cc. 15 et 17. Pour la fonction sociale de la propriété, cf. *Somme théologique* II-II, q. 134, a. 1, ad 3.

que. Le principe du respect du travail exige que ce droit soit soumis à une révision constructive, tant en théorie qu'en pratique. S'il est vrai que le capital — entendu comme l'ensemble des moyens de production — est en même temps le produit du travail des générations, il est alors tout aussi vrai qu'il se crée sans cesse grâce au travail effectué avec l'aide de cet ensemble de moyens de production, qui apparaissent comme un grand atelier où œuvre, jour après jour, l'actuelle génération des travailleurs. Il s'agit, à l'évidence, des diverses sortes de travail, non seulement du travail dit manuel, mais aussi des divers travaux intellectuels, depuis le travail de conception jusqu'à celui de direction.

À cette lumière, les nombreuses propositions avancées par les experts de la doctrine sociale catholique et aussi par le magistère suprême de l'Église[23] acquièrent une signification toute particulière. Il s'agit des *propositions* concernant la *copropriété des moyens de travail*, la participation des travailleurs à la gestion et/ou aux profits des entreprises, ce que l'on nomme l'actionnariat ouvrier, etc. Quelles que soient les applications concrètes qu'on puisse faire de ces diverses propositions, il demeure évident que la reconnaissance de la position juste du travail et du travailleur dans le processus de production exige des adaptations variées même dans le domaine du droit de propriété des moyens de production. En disant cela, on prend en considération, non seulement les situations les plus anciennes, mais d'abord la réalité et la problématique qui se sont créées dans la seconde moitié de ce siècle, en ce qui concerne le tiers monde et les divers pays indépendants qui, spécialement en Afrique, mais aussi ailleurs, ont remplacé les territoires coloniaux d'autrefois.

Si donc la position du capitalisme «rigide» doit être continuellement soumise à révision en vue d'une réforme prenant en considération les droits de l'homme, entendus dans leur sens le plus large et dans leurs rapports avec le travail, alors on doit

---

23. Cf. Pie XI, encyclique *Quadragesimo anno*: AAS 23 (1931), p. 199; Conc. Oecum. Vat. II, const. past. sur l'Église dans le monde de ce temps *Gaudium et spes*, 68: *AAS* 58 (1966), pp. 1089-1090.

affirmer, du même point de vue, que ces réformes multiples et tant désirées ne peuvent pas être réalisées *par l'élimination a priori de la propriété privée des moyens de production.* Il convient en effet d'observer que le simple fait de retirer ces moyens de production (le capital) des mains de leurs propriétaires privés ne suffit pas à les socialiser de manière satisfaisante. Ils cessent d'être la propriété d'un certain groupe social, les propriétaires privés, pour devenir la propriété de la société organisée, passant ainsi sous l'administration et le contrôle direct d'un autre groupe de personnes qui, sans en avoir la propriété mais en vertu du pouvoir qu'elles exercent dans la société, disposent d'eux à l'échelle de l'économie nationale tout entière, ou à celle de l'économie locale.

Ce groupe dirigeant et responsable peut s'acquitter de ses tâches de façon satisfaisante du point de vue du primat du travail, mais il peut aussi s'en acquitter mal, en revendiquant en même temps pour lui-même le *monopole de l'administration et de la disposition* des moyens de production, et en ne s'arrêtant même pas devant l'offense faite aux droits fondamentaux de l'homme. Ainsi donc, le fait que les moyens de production deviennent la propriété de l'État dans le système collectiviste ne signifie pas par lui-même que cette propriété est «socialisée». On ne peut parler de socialisation que si la subjectivité de la société est assurée, c'est-à-dire si chacun, du fait de son travail, a un titre plénier à se considérer en même temps comme co-propriétaire du grand chantier de travail dans lequel il s'engage avec tous. Une des voies pour parvenir à cet objectif pourrait être d'associer le travail, dans la mesure du possible, à la propriété du capital, et de donner vie à une série de corps intermédiaires à finalités économiques, sociales et culturelles: ces corps jouiraient d'une autonomie effective vis-à-vis des pouvoirs publics; ils poursuivraient leurs objectifs spécifiques en entretenant entre eux des rapports de loyale collaboration et en se soumettant aux exigences du bien commun, ils revêtiraient la forme et la substance d'une communauté vivante. Ainsi leurs membres respectifs seraient-ils considérés et traités comme des personnes et stimulés à prendre une part active à leur vie.[24]

24. Cf. Jean XXIII, encyclique *Mater et Magistra: AAS* 53 (1961), p. 419.

15. Argument personnaliste

Ainsi, le principe de la priorité du travail sur le capital est un postulat qui appartient à l'ordre de la morale sociale. Ce postulat a une importance clé aussi bien dans le système fondé sur le principe de la propriété privée des moyens de production que dans celui où la propriété privée de ces moyens a été limitée même radicalement. Le travail est, en un certain sens, inséparable du capital, et il ne tolère sous aucune forme l'antinomie — c'est-à-dire la séparation et l'opposition par rapport aux moyens de production — qui, résultant de prémisses uniquement économiques, a pesé sur la vie humaine au cours des derniers siècles. Lorsque l'homme travaille, en utilisant l'ensemble des moyens de production, il désire en même temps que les fruits de son travail soient utiles, à lui et à autrui, et que, dans le processus même de travail, il puisse apparaître comme coresponsable et co-artisan au poste de travail qu'il occupe.

De là découlent divers droits spécifiques des travailleurs, droits qui correspondent à l'obligation du travail. On en parlera par la suite. Mais il est dès maintenant nécessaire de souligner, de manière générale, que l'homme qui travaille désire *non seulement recevoir la rémunération qui lui est due* pour son travail, mais aussi qu'on prenne en considération, dans le processus même de production, la possibilité pour lui d'avoir *conscience* que, même s'il travaille dans une propriété collective, il travaille en même temps «*à son compte*». Cette conscience se trouve étouffée en lui dans un système de centralisation bureaucratique excessive où le travailleur se perçoit davantage comme l'engrenage d'un grand mécanisme dirigé d'en haut et — à plus d'un titre — comme un simple instrument de production que comme un véritable sujet du travail, doué d'initiative propre. L'enseignement de l'Église a toujours exprimé la conviction ferme et profonde que le travail humain ne concerne pas seulement l'économie, mais implique aussi et avant tout des valeurs personnelles. Le système économique lui-même et le processus de production trouvent leur avantage à ce que ces valeurs personnelles soient pleinement respectées. Dans la pensée de saint Thomas d'Aquin,[25] c'est surtout cette raison qui plaide en

---

25. Cf. *Somme théologique* II-II, q. 65, a. 2.

faveur de la propriété privée des moyens de production. Si nous acceptons que, pour certains motifs fondés, des exceptions puissent être faites au principe de la propriété privée — et, à notre époque, nous sommes même témoins que, dans la vie, a été introduit le système de la propriété «socialisé» —, *l'argument personnaliste ne perd cependant pas sa force,* ni au niveau des principes, ni au plan *pratique.* Pour être rationnelle et fructueuse, toute socialisation des moyens de production doit prendre cet argument en considération. On doit tout faire pour que l'homme puisse conserver même dans un tel système la conscience de travailler «à son compte». Dans le cas contraire, il s'ensuit nécessairement dans tout le processus économique des dommages incalculables, dommages qui ne sont pas seulement économiques mais qui atteignent avant tout l'homme.

IV

DROITS DES TRAVAILLEURS

16. Dans le vaste contexte des droits de l'homme

Si le travail, aux divers sens du terme, est une obligation, c'est-à-dire un devoir, il est aussi en même temps une source de droits pour *le travailleur*. Ces *droits* doivent être examinés dans le vaste *contexte de l'ensemble des droits de l'homme*, droits qui lui sont connaturels et dont beaucoup ont été proclamés par diverses instances internationales et sont toujours davantage garantis par les États à leurs citoyens. Le respect de ce vaste ensemble de droits de l'homme constitue la condition fondamentale de la paix dans le monde contemporain: la paix à l'intérieur de chaque pays, de chaque société aussi bien que dans le domaine des rapports internationaux, comme cela a été relevé bien des fois par le magistère de l'Église, particulièrement depuis l'époque de l'encyclique *Pacem in terris. Les droits humains qui découlent du travail* rentrent précisément dans l'ensemble plus large des droits fondamentaux de la personne.

Cependant, à l'intérieur de cet ensemble, ils ont un caractère propre qui répond à la nature spécifique du travail humain tel qu'on vient d'en tracer les grandes lignes, et c'est en fonction de ces caractéristiques qu'il faut les considérer. Le travail est, comme on l'a dit, une *obligation*, c'est-à-dire un *devoir de l'homme*, et ceci à *plusieurs titres*. L'homme doit travailler parce que le Créateur le lui a ordonné, et aussi du fait de son humanité même dont la subsistance et le développement exigent le travail. L'homme doit travailler par égard pour le prochain, spécialement pour sa famille, mais aussi pour la société à laquelle il appartient, pour la nation dont il est fils ou fille, pour toute la famille humaine dont il est membre, étant héritier du travail des générations qui l'ont précédé et en même temps co-artisan de l'avenir de ceux qui viendront après lui dans la suite de l'histoire. Tout cela constitue l'obligation morale du travail entendue en son sens le plus large. Lorsqu'il faudra considérer les droits moraux de chaque homme par rapport au travail, droits correspondants à cette obligation, on devra avoir toujours devant les yeux ce cercle entier de points de référence dans lequel prend place le travail de chaque sujet au travail.

En effet, en parlant de l'obligation du travail et des droits du travailleur correspondants à cette obligation, nous avons avant tout dans l'esprit le rapport entre l'*employeur* — celui qui fournit le travail, de façon directe ou indirecte — *et le travailleur*.

La distinction entre employeur direct et indirect semble très importante en considération aussi bien de l'organisation réelle du travail que de la possibilité d'établir des rapports justes ou injustes dans le domaine du travail.

Si *l'employeur direct* est la personne ou l'institution avec lesquelles le travailleur conclut directement le contrat de travail selon des conditions déterminées, il faut alors comprendre sous le terme *d'employeur indirect* les nombreux facteurs différenciés qui, outre l'employeur direct, exercent une influence déterminée sur la manière dont se forment le contrat de travail et, par voie de conséquence, les rapports plus ou moins justes dans le domaine du travail humain.

17. Employeur: «indirect» et «direct»

Dans le concept d'employeur indirect entrent les personnes, les institutions de divers types, comme aussi les conventions collectives de travail et les *principes* de comportement, qui, établis par ces personnes et institutions, déterminent tout le *système socio-économique* ou en découlent. Le concept d'employeur indirect se réfère ainsi à des éléments nombreux et variés. La responsabilité de l'employeur indirect est différente de celle de l'employeur direct — comme les termes eux-mêmes l'indiquent: la responsabilité est moins directe — mais elle demeure une véritable responsabilité: l'employeur indirect détermine substantiellement l'un ou l'autre aspect du rapport de travail et conditionne ainsi le comportement de l'employeur direct lorsque ce dernier détermine concrètement le contrat et les rapports de travail. Une constatation de ce genre n'a pas pour but de décharger ce dernier de la responsabilité qui lui appartient en propre, mais seulement d'attirer l'attention sur l'imbrication des conditionnements qui influent sur son comportement. Lorsqu'il s'agit d'instaurer une *politique du travail correcte du point de vue éthique*, il est nécessaire d'avoir tous ces conditionnements devant les yeux. Et cette politique est correcte lorsque les droits objectifs du travailleur sont pleinement respectés.

Le concept d'employeur indirect peut être appliqué à chaque société particulière, et avant tout à l'État. C'est l'État, en effet, qui doit mener une juste politique du travail. On sait cependant que, dans le système actuel des rapports économiques dans le monde, on constate de *multiples liaisons entre les divers États*, liaisons qui s'expriment par exemple dans les mouvements d'importation et d'exportation, c'est-à-dire dans l'échange réciproque de biens économiques, qu'il s'agisse de matières premières, de produits semi-finis ou de produits industriels finis. Ces rapports créent aussi des *dépendances* réciproques et il serait par conséquent difficile de parler de pleine auto-suffisance, c'est-à-dire d'autarcie, pour quelque État que ce soit, fût-il économiquement le plus puissant.

Ce système de dépendances réciproques est en lui-même normal; cependant, il peut facilement donner lieu à diverses formes d'exploitation ou d'injustice et avoir ainsi une influence sur la politique du travail des États et, en définitive, sur le travailleur individuel qui est le sujet propre du travail. Par exemple, *les pays hautement industrialisés* et plus encore les entreprises qui contrôlent sur une grande échelle les moyens de production industrielle (ce qu'on appelle les sociétés multinationales ou transnationales) imposent les prix les plus élevés possible pour leurs produits et cherchent en même temps à fixer les prix les plus bas possible pour les matières premières ou les produits semi-finis. Cela, parmi d'autres causes, a pour résultat de créer une disproportion toujours croissante entre les revenus nationaux des différents pays. La distance entre la plupart des pays riches et les pays les plus pauvres ne diminue pas et ne se nivelle pas mais augmente toujours davantage et, naturellement, au détriment des seconds. Il est évident que cela ne peut pas demeurer sans effet sur la politique locale du travail ni sur la situation du travailleur dans les sociétés économiquement désavantagées. L'employeur direct qui se trouve dans un tel système de conditionnement fixe les conditions du travail au-dessous des exigences objectives des travailleurs, surtout s'il veut lui-même tirer le profit le plus élevé possible de l'entreprise qu'il dirige (ou des entreprises qu'il dirige lorsqu'il s'agit d'une situation de propriété «socialisée» des moyens de production).

Ce cadre des dépendances relatives au concept d'employeur indirect est, comme il est facile de le déduire, extrêmement étendu et complexe. Pour le déterminer, on doit prendre en considération, en un certain sens, l'*ensemble* des éléments décisifs pour la vie économique *dans le contexte d'une société ou d'un État donnés*; mais on doit également tenir compte de liaisons et de dépendances beaucoup plus vastes. La mise en œuvre des droits du travailleur ne peut cependant pas être condamnée à constituer seulement une conséquence des systèmes économiques qui, à une échelle plus ou moins large, auraient surtout pour critère le profit maximum. Au contraire, c'est précisément la prise en considération des droits objectifs du travailleur, quel qu'en soit le type: travailleur manuel, intellectuel, industriel ou agricole, etc., qui doit constituer *le critère adéquat et fondamental* de la formation de toute l'économie, aussi bien à l'échelle de chaque société ou de chaque État qu'à celui de l'ensemble de la politique économique mondiale ainsi que des systèmes et des rapports internationaux qui en dérivent.

C'est dans cette direction que devrait s'exercer l'action de toutes les *Organisations internationales* dont c'est la vocation, à commencer par l'Organisation des Nations Unies. Il semble que l'Organisation Internationale du Travail (OIT) ainsi que l'Organisation des Nations Unies pour l'alimentation et l'agriculture (FAO) et d'autres encore aient à apporter de nouvelles contributions précisément dans ce domaine. Dans le cadre des différents États, il y a des ministères, *des organismes du pouvoir public* et aussi divers *organismes sociaux* institués dans ce but. Tout cela indique efficacement la grande importance que revêt, comme on l'a dit ci-dessus, l'employeur indirect dans la mise en œuvre du plein respect des droits du travailleur, parce que les droits de la personne humaine constituent l'élément clé de tout l'ordre moral social.

18. Le problème de l'emploi

En considérant les droits des travailleurs en relation avec cet «employeur indirect», c'est-à-dire en relation avec l'ensemble des instances qui, aux niveaux national et international, sont responsables de l'orientation de la politique du travail, on doit porter son attention avant tout sur un *problème fondamental*. Il s'agit de la question d'avoir un travail, ou, en d'autres termes, du problème *qui consiste à trouver un emploi adapté à tous les sujets qui en sont capables*. Le contraire d'une situation juste et correcte dans ce domaine est le chômage, c'est-à-dire le manque d'emplois pour les sujets capables de travailler. Il peut s'agir de manque de travail en général ou dans des secteurs déterminés. Le rôle des instances dont on parle ici sous le nom d'employeur indirect est d'*agir contre le chômage*, qui est toujours un mal et, lorsqu'il en arrive à certaines dimensions, peut devenir une véritable calamité sociale. Il devient un problème particulièrement douloureux lorsque sont frappés principalement les jeunes qui, après s'être préparés par une formation culturelle, technique et professionnelle appropriée, ne réussissent pas à trouver un emploi et, avec une grande peine, voient frustrées leur volonté sincère de travailler et leur disponibilité à assumer leur propre responsabilité dans le développement économique et social de la communauté. L'obligation de prestations en faveur des chômeurs, c'est-à-dire le devoir d'assurer les subventions indispensables à la subsistance des chômeurs et de leurs familles, est un devoir qui découle du principe fondamental de l'ordre moral en ce domaine, c'est-à-dire du principe de l'usage commun des biens ou, pour s'exprimer de manière encore plus simple, du droit à la vie et à la subsistance.

Pour faire face au danger du chômage et assurer un travail à chacun, les instances qui ont été définies ici comme employeur indirect doivent pourvoir à une *planification globale* qui soit en fonction de ce chantier de travail différencié au sein duquel se forme la vie non seulement économique mais aussi culturelle d'une société donnée; elles doivent faire attention, en outre, à l'organisation correcte et rationnelle du travail dans ce chantier. Ce souci global pèse en définitive sur l'État mais il ne peut signifier une centralisation opérée unilatéralement par les pouvoirs publics. Il s'agit au contraire d'une *coordination* juste et rationnelle dans le cadre de laquelle doit être *garantie l'initiative* des personnes, des groupes libres, des centres et des ensembles de travail locaux, en tenant compte de ce qui a déjà été dit ci-dessus au sujet du caractère subjectif du travail humain.

Le fait de la dépendance réciproque des diverses société et des divers États ainsi que la nécessité de collaborer en divers domaines exigent que, tout en maintenant les droits souverains des États en matière de planification et d'organisation du travail à l'échelle de chaque société, on agisse en même temps, en ce secteur important, dans le cadre de la *collaboration internationale* et que l'on signe les traités et les accords nécessaires. Là aussi, il est indispensable que le critère de ces traités et de ces accords devienne toujours davantage le travail humain, compris comme un droit fondamental de tous les hommes, le travail qui donne à tous des droits analogues de telle sorte que le niveau de vie des travailleurs dans les diverses sociétés soit *de moins en moins marqué par ces différences choquantes* qui, dans leur injustice, sont susceptibles de provoquer de violentes réactions. Les Organisations internationales ont des tâches immenses à accomplir dans ce secteur. Il est nécessaire qu'elles se laissent guider par une évaluation exacte de la complexité des situations ainsi que des conditionnements naturels, historiques, sociaux, etc.; il est nécessaire aussi qu'elles aient, face aux plans d'action établis en commun, un meilleur fonctionnement, c'est-à-dire davantage d'efficacité réalisatrice.

C'est en cette direction que peut se mettre en œuvre le plan d'un progrès universel et harmonieux de tous, conformément au fil conducteur de l'encyclique *Populorum progressio* de Paul VI. Il faut souligner que l'élément constitutif et en même temps *la vérification* la plus adéquate de ce *progrès* dans l'esprit de justice et de paix que l'Église proclame et pour lequel elle ne cesse de prier le Père de tous les hommes et de tous les peuples, est *la réévaluation continue du travail humain*, sous l'aspect de sa finalité objective comme sous l'aspect de la dignité du sujet de tout travail qu'est l'homme. Le progrès dont on parle doit s'accomplir grâce à l'homme et pour l'homme, et il doit produire des fruits dans l'homme. Une vérification du progrès sera la reconnaissance toujours plus consciente de la finalité du travail et le respect toujours plus universel des droits qui lui sont inhérents, conformément à la dignité de l'homme, sujet du travail.

Une planification rationnelle et une organisation adéquate du travail humain, à la mesure des diverses sociétés et des divers États, devraient faciliter aussi la découverte des justes proportions entre les divers types d'activités: le travail de la terre, celui de l'industrie, des multiples services, le travail intellectuel comme le travail scientifique ou artistique, selon les capacités de chacun et pour le bien commun de la société et de toute l'humanité. À l'organisation de la vie humaine selon les possibilités multiples du travail devrait correspondre un *système d'instruction et d'éducation* adapté, qui ait avant tout comme but le développement de l'humanité et sa maturité, mais aussi la formation spécifique nécessaire pour occuper de manière profitable une juste place dans le chantier de travail vaste et socialement différencié.

En jetant les yeux sur l'ensemble de la famille humaine, répandue sur toute la terre, on ne peut pas ne pas être frappé par un *fait déconcertant* d'immense proportion: alors que d'une part des ressources naturelles importantes demeurent inutilisées, il y a d'autre part des foules de chômeurs, de sous-employés, d'immenses multitudes d'affamés. Ce fait tend sans aucun doute à montrer que, à l'intérieur de chaque communauté politique comme dans les rapports entre elles au niveau continental et mondial — pour ce qui concerne l'organisation du travail et de l'emploi — il y a quelque chose qui ne va pas, et cela précisément sur les points les plus critiques et les plus importants au point de vue social.

19. Salaire et autres prestations sociales

Après avoir décrit à grands traits le rôle important que tient le souci de donner un emploi à tous les travailleurs pour assurer le respect des droits inaliénables de l'homme par rapport à son travail, il convient d'aborder plus directement ces droits qui, en définitive, se forment dans le rapport *entre le travailleur et l'employeur direct*. Tout ce qui a été dit jusqu'ici sur le thème de l'employeur indirect a pour but de préciser de plus près ces rapports grâce à la démonstration des multiples conditionnements à l'intérieur desquels ils se forment indirectement. Cette considération, cependant, n'a pas un sens purement descriptif; elle n'est pas un bref traité d'économie ou de politique. Il s'agit de mettre en évidence *l'aspect déontologique et moral*. Le problème clé de l'éthique sociale dans ce cas est celui de *la juste rémunération* du travail accompli. Dans le contexte actuel, il n'y a pas de manière plus importante de réaliser la justice dans les rapports entre travailleurs et employeurs que la rémunération du travail. Indépendamment du fait que le travail s'effectue dans le système de la propriété privée des moyens de production ou dans un système où cette propriété a subi une sorte de «socialisation», le rapport entre employeur (avant tout direct) et travailleur se résout sur la base du salaire, c'est-à-dire par la juste rémunération du travail accompli.

Il faut relever aussi que la justice d'un système socio-économique, et, en tout cas, son juste fonctionnement, doivent être appréciés en définitive d'après la manière dont on rémunère équitablement le travail humain dans ce système. Sur ce point, nous en arrivons de nouveau au premier principe de tout l'ordre éthico-social, c'est-à-dire *au principe de l'usage commun des biens*. En tout système, indépendamment des rapports fondamentaux qui existent entre le capital et le travail, le salaire, c'est-à-dire *la rémunération du travail*, demeure la *voie* par laquelle la très grande majorité des hommes peut accéder *concrètement* aux biens qui sont destinés à l'usage commun, qu'il s'agisse des biens naturels ou des biens qui sont le fruit de la production. Les uns et les autres deviennent accessibles au travailleur grâce au salaire qu'il reçoit comme rémunération de son travail. Il découle de là que le juste salaire devient en chaque cas la *vérification concrète de la justice* de tout le système socio-économique et en tout cas de son juste fonctionnement. Ce n'en est pas l'unique vérification, mais celle-ci est particulièrement importante et elle en est, en un certain sens, la vérification clé.

Cette vérification concerne avant tout la famille. Une juste rémunération du travail de l'adulte chargé de famille est celle qui sera suffisante pour fonder et faire vivre dignement sa famille et pour en assurer l'avenir. Cette rémunération peut être réalisée soit par l'intermédiaire de ce qu'on appelle le *salaire familial*, c'est-à-dire un salaire unique donné au chef de famille pour son travail, et qui est suffisant pour les besoins de sa famille sans que son épouse soit obligée de prendre un travail rétribué hors de son foyer, soit par l'intermédiaire *d'autres mesures sociales*, telles que les allocations familiales ou les allocations de la mère au foyer, allocations qui doivent correspondre aux besoins effectifs, c'est-à-dire au nombre de personnes à charge durant tout le temps où elles ne sont pas capables d'assumer dignement la responsabilité de leur propre vie.

L'expérience confirme qu'il est nécessaire de s'employer en faveur de la *revalorisation sociale des fonctions maternelles*, du labeur qui y est lié, et du besoin que les enfants ont de soins, d'amour et d'affection pour être capables de devenir des personnes responsables, moralement et religieusement adultes, psychologiquement équilibrées. Ce sera l'honneur de la société d'assurer à la mère — sans faire obstacle à sa liberté, sans discrimination psychologique ou pratique, sans qu'elle soit pénalisée par rapport aux autres femmes — la possibilité d'élever ses enfants et de se consacrer à leur éducation selon les différents besoins de leur âge. Qu'elle soit contrainte à abandonner ces tâches pour prendre un emploi rétribué hors de chez elle n'est pas juste du point de vue du bien de la société et de la famille si cela contredit ou rend difficiles les buts premiers de la mission maternelle.[26]

Dans ce contexte, on doit souligner que, d'une façon plus générale, il est nécessaire d'organiser et d'adapter tout le processus du travail de manière à respecter les exigences de la personne et ses formes de vie, et avant tout de sa vie de famille, en tenant compte de l'âge et du sexe de chacun. C'est un fait que, dans beaucoup de sociétés, les femmes travaillent dans

---

26. Cf. Conc. Oecum. Vat. II, const. past. sur l'Église dans le monde de ce temps *Gaudium et spes*, 67: *AAS* 58 (1966), p. 1089.

presque tous les secteurs de la vie. Il convient cependant qu'elles puissent remplir pleinement leurs tâches *selon le caractère qui leur est propre*, sans discrimination et sans exclusion des emplois dont elles sont capables, mais aussi sans manquer au respect de leurs aspirations familiales et du rôle spécifique qui leur revient, à côté de l'homme, dans la formation du bien commun de la société. *La vraie promotion de la femme* exige que le travail soit structuré de manière qu'elle ne soit pas obligée de payer sa promotion par l'abandon de sa propre spécificité et au détriment de sa famille dans laquelle elle a, en tant que mère, un rôle irremplaçable.

À côté du salaire, entrent encore ici en jeu diverses *prestations sociales* qui ont pour but d'assurer la vie et la santé des travailleurs et de leurs familles. Les dépenses concernant les soins de santé nécessaires, spécialement en cas d'accident du travail, exigent que le travailleur ait facilement accès à l'assistance sanitaire et cela, dans la mesure du possible, à prix réduit ou même gratuitement. Un autre secteur qui concerne les prestations est celui du *droit au repos*: il s'agit avant tout ici du repos hebdomadaire régulier, comprenant au moins le dimanche, et en outre d'un repos plus long, ce qu'on appelle le congé annuel, ou éventuellement le congé pris en plusieurs fois au cours de l'année en périodes plus courtes. Enfin, il s'agit ici du droit à la retraite, à l'assurance vieillesse et à l'assurance pour les accidents du travail. Dans le cadre de ces droits principaux, tout un système de droits particuliers se développe: avec la rémunération du travail, ils sont l'indice d'une juste définition des rapports entre le travailleur et l'employeur. Parmi ces droits, il ne faut jamais oublier le droit à des lieux et des méthodes de travail qui ne portent pas préjudice à la santé physique des travailleurs et qui ne blessent pas leur intégrité morale.

20. L'importance des syndicats

Sur le fondement de tous ces droits et en relation avec la nécessité où sont les travailleurs de les défendre eux-mêmes, se présente un autre droit: *le droit d'association*, c'est-à-dire le droit de s'associer, de s'unir, pour défendre les intérêts vitaux des hommes employés dans les différentes professions. Ces unions portent le nom de *syndicats*. Les intérêts vitaux des travailleurs sont, jusqu'à un certain point, communs à tous; en même temps, cependant, chaque genre de travail, chaque profession a une spécificité propre, qui devrait se refléter de manière particulière dans ces organisations.

Les syndicats ont en un certain sens pour ancêtres les anciennes corporations d'artisans du moyen-âge, dans la mesure où ces organisations regroupaient des hommes du même métier, c'est-à-dire les regroupaient *en fonction de leur travail*. Mais les syndicats diffèrent des corporations sur un point essentiel: les syndicats modernes ont grandi à partir de la lutte des travailleurs, du monde du travail et surtout des travailleurs de l'industrie, pour la sauvegarde de leurs *justes droits* vis-à-vis des entrepreneurs et des propriétaires des moyens de production. Leur tâche consiste dans la défense des intérêts existentiels des travailleurs dans tous les secteurs où leurs droits sont en cause. L'expérience historique apprend que les organisations de ce type sont un *élément indispensable de la vie sociale*, particulièrement dans les sociétés modernes industrialisées. Cela ne signifie évidemment pas que seuls les ouvriers de l'industrie puissent constituer des associations de ce genre. Les représentants de toutes les professions peuvent s'en servir pour défendre leurs droits respectifs. En fait, il y a des syndicats d'agriculteurs et des syndicats de travailleurs intellectuels; il y a aussi des organisations patronales. Ils se subdivisent tous, comme on l'a déjà dit, en groupes et sous-groupes selon les spécialisations professionnelles.

La doctrine sociale catholique ne pense pas que les syndicats soient seulement le reflet d'une structure «de classe» de la société; elle ne pense pas qu'ils soient les porte-parole d'une lutte de classe qui gouvernerait inévitablement la vie sociale. Certes, ils sont *les porte-parole de la lutte pour la justice sociale*, pour les justes droits des travailleurs selon leurs diverses professions. Cependant, cette «lutte» doit être comprise comme un engagement normal «en vue» du juste bien: ici, du bien qui correspond aux besoins et aux mérites des travailleurs associés selon leurs professions; mais *elle n'est pas une «lutte contre» les autres*. Si, dans les questions controversées, elle prend un caractère d'opposition aux autres, cela se produit parce qu'on recherche le bien qu'est la justice sociale, et non pas la «lutte» pour elle-même, ou l'élimination de l'adversaire. La caractéristique du travail est avant tout d'unir les hommes et c'est en cela que consiste sa force sociale: la force de construire une communauté. En définitive, dans cette communauté, doivent s'unir de quelque manière et les travailleurs et ceux qui disposent des moyens de production ou en sont propriétaires. *À la lumière de cette structure fondamentale* de tout travail — à la lumière du fait que, en définitive, le «travail» et le «capital» sont les composantes indispensables de la production dans quelque système social que ce soit —, l'union des hommes pour défendre les droits qui leur reviennent, née des exigences du travail, demeure un élément créateur d'*ordre social* et de *solidarité*, élément dont on ne saurait faire abstraction.

Les justes efforts pour défendre les droits des travailleurs unis dans la même profession doivent toujours tenir compte des limitations imposées par la situation économique générale du pays. Les requêtes syndicales ne peuvent pas se transformer en une sorte d'*«égoïsme» de groupe ou de classe*, bien qu'elles puissent et doivent tendre à corriger aussi, eu égard au bien commun de toute la société, tout ce qui est défectueux dans le système de propriété des moyens de production ou dans leur gestion et leur usage. La vie sociale et économico-sociale est certainement comme un système de «vases communicants» et chaque activité sociale qui a pour but de sauvegarder les droits des groupes particuliers doit s'y adapter.

En ce sens, l'activité des syndicats entre de manière indubitable dans le domaine de la *«politique»* entendue comme *un souci prudent du bien commun*. Mais, en même temps, le rôle des syndicats n'est pas de «faire de la politique» au sens que l'on donne généralement aujourd'hui à ce terme. Les syndicats n'ont pas le caractère de «partis politiques» qui luttent pour le pouvoir, et ils ne devraient jamais non plus être soumis aux décisions des partis politiques ni avoir des liens trop étroits avec eux. En effet si telle est leur situation, ils perdent facilement le contact avec ce qui est leur rôle spécifique, celui de défendre les justes droits des travailleurs dans le cadre du bien commun de toute la société, et ils deviennent, au contraire, *un instrument pour d'autres buts*.

Parlant de la sauvegarde des justes droits des travailleurs selon leurs diverses professions, il faut naturellement avoir toujours davantage devant les yeux ce dont dépend le caractère subjectif du travail dans chaque profession, mais en même temps ou avant tout ce qui conditionne la dignité propre du sujet qui travaille. Ici s'ouvrent de multiples possibilités pour l'action des organisations syndicales, y compris leur *engagement en faveur de l'enseignement, de l'éducation et de la promotion de l'auto-éducation*. L'action des écoles, de ce qu'on appelle les «universités ouvrières» ou «populaires», des programmes et des cours de formation qui ont développé et développent encore ce type d'activité, est très méritante. On doit toujours souhaiter que, grâce à l'action de ses syndicats, le travailleur non seulement puisse «avoir» plus, mais aussi et surtout puisse «être» davantage, c'est-à-dire qu'il puisse réaliser plus pleinement son humanité sous tous ses aspects.

En agissant pour les justes droits de leurs membres, les syndicats ont *également recours au procédé de la «grève»*, c'est-à-dire de l'arrêt du travail conçu comme une sorte d'ultimatum adressé aux organismes compétents et, avant tout, aux employeurs. C'est un procédé que la doctrine sociale catholique reconnaît comme légitime sous certaines conditions et dans de justes limites. Les travailleurs devraient se voir assurer *le droit de grève* et ne pas subir de sanctions pénales personnelles pour leur participation à la grève. Tout en admettant que celle-ci est un moyen extrême. *On ne peut pas en abuser;* on ne peut pas en abuser spécialement pour faire le jeu de la politique. En outre, on ne peut jamais oublier que, lorsqu'il s'agit de services essentiels à la vie de la société, ces derniers doivent être toujours assurés, y compris, si c'est nécessaire, par des mesures légales adéquates. L'abus de la grève peut conduire à la paralysie de toute la vie socio-économique. Or cela est contraire aux exigences du bien commun de la société qui correspond également à la nature bien comprise du travail lui-même.

21. Dignité du travail agricole

Tout ce qui a été dit précédemment sur la dignité du travail, sur la dimension objective et subjective du travail de l'homme, s'applique directement au problème du travail agricole et à la situation de l'homme qui cultive la terre par le dur labeur des champs. Il s'agit en effet d'un secteur très vaste du milieu de travail de notre planète, secteur qui ne se limite point à l'un ou l'autre des continents ni non plus aux sociétés qui sont déjà parvenues à un certain niveau de développement et de progrès. Le monde agricole, qui offre à la société les biens nécessaires à son alimentation quotidienne, a *une importance fondamentale.* Les conditions du monde rural et du travail agricole ne sont pas égales partout, et les situations sociales des travailleurs agricoles sont différentes selon les pays. Cela ne dépend pas seulement du degré de développement de la technique agricole, mais aussi, et peut-être plus encore, de la reconnaissance des justes droits des travailleurs agricoles, et enfin du niveau de conscience dans le domaine de toute l'éthique sociale du travail.

Le travail des champs connaît de lourdes difficultés, telles que l'effort physique prolongé et parfois exténuant, le peu d'estime que la société lui accorde au point de créer chez les agriculteurs le sentiment d'être socialement des marginaux et d'accélérer parmi eux le phénomène de l'exode massif de la campagne vers les villes et, malheureusement, vers des conditions de vie encore plus déshumanisantes. S'ajoutent à tout cela le manque de formation professionnelle adéquate et d'outils appropriés, un certain individualisme latent, et aussi des *situations objectivement injustes.* En certains pays en voie de développement, des millions d'hommes sont obligés de cultiver les terres d'autrui et sont exploités par les grands propriétaires fonciers, sans espoir de pouvoir jamais accéder personnellement à la possession du moindre morceau de terre. Il n'existe aucune forme de protection légale de la personne du travailleur agricole et de sa famille en cas de vieillesse, de maladie ou de chômage. De longues journées de dur travail physique sont misérablement payées. Des terres cultivables sont laissées à l'abandon par les propriétaires; des titres légaux de possession d'un petit terrain, cultivé en compte propre depuis des années, sont tenus pour rien ou ne peuvent être défendus devant la «faim de terre» qui anime des individus ou des groupes plus puissants. Mais même dans les pays économiquement développés, où la recherche scientifique, les conquêtes technologiques ou la politique de l'État ont porté l'agriculture à un niveau très avancé, le droit au travail peut être lésé lorsqu'on refuse au paysan la faculté de participer aux choix qui déterminent ses prestations de travail, ou quand est nié le droit à la libre association en vue de la juste promotion sociale, culturelle et économique du travailleur agricole.

Dans de nombreuses situations, des changements radicaux et urgents sont donc nécessaires pour redonner à l'agriculture — et aux cultivateurs — leur juste valeur *comme base d'une saine économie*, dans l'ensemble du développement de la communauté sociale. C'est pourquoi il faut proclamer et promouvoir la dignité du travail, de tout travail, et spécialement du travail agricole, grâce auquel l'homme, de manière si éloquente, «soumet» la terre reçue comme un don de Dieu et affermit sa «domination» sur le monde visible.

22. La personne handicapée et le travail

Récemment, les communautés nationales et les organisations internationales ont porté leur attention sur un autre problème lié au travail et qui comporte de nombreuses conséquences: celui des personnes handicapées. Elles sont, elles aussi, des sujets pleinement humains et elles possèdent à ce titre des droits innés, sacrés et inviolables, qui, en dépit des limites et des souffrances inscrites dans leur corps et dans leurs facultés, mettent davantage en relief la dignité et la grandeur de l'homme. Puisque la personne handicapée est un sujet doté de tous ses droits, on doit lui faciliter la participation à la vie de la société dans toutes ses dimensions et à tous les niveaux qui sont accessibles à ses capacités. La personne handicapée est l'un de nous et participe pleinement à notre humanité. Il serait profondément indigne de l'homme et ce serait une négation de l'humanité commune de n'admettre à la vie sociale, et donc au travail, que des membres dotés du plein usage de leurs moyens, car, en agissant ainsi, on retomberait dans *une forme importante de discrimination*, celle des gens forts et sains contre les personnes faibles et les malades. Le travail au sens objectif doit être subordonné, même dans ce cas, à la dignité de l'homme, au sujet du travail, et non à l'avantage économique.

Il revient donc aux diverses instances impliquées dans le monde du travail, à l'employeur direct comme à l'employeur indirect, de promouvoir par des mesures efficaces et appropriées le droit de la personne handicapée à la formation professionnelle et au travail, de telle sorte qu'elle puisse trouver place dans une activité productrice dont elle soit capable. Ici se posent de nombreux problèmes d'ordre pratique, légal et aussi économique; mais il revient à la communauté, c'est-à-dire aux autorités publiques, aux associations et aux groupes intermédiaires, aux entreprises et aux handicapés eux-mêmes, de mettre en commun idées et ressources pour parvenir au but auquel on ne saurait renoncer, à savoir *que soit offert un travail aux personnes handicapées, selon leurs possibilités*, parce que leur dignité d'hommes et de sujets du travail le requiert. Chaque communauté saura se donner les structures adaptées pour trouver ou pour créer des postes de travail pour ces personnes, soit dans les entreprises publiques ou privées, qui leur offriront un poste de travail ordinaire ou adapté à leur cas, soit dans les entreprises et les milieux dits «protégés».

Une grande attention devra être portée, comme pour tous les autres travailleurs, aux conditions de travail physiques et psychologiques des handicapés, à leur juste rémunération, à leur possibilité de promotion, et à l'élimination des divers obstacles. Sans se cacher qu'il s'agit d'une tâche complexe et difficile, on peut souhaiter *qu'une conception exacte du travail au sens subjectif* permette d'atteindre une situation qui donne à la personne handicapée la possibilité de se sentir, non point en marge du monde du travail ou en dépendance de la société, mais comme un sujet du travail de plein droit, utile, respecté dans sa dignité humaine et appelé à contribuer au progrès et au bien de sa famille et de la communauté selon ses propres capacités.

23. Le travail et le problème de l'émigration

Il faut enfin dire au moins quelques mots sur la question de *l'émigration pour cause de travail*. Il y a là un phénomène ancien

mais qui se répète sans cesse et prend même aujourd'hui des
dimensions de nature à compliquer la vie actuelle. L'homme a
le droit de quitter son pays d'origine pour divers motifs —
comme aussi d'y retourner — et de chercher de meilleures
conditions de vie dans un autre pays. Ce fait, assurément, n'est
pas dépourvu de difficultés de nature diverse. Avant tout, il
constitue, en général, une perte pour le pays d'où on émigre.
C'est l'éloignement d'un homme qui est en même temps membre d'une grande communauté unifiée par son histoire, sa tradition, sa culture, et qui recommence une vie au milieu d'une
autre société, unifiée par une autre culture et très souvent aussi
par une autre langue. Dans ce cas, vient à manquer *un sujet du
travail* qui, par l'effort de sa pensée ou de ses mains, pourrait
contribuer à l'augmentation du bien commun dans son pays; et
voici que cet effort, cette contribution sont donnés à une autre
société, qui en un certain sens y a moins droit que la patrie
d'origine.

Et pourtant, même si l'émigration est sous certains aspects
un mal, celui-ci est, en des circonstances déterminées, ce que
l'on appelle un mal nécessaire. On doit tout faire — et on fait
assurément beaucoup dans ce but — pour que ce mal au sens
matériel ne comporte pas de plus importants *dommages au sens
moral*, pour qu'au contraire, et autant que possible, il apporte
même un bien dans la vie personnelle, familiale et sociale de
l'émigré, par rapport au pays d'arrivée comme par rapport au
pays de départ. En ce domaine, énormément de choses dépendent d'une juste législation, en particulier quand il s'agit des
droits du travailleur. On comprend que ce problème ait sa place
dans le contexte des présentes considérations, surtout de ce
point de vue.

La chose la plus importante est que l'homme qui travaille
en dehors de son pays natal comme émigré permanent ou
comme travailleur saisonnier, ne soit pas *désavantagé* dans le
domaine des droits relatifs au travail par rapport aux autres
travailleurs de cette société. L'émigration pour motif de travail
ne peut d'aucune manière devenir une occasion d'exploitation
financière ou sociale. En ce qui concerne la relation de travail
avec le travailleur immigré doivent valoir les mêmes critères

que pour tout autre travailleur de la société. La valeur du travail doit être estimée avec la même mesure et non en considération de la différence de nationalité, de religion ou de race. À plus forte raison *ne peut-on exploiter la situation de contrainte* dans laquelle se trouve l'immigré. Toutes ces circonstances doivent catégoriquement céder — naturellement après qu'aient été prises en considération les qualifications spéciales — devant la valeur fondamentale du travail, valeur qui est liée à la dignité de la personne humaine. Il faut répéter encore une fois le principe fondamental: la hiérarchie des valeurs, le sens profond du travail exigent que le capital soit au service du travail et non le travail au service du capital.

ÉLÉMENTS POUR UNE SPIRITUALITÉ DU TRAVAIL

24. Rôle particulier de l'Église

Il convient de consacrer la dernière partie de ces réflexions, faites sur le thème du travail à l'occasion du quatre-vingt-dixième anniversaire de l'encyclique *Rerum novarum*, à la spiritualité du travail au sens chrétien du terme. Étant donné que le travail dans sa dimension subjective est toujours une action personnelle, *actus personæ*, il en découle que c'est *l'homme tout entier qui y participe, avec son corps comme avec son esprit*, indépendamment du fait qu'il soit un travail manuel ou intellectuel. C'est également à l'homme entier qu'est adressée la parole du Dieu vivant, le message évangélique du salut dans lequel on trouve de nombreux enseignements qui, tels des lumières particulières, concernent le travail humain. Il faut donc bien assimiler ces enseignements: il faut l'effort intérieur de l'esprit guidé par la foi, l'espérance et la charité, pour *donner au travail* de l'homme concret, grâce à ces enseignements, *le sens qu'il a aux yeux de Dieu* et par lequel il entre dans l'œuvre du salut comme un de ses éléments à la fois ordinaires et particulièrement importants.

Si l'Église considère comme son devoir de se prononcer au sujet du travail du point de vue de sa valeur humaine et de l'ordre moral dont il fait partie, si elle reconnaît en cela l'une des tâches importantes que comporte son service de l'ensemble du message évangélique, elle voit en même temps qu'elle a le devoir particulier de *former une spiritualité du travail* susceptible d'aider tous les hommes à s'avancer grâce à lui vers Dieu,

Créateur et Rédempteur, à participer à son plan de salut sur l'homme et le monde, et à approfondir dans leur vie l'amitié avec le Christ, en participant par la foi de manière vivante à sa triple mission de prêtre, de prophète et de roi, comme l'enseigne en des expressions admirables le Concile Vatican II.

25. Le travail comme participation à l'œuvre du Créateur

Comme dit le Concile Vatican II, «pour les croyants, une chose est certaine: l'activité humaine, individuelle et collective, le gigantesque effort par lequel les hommes, tout au long des siècles, s'acharnent à améliorer leurs conditions de vie, considéré en lui-même, correspond au dessein de Dieu. L'homme, créé à l'image de Dieu, a en effet reçu la mission de soumettre la terre et tout ce qu'elle contient, de gouverner le cosmos en sainteté et justice et, en reconnaissant Dieu comme Créateur de toutes choses, de lui référer son être ainsi que l'univers: en sorte que, tout étant soumis à l'homme, le nom même de Dieu soit glorifié par toute la terre».[27]

Dans les paroles de la Révélation divine, on trouve très profondément inscrite cette vérité fondamentale que *l'homme*, créé à l'image de Dieu, *participe par son travail à l'œuvre du Créateur*, et continue en un certain sens, à la mesure de ses possibilités, à la développer et à la compléter, en progressant toujours davantage dans la découverte des ressources et des valeurs incluses dans l'ensemble du monde créé. Nous trouvons cette vérité dès le commencement de la Sainte-Écriture, dans le Livre de la *Genèse*, où l'œuvre même de la création est présentée sous la forme d'un «travail» accompli par Dieu durant «six jours»[28] et aboutissant au «repos» du septième jour.[29] D'autre part, le dernier livre de la Sainte Écriture résonne encore des mêmes accents de respect pour l'œuvre que Dieu a accomplie par son «travail» créateur lorsqu'il proclame: «Grandes et

---

27. Conc. Oecum. Vat. II, const. past. sur l'Église dans le monde de ce temps *Gaudium et Spes*, 34: *AAS* 58 (1966), pp. 1052-1053.

28. Cf. *Gn* 2, 2; *Ex* 20, 8. 11; *Dt* 5, 12-14.

29. Cf. *Gn* 2, 3.

admirables sont tes œuvres, ô Seigneur Dieu tout-puissant»,[30] proclamation qui fait écho à celle du Livre de la Genèse dans lequel la description de chaque jour de la création s'achève par l'affirmation: «Et Dieu vit que cela était bon.»[31].

Cette description de la création, que nous trouvons déjà dans le premier chapitre de la Genèse, est en même temps et *en un certain sens le premier «évangile du travail»*. Elle montre en effet en quoi consiste sa dignité: elle enseigne que par son travail, l'homme doit imiter Dieu, son Créateur, parce qu'il porte en soi — et il est seul à le faire — l'élément particulier de ressemblance avec Lui. L'homme doit imiter Dieu lorsqu'il travaille comme lorsqu'il se repose, étant donné que Dieu lui-même a voulu lui présenter son œuvre créatrice *sous la forme du travail et sous celle du repos*. Cette œuvre de Dieu dans le monde continue toujours, comme l'attestent ces paroles du Christ: «Mon Père agit toujours...»;[32] il agit par sa puissance créatrice, en soutenant dans l'existence le monde qu'il a appelé du néant à l'être, et il agit par sa puissance salvifique dans les cœurs des hommes qu'il a destinés dès le commencement au «repos»[33] en union avec lui, dans la «maison du Père».[34] C'est pourquoi le travail de l'homme, lui aussi, non seulement exige le repos chaque «septième jour»,[35] mais en outre ne peut se limiter à la seule mise en œuvre des forces humaines dans l'action extérieure: il doit laisser un espace intérieur dans lequel l'homme, en devenant toujours davantage ce qu'il doit être selon la volonté de Dieu, se prépare au *«repos» que le Seigneur réserve à ses serviteurs et amis.*[36]

La conscience que le travail humain est une participation à l'œuvre de Dieu doit, comme l'enseigne le Concile, imprégner

---

30. *Ap* 15, 3.
31. *Gn* 1, 4. 10. 12. 18. 21. 25. 31.
32. *Jn* 5, 17.
33. *He* 4, 1. 9-10.
34. *Jn* 14, 2.
35. *Dt* 5, 12-14; *Ex* 20, 8-12.
36. Cf. *Mt* 25, 21.

même «*les activités les plus quotidiennes*. Car ces hommes et ces femmes qui, tout en gagnant leur vie et celle de leur famille, mènent leurs activités de manière à bien servir la société, sont fondés à voir dans leur travail un prolongement de l'œuvre du Créateur, un service de leurs frères, un apport personnel à la réalisation du plan providentiel dans l'histoire».[37]

Il faut donc que cette spiritualité chrétienne du travail devienne le patrimoine commun de tous. Il faut que, surtout à l'époque actuelle, la *spiritualité* du travail manifeste la maturité qu'exigent les tensions et les inquiétudes des esprits et des cœurs: «Loin de croire que les conquêtes du génie et du courage de l'homme s'opposent à la puissance de Dieu et de considérer la créature raisonnable comme une sorte de rivale du Créateur, les chrétiens sont au contraire bien persuadés que les victoires du genre humain sont un signe de la grandeur divine et une conséquence de son dessein ineffable. Mais plus grandit le pouvoir de l'homme, plus s'élargit le champ de ses responsabilités, personnelles et communautaires... Le *message chrétien* ne détourne pas les hommes de la construction du monde et ne les incite pas à se désintéresser du sort de leurs semblables: il leur en fait au contraire un devoir plus pressant».[38]

La conscience de participer par le travail à l'œuvre de la création constitue la *motivation la plus profonde* pour l'entreprendre dans divers secteurs: «C'est pourquoi les fidèles — lisons-nous dans la constitution *Lumen gentium* — doivent reconnaître la nature profonde de toute la création, sa valeur et sa finalité qui est la gloire de Dieu; ils doivent, même à travers des activités proprement séculières, s'aider mutuellement en vue d'une vie plus sainte, afin que le monde s'imprègne de l'Esprit du Christ et atteigne plus efficacement sa fin dans la justice, la charité et la paix ... Par leur compétence dans les disciplines profanes et par leur activité que la grâce du Christ élève au-dedans, qu'ils s'appliquent de toutes leurs forces à obtenir que les biens créés soient cultivés..., selon les fins du Créateur et l'illumination de

---

37. Conc. Oecum. Vat. II, const. past. sur l'Église dans le monde de ce temps *Gaudium et spes*, 34: *AAS* 58 (1966), pp. 1052-1053.

38. *Ibid.*

son Verbe, grâce au travail de l'homme, à la technique et à la culture de la cité ...».[39]

26. Le Christ, l'homme du travail

Cette vérité d'après laquelle l'homme participe par son travail à l'œuvre de Dieu lui-même, son Créateur, *a été particulièrement mise en relief par Jésus-Christ*, ce Jésus dont beaucoup de ses premiers auditeurs à Nazareth «demeuraient frappés de stupéfaction et disaient: "D'où lui vient tout cela? Et quelle est la sagesse qui lui a été donnée?... N'est-ce pas là le charpentier?"».[40] En effet, Jésus proclamait et surtout mettait d'abord en pratique l'«Évangile» qui lui avait été confié, les paroles de la Sagesse éternelle. Pour cette raison, il s'agissait vraiment de l'«évangile du travail» parce que *celui qui le proclamait était lui-même un travailleur*, un artisan comme Joseph de Nazareth.[41] Même si nous ne trouvons pas dans les paroles du Christ l'ordre particulier de travailler — mais bien plutôt, une fois, l'interdiction de se préoccuper de manière excessive du travail et des moyens de vivre[42] —, sa vie n'en a pas moins une éloquence sans équivoque: il appartient au «monde du travail»; il apprécie et il respecte le travail de l'homme; on peut même dire davantage: *il regarde avec amour ce travail* ainsi que ses diverses expressions, voyant en chacune une manière particulière de manifester la ressemblance de l'homme avec Dieu Créateur et Père. N'est-ce pas lui qui dit: «Mon Père est le vigneron...»,[43] transposant de diverses manières *dans son enseignement* la vérité fondamentale sur le travail exprimée déjà dans toute la tradition de l'Ancien Testament, depuis le Livre de la *Genèse*?

Dans les livres de l'Ancien Testament, les références au travail ne manquent pas, pas plus qu'aux diverses professions que

---

39. Conc. Oecum. Vat. II, const. dogm. sur l'Église *Lumen gentium*, 36: *AAS* 57 (1965), p. 41.
40. *Mc* 6, 2-3.
41. Cf. *Mt* 13, 55.
42. Cf. *Mt* 6, 25-34.
43. *Jn* 15, 1.

l'homme exerce: le médecin,[44] l'apothicaire,[45] l'artisan ou l'artiste,[46] le forgeron[47] — on pourrait appliquer ces paroles au travail des sidérurgistes modernes —, le potier,[48] l'agriculteur,[49] le sage qui scrute les Écritures,[50] le marin,[51] le maçon,[52] le musicien,[53] le berger,[54] le pêcheur[55]. On sait les belles paroles consacrées au travail des femmes.[56] *Dans ses paraboles sur le Royaume de Dieu, Jésus-Christ se réfère constamment au travail: celui du berger,*[57] *du paysan,*[58] *du médecin,*[59] *du semeur,*[60] *du maître de maison,*[61] *du serviteur,*[62] *de l'intendant,*[63] *du pêcheur,*[64] *du marchand,*[65] *de l'ouvrier.*[66] Il parle aussi des divers travaux des femmes.[67] Il présente l'apostolat à l'image du tra-

---

44. Cf. *Si 38*, 1-3.
45. Cf. *Si 38*, 4-8.
46. Cf. *Ex* 31, 1-5; *Si 38*, 27.
47. Cf. *Gn* 4, 22; *Is* 44, 12.
48. Cf. *Jr* 18, 3-4; *Si 38*, 29-30.
49. Cf. *Gn* 9, 20; *Is* 5, 1-2.
50. *Cf. Qo* 12, 9-12; *Si* 39, 1-8.
51. Cf. *Ps* 107 (108, 23-30; *Sg* 14, 2-3 a.
52. Cf. *Gn* 11, 3; *2R* 12, 12-13; 22, 5-6.
53. Cf. *Gn* 4, 21.
54. Cf. *Gn* 4, 2; 37, 3; *Ex* 3, 1; *1S* 16, 11; et *passim*.
55. Cf. *Ez* 47, 10.
56. Cf. *Pr* 31, 15-27.
57. Par ex. *Jn* 10, 1-16.
58. Cf. *Mc* 12, 1-12.
59. Cf. *Lc* 4, 23.
60. Cf. *Mc* 4, 1-9.
61. Cf. *Mt* 13, 52.
62. Cf. *Mt* 24, 45; *Lc* 12, 41-48.
63. Cf. *Lc* 16, 1-8.
64. Cf. *Mt* 13, 47-50.
65. Cf. *Mt* 13, 45-46.
66. Cf. *Mt* 20, 1-16.
67. Cf. *Mt* 13, 33; *Lc* 15, 8-9.

vail manuel des moissonneurs[68] ou des pêcheurs.[69] Il se réfère aussi au travail des scribes.[70]

Cet enseignement du Christ sur le travail, fondé sur l'exemple de sa vie durant les années de Nazareth, trouve un écho très vif *dans l'enseignement de l'Apôtre Paul.* Paul, qui fabriquait probablement des tentes, se vantait de pratiquer son métier[71] grâce auquel il pouvait, tout en étant apôtre, gagner seul son pain.[72] «Au labeur et à la peine nuit et jour, nous avons travaillé pour n'être à charge à aucun d'entre vous».[73] De là découlent ses instructions au sujet du travail, qui ont un caractère *d'exhortation et de commandement:* «À ces gens-là ... nous prescrivons, et nous les y exhortons dans le Seigneur Jésus-Christ: qu'ils travaillent dans le calme, pour manger un pain qui soit à eux», écrit-il aux Thessaloniciens.[74] Notant en effet que certains «vivent dans le désordre ... sans rien faire»,[75] l'Apôtre, dans ce contexte, n'hésite pas à dire: «Si quelqu'un ne veut pas travailler, qu'il ne mange pas non plus».[76] Au contraire, dans un autre passage, il *encourage:* «Quoi que vous fassiez, travaillez de toute votre âme, comme pour le Seigneur et non pour les hommes, sachant que vous recevrez du Seigneur l'héritage en récompense».[77]

Les enseignements de l'Apôtre des nations ont, comme on le voit, une importance capitale pour la morale et la spiritualité du travail. Ils sont un complément important au grand, bien que

---

68. Cf. *Mt* 9, 37; *Jn* 4, 35-38.
69. Cf. *Mt* 4, 19.
70. Cf. *Mt* 13, 52.
71. Cf. *Ac* 18, 3.
72. Cf. *Ac* 20, 34-35.
73. 2 *Th* 3, 8. Saint Paul reconnaît le droit qu'ont les missionnaires aux moyens de subsistance: 1 *Co* 9, 6-14; *Ga* 6, 6; 2 *Th* 3, 9; Cf. *Lc* 10, 7.
74. 2 *Th* 3, 12.
75. 2 *Th* 3, 11.
76. 2 *Th* 3, 10.
77. *Col* 3, 23-24.

discret, évangile du travail que nous trouvons dans la vie du Christ et dans ses paraboles, dans ce que Jésus «a fait et a enseigné».[78]

À cette lumière émanant de la Source même, l'Église a toujours proclamé ce dont nous trouvons l'*expression contemporaine* dans l'enseignement de Vatican II: «De même qu'elle procède de l'homme, l'activité humaine lui est ordonnée. De fait, par son action, l'homme ne transforme pas seulement les choses et la société, il se parfait lui-même. Il apprend bien des choses, il développe ses facultés, il sort de lui-même et se dépasse. Cette croissance, si elle est bien comprise, est d'un tout autre prix que l'accumulation de richesses extérieures... Voici donc la règle de l'activité humaine: qu'elle serve au bien authentique de l'humanité, conformément au dessein et à la volonté de Dieu, et qu'elle permette à l'homme, considéré comme individu ou comme membre de la société, de développer et de réaliser sa vocation dans toute sa plénitude».[79]

Dans une telle *vision des valeurs du travail humain*, c'est-à-dire dans une telle spiritualité du travail, on s'explique pleinement ce qu'on peut lire au même endroit de la constitution pastorale du Concile sur la *juste signification du progrès*: «L'homme vaut plus par ce qu'il est que par ce qu'il a. De même, tout ce que font les hommes pour faire régner plus de justice, une fraternité plus étendue, un ordre plus humain dans les rapports sociaux, dépasse en valeur les progrès techniques. Car ceux-ci peuvent bien fournir la base matérielle de la promotion humaine, mais ils sont tout à fait impuissants, par eux seuls, à la réaliser».[80]

Cette doctrine sur le problème du progrès et du développement — thème si dominant dans la mentalité contemporaine — peut être comprise seulement comme fruit d'une spiritualité du travail éprouvée, et c'est *seulement sur la base d'une telle*

---

78. *Ac* 1, 1.

79. Conc. Oecum. Vat. II, const. past. sur l'Église dans le monde de ce temps *Gaudium et spes*, 35: AAS 58 (1966), p. 1053.

80. *Ibid.*

spiritualité qu'elle peut être réalisée et mise en pratique. C'est la doctrine et en même temps le programme qui plongent leurs racines dans l'«évangile du travail».

27. Le travail humain à la lumière de la croix et de la résurrection du Christ

Il est encore un autre aspect du travail humain, une de ses dimensions essentielles, dans lequel la spiritualité fondée sur l'Évangile pénètre profondément. *Tout travail*, qu'il soit manuel ou intellectuel, est inévitablement *lié à la peine*. Le Livre de la *Genèse* exprime ce fait de manière vraiment pénétrante en opposant à la *bénédiction* originelle du travail, contenue dans le mystère même de la création et liée à l'élévation de l'homme comme image de Dieu, la *malédiction* que le *péché* porte avec lui: «Maudit soit le sol à cause de toi! Avec peine tu en tireras ta nourriture tous les jours de ta vie».[81] Cette peine liée au travail indique la route que suivra la vie de l'homme sur la terre et constitue *l'annonce de sa mort*: «À la sueur de ton front tu mangeras ton pain jusqu'à ce que tu retournes à la terre car c'est d'elle que tu as été tiré...».[82] Comme un écho à ces paroles, un des auteurs des livres sapientiaux s'exprime ainsi: «J'ai considéré toutes les œuvres que mes mains avaient faites, et toute la peine que j'avais eue à les faire...».[83] Il n'y a pas un homme sur terre qui ne pourrait faire siennes ces paroles.

L'Évangile annonce, en un certain sens, sa parole ultime — même à ce sujet — dans le mystère pascal de Jésus-Christ. Et c'est là qu'il faut chercher la réponse à ces problèmes, si importants pour la spiritualité du travail humain. *Dans le mystère pascal est contenue la croix du Christ*, son obéissance jusqu'à la mort, que l'Apôtre oppose à la désobéissance qui a pesé dès son commencement sur l'histoire de l'homme sur la terre.[84] Y est contenue aussi *l'élévation* du Christ qui, en passant par la mort

---

81. *Gn* 3, 17.
82. *Gn* 3, 19.
83. *Qo* 2, 11.
84. Cf. *Rm* 5, 19.

de la croix, revient vers ses disciples avec la puissance de l'Esprit Saint *par sa résurrection.*

La sueur et la peine que le travail comporte nécessairement dans la condition présente de l'humanité offrent au chrétien et à tout homme qui est appelé, lui aussi, à suivre le Christ, la possibilité de participer dans l'amour à l'œuvre que le Christ est venu accomplir.[85] Cette œuvre de salut s'est réalisée par la souffrance et la mort sur la croix. En supportant la peine du travail en union avec le Christ crucifié pour nous, l'homme collabore en quelque manière avec le Fils de Dieu à la rédemption de l'humanité. Il se montre le véritable disciple de Jésus en portant à son tour la croix chaque jour[86] dans l'activité qui est la sienne.

Le Christ, «en acceptant de mourir pour nous tous, pécheurs, nous apprend, par son exemple, que nous devons aussi porter cette croix que la chair et le monde font peser sur les épaules de ceux qui poursuivent la justice et la paix»; en même temps, cependant, «constitué Seigneur *par sa résurrection,* le Christ, à qui tout pouvoir a été donné au ciel et sur la terre, agit désormais dans le cœur des hommes par la puissance de son Esprit..., il purifie et fortifie ces aspirations généreuses par lesquelles la famille humaine cherche à *rendre sa vie plus humaine* et à soumettre à cette fin la terre entière».[87]

Dans le travail de l'homme, le chrétien retrouve une petite part de la croix du Christ et l'accepte dans l'esprit de rédemption avec lequel le Christ a accepté sa croix pour nous. Dans le travail, grâce à la lumière dont nous pénètre la résurrection du Christ, nous trouvons toujours une *lueur* de la vie nouvelle, du *bien nouveau,* nous trouvons comme une annonce des «cieux nouveaux et de la terre nouvelle»[88] auxquels participent l'homme et le monde précisément par la peine au travail. Par la

---

85. Cf. *Jn* 17, 4.

86. Cf *Lc* 9, 23.

87. Conc. Oecum.. Vat. II, const. past. sur l'Église dans le monde de ce temps *Gaudium et spes,* 38: *AAS* 58 (1966), pp. 1055-1056.

88. Cf. 2 *P* 3, 13; *Ap* 21, 1.

peine, et jamais sans elle. D'une part, cela confirme que la croix est indispensable dans la spiritualité du travail; mais, d'autre part, un bien nouveau se révèle dans cette croix qu'est la peine, un bien nouveau qui débute par le travail lui-même, par le travail entendu dans toute sa profondeur et tous ses aspects, et jamais sans lui.

Ce *bien nouveau*, fruit du travail humain, est-il déjà une petite part de cette «terre nouvelle» où habite la justice?[89] Dans quel rapport est-il avec *la résurrection du Christ*, s'il est vrai que les multiples peines du travail de l'homme sont une petite part de la croix du Christ? Le Concile cherche à répondre aussi à cette question en puisant la lumière aux sources mêmes de la parole révélée: «Certes, nous savons bien qu'il ne sert à rien à l'homme de gagner l'univers s'il vient à se perdre lui-même (cf. *Lc* 9, 25). Cependant, l'attente de la terre nouvelle, loin d'affaiblir en nous le souci de cultiver cette terre, doit plutôt le réveiller: le corps de la nouvelle famille humaine y grandit, qui offre déjà quelque ébauche du siècle à venir. C'est pourquoi, s'il faut soigneusement distinguer le progrès terrestre de la croissance du règne du Christ, ce progrès a cependant beaucoup d'importance pour le Royaume de Dieu».[90]

Dans ces réflexions consacrées au travail de l'homme, nous avons cherché à mettre en relief tout ce qui semblait indispensable, étant donné que, grâce au travail, doivent se multiplier sur la terre non seulement «les fruits de notre activité» mais aussi «la dignité de l'homme, la communion fraternelle et la liberté».[91] Puisse le chrétien qui se tient à l'écoute de la parole du Dieu vivant et qui unit le travail à la prière savoir quelle place son travail tient non seulement dans le *progrès terrestre*, mais aussi dans le *développement du Royaume de Dieu* auquel nous sommes tous appelés par la puissance de l'Esprit Saint et par la parole de l'Évangile!

---

89. Cf. 2 *P* 3, 13.

90. Conc. Oecum. Vat. II, const. past. sur l'Église dans le monde de ce temps *Gaudium et spes*, 39: *AAS* 58 (1966), p. 1057.

91. *Ibid.*

Au terme de ces réflexions, je suis heureux de vous donner à tous, Frères vénérés, chers Fils et Filles, la Bénédiction Apostolique.

J'avais préparé ce document de manière à le publier le 15 mai dernier, au moment du 90e anniversaire de l'encyclique *Rerum novarum*; mais je n'ai pu le revoir de façon définitive qu'après mon séjour à l'hôpital.

Donné à Castel Gandolfo, le 14 septembre 1981, fête de l'Exaltation de la sainte Croix, en la troisième année de mon pontificat.

JOANNES PAULUS PP. II

JEAN-PAUL II

L'INTÉRÊT ACTIF DE L'ÉGLISE POUR LA QUESTION SOCIALE

Encyclique «Sollicitudo Rei Socialis»
à l'occasion du vingtième anniversaire
de l'encyclique
«Populorum progressio»

PLAN

VÉNÉRABLES FRÈRES, CHERS FILS ET FILLES
SALUT ET BÉNÉDICTION APOSTOLIQUE!

- I -

INTRODUCTION

1. L'INTÉRÊT ACTIF que porte l'Église à *la question sociale*, c'est-à-dire à ce qui a pour fin un développement authentique de l'homme et de la société, de nature à respecter et à promouvoir la personne humaine dans toutes ses dimensions, s'est toujours manifesté de manières très diverses. L'un des modes d'intervention privilégié ces derniers temps a été le Magistère des Pontifes Romains, qui ont souvent traité la question en se référant à l'encyclique *Rerum novarum* de Léon XIII,[1] faisant parfois coïncider la date de publication des divers documents sociaux avec les anniversaires de cette première encyclique.[2]

Les Souverains Pontifes n'ont pas manqué, par ces interventions, de mettre en relief également des aspects nouveaux de la doctrine sociale de l'Église. Ainsi, en commençant par

---

1. LÉON XIII, Encycl. *Rerum novarum* (15 mai 1891): *Léonis XIII P.M. Acta*, XI, Rome 1892, pp. 97-144.

2. PIE XI, Encycl. *Quadragesimo anno* (15 mai 1931): *AAS* 23 (1931), pp. 177-228; JEAN XXIII, Encycl. *Mater et magistra (15 mai 1961)*: *AAS* 53 (1961), pp. 401-464; PAUL VI, *Lettre* apost. *Octogesima adveniens* (14 mai 1971): *AAS* 63 (1971), pp. 401-441; JEAN-PAUL II, Encycl. *Laborem exercens* (14 septembre 1981): *AAS* 73 (1981), pp. 577-647. PIE XII avait, quant à lui, prononcé un message radiophonique (1er juin 1941) pour le cinquantième anniversaire de l'encyclique de Léon XIII: *AAS* 33 (1941), pp. 195-205.

l'apport remarquable de Léon XIII, enrichi par les contributions successives du Magistère, s'est constitué un corps de doctrine actualisé qui s'articule à mesure que l'Église interprète les événements dans leur déroulement au cours de l'histoire à la lumière de l'ensemble de la parole révélée par le Christ Jésus[3] et avec l'assistance de l'Esprit Saint (cf. *Jn* 14, 16. 26; 16, 13-15). Elle cherche de cette façon à guider les hommes pour qu'ils répondent, en s'appuyant sur la réflexion rationnelle et l'apport des sciences humaines, à leur vocation de bâtisseurs responsables de la société terrestre.

2. C'est dans cet ensemble considérable d'enseignement social que s'insère et ressort l'encyclique *Populorum progressio*,[4] publiée par mon vénéré prédécesseur Paul VI le 26 mars 1967.

Il suffit de relever la série de commémorations qui ont eu lieu cette année, sous des formes diverses et dans beaucoup de cercles ecclésiastiques et civils, pour comprendre que cette encyclique est toujours actuelle. Dans le même but, la Commission pontificale «Justice et Paix» a envoyé l'an passé une lettre circulaire aux Synodes des Églises catholiques orientales et aux Conférences épiscopales pour demander des avis et des suggestions sur la meilleure manière de marquer l'anniversaire de l'encyclique, d'en enrichir les enseignements et, le cas échéant, de les mettre à jour. La même Commission a organisé, lors de ce vingtième anniversaire, une commémoration solennelle à laquelle j'ai voulu prendre part en prononçant l'allocution finale.[5] Et maintenant, prenant également en considération le contenu des réponses données à la lettre circulaire déjà mentionnée, je crois opportun de clore l'année 1987 en consacrant une encyclique aux thèmes de *Populorum progressio*.

3. Par là, j'ai en vue essentiellement *deux objectifs* de grande importance: d'une part, rendre hommage à ce document historique de Paul VI et à son enseignement; d'autre part, dans la

---

3. Cf. Conc. Oecum. Vat. I., Const. dogm. sur la Révélation divine *Dei Verbum*, n. 4.

4. Paul VI, Encycl. *Populorum progressio* (26 mars 1967): *AAS* 59 (1967), pp. 257-299.

5. Cf. *L'Osservatore Romano*, 25 mars 1987.

ligne tracée par mes vénérés prédécesseurs sur le siège de Pierre, réaffirmer la *continuité* de la doctrine sociale de l'Église en même temps que son *renouvellement* continuel. En effet, continuité et renouvellement apportent une confirmation de la *valeur constante* de l'enseignement de l'Église.

Ces deux qualités caractérisent son enseignement en matière sociale. D'un côté, cet enseignement est *constant* parce qu'identique dans son inspiration de base, dans ses «principes de réflexion», dans ses «critères de jugement», dans ses «directives d'action» fondamentales[6] et surtout dans son lien essentiel avec l'Évangile du Seigneur; d'un autre côté, il est toujours *nouveau* parce que sujet aux adaptations nécessaires et opportunes entraînées par les changements des conditions historiques et par la succession ininterrompue des événements qui font la trame de la vie des hommes et de la société.

4. Je suis convaincu que les enseignements de l'encyclique *Populorum progressio*, adressée aux hommes et à la société des années soixante, conservent toute leur force *d'appel à la conscience* aujourd'hui, vers la fin des années quatre-vingt. M'efforçant d'esquisser les grands traits du monde actuel — toujours dans l'optique du motif qui a inspiré ce document, le «développement des peuples», sujet qui est encore bien loin d'être épuisé —, je me propose d'en prolonger l'écho, le rattachant aux applications possibles, en ce moment présent de notre histoire qui n'est pas moins dramatique qu'il y a vingt ans.

Le temps, nous le savons bien, s'écoule toujours au même rythme; aujourd'hui, cependant, on a l'impression qu'il est soumis à un mouvement d'*accélération continue*, en raison surtout de la multiplication et de la complexité des phénomènes au milieu desquels nous vivons. Il en résulte que *le visage du monde*, au cours des vingt dernières années, tout en conservant certaines constantes fondamentales, a subi des changements notables et présente des aspects tout à fait nouveaux.

---

6. Cf. Congr. pour la Doctrine de la Foi, Instruction sur la liberté chrétienne et la libération *Libertatis conscientia* (22 mars 1986), n. 72: *AAS* 79 (1987), p. 586; Paul VI, Lettre apost. *Octogesima adveniens* (14 mai 1971), n. 4: *AAS* 63 (1971), pp. 403-404.

Cette période, caractérisée à la veille du troisième millénaire chrétien par une attente diffuse, comme dans un nouvel «Avent»[7] qui affecte en quelque manière tous les hommes, offre l'occasion d'approfondir l'enseignement de l'encyclique, pour en montrer aussi les perspectives.

La présente *réflexion* a pour but de souligner, à l'aide de la recherche théologique sur la réalité contemporaine, la nécessité d'une conception plus riche et plus différenciée du développement, en fonction des propositions de l'encyclique, et d'indiquer quelques modèles de réalisation.

---

7. Cf. Encycl. *Redemptoris Mater* (15 mars 1987), n. 3: *AAS* 79 (1987), pp. 363-364; Homélie de la messe du 1er janvier 1987: *L'Osservatore Romano*, 2 janvier 1987.

NOUVEAUTÉ DE L'ENCYCLIQUE
POPULORUM PROGRESSIO

5. Dès sa publication, le document du Pape Paul VI a retenu l'attention de l'opinion publique par sa *nouveauté*. Il a permis de vérifier concrètement et avec une grande clarté les caractéristiques déjà mentionnées de la *continuité* et du *renouvellement*, à l'intérieur de la doctrine sociale de l'Église. C'est pourquoi le propos de redécouvrir de nombreux aspects de cet enseignement, à travers une relecture attentive de l'encyclique, sera le fil conducteur des réflexions présentes.

Mais d'abord je désire m'arrêter sur la *date* de publication: l'année 1967. Le fait même que le Pape Paul VI ait pris la décision de publier une *encyclique sociale* cette année-là est une invitation à considérer le document en rapport avec le Concile œcuménique Vatican II, qui s'était achevé le 8 décembre 1965.

6. Nous devons voir dans cette circonstance plus qu'une simple *proximité* chronologique. L'encyclique *Populorum progressio* se présente, d'une certaine manière, comme *un document d'application des enseignements du Concile*. Et cela, moins parce qu'elle fait de continuelles références aux textes conciliaires[8] que parce qu'elle résulte de la préoccupation de l'Église qui a inspiré tout le travail conciliaire — en particulier la constitution pastorale *Gaudium et spes* — dans la coordination et le développement de nombreux thèmes de son enseignement social.

---

8. L'encyclique *Populorum progressio* cite *19 fois* les documents du Concile Vatican II, dont *16 fois* en référence à la const. past. sur l'Église dans le monde de ce temps *Gaudium et spes*.

Il est donc permis de dire que l'encyclique *Populorum progressio* est comme la réponse à *l'appel que formulait le Concile* au début de la constitution *Gaudium et spes*: «Les joies et les espoirs, les tristesses et les angoisses des hommes de ce temps, des pauvres surtout et de tous ceux qui souffrent, sont aussi les joies et les espoirs, les tristesses et les angoisses des disciples du Christ, et il n'est rien de vraiment humain qui ne trouve écho dans leur cœur».[9] Ces paroles expriment le *motif fondamental* qui inspira le grand document conciliaire, lequel part de la constatation de l'état de *misère* et de *sous-développement* dans lequel vivent des millions et des millions d'êtres humains.

Cette *misère* et ce *sous-développement*, ce sont, sous d'autres noms, «les tristesses et les angoisses» d'aujourd'hui, «des pauvres surtout»: face à cet immense spectacle de douleur et de souffrance, le Concile veut ouvrir des horizons de joie et d'espérance. C'est le même objectif que vise l'encyclique de Paul VI, pleinement fidèle à l'inspiration conciliaire.

7. C'est jusque dans *l'ordonnance de ses thèmes* que l'encyclique, se situant dans la grande tradition de la doctrine sociale de l'Église, reprend directement la *présentation nouvelle* ainsi que l'*ample synthèse* que le Concile a élaborées, principalement dans la constitution *Gaudium et spes*.

En ce qui concerne la substance et les thèmes repris par l'encyclique, il faut souligner: la conscience du devoir qu'a l'Église, «experte en humanité», de «scruter les signes des temps et de les interpréter à la lumière de l'Évangile»;[10] la conscience, également profonde, de sa mission de «service», distincte de la fonction de l'État, même quand elle se préoccupe du sort des personnes dans le concret;[11] le rappel des différences criantes dans les situations de ces mêmes personnes;[12] la confirmation de l'enseignement conciliaire, écho fidèle de la tradition sécu-

---

9.   *Gaudium et spes*, n. 1.

10. *Ibid.*, n. 4; cf. Encycl. *Populorum progressio*, n. 13: *l.c.*, pp. 263-264.

11. Cf. *Gaudium et spes*, n. 3; Encycl. *Populorum progressio*, n. 13: *l.c.*, p. 264.

12. Cf. *Gaudium et spes*, n. 63; Encycl. *Populorum progressio*, n. 9: *l.c.*, pp. 261-262.

laire de l'Église, sur la «destination universelle des biens»;[13] l'estime pour la culture et la civilisation technique qui contribuent à la libération de l'homme,[14] sans négliger de reconnaître leurs limites;[15] enfin, sur le thème du développement, qui est celui de l'encyclique, l'insistance sur le «devoir très grave» qui incombe aux nations plus développées d'«aider les pays en voie de développement».[16] Le concept même de développement proposé par l'encyclique vient directement de la façon dont la constitution pastorale pose le problème.[17]

Ces références explicites à la constitution pastorale et d'autres encore amènent à conclure que l'encyclique se présente comme une *application* de l'enseignement conciliaire en matière sociale à l'égard du problème du *développement* et du *sous-développement des peuples.*

8. La brève analyse ainsi faite nous aide à mieux apprécier la nouveauté de l'encyclique, qui peut se ramener à trois éléments.

Le premier tient au *fait même* qu'il s'agit d'un document, émanant de la plus haute autorité de l'Église catholique et destiné à la fois à l'Église elle-même et «à tous les hommes de bonne volonté»,[18] sur un sujet qui, à première vue, est seulement *économique et social:* le *développement* des peuples. Le mot «développement» est ici emprunté au vocabulaire des sciences sociales et économiques. Sous cet aspect, l'encyclique *Populorum progressio* se situe d'emblée dans le sillage de l'encyclique *Rerum novarum*, qui traite de la «condition des ouvriers».[19] Considérés superficiellement, ces deux thèmes pourraient pa-

---

13. Cf. *Gaudium et spes,* n. 69; Encycl. *Populorum progressio,* n. 22: *l.c.,* p. 269.

14. Cf. *Gaudium et spes,* n. 57; Encycl. *Populorum progressio,* n. 41: *l.c.,* p. 277.

15. Cf. *Gaudium et spes,* n. 19; Encycl. *Populorum progressio,* n. 41: *l.c.,* pp. 277-278.

16. Cf. *Gaudium et spes,* n. 86; Encycl. *Populorum progressio,* n. 48: *l.c.,* p. 281.

17. Cf. *Gaudium et spes,* n. 69; Encycl. *Populorum progressio,* nn. 14-21: *l.c.,* pp. 264-268.

18. Cf. l'en-tête de l'encyclique *Populorum progressio: l.c.,* p. 257.

19. L'encyclique *Rerum novarum* de Léon XIII a pour thème principal «la condition ouvrière»: *Leonis XIII P.M. Acta,* XI, Rome 1892, p. 97.

raître étrangers aux centres d'intérêt légitimes de l'Église envisagée comme *institution religieuse*, celui du «développement» plus encore que celui de la «condition ouvrière».

En continuité avec l'encyclique de Léon XIII, il faut reconnaître au document de Paul VI le mérite d'avoir souligné le *caractère éthique* et *culturel* de la problématique relative au développement et, de même, la légitimité et la nécessité de l'intervention de l'Église dans ce domaine.

En cela, la doctrine sociale chrétienne a manifesté encore une fois son caractère d'*application* de la Parole de Dieu à la vie des hommes et de la société comme aussi aux réalités terrestres qui s'y rattachent, en offrant des «principes de réflexion», des «critères de jugement» et des «directives d'action».[20] Or, dans le document de Paul VI on retrouve ces trois éléments dans une orientation surtout pratique, c'est-à-dire ordonnée à la *conduite morale*.

Il s'ensuit que, lorsque l'Église s'occupe du «développement des peuples», elle ne peut être accusée d'outrepasser son propre domaine de compétence et encore moins le mandat reçu du Seigneur.

9. Le *deuxième* élément marquant la *nouveauté* de *Populorum progressio* consiste en ce qu'elle ouvre un *vaste horizon* à ce qu'on appelle communément la «question sociale».

Il est vrai que l'encyclique *Mater et Magistra* du Pape Jean XXIII était déjà entrée dans cette largeur de vue[21] et que le Concile en avait répercuté l'écho dans la constitution *Gaudium et spes*.[22] Néanmoins, le magistère social de l'Église n'était pas encore arrivé à affirmer en toute clarté que la question sociale avait acquis une dimension mondiale,[23] et il n'avait pas fait de cette affirmation et de l'analyse qui l'accompagnait une «direc-

---

20. Cf. Congr. pour la Doctrine de la Foi, Instruction sur la liberté chrétienne et la libération *Libertatis conscientia* (22 mars 1986), n. 72: *AAS* 79 (1987), p. 586; Paul VI, Lettre apost. *Octogesima adveniens* (14 mai 1971), n. 4: *AAS* 63 (1971), pp. 403-404.

21. Cf. Encycl. *Mater et magistra* (15 mai 1961): *AAS* 53 (1961), p. 440.

22. *Gaudium et spes*, n. 63.

23. Encycl. *Populorum progressio*, n. 3: *l.c.*, p. 258; cf. aussi *ibid.*, n. 9: *l.c.*, p. 261.

tive d'action», comme le fait le Pape Paul VI dans son encyclique.

Une prise de position aussi explicite présente une *grande richesse* de contenu, qu'il convient d'indiquer.

Avant tout, il faut écarter une *équivoque possible*. Reconnaître que la question sociale a acquis une dimension mondiale ne signifie pas pour autant qu'elle ait perdu de son *impact* ou de son importance à l'échelon national et local. Cela veut dire, au contraire, que les problèmes dans les entreprises ou dans le mouvement ouvrier et syndical d'un pays donné ou d'une région déterminée ne doivent pas être considérés comme des phénomènes isolés sans liens entre eux, mais qu'ils dépendent de plus en plus de facteurs dont l'influence s'étend au-delà des limites régionales ou des frontières nationales.

Malheureusement, sous l'angle économique, les pays en voie de développement dépassent largement en nombre les pays développés: les foules humaines privées des biens et des services apportés par le développement sont *beaucoup plus nombreuses* que celles qui en disposent.

Nous sommes donc en présence d'un grave problème *d'inégalité dans la répartition* des moyens de subsistance, destinés à l'origine à tous les hommes; il en va de même pour les avantages qui en dérivent. Et cela se produit sans que les peuples défavorisés en soient *responsables*, encore moins par une sorte de *fatalité* liée aux conditions naturelles ou à l'ensemble des circonstances.

En déclarant que la question sociale a acquis une dimension mondiale, l'encyclique de Paul VI se propose avant tout de signaler *un fait d'ordre moral*, qui a son fondement dans l'analyse objective de la réalité. Selon les paroles mêmes de l'encyclique, «chacun doit prendre conscience» de ce fait,[24] précisément parce que cela touche directement la conscience, qui est la source des décisions morales.

Dans ce cadre, la *nouveauté* de l'encyclique ne consiste pas tant dans l'affirmation, de caractère historique, de l'universalité de la question sociale que dans *l'appréciation morale* de cette

---

24. Cf. *ibid.*, n. 3: *l.c.*, p. 258.

réalité. Ainsi, les responsables des affaires publiques, les citoyens des pays riches, chacun à titre personnel, surtout s'ils sont chrétiens, ont *l'obligation morale* — à leur niveau respectif de responsabilité — de tenir compte, dans leurs décisions personnelles et gouvernementales, de ce rapport d'universalité, de cette interdépendance existant entre leur comportement et la misère et le sous-développement de tant de millions d'hommes. Avec une grande précision, l'encyclique de Paul VI traduit l'obligation morale en «devoir de solidarité»,[25] et cette affirmation, bien que beaucoup de situations dans le monde aient changé, a aujourd'hui la même force et la même valeur que quand elle a été écrite.

D'autre part, sans sortir du cadre de cette vision morale, la *nouveauté* de l'encyclique consiste encore dans la façon de présenter le problème de fond, à savoir que le *concept même* de développement change considérablement quand on le situe dans une perspective d'interdépendance mondiale. Le vrai développement *ne peut pas* consister dans l'accumulation pure et simple de la richesse et dans la multiplication des biens et des services disponibles, si cela se fait au prix du sous-développement des masses et sans la considération due aux dimensions sociales, culturelles et spirituelles de l'être humain.[26]

10. Sous un *troisième aspect*, l'encyclique apporte un élément de nouveauté considérable à la doctrine sociale de l'Église dans son ensemble et à la conception même du développement. Cette nouveauté se reconnaît à une phrase, qu'on lit au paragraphe concluant le document et qui peut être considérée comme la formule le résumant, outre qu'elle lui confère son caractère historique: «Le développement est le nouveau nom de la paix».[27]

En réalité, si la question sociale a acquis une dimension mondiale, c'est parce que *l'exigence de justice* ne peut être satis-

---

25. *Ibid.*, n. 48: *l.c.*, p. 281.

26. Cf. *ibid.*, n. 14: *l.c.*, p. 264: «Le développement ne se réduit pas à la simple croissance économique. Pour être authentique, il doit être intégral, c'est-à-dire promouvoir tout homme et tout l'homme».

27. *Ibid.*, n. 87: *l.c.*, p. 299.

faite qu'à cette échelle. Ignorer une telle exigence, ce serait courir le risque de faire naître la tentation d'une réponse violente de la part des victimes de l'injustice, comme cela se produit à l'origine de bien des guerres. Les populations exclues d'un partage équitable des biens originairement destinés à tout le monde pourraient se demander: pourquoi ne pas répondre par la violence à ceux qui sont les premiers à nous faire violence? Et si l'on examine la situation à la lumière de la division du monde en blocs idéologiques — qui existait déjà en 1967 — avec les répercussions et les sujétions économiques et politiques qui en résultent, le danger s'avère encore plus grand.

À cette première considération sur le contenu impressionnant de la formule de l'encyclique s'en ajoute une autre, à laquelle le document fait allusion:[28] comment justifier le fait que d'*immenses sommes d'argent* qui pourraient et devraient être destinées à accroître le développement des peuples, sont au contraire utilisées pour enrichir des individus ou des groupes, ou bien consacrées à l'augmentation des arsenaux, dans les pays développés comme dans ceux qui sont en voie de développement, inversant les véritables priorités? Et cela s'aggrave encore si l'on tient compte des difficultés qui entravent souvent le transfert direct des capitaux destinés à venir en aide au pays qui sont dans le besoin. Si «le développement est le nouveau nom de la paix», la guerre et les préparatifs militaires sont les plus grands ennemis du développement intégral des peuples.

Ainsi, à la lumière de l'expression du Pape Paul VI, nous sommes invités à revoir le *concept de développement*, qui ne coïncide certes pas avec celui qui se limite à la satisfaction des nécessités matérielles par l'augmentation des biens, sans égard pour les souffrances du plus grand nombre, en se laissant conduire principalement par l'égoïsme des personnes et des nations. La *Lettre* de saint Jacques nous le rappelle avec pertinence: n'est-ce pas de là que «viennent les guerres et les batailles ...? N'est-ce pas précisément de vos passions, qui combattent dans vos membres? Vous êtes pleins de convoitise et ne possédez pas» (*Jc* 4, 1-2).

---

28. Cf. *ibid.*, n. 53: *l.c.*, p. 283.

Au contraire, dans un monde différent, dominé par le souci du *bien commun* de toute l'humanité, c'est-à-dire par la préoccupation du «développement spirituel et humain de tous», et non par la recherche du profit individuel, la paix serait *possible* comme fruit d'une «justice plus parfaite entre les hommes».[29]

Cette nouveauté de l'encyclique a aussi une *valeur permanente* et actuelle, quand on pense à la mentalité d'aujourd'hui, tellement sensible au lien étroit qui existe entre le respect de la justice et l'instauration d'une paix véritable.

---

29. Cf. *ibid.*, n. 76: *l.c.*, p. 295.

PANORAMA DU MONDE CONTEMPORAIN

11. *L'enseignement fondamental* de l'encyclique *Populorum progressio* a eu en son temps un retentissement considérable en raison de son caractère de nouveauté. On ne peut pas dire que le contexte social dans lequel nous vivons aujourd'hui soit tout à fait *identique* à celui d'il y a vingt ans. C'est pourquoi je voudrais m'arrêter maintenant sur quelques caractéristiques du monde contemporain et les exposer brièvement afin d'approfondir l'enseignement de l'encyclique de Paul VI, toujours du point de vue du «développement des peuples».

Le premier fait à relever, c'est que les *espoirs de développement*, alors si vifs, semblent aujourd'hui beaucoup plus éloignés encore de leur réalisation.

12. À ce sujet, l'encyclique ne se faisait pas d'illusion. Son langage austère, parfois dramatique, se bornait à souligner la gravité de la situation et à proposer à la conscience de tous l'obligation pressante de contribuer à la résoudre. En ces années-là régnait un certain optimisme sur la possibilité de combler, sans efforts excessifs, le retard économique des peuples moins favorisés, de les doter d'infrastructures et de les aider dans le processus de leur industrialisation.

Dans le contexte historique d'alors, en plus des efforts de chaque pays, l'Organisation des Nations Unies a pris l'initiative de *deux décennies consécutives du développement.*[30] En effet, des mesures, bilatérales et multilatérales, ont été prises pour venir

---

30. Les décennies se réfèrent aux années 1960-1970 et 1970-1980. Nous sommes actuellement dans la troisième décennie (1980-1990).

en aide à de nombreux pays, certains indépendants depuis longtemps, d'autres — les plus nombreux — à peine devenus des États après le processus de décolonisation. De son côté, l'Église s'est senti le devoir d'approfondir les problèmes posés par cette situation nouvelle, avec l'idée de soutenir ces efforts par son inspiration religieuse et humaine pour leur donner une «âme» et une impulsion efficace.

13. On ne peut pas dire que ces différentes initiatives religieuses humaines, économiques et techniques aient été vaines puisque certains résultats ont pu être obtenus. Mais, en général, compte tenu de divers facteurs, on ne peut nier que la situation actuelle du monde, du point de vue du développement, donne une impression *plutôt négative*.

C'est pourquoi je désire attirer l'attention sur certains *indices de portée générale*, sans exclure d'autres éléments spécifiques. Sans entrer dans l'analyse des chiffres ou des statistiques, il suffit de regarder la réalité d'une *multitude incalculable d'hommes et de femmes*, d'enfants, d'adultes et de vieillards, en un mot de personnes humaines concrètes et uniques, qui souffrent sous le poids intolérable de la misère. Ils sont des millions à être privés d'espoir du fait que, dans de nombreuses parties de la terre, leur situation s'est sensiblement aggravée. Face à ces drames d'indigence totale et de nécessité que connaissent tant de *nos frères et sœurs*, c'est le même Seigneur Jésus qui vient nous interpeller (cf. *Mt* 25, 31-46).

14. La première *constatation négative* à faire est la persistance, voire souvent l'élargissement, du *fossé* entre les régions dites du Nord développé et celles du Sud en voie de développement. Cette terminologie géographique a seulement valeur indicative car on ne peut ignorer que les frontières de la richesse et de la pauvreté passent à l'intérieur des sociétés elles-mêmes, qu'elles soient développées ou en voie de développement. En effet, de même qu'il existe des inégalités sociales allant jusqu'au niveau de la misère dans des pays riches, parallèlement, dans les pays moins développés on voit assez souvent des manifestations d'égoïsme et des étalages de richesses aussi déconcertants que scandaleux.

À l'abondance des biens et des services disponibles dans certaines parties du monde, notamment dans les régions développées du Nord, correspond un retard inadmissible dans le Sud, et c'est précisément dans cette zone géopolitique que vit la plus grande partie du genre humain.

Quand on regarde la gamme des différents secteurs — production et distribution des vivres, hygiène, santé et habitat, disponibilité en eau potable, conditions de travail, surtout pour les femmes, durée de la vie, et autres indices sociaux et économiques —, le tableau d'ensemble qui se dégage est décevant, soit qu'on le considère en lui-même, soit qu'on le compare aux données correspondantes des pays plus développés. Le terme de «fossé» revient alors spontanément sur les lèvres.

Et ce n'est peut-être pas le mot le plus approprié pour décrire l'exacte réalité, en ce sens qu'il peut donner l'impression d'un phénomène *stationnaire*. Il n'en est pas ainsi. Dans la marche des pays développés et en voie de développement, on a assisté, ces dernières années, à une *vitesse d'accélération* différente qui contribue à augmenter les écarts, de sorte que les pays en voie de développement, spécialement les plus pauvres, en arrivent à se trouver dans une situation de retard très grave.

Il faut ajouter encore les *différences de cultures* et de *systèmes de valeurs* entre les divers groupes de population, qui ne coïncident pas toujours avec le degré de *développement économique*, mais qui contribuent à créer des écarts. Ce sont là les éléments et les aspects qui rendent *beaucoup plus complexe la question sociale*, précisément parce qu'elle a acquis une envergure mondiale.

Quand on observe les diverses parties du monde séparées par ce fossé qui continue à s'élargir, quand on remarque que chacune d'entre elles semble poursuivre son propre chemin, avec ses réalisations particulières, on comprend pourquoi dans le langage courant on parle de plusieurs mondes à l'intérieur de notre *monde unique:* premier monde, deuxième monde, tiers-monde, voire quart-monde.[31] De telles expressions, qui n'ont

---

31. L'expression «quart-monde» est employée non seulement occasionnellement pour désigner les pays dits *moins avancés (PMA)* mais aussi et surtout pour désigner les secteurs de grande ou d'extrême pauvreté des pays à moyen ou haut revenu.

certes pas la prétention de donner un classement exhaustif de tous les pays, n'en sont pas moins significatives: elles témoignent d'une perception diffuse que *l'unité du monde*, en d'autres termes *l'unité du genre humain*, est sérieusement compromise. Cette façon de parler, sous sa valeur plus ou moins objective, cache sans aucun doute un *contenu moral*, vis-à-vis duquel l'Église, «sacrement, c'est-à-dire à la fois le signe et le moyen [...] de l'unité de tout le genre humain»,[32] ne peut pas rester indifférente.

15. Le tableau dressé précédemment serait toutefois incomplet si aux «indices économiques et sociaux» du sous-développement on n'ajoutait pas d'autres indices également négatifs, et même plus préoccupants encore, à commencer par ceux du domaine culturel. Tels sont *l'analphabétisme*, la difficulté ou l'impossibilité d'accéder aux *niveaux supérieurs d'instruction*, l'incapacité de participer à la *construction de son propre pays*, les diverses *formes d'exploitation et d'oppression* économiques, sociales, politiques et aussi religieuses de la personne humaine et de ses droits, *tous les types de discrimination*, spécialement celle, plus odieuse, qui est fondée sur la différence de race. Si l'on trouve malheureusement quelques-unes de ces plaies dans des régions du Nord plus développé, elles sont sans aucun doute plus fréquentes, plus durables et plus difficiles à extirper dans les pays en voie de développement et moins avancés.

Il faut remarquer que, dans le monde d'aujourd'hui, parmi d'autres droits, *le droit à l'initiative économique* est souvent étouffé. Il s'agit pourtant d'un droit important, non seulement pour les individus mais aussi pour le commun. L'expérience nous montre que la négation de ce droit ou sa limitation au nom d'une prétendue «égalité» de tous dans la société réduit, quand elle ne le détruit pas en fait, l'esprit d'initiative, c'est-à-dire *la personnalité créative du citoyen*. Ce qu'il en ressort, ce n'est pas une véritable égalité mais un «nivellement par le bas». À la place de l'initiative créatrice prévalent la passivité, la dépendance et la soumission à l'appareil bureaucratique, lequel, comme uni-

---

32. Cong. Oecum. Vat. II, Const. dogm. sur l'Église *Lumen gentium*, n. 1.

que organe d'«organisation» et de «décision» — sinon même de «possession» — de la totalité des biens et des moyens de production, met tout le monde dans une position de sujétion quasi absolue, semblable à la dépendance traditionnelle de l'ouvrier-prolétaire par rapport au capitalisme. Cela engendre un sentiment de frustration ou de désespoir, et cela prédispose à se désintéresser de la vie nationale, poussant beaucoup de personnes à l'émigration et favorisant aussi une sorte d'émigration «psychologique».

Une telle situation entraîne également des conséquences du point de vue des «droits de chaque pays». Il arrive souvent, en effet, qu'un pays soit privé de sa personnalité, c'est-à-dire de la «souveraineté» qui lui revient, au sens économique et aussi politique et social, et même, d'une certaine manière, culturel, car, dans une communauté nationale, toutes ces dimensions de la vie sont liées entre elles.

Il faut rappeler en outre qu'aucun groupe social, par exemple un parti, n'a le droit d'usurper le rôle de guide unique, car cela comporte la destruction de la véritable personnalité de la société et des individus membres de la nation, comme cela se produit dans tout totalitarisme. Dans cette situation, l'homme et le peuple deviennent des «objets», malgré toutes les déclarations contraires et les assurances verbales.

Il convient d'ajouter ici que, dans le monde d'aujourd'hui, il existe bien d'autres *formes de pauvreté*. Certaines carences ou privations ne méritent-elles pas, en effet, ce qualificatif? La négation ou la limitation des droits humains — par exemple le droit à la liberté religieuse, le droit de participer à la construction de la société, la liberté de s'associer, ou de constituer des syndicats, ou de prendre des initiatives en matière économique — n'appauvrissent-elles pas la personne humaine autant, sinon plus, que la privation des biens matériels? Et un développement qui ne tient pas compte de la pleine reconnaissance de ces droits est-il vraiment un développement à dimension humaine?

En bref, de nos jours le sous-développement n'est pas seulement économique; il est également culturel, politique et tout simplement humain, comme le relevait déjà, il y a vingt ans, l'encyclique *Populorum progressio*. Il faut donc ici se demander si la réalité si triste d'aujourd'hui n'est pas le résultat, au moins partiel, d'une *conception trop étroite*, à savoir surtout économique, du développement.

16. On doit constater que, malgré les louables efforts accomplis ces deux dernières décennies par les pays plus développés ou en voie de développement et par les Organisations internationales pour trouver une issue à la situation, ou au moins remédier à quelques-uns de ses symptômes, la situation s'est *considérablement aggravée*.

Les responsabilités d'une telle aggravation proviennent de causes diverses. Signalons les omissions réelles et graves de la part des pays en voie de développement eux-mêmes, et spécialement de la part des personnes qui y détiennent le pouvoir économique et politique. On ne saurait pour autant feindre de ne pas voir les responsabilités des pays développés, qui n'ont pas toujours, du moins pas suffisamment, compris qu'il était de leur devoir d'apporter leur aide aux pays éloignés du monde de bien-être auquel ils appartiennent.

Toutefois, il est nécessaire de dénoncer l'existence de *mécanismes* économiques, financiers et sociaux qui, bien que menés par la volonté des hommes, fonctionnent souvent d'une manière quasi automatique, rendant plus rigides les situations de richesse des uns et de pauvreté des autres. Ces mécanismes, manœuvrés — d'une façon directe ou indirecte — par des pays plus développés, favorisent par leur fonctionnement même les intérêts de ceux qui les manœuvrent, mais ils finissent par étouffer ou conditionner les économies des pays moins développés. Il nous faudra, plus loin, soumettre ces mécanismes à une analyse attentive sous l'aspect éthique et moral.

Déjà *Populorum progressio* prévoyait que de tels systèmes pouvaient augmenter la richesse des riches, tout en maintenant les pauvres dans la misère.[33] On a eu une confirmation de cette prévision avec l'apparition de ce qu'on appelle le quart-monde.

17. Bien que la société mondiale se présente comme éclatée, et cela apparaît dans la façon conventionnelle de parler du

---

33. Cf. Encycl. *Populorum progressio*, n. 33: *l.c.*, p. 273.

premier, deuxième, tiers et même quart-monde, l'*interdépendance* de ses diverses parties reste toujours très étroite, et si elle est dissociée des exigences éthiques, elle entraîne des *conséquences funestes* pour les plus faibles. Bien plus, cette *interdépendance*, en vertu d'une espèce de dynamique interne et sous la poussée de mécanismes que l'on ne peut qualifier autrement que de pervers, provoque des *effets négatifs* jusque dans les pays riches. À l'intérieur même de ces pays, on trouve, à un degré moindre, il est vrai, les manifestations les plus caractéristiques du sous-développement. Ainsi, il devrait être évident que ou bien le développement devient *commun* à toutes les parties du monde, ou bien il subit un *processus de régression* même dans les régions marquées par un progrès constant. Ce phénomène est particulièrement symptomatique de la nature du développement *authentique:* ou bien tous les pays du monde y participent, ou bien il ne sera pas authentique.

Parmi les *symptômes spécifiques* du sous-développement qui frappent aussi de manière croissante les peuples développés, il y en a deux qui sont particulièrement révélateurs d'une situation dramatique. En *premier lieu*, la *crise du logement*. En cette Année internationale des sans-abri, décidée par l'Organisation des Nations Unies, l'attention se porte sur les millions d'êtres humains privés d'une habitation convenable ou même de toute habitation, afin de réveiller toutes les consciences et de trouver une solution à ce grave problème qui a des conséquences négatives sur le plan individuel, familial et social.[34]

L'insuffisance de logements se constate à l'échelle *universelle* et est due, en grande partie, au phénomène toujours croissant de l'urbanisation.[35] Même les peuples les plus développés offrent le triste spectacle d'individus et de familles qui luttent littéralement pour survivre, sans *toit* ou avec un abri *tellement précaire* qu'il ne vaut pas mieux.

---

34. On sait que le Saint-Siège s'est associé à la célébration de cette Année internationale par un document spécial de la Commission pontificale «Justice et Paix»: *Qu'as-tu fait de ton frère sans abri? — L'Église et le problème de l'habitat* (27 décembre 1987).

35. Cf. Paul VI, Lettre apost. *Octogesima adveniens* (14 mai 1971), nn. 8-9: *AAS* 63 (1971), pp. 406-408.

Le manque de logement, qui est un problème fort grave en lui-même, doit être considéré comme le signe et la synthèse de toute une série d'insuffisances économiques, sociales, culturelles ou simplement humaines, et, compte tenu de l'extension du phénomène, nous devrions sans peine nous convaincre que nous sommes loin de l'authentique développement des peuples.

18. *L'autre symptôme*, commun à la plupart des pays, est le phénomène du *chômage* et du sous-emploi.

Qui ne se rend compte de l'*actualité* et de la *gravité croissante* d'un tel phénomène dans les pays industrialisés?[36] S'il paraît alarmant dans les pays en voie de développement, avec leur taux élevé de croissance démographique et le grand nombre de jeunes au sein de leur population, dans les pays de fort développement économique les *sources de travail* vont, semble-t-il, en se restreignant, et ainsi les possibilités d'emploi diminuent au lieu de croître.

Ce phénomène, avec la série de ses conséquences négatives au niveau individuel et social, depuis la dégradation jusqu'à la perte du respect que tout homme ou toute femme se doit à soi-même, nous invite, lui aussi, à nous interroger sérieusement sur le type de développement réalisé au cours de ces vingt dernières années. Ce que disait l'encyclique *Laborem exercens* s'avère ici plus que jamais d'actualité: «Il faut souligner que l'élément constitutif et en même temps *la vérification* la plus adéquate de ce *progrès* dans l'esprit de justice et de paix que l'Église proclame et pour lequel elle ne cesse de prier [...] est *la réévaluation continue du travail humain*, sous l'aspect de sa finalité objective comme sous l'aspect de la dignité du sujet de tout travail qu'est l'homme». Au contraire, «on ne peut pas ne pas être frappé par un *fait déconcertant* d'immense proportion»: à savoir qu'«il y a des foules de chômeurs, de sous-employés [...].

---

36. La récente *Étude sur l'économie mondiale 1987*, publiée par l'Organisation des Nations Unies, contient les données les plus récentes à ce sujet (cf. pp. 8-9). Le pourcentage des chômeurs dans les pays développés à économie de marché est passé de 3 % des effectifs au travail en 1970 à 8 % en 1986. Les chômeurs sont actuellement 29 millions.

Ce fait tend sans aucun doute à montrer que, à l'intérieur de chaque communauté politique comme dans les rapports entre elles au niveau continental et mondial — pour ce qui concerne l'organisation du travail et de l'emploi —, il y a quelque chose qui ne va pas, et cela précisément sur les points les plus critiques et les plus importants au point de vue social».[37]

En raison de son caractère *universel* et, en un sens, *multiplicateur*, cet autre phénomène, comme le précédent, constitue, à cause de son incidence négative, un signe éminemment caractéristique de l'état et de la qualité du développement des peuples face auquel nous nous trouvons aujourd'hui.

19. Un *autre phénomène*, typique lui aussi de la période la plus récente — même si on ne le trouve pas partout —, est, sans aucun doute, également caractéristique de l'*interdépendance* qui existe entre les pays développés et ceux qui le sont moins. C'est la question de la *dette internationale*, à laquelle la Commission pontificale «Justice et Paix» a consacré un document.[38]

On ne saurait ici passer sous silence le *lien étroit* entre ce problème, dont la gravité croissante était déjà prévue par l'encyclique *Populorum progressio*,[39] et la question du développement des peuples.

La raison qui poussa les peuples en voie de développement à accepter l'offre d'une abondance de capitaux disponibles a été l'espoir de pouvoir les investir dans des activités de développement. En conséquence, la disponibilité des capitaux et le fait de les accepter au titre de prêt peuvent être considérés comme une contribution au développement lui-même, ce qui est sou-

---

37. Encycl. *Laborem exercens* (14 septembre 1981), n. 18: *AAS* 73 (1981), pp. 624-625.

38. *Au service de la communauté humaine: une approche éthique de l'endettement international* (27 décembre 1986).

39. Encycl. *Populorum progressio*, n. 54: *l.c.*, pp. 283-284: «Les pays en voie de développement ne risqueront plus dès lors d'être accablés de dettes dont le service absorbe le plus clair de leurs gains. Taux d'intérêt et durée des prêts pourront être aménagés de manière supportable pour les uns et pour les autres, équilibrant les dons gratuits, les prêts sans intérêts ou à intérêt minime, et la durée des amortissements».

haitable et légitime en soi, même si cela a été parfois imprudent et, en quelques cas, précipité.

Les circonstances ayant changé, aussi bien dans les pays endettés que sur le marché financier international, l'instrument prévu pour contribuer au développement s'est transformé en un *mécanisme à effet contraire.* Et cela parce que, d'une part, les pays débiteurs, pour satisfaire le service de la dette, se voient dans l'obligation d'exporter des capitaux qui seraient nécessaires à l'accroissement ou tout au moins au maintien de leur niveau de vie, et parce que, d'autre part, pour la même raison, ils ne peuvent obtenir de nouveaux financements également indispensables.

Par ce mécanisme, le moyen destiné au «développement des peuples» s'est transformé en un *frein,* et même, en certains cas, en une *accentuation du sous-développement.*

Ces constatations doivent amener à réfléchir — comme le dit le récent document de la Commission pontificale «Justice et Paix»[40] — sur le *caractère éthique* et l'interdépendance des peuples, et aussi, pour rester dans la ligne des présentes considérations, sur les exigences et les conditions de la coopération au développement, inspirées également par des principes éthiques.

20. Si nous examinons ici les *causes* de ce grave retard dans le processus du développement, qui est allé en sens inverse des indications de l'encyclique *Populorum progressio,* source de tant d'espérances, notre attention se fixe d'une façon particulière sur les causes *politiques* de la situation actuelle.

Devant l'ensemble de facteurs indubitablement complexes qui se présentent à nous, il n'est pas possible de procéder ici à une analyse complète. Mais on ne peut passer sous silence un fait marquant du *contexte politique* qui a caractérisé la période historique venant après la deuxième guerre mondiale et qui a été un facteur non négligeable de l'évolution du développement des peuples.

---

40. Cf. la «Présentation» du document *Au service de la communauté humaine: une approche éthique de l'endettement international* (27 décembre 1986).

Nous voulons parler de l'*existence de deux blocs* opposés, désignés habituellement par les noms conventionnels d'Est et Ouest, ou bien Orient et Occident. Le motif de cette connotation n'est pas purement politique mais aussi, comme on le dit, *géopolitique*. Chacun des deux blocs tend à assimiler ou à regrouper autour de lui, selon des degrés divers d'adhésion ou de participation, d'autres pays ou groupes de pays.

L'opposition est avant tout *politique*, en ce sens que chaque bloc trouve son identité dans un système d'organisation de la société et de gestion du pouvoir qui tend à être incompatible avec l'autre; à son tour, l'opposition politique trouve son origine dans une opposition plus profonde, qui est d'ordre *idéologique*.

En Occident, il existe en effet un système qui s'inspire historiquement des principes du *capitalisme libéral*, tel qu'il s'est développé au siècle dernier avec l'industrialisation; en Orient, il y a système inspiré par le *collectivisme marxiste*, qui est né de la façon d'interpréter la situation des classes prolétaires à la lumière d'une lecture particulière de l'histoire. Chacune des deux idéologies, en se référant à deux visions aussi différentes de l'homme, de sa liberté et de son rôle social, a proposé et favorise, sur le plan économique, des formes contraires d'organisation du travail et de structures de la propriété, spécialement dans le domaine de ce qu'on appelle les moyens de production.

Il était inévitable que l'opposition *idéologique*, en développant des systèmes et des centres antagonistes de pouvoir, avec leurs propres formes de propagande et d'endoctrinement, évolue vers une croissante *opposition militaire*, donnant naissance à deux blocs de puissances armées, chacun se méfiant et craignant que l'autre ne l'emporte.

À leur tour, les relations internationales ne pouvaient pas ne pas ressentir les effets de cette «logique des blocs» et des «sphères d'influence» respectives. Née de la conclusion de la deuxième guerre mondiale, la tension entre les deux blocs a dominé les quarante années qui ont suivi, revêtant le caractère tantôt de «*guerre froide*», tantôt de «*guerres par procuration*» grâce à l'exploitation de conflits locaux, ou encore en tenant les esprits dans l'incertitude et l'angoisse par la menace d'une guerre *ouverte et totale.*

Si, actuellement, un tel danger semble s'être éloigné, sans avoir complètement disparu, et si l'on est parvenu à un premier accord sur la destruction d'un certain type d'armement nucléaire, l'existence et l'opposition des blocs ne cessent pas pour autant d'être un facteur réel et préoccupant qui continue à conditionner le panorama mondial.

21. On peut l'observer, et avec un effet particulièrement négatif, dans les relations internationales concernant les pays en voie de développement. On sait en effet que la tension *entre l'Orient et l'Occident* vient d'une opposition, non pas entre deux *degrés* différents de développement, mais plutôt entre deux *conceptions* du développement même des hommes et des peuples, toutes deux imparfaites et ayant besoin d'être radicalement corrigées. Cette opposition est transférée au sein de ces pays, ce qui contribue à élargir le fossé existant déjà sur le plan économique entre *le Nord et le Sud* et qui est une conséquence de la distance séparant les deux *mondes* plus développés et ceux qui sont moins développés.

C'est là une des raisons pour lesquelles la doctrine sociale de l'Église adopte une attitude critique vis-à-vis du capitalisme libéral aussi bien que du collectivisme marxiste. En effet, du point de vue du développement, on se demande spontanément de quelle manière ou dans quelle mesure ces deux systèmes sont capables de transformations ou d'adaptations propres à favoriser ou à promouvoir un développement vrai et intégral de l'homme et des peuples dans la société contemporaine. Car ces transformations et ces adaptations sont urgentes et indispensables pour la cause d'un développement commun à tous.

Les pays indépendants depuis peu, qui s'efforcent d'acquérir une identité culturelle et politique, et qui auraient besoin de la contribution efficace et désintéressée des pays plus riches et plus développés, se trouvent impliqués — parfois même emportés — par des conflits idéologiques qui engendrent d'inévitables divisions à l'intérieur du pays, jusqu'à provoquer en certains cas de véritables guerres civiles. Et cela, entre autres, parce que les investissements et l'aide au développement sont souvent détournés de leur fin et exploités pour alimenter les conflits, en dehors et à l'encontre des intérêts des pays qui devraient en bénéficier. Beaucoup de ces derniers deviennent toujours plus conscients du danger d'être les victimes d'un néo-colonialisme et tentent de s'y soustraire. C'est une telle prise de conscience qui a donné naissance, non sans difficultés, hésitations et parfois contradictions, au *Mouvement international des pays non alignés*. Dans son aspect positif, ce mouvement voudrait affirmer effectivement le droit de chaque peuple à son identité, à son indépendance et à sa sécurité, ainsi qu'à la participation, sur la base de l'égalité et de la solidarité, à la jouissance des biens qui sont destinés à tous les hommes.

22. Ces considérations étant faites, nous pouvons avoir une vision plus claire du tableau des vingt dernières années et mieux comprendre les contrastes existant dans la partie Nord du monde, c'est-à-dire l'Orient et l'Occident, comme cause, et non la dernière, du retard ou de la stagnation du Sud.

Les pays en voie de développement, au lieu de se transformer en *nations autonomes*, préoccupées de leur progression vers la juste participation aux biens et aux services destinés à tous, deviennent les pièces d'un mécanisme, les parties d'un engrenage gigantesque. Cela se vérifie souvent aussi dans le domaine des moyens de communication sociale qui, étant la plupart du temps gérés par des centres situés dans la partie Nord du monde, ne tiennent pas toujours un juste compte des priorités et des problèmes propres de ces pays et ne respectent pas leur physionomie culturelle; il n'est pas rare qu'ils imposent au contraire une vision déformée de la vie et de l'homme et qu'ainsi ils ne répondent pas aux exigences du vrai développement.

Chacun des deux *blocs* cache au fond de lui, à sa manière, la tendance *à l'impérialisme*, selon l'expression reçue, ou à des formes de néo-colonialisme: tentation facile dans laquelle il n'est pas rare de tomber, comme l'enseigne l'histoire, même récente.

C'est cette situation anormale — conséquence d'une guerre et d'une préoccupation accrue outre mesure par le souci de sa *propre sécurité* — qui freine l'élan de coopération solidaire de tous pour le bien commun du genre humain, au préjudice surtout de peuples pacifiques, qui voient bloqué leur droit d'accéder aux biens destinés à tous les hommes.

Vue sous cet angle, la division actuelle du monde est un *obstacle direct* à la véritable transformation des conditions de sous-développement dans les pays en voie de développement et dans les pays moins avancés. Mais les peuples ne se résignent pas toujours à leur sort. De plus, les besoins mêmes d'une économie étouffée par les dépenses militaires, comme par la bureaucratie et par l'inefficacité intrinsèque, semblent maintenant favoriser des processus qui pourraient rendre l'opposition moins rigide et faciliter l'établissement d'un dialogue bénéfique et d'une vraie collaboration pour la paix.

23. La déclaration de l'encyclique *Populorum progressio* selon laquelle les ressources et les investissements destinés à la production des armes doivent être employés à soulager la misère des populations indigentes[41] rend plus urgent l'appel à surmonter l'opposition entre les deux blocs.

Aujourd'hui, ces ressources servent pratiquement à mettre chacun des deux blocs en position de pouvoir l'emporter sur l'autre et de garantir ainsi sa propre sécurité. Pour ces pays qui, sous l'aspect historique, économique et politique, ont la possibilité de jouer un rôle de guide, une telle distorsion, qui est un vice d'origine, rend difficile l'accomplissement adéquat de leur devoir de solidarité en faveur des peuples qui aspirent au développement intégral.

Il est opportun d'affirmer ici, sans que cela puisse paraître exagéré, qu'un rôle de guide parmi les nations ne peut se justifier que par la possibilité et la volonté de contribuer, largement et généreusement, au bien commun.

Un pays qui céderait, plus ou moins consciemment, à la tentation de se refermer sur soi, se dérobant aux responsabilités découlant d'une supériorité qu'il aurait dans le concert des nations, *manquerait gravement* à un devoir éthique précis. Celui-ci est facilement reconnaissable dans la conjoncture historique, dans laquelle les croyants entrevoient les dispositions de la

---

41. Cf. Encycl. *Populorum progressio*, n. 53: *l.c.*, p. 283.

divine Providence, portée à se servir des nations pour la réalisation de ses projets comme aussi à «anéantir les desseins des peuples» (cf. *Ps 33* [32], 10).

Quand l'Ouest donne l'impression de se laisser aller à des formes d'isolement croissant et égoïste, et quand l'Est semble à son tour ignorer, pour des motifs discutables, son devoir de coopérer aux efforts pour soulager la misère des peuples, on ne se trouve pas seulement devant une trahison des attentes légitimes de l'humanité, avec les conséquences imprévisibles qu'elle entraînera, mais devant une véritable défection par rapport à une obligation morale.

24. Si la production des armes est un grave désordre qui règne dans le monde actuel face aux vrais besoins des hommes et à l'emploi des moyens aptes à les satisfaire, il n'en est pas autrement pour le *commerce de ces armes*. Et il faut ajouter qu'à propos de ce dernier *le jugement moral est encore plus sévère*. Il s'agit, on le sait, d'un commerce sans frontière, capable de franchir même les barrières des blocs. Il sait dépasser la séparation entre l'Orient et l'Occident, et surtout celle qui oppose le Nord et le Sud, jusqu'à s'insérer — ce qui est plus grave — entre les *diverses parties* qui composent la zone méridionale du monde. Ainsi, nous nous trouvons devant un phénomène étrange: tandis que les aides économiques et les plans de développement se heurtent à l'obstacle de barrières idéologiques insurmontables et de barrières de tarifs et de marché, les *armes* de quelque provenance que ce soit circulent avec une liberté quasi absolue dans les différentes parties du monde. Et personne n'ignore — comme le relève le récent document de la Commission pontificale «Justice et Paix» sur l'endettement international[42] — qu'en certains cas les capitaux prêtés par le monde développé ont servi à l'achat d'armements dans le monde non développé.

Si l'on ajoute à tout cela le *terrible danger*, universellement connu, que représentent les *armes atomiques* accumulées d'une façon incroyable, la conclusion logique qui apparaît est que la

---

42. *Au service de la communauté humaine: une approche éthique de l'endettement international* (27 décembre 1986), III.2.1.

situation du monde actuel, y compris le monde économique, au lieu de montrer sa préoccupation pour un *vrai développement* qui aboutisse pour tous à une vie «plus humaine» — comme le souhaitait l'encyclique *Populorum progressio*[43] —, semble destinée à nous acheminer plus rapidement *vers la mort.*

Les conséquences d'un tel état de choses se manifestent dans l'aggravation d'une *plaie* typique et révélatrice des déséquilibres et des conflits du monde contemporain, à savoir *les millions de réfugiés* auxquels les guerres, les calamités naturelles, les persécutions et les discriminations de tous genres ont arraché leur maison, leur travail, leur famille et leur patrie. La tragédie de ces multitudes se reflète sur le visage défait des hommes, des femmes et des enfants qui, dans un monde divisé et devenu inhospitalier, n'arrivent plus à trouver un foyer.

On ne peut non plus fermer les yeux sur une autre plaie douloureuse du monde d'aujourd'hui: le phénomène du *terrorisme,* entendu comme volonté de tuer et de détruire sans distinction les hommes et les biens, et de créer précisément un climat de terreur et d'insécurité, en y ajoutant souvent la prise d'otages. Même quand on avance, pour motiver cette pratique inhumaine, une idéologie, quelle qu'elle soit, ou la création d'une société meilleure, les actes de terrorisme ne sont jamais justifiables. Mais ils le sont encore moins lorsque, comme cela arrive aujourd'hui, de telles décisions et de tels actes, qui deviennent parfois de véritables massacres, ainsi que certains rapts de personnes innocentes et étrangères aux conflits, ont pour but la propagande en faveur de la cause que l'on défend, ou, pire encore, lorsqu'ils sont des fins en soi, de sorte que l'on tue simplement pour tuer. Face à une telle horreur et à tant de souffrances, les paroles que j'ai prononcées il y a quelques années, et que je voudrais répéter encore, gardent toute leur valeur: «Le christianisme interdit [...] le recours aux voies de la haine, à l'assassinat de personnes sans défense, aux méthodes du terrorisme».[44]

---

43. Cf. Encycl. *Populorum progressio,* nn. 20-21: *l.c.,* pp. 267-268.

44. Homélie près de Drogheda, en Irlande (29 septembre 1979), n. 5: *AAS* 71 (1979), II, p. 1079.

25. Il faut ici dire un mot sur le *problème démographique* et sur la façon d'en parler aujourd'hui, suivant ce que Paul VI a indiqué dans son encyclique[45] et ce que j'ai moi-même amplement exposé dans l'exhortation apostolique *Familiaris consortio*.[46]

On ne peut nier l'existence, spécialement dans la zone Sud de notre planète, d'un problème démographique de nature à créer des difficultés pour le développement. Il est bon d'ajouter tout de suite que, dans la zone Nord, ce problème se pose en termes inverses: ce qui y est préoccupant, c'est la *chute du taux de natalité*, avec comme répercussion le vieillissement de la population, devenue incapable même de se renouveler biologiquement. Ce phénomène est susceptible de faire obstacle au développement. De même qu'il n'est pas exact d'affirmer que les difficultés de cette nature proviennent seulement de la croissance démographique, de même il n'est nullement démontré que *toute* croissance démographique soit incompatible avec un développement ordonné.

Par ailleurs, il paraît très alarmant de constater, dans beaucoup de pays, le lancement de *campagnes systématiques* contre la natalité, à l'initiative de leurs gouvernements, en opposition non seulement avec l'identité culturelle et religieuse de ces pays mais aussi avec la nature du vrai développement. Il arrive souvent que ces campagnes soient dues à des pressions et financées par des capitaux venant de l'étranger, et ici ou là, on leur subordonne même l'aide et l'assistance économique et financière. En tout cas, il s'agit d'un *manque absolu de respect* pour la liberté de décision des personnes intéressées, hommes et femmes, fréquemment soumises à d'intolérables pressions, y compris les contraintes économiques, pour les plier à cette forme nouvelle d'oppression. Ce sont les populations les plus pauvres qui en subissent les mauvais traitements; et cela finit par engendrer parfois la tendance à un certain racisme, ou par

---

45. Cf. Encycl. *Populorum progressio*, n. 37: *l.c.*, pp. 275-276.

46. Cf. Exhort. apost. *Familiaris consortio* (22 novembre 1981), spécialement le n. 30: *AAS* 74 (1982), pp. 115-117.

favoriser l'application de certaines formes, également racistes, d'eugénisme.

Ce fait, qui exige la condamnation la plus énergique, est lui aussi le *signe d'une conception* erronée et perverse du vrai développement humain.

26. Un tel panorama, principalement négatif, de la *situation réelle* du développement dans le monde contemporain ne serait pas complet si l'on ne signalait qu'il existe en même temps des *aspects positifs*.

La *première* note positive est que beaucoup d'hommes et de femmes ont *pleinement conscience* de leur dignité et de celle de chaque être humain. Cette prise de conscience s'exprime, par exemple, par la *préoccupation* partout plus *vive* pour le *respect des droits humains* et par le rejet le plus net de leurs violations. On en trouve un signe révélateur dans le nombre des associations privées instituées récemment, certaines ayant une dimension mondiale, et presque toutes ayant pour fin de suivre avec un grand soin et une louable objectivité les événements internationaux dans un domaine aussi délicat.

Sur ce plan, on doit reconnaître l'*influence* exercée par la *Déclaration des droits de l'homme* promulguée il y a presque quarante ans par l'Organisation des Nations Unies. Son existence même et le fait qu'elle ait été progressivement acceptée par la communauté internationale sont déjà le signe d'une prise de conscience qui va en s'affermissant. Il faut en dire autant, toujours dans le domaine des droits humains, pour les autres instruments juridiques de cette même Organisation des Nations Unies ou d'autres Organismes internationaux.[47]

La prise de conscience dont nous parlons n'est pas seulement le fait des *individus* mais aussi des *nations* et des *peuples*, qui, comme entités dotées d'une identité culturelle déterminée, sont particulièrement sensibles à la conservation, à la libre gestion et à la promotion de leur précieux patrimoine.

---

47. Cf. *Droits de l'homme. Recueil d'instruments internationaux*, Nations Unies, New York 1983. Jean-Paul II, Encycl. *Redemptor hominis* (4 mars 1979), n. 17: *AAS* 71 (1979), p. 296.

Simultanément, dans le monde divisé et bouleversé par toutes sortes de conflits, on voit se développer la *conviction* d'une *interdépendance* radicale et, par conséquent, la nécessité d'une solidarité qui l'assume et la traduise sur le plan moral. Aujourd'hui, plus peut-être que par le passé, les hommes se rendent compte qu'ils sont liés par un *destin commun* qu'il faut construire ensemble si l'on veut éviter la catastrophe pour tous. Sur un fond d'angoisse, de peur et de phénomènes d'évasion comme la drogue, *typiques du monde contemporain*, grandit peu à peu l'idée que le bien auquel nous sommes tous appelés et le bonheur auquel nous aspirons ne peuvent s'atteindre sans *l'effort et l'application de tous*, sans exception, ce qui implique le renoncement à son propre égoïsme.

Ici s'inscrit aussi, comme signe du *respect de la vie* — malgré toutes les tentations de la détruire, depuis l'avortement jusqu'à l'euthanasie —, le *souci concomitant* de la paix; et, de nouveau, la conscience que celle-ci est *indivisible:* c'est le fait *de tous*, ou *de personne*. Une paix qui exige toujours davantage le respect rigoureux de la *justice* et, par voie de conséquence, la distribution équitable des fruits du vrai développement.[48]

Parmi les *symptômes* positifs du temps présent, il faut encore *noter* une plus grande prise de conscience des limites des ressources disponibles, la nécessité de respecter l'intégrité et les rythmes de la nature et d'en tenir compte dans la programmation du développement, au lieu de les sacrifier à certaines conceptions démagogiques de ce dernier. C'est ce qu'on appelle aujourd'hui le *souci de l'écologie*.

Il est juste de reconnaître aussi l'effort de gouvernants, d'hommes politiques, d'économistes, de syndicalistes, de personnalités de la science et de fonctionnaires internationaux — dont beaucoup s'inspirent d'une foi religieuse —, pour porter

---

48. Cf. Conc. Oecum. Vat. II, Const. past. sur l'Église dans le monde de ce temps *Gaudium et spes*, n. 78; Paul VI, Encycl. Populorum progressio, n. 76: *l.c.*, pp. 294-295: «Combattre la misère et lutter contre l'injustice, c'est promouvoir, avec le mieux-être, le progrès humain et spirituel de tous, et donc le bien commun de l'humanité. La paix [...] se construit jour après jour, dans la poursuite d'un ordre voulu de Dieu, qui comporte une justice plus parfaite entre les hommes.

généreusement remède, non sans de nombreux sacrifices personnels, aux maux du monde, et pour s'employer, avec tous les
moyens possibles, à ce qu'un nombre toujours plus grand
d'hommes et de femmes puissent jouir du bienfait de la paix et
d'une qualité de vie digne de ce nom.

À cela *contribuent dans une large mesure les grandes Organisations internationales* et certaines Organisations régionales,
dont les efforts conjugués permettent des interventions plus
efficaces.

C'est aussi pour apporter cette contribution que quelques
pays du tiers-monde, malgré le poids de nombreux conditionnements négatifs, ont réussi à atteindre une *certaine autonomie
alimentaire*, ou un degré d'industrialisation qui permet de survivre dignement et de garantir des sources de travail pour la
population active.

Tout n'est donc pas négatif dans le monde contemporain, et
il ne pourrait en être autrement puisque la Providence du Père
veille avec amour jusque sur nos préoccupations quotidiennes
(cf. *Mt* 6, 25-32; 10, 23-31; *Lc* 12, 6-7. 22-30); bien plus, les valeurs
positives que nous avons soulignées témoignent d'une nouvelle
préoccupation morale, surtout en ce qui concerne les grands
problèmes humains comme le développement et la paix.

Cette réalité m'amène à faire porter ma réflexion sur *la vraie
nature* du développement des peuples, dans la ligne de l'encyclique dont nous célébrons l'anniversaire et en hommage à son
enseignement.

- IV -

LE DÉVELOPPEMENT HUMAIN AUTHENTIQUE

27. Le regard que l'encyclique nous invite à porter sur le monde contemporain nous fait constater avant tout que le développement *n'est pas* un processus linéaire, *quasi automatique* et *par lui-même illimité*, comme si, à certaines conditions, le genre humain devait marcher rapidement vers une sorte de perfection indéfinie.[49]

Une telle conception, plus liée à une notion de «progrès», inspirée par des considérations caractéristiques de la philosophie des lumières, qu'à celle de «développement»,[50] employée dans un sens spécifiquement économique et social, semble maintenant sérieusement remise en question, surtout après la tragique expérience des deux guerres mondiales, de la destruction planifiée et en partie réalisée de populations entières, et de l'oppressant péril atomique. À un *optimisme mécaniste* naïf s'est substituée une inquiétude justifiée pour le destin de l'humanité.

28. Mais en même temps, la conception «économique» ou «économiste», liée au vocable développement, est entrée elle-même en crise. Effectivement, on comprend mieux aujourd'hui que la *pure accumulation* de biens et de services, même en faveur du plus grand nombre, ne suffit pas pour réaliser le bonheur

---

49. Cf. Exhort. apost. *Familiaris consortio* (22 novembre 1981), n. 6: *AAS* 74 (1982), p. 88: «... l'histoire n'est pas simplement un progrès nécessaire vers le mieux, mais un avènement de la liberté, et plus encore un combat entre libertés...».

50. C'est pour cela que, dans le texte de cette encyclique, on a préféré employer le mot «développement» au lieu de «progrès», tout en cherchant à donner à ce mot de «développement» son sens le plus plénier.

humain. Et par suite, la disponibilité des multiples *avantages réels* apportés ces derniers temps par la science et par la technique, y compris l'informatique, ne comporte pas non plus la libération par rapport à toute forme d'esclavage. L'expérience des années les plus récentes démontre au contraire que, si toute la masse des ressources et des potentialités mises à la disposition de l'homme n'est pas régie selon une *intention morale* et une orientation vers le vrai bien du genre humain, elle se retourne facilement contre lui pour l'opprimer.

Une *constatation déconcertante* de la période la plus récente devrait être hautement instructive: à côté des misères du sous-développement, qui ne peuvent être tolérées, nous nous trouvons devant une sorte de surdéveloppement, également inadmissible parce que, comme le premier, il est contraire au bien et au bonheur authentiques. En effet, ce surdéveloppement, qui consiste dans la disponibilité *excessive* de toutes sortes de biens matériels pour certaines couches de la société, rend facilement les hommes esclaves de la «possession» et de la jouissance immédiate, sans autre horizon que la multiplication des choses ou le remplacement continuel de celles que l'on possède déjà par d'autres encore plus perfectionnées. C'est ce qu'on appelle la civilisation de «consommation», qui comporte tant de «déchets» et de «rebuts». Un objet possédé et déjà dépassé par un autre plus perfectionné est mis au rebut, sans que l'on tienne compte de la valeur permanente qu'il peut avoir en soi ou pour un autre être humain plus pauvre.

Nous touchons tous de la main les tristes effets de cette soumission aveugle à la pure consommation: d'abord une forme de matérialisme grossier, et en même temps une *insatisfaction radicale* car on comprend tout de suite que — à moins d'être prémuni contre le déferlement des messages publicitaires et l'offre incessante et tentatrice des produits de consommation — plus on possède, plus aussi on désire, tandis que les aspirations les plus profondes restent insatisfaites, peut-être même étouffées.

L'encyclique du Pape Paul VI a signalé la différence, si fréquemment accentuée de nos jours, entre l'«avoir» et l'«être»,[51] différence exprimée précédemment avec des mots précis par le Concile Vatican II.[52] «Avoir» des objets et des biens ne perfectionne pas, en soi, le sujet humain si cela ne contribue pas à la maturation et à l'enrichissement de son «être», c'est-à-dire à la réalisation de la vocation humaine en tant que telle.

Certes, la différence entre «être» et «avoir», le danger inhérent à une pure multiplication ou à une pure substitution de choses possédées face à la valeur de l'«être», ne doit pas se transformer nécessairement en une *antinomie*. L'une des plus grandes injustices du monde contemporain consiste précisément dans le fait qu'il y a relativement *peu* de personnes qui possèdent beaucoup, tandis que beaucoup ne possèdent presque rien. C'est l'injustice de la mauvaise répartition des biens et des services originairement destinés à tous.

Voici alors le tableau: il y a ceux — le petit nombre possédant beaucoup — qui n'arrivent pas vraiment à «être» parce que, par suite d'un renversement de la hiérarchie des valeurs, ils en sont empêchés par le culte de l'«avoir», et il y a ceux — le plus grand nombre, possédant peu ou rien — qui n'arrivent pas à réaliser leur vocation humaine fondamentale parce qu'ils sont privés des biens élémentaires.

Le mal ne consiste pas dans l'«avoir» en tant que tel mais dans le fait de posséder d'une façon qui ne respecte pas la *qualité* ni l'*ordre des valeurs* des biens que l'on a, *qualité* et *ordre des valeurs* qui découlent de la subordination des biens et de leur mise à la disposition de l'«être» de l'homme et de sa vraie vocation.

---

51. Encycl. *Populorum progressio*, n. 19: *l.c.*, pp. 266-267: «Avoir plus, pour les peuples comme pour les personnes, n'est donc pas le but dernier. Toute croissance est ambivalente. [...] La recherche exclusive de l'avoir fait dès lors obstacle à la croissance de l'être et s'oppose à sa véritable grandeur: pour les nations comme pour les personnes, l'avarice est la forme la plus évidente du sous-développement oral»; cf. aussi Paul VI, Lettre apost. *Octogesima adveniens* (14 mai 1971), n. 9: *AAS* 63 (1971), pp. 407-408.

52. Cf. Const. past. sur l'Église dans le monde de ce temps *Gaudium et spes*, n. 35; Paul VI, Allocution au Corps diplomatique (7 janvier 1965): *AAS* 57 (1965), p. 232.

Ainsi, il reste clair que si *le développement a nécessairement une dimension économique* puisqu'il doit fournir au plus grand nombre possible des habitants du monde la disponibilité de biens indispensables pour «être», il ne se limite pas à cette dimension. S'il en était autrement, il se retournerait contre ceux que l'on voudrait favoriser.

Les caractéristiques d'un développement intégral, «plus humain», capable de se maintenir, sans nier les exigences économiques, à la hauteur de la vocation authentique de l'homme et de la femme, ont été décrites par Paul VI.[53]

29. Un développement qui n'est pas seulement économique se mesure et s'oriente selon cette réalité et cette vocation de l'homme envisagé dans sa totalité, c'est-à-dire selon un *paramètre intérieur* qui lui est propre. Il a évidemment besoin des biens créés et des produits de l'industrie, continuellement enrichie par le progrès scientifique et technologique. Et la disponibilité toujours nouvelle des biens matériels, tout en répondant aux besoins, ouvre de nouveaux horizons. Le danger de l'abus de consommation et l'apparition des besoins artificiels ne doivent nullement empêcher l'estime et l'utilisation des nouveaux biens et des nouvelles ressources mis à notre disposition; il nous faut même y voir un don de Dieu et une réponse à la vocation de l'homme, qui se réalise pleinement dans le Christ.

Mais pour poursuivre le véritable développement, il est nécessaire de ne jamais perdre de vue ce *paramètre*, qui est dans la *nature spécifique* de l'homme créé par Dieu à son image et à sa ressemblance (cf. *Gn* 1, 26). Nature corporelle et spirituelle, symbolisée, dans le deuxième récit de la création, par les deux éléments: la *terre* avec laquelle Dieu forme le corps de l'homme, et le *souffle de vie* insufflé dans ses narines (cf. *Gn* 2, 7).

L'homme en vient ainsi à avoir une certaine affinité avec les autres créatures: il est appelé à les utiliser, à s'occuper d'elles et, toujours selon le récit de la *Genèse* (2, 15), il est établi dans le jardin, ayant pour tâche de le cultiver et de le garder, au-dessus de tous les autres êtres placés par Dieu sous sa domination

---

53. Cf. Encycl. *Populorum progressio*, nn. 20-21: *l.c.*, pp. 267-268.

(cf. *ibid.*, 1, 25-26). Mais en même temps l'homme doit rester soumis à la volonté de Dieu, qui lui fixe des limites quant à l'usage et à la domination des choses (cf. *ibid.*, 2, 16-17), tout en lui promettant l'immortalité (cf. *ibid.*, 2, 9; *Sg* 2, 23). Ainsi l'homme, en étant l'image de Dieu, a une vraie affinité avec lui aussi.

À partir de cet enseignement, on voit que le développement ne peut consister seulement dans l'usage, dans la domination, dans la possession *sans restriction* des choses créées et des produits de l'industrie humaine, mais plutôt dans le fait de *subordonner* la possession, la domination et l'usage à la ressemblance divine de l'homme et à sa vocation à l'immortalité. Telle est la *réalité transcendante* de l'être humain, que nous voyons transmise dès l'origine à un couple, homme et femme (*Gn* 1, 27), et qui est donc fondamentalement sociale.

30. Selon l'Écriture Sainte, la notion de développement n'est donc pas seulement «laïque» ou «profane»: il apparaît aussi, tout en gardant son caractère socio-économique, comme *l'expression moderne* d'une dimension essentielle de la vocation de l'homme.

En effet, l'homme n'a pas été créé, pour ainsi dire, immobile et statique. La première image qu'en présente la Bible le montre clairement comme *créature* et *image*, *déterminée* dans sa réalité profonde par l'*origine* et par l'*affinité* qui le constituent. Mais tout cela introduit dans l'être humain, homme et femme, le *germe* et l'*exigence* d'une tâche originelle à accomplir, que ce soit chacun individuellement ou en couple. La tâche est évidemment de «dominer» sur les autres créatures, de «cultiver le jardin»; elle doit être accomplie dans le cadre de l'*obéissance* à la loi divine et donc dans le respect de l'image reçue, clair fondement du pouvoir de domination qui lui est reconnu en relation avec son perfectionnement (cf. *Gn* 1, 26-30; 2, 15-16; *Sg* 9, 2-3).

Quand l'homme désobéit à Dieu et refuse de se soumettre à son pouvoir, la nature se rebelle contre lui et elle ne le reconnaît plus comme son seigneur, car il a obscurci en lui l'image divine. L'appel à la possession et à l'usage des moyens créés reste toujours valable, mais après le péché son exercice devient ardu et chargé de souffrance (cf. *Gn* 3, 17-19).

En effet, le chapitre suivant de la *Genèse* nous montre la descendance de Caïn qui bâtit «une ville», se consacre à l'élevage, s'adonne aux arts (la musique) et à la technique (la métallurgie); en même temps, on commence «à invoquer le nom du Seigneur» (cf. *Gn* 4, 17-26).

L'histoire du genre humain présentée par l'Écriture Sainte, même après la chute dans le péché, est une histoire de *réalisations continuelles* qui, toujours remises en question et menacées par le péché, se répètent, s'enrichissent et se répandent comme une réponse à la vocation divine assignée dès le commencement à l'homme et à la femme (cf. *Gn* 1, 26-28) et gravée dans l'image reçue par eux.

Il est logique de conclure, au moins pour ceux qui croient à la Parole de Dieu, que le «développement» d'aujourd'hui doit être considéré comme un moment de l'histoire qui a commencé avec la création et est continuellement menacée en raison de l'infidélité à la volonté du Créateur, surtout à cause de la tentation d'idolâtrie; mais il correspond fondamentalement à ses prémisses. Celui qui voudrait renoncer à la *tâche, difficile mais exaltante*, d'améliorer le sort de tout l'homme et de tous les hommes, sous prétexte du poids trop lourd de la lutte et de l'effort incessant pour se dépasser, ou même parce qu'on a expérimenté l'échec et le retour au point de départ, celui-là ne répondrait pas à la volonté de Dieu créateur. De ce point de vue, dans l'encyclique *Laborem exercens*, je me suis référé à la vocation de l'homme au travail, pour souligner l'idée que c'est toujours lui qui est le protagoniste du développement.[54]

Bien plus, le Seigneur Jésus lui-même, dans la parabole des talents, met en relief le traitement sévère réservé à celui qui a osé enfouir le don reçu: «Serviteur mauvais et paresseux! Tu savais que je moissonne là où je n'ai pas semé, et que je ramasse où je n'ai rien répandu... Enlevez-lui donc son talent et donnez-le à celui qui a les dix talents» (*Mt* 25, 26-28). Il nous revient, à nous qui recevons les dons de Dieu pour les faire fructifier, de

---

54. Cf. Encycl. *Laborem exercens* (14 septembre 1981), n. 4: *AAS* 73 (1981), pp. 584-585; Paul VI, Encycl. *Populorum progressio*, n. 15: *l.c.*, p. 265.

«semer» et de «moissonner». Si nous ne le faisons pas, on nous enlèvera même ce que nous avons.

L'approfondissement de ces paroles sévères pourra nous pousser à nous consacrer avec plus de détermination au *devoir*, urgent pour tous aujourd'hui, de collaborer au développement intégral des autres: «Développement de tout l'homme et de tous les hommes».[55]

31. *La foi au Christ Rédempteur*, tout en apportant un éclairage de l'intérieur sur la nature du développement, est également un guide dans le travail de collaboration. Dans la *Lettre* de saint Paul aux Colossiens, nous lisons que le Christ est le «Premier-né de toute créature» et que «tout a été créé par lui et pour lui» (1, 15-16). En effet, tout «subsiste en lui» car «Dieu s'est plu à faire habiter en lui toute la Plénitude et par lui à réconcilier tous les êtres pour lui» (*ibid.*, 1, 20).

Dans ce plan divin, qui commence par l'éternité dans le Christ, «image» parfaite du Père, et qui culmine en lui, «Premier-né d'entre les morts» (*ibid.*, 1, 15. 18), *s'inscrit notre histoire*, marquée par notre effort personnel et collectif pour élever la condition humaine, surmonter les obstacles toujours renaissants sur notre route, nous disposant ainsi à participer à la plénitude qui «habite dans le Seigneur» et qu'il communique «à son Corps, c'est-à-dire l'Église» (*ibid.*, 1, 18; cf. *Ep* 1, 22-23), tandis que le péché, qui sans cesse nous poursuit et compromet nos réalisations humaines, est vaincu et racheté par la «réconciliation» opérée par le Christ (cf. *Col* 1, 20).

Ici, les perspectives s'élargissent. On retrouve le rêve d'un «progrès indéfini», radicalement transformé par l'*optique nouvelle* ouverte par la foi chrétienne, qui nous assure qu'un tel progrès n'est possible que parce que Dieu le Père a décidé dès le commencement de rendre l'homme participant de sa gloire en Jésus Christ ressuscité, «en qui nous trouvons la rédemption, par son sang, la rémission des fautes» (*Ep* 1, 7), et qu'en lui il a voulu vaincre le péché et le faire servir pour notre plus grand

---

55. Encycl. *Populorum progressio*, n. 42: *l.c.*, p. 278.

bien,[56] qui surpasse infiniment tout ce que le progrès pourrait réaliser.

Nous pouvons dire alors — tandis que nous nous débattons au sein des ténèbres et des carences du *sous-développement* et du *surdéveloppement* — qu'un jour «cet être corruptible revêtira l'incorruptibilité et cet être mortel revêtira l'immortalité» (cf. 1 Co 15, 54), quand le Seigneur «remettra la royauté à Dieu le Père» (*ibid.*, 15, 24) et que toutes les œuvres et les actions dignes de l'homme seront rachetées.

En outre, la conception de la foi éclaire bien les raisons qui poussent *l'Église* à se préoccuper du problème du développement, à le considérer comme un *devoir de son ministère pastoral*, à stimuler la réflexion de tous sur la nature et les caractéristiques du développement humain authentique. Par ses efforts, elle veut d'une part se mettre au service du plan divin visant à ce que toute chose soit ordonnée à la plénitude qui habite dans le Christ (cf. *Col* 1, 19) et qu'il a lui-même communiquée à son Corps, et d'autre part répondre à sa vocation fondamentale de «sacrement», c'est-à-dire «signe et moyen de l'union intime avec Dieu et de l'unité de tout le genre humain».[57]

Certains Pères de l'Église se sont inspirés de cette conception pour élaborer à leur tour, dans une expression originale, une conception du *sens de l'histoire* et du *travail humain*, considéré comme orienté vers une fin qui le dépasse et toujours défini par sa relation avec l'œuvre du Christ. Autrement dit, il est possible de retrouver dans l'enseignement patristique une *vision optimiste* de l'histoire et du travail, c'est-à-dire de la *valeur permanente* des réalisations humaines authentiques, en tant que rachetées par le Christ et destinées au Règne promis.[58]

---

56. Cf. *Præconium paschale, Missale Romanum*, ed. typ. altera, 1975, p. 272: «Il fallait le péché d'Adam que la mort du Christ abolit. Heureuse était la faute qui nous valut pareil Rédempteur».

57. Conc. Oecum. Vat. II, Const. dogm. sur l'Église *Lumen gentium*, n. 1.

58. Cf. par exemple S. Basile le Grand, *Regulæ fusius tractalæ, interrogatio XXXVII*, 1-2: PG 31, 1009-1012; Théodoret de Cyr, *De Providentia, Oratio VII*: PG 83, 665-686; S. Augustin, *De Civitate Dei*, XIX, 17: Cl 48, 683-685.

C'est ainsi que fait partie de l'*enseignement* et de la *pratique* la plus ancienne de l'Église la conviction d'être tenue par vocation — elle-même, ses ministres et chacun de ses membres — à soulager la misère de ceux, proches ou lointains, qui souffrent, et cela non seulement avec le «superflu» mais aussi avec le «nécessaire». En cas de besoin, on ne peut donner la préférence à l'ornementation superflue des églises et aux objets de culte précieux; au contraire, il pourrait être obligatoire d'aliéner ces biens pour donner du pain, de la boisson, des vêtements et une maison à ceux qui en sont privés.[59] Ici, comme on l'a déjà noté, nous est indiquée une *«hiérarchie des valeurs»* — dans le cadre du droit de propriété — entre l'«avoir» et l'«être», surtout quand l'«avoir» de quelques-uns peut se révéler dommageable pour l'«être» de beaucoup d'autres.

Dans son encyclique, le Pape Paul VI se tient dans la ligne de cet enseignement, s'inspirant de la constitution pastorale *Gaudium et spes*.[60] Pour ma part, je voudrais insister encore sur sa gravité et son urgence, en demandant au Seigneur d'accorder à tous les chrétiens la force de passer fidèlement à l'application pratique.

32. L'obligation de se consacrer au développement des peuples n'est pas seulement un devoir *individuel*, encore moins *individualiste*, comme s'il était possible de le réaliser uniquement par les efforts isolés de chacun. C'est un impératif pour *tous et chacun* des hommes et des femmes, et aussi pour les sociétés et les nations; il oblige en particulier l'Église catholique, les autres Églises et Communautés ecclésiales, avec lesquelles nous sommes pleinement disposés à collaborer dans ce do-

---

59. Cf. par exemple S. Jean Chrysostome, *In Evang. S. Matthaei, hom.* 50, 3-4: *PG* 58, 508-510; S. Ambroise, *De Officiis Ministrorum*, Lib. II, XXVIII, 136-140: *PL* 16, 139-141; Possidius, *Vita S. Augustini Episcopi*, XXIV: *PL* 32, 53-54.

60. Encycl. *Populorum progressio*, n. 23: l.c., p. 268: «Si quelqu'un, jouissant des richesses du monde, voit son frère dans la nécessité et lui ferme ses entrailles, comment l'amour de Dieu demeurerait-il en lui? (1 *Jn* 3, 17). On sait avec quelle fermeté les Pères de l'Église ont précisé quelle doit être l'attitude de ceux qui possèdent, en face de ceux qui sont dans le besoin». Dans le numéro précédent, le Pape avait cité le n. 69 de la const. past. *Gaudium et spes* du Concile œcuménique Vatican II.

maine. En ce sens, de même que nous autres, catholiques, invitons nos frères chrétiens à participer à nos initiatives, de même nous nous déclarons prêts à collaborer à leurs initiatives, accueillant volontiers les invitations qui nous sont faites. Dans cette recherche du développement intégral de l'homme, nous pouvons également faire beaucoup avec les croyants des autres religions, comme cela se fait du reste en divers lieux.

La collaboration au développement de tout l'homme et de tout homme est en effet un devoir *de tous envers tous*, et elle doit en même temps être commune aux quatre parties du monde: Est et Ouest, Nord et Sud; ou, pour employer le terme en usage, aux divers «mondes». Si, au contraire, on essaie de le réaliser d'un seul côté, dans un seul monde, cela se fait aux dépens des autres; et là où cela commence, du fait même que les autres sont ignorés, cela s'hypertrophie et se pervertit.

Les peuples ou les nations ont droit eux aussi à leur développement *intégral* qui, s'il comporte, comme on l'a dit, les aspects économiques et sociaux, doit comprendre également l'identité culturelle de chacun et l'ouverture au transcendant. Et en aucun cas la nécessité du développement ne peut être prise comme prétexte pour imposer aux autres sa propre façon de vivre ou sa propre foi religieuse.

33. Un type de développement qui ne respecterait pas et n'encouragerait pas les *droits humains*, personnels et sociaux, économiques et politiques, y compris les *droits des nations et des peuples*, ne serait pas non plus vraiment *digne de l'homme*.

Aujourd'hui plus que par le passé peut-être, on reconnaît plus clairement *la contradiction intrinsèque* d'un développement limité au *seul* aspect économique. Il subordonne facilement la personne humaine et ses besoins les plus profonds aux exigences de la planification économique ou du profit exclusif.

Le lien intrinsèque entre le développement authentique et le respect des droits de l'homme révèle encore une fois son caractère *moral*: la vraie élévation de l'homme, conforme à la vocation naturelle et historique de chacun, ne s'atteint pas par la *seule* utilisation de l'abondance des biens et des services, ou en disposant d'infrastructures parfaites.

Quand les individus et les communautés ne voient pas rigoureusement respectées les exigences morales, culturelles et spirituelles fondées sur la dignité de la personne et sur l'identité propre de chaque communauté, à commencer par la famille et par les sociétés religieuses, tout le reste — disponibilité de biens, abondance de ressources techniques appliquées à la vie quotidienne, un certain niveau de bien-être matériel — s'avérera insatisfaisant et, à la longue, méprisable. C'est ce qu'affirme clairement le Seigneur dans l'Évangile en attirant l'attention de tous sur la vraie hiérarchie des valeurs: «Quel avantage un homme aura-t-il à gagner le monde entier, s'il le paye de sa vie?» (*Mt* 16, 26).

Un vrai développement, selon les exigences *propres* de l'être humain, homme ou femme, enfant, adulte ou vieillard, implique, surtout de la part de ceux qui interviennent activement dans ce processus et en sont responsables, une vive *conscience* de la *valeur* des droits de tous et de chacun, et aussi de la nécessité de respecter le droit de chacun à la pleine utilisation des avantages offerts par la science et par la technique.

Sur le *plan intérieur* de chaque pays, le respect de tous les droits prend une grande importance, spécialement le droit à la vie à tous les stades de l'existence, les droits de la famille en tant que communauté sociale de base ou «cellule de la société», la justice dans les rapports de travail, les droits inhérents à la vie de la communauté politique en tant que telle, les droits fondés sur la *vocation transcendante* de l'être humain, à commencer par le droit à la liberté de professer et de pratiquer son propre credo religieux.

Sur le *plan international*, celui des rapports entre les États ou, selon le langage courant, entre les divers «mondes», il est nécessaire qu'il y ait un *respect* total de l'identité de chaque peuple, avec ses caractéristiques historiques et culturelles. Il est également indispensable, comme le souhaitait déjà l'encyclique *Populorum progressio*, de reconnaître à chaque peuple le même droit à «s'asseoir à la table du festin»[61] au lieu d'être comme

---

61. Cf. Encycl. *Populorum progressio*, n. 47: *l.c.*, p. 280: «... un monde où la liberté ne soit pas un vain mot et où le pauvre Lazare puisse s'asseoir à la même table que le riche».

Lazare qui gisait à la porte, tandis que «les chiens venaient lécher ses ulcères» (cf. *Lc* 16, 21). Les peuples aussi bien que les individus doivent jouir de l'*égalité fondamentale*[62] sur laquelle est basée, par exemple, la Charte de l'Organisation des Nations Unies, égalité qui est le fondement du droit de tous à participer au processus de développement intégral.

Pour être intégral, le développement doit se réaliser dans le cadre de la *solidarité* et de la *liberté* sans jamais sacrifier l'une à l'autre sous aucun prétexte. Le caractère moral du développement et la nécessité de sa promotion sont mis en valeur quand on a le respect le plus rigoureux pour toutes les exigences dérivant de l'ordre de la *vérité* et du *bien*, qui est celui de la créature humaine. En outre, le chrétien, qui a appris à voir en l'homme l'image de Dieu appelée à participer à la vérité et au bien qu'est *Dieu lui-même*, ne comprend pas l'engagement en faveur du développement et de sa réalisation en dehors de la considération et du respect dus à la dignité unique de cette «image». Autrement dit, le véritable développement doit être fondé sur l'*amour de Dieu et du prochain*, et contribuer à faciliter les rapports entre les individus et la société. Telle est la «civilisation de l'amour» dont parlait souvent le Pape Paul VI.

34. Le caractère moral du développement ne peut non plus faire abstraction du respect *pour les êtres qui forment* la nature visible et que les Grecs, faisant allusion justement à l'*ordre* qui la distingue, appelaient le «cosmos». Ces réalités exigent elles aussi le respect, en vertu d'une triple considération sur laquelle il convient de réfléchir attentivement.

La première consiste dans l'utilité de prendre *davantage conscience* que l'on ne peut impunément faire usage des divers catégories d'êtres, vivants ou inanimés — animaux, plantes, éléments naturels — comme on le veut, en fonction de ses propres besoins économiques. Il faut au contraire tenir compte

---

62. Cf. *ibid.*, n. 47: *l.c.* p. 280: «Il s'agit de construire un monde où tout homme, sans exception de race, de religion, de nationalité, puisse vivre une vie pleinement humaine, affranchie des servitudes qui lui viennent des hommes...»; cf. aussi CONC. OECUM. VAT. II, Const. past. sur l'Église dans le monde de ce temps *Gaudium et spes*, n. 29. Cette *égalité fondamentale* est un des motifs de base pour lesquels l'Église s'est toujours opposée à toute forme de racisme.

de la *nature de chaque être* et de ses *liens mutuels* dans un système ordonné, qui est le cosmos.

La deuxième considération se fonde, elle, sur la constatation, qui s'impose de plus en plus peut-on dire, du *caractère limité des ressources naturelles*, certaines d'entre elles n'étant pas *renouvelables*, comme on dit. Les utiliser comme si elles étaient inépuisables, avec une *domination absolue*, met sérieusement en danger leur disponibilité non seulement pour la génération présente mais surtout pour celles de l'avenir.

La troisième considération se rapporte directement aux conséquences qu'a un certain type de développement sur la *qualité de la vie* dans les zones industrialisées. Nous savons tous que l'industrialisation a toujours plus fréquemment pour effet, direct ou indirect, la contamination de l'environnement, avec de graves conséquences pour la santé de la population.

Encore une fois, il est évident que le développement, la volonté de planification qui le guide, l'usage des ressources et la manière de les utiliser, ne peuvent pas être séparés du respect des exigences morales. L'une de celles-ci impose sans aucun doute des limites à l'usage de la nature visible. La domination accordée par le Créateur à l'homme n'est pas un pouvoir absolu, et l'on ne peut parler de liberté «d'user et d'abuser», ou de disposer des choses comme on l'entend. La limitation imposée par le créateur lui-même dès le commencement, et exprimée symboliquement par l'interdiction de «manger le fruit de l'arbre» (cf. *Gn* 2, 16-17), montre avec suffisamment de clarté que, dans le cadre de la nature visible, nous sommes soumis à des lois non seulement biologiques mais aussi morales, que l'on ne peut transgresser impunément.

Une juste conception du développement ne peut faire abstraction de ces considérations — relatives à l'usage des éléments de la nature, au renouvellement des ressources et aux conséquences d'une industrialisation désordonnée — qui proposent encore une fois à notre conscience la *dimension morale* par laquelle se distingue le développement.[63]

---

63. Cf. Homélie à Val Visdende, Italie (12 juillet 1987), n. 5: *L'Osservatore Romano*, 13-14 juillet 1987; Paul VI, Lettre apost. *Octogesima adveniens* (14 mai 1971), n. 21: *AAS* 63 (1971), pp. 416-417.

UNE LECTURE THÉOLOGIQUE
DES PROBLÈMES MODERNES

35. Éclairés par ce caractère moral, essentiel au développement, il nous faut considérer dans la même optique les *obstacles* qui l'entravent. Si donc, pendant les années écoulées depuis la publication de l'encyclique de Paul VI, le développement n'a pas été réalisé — ou l'a été dans une faible mesure, irrégulièrement, sinon même de manière contradictoire —, les causes ne peuvent en être seulement de nature économique. Comme il a déjà été dit, des mobiles politiques interviennent aussi. En effet, les décisions qui accélèrent ou freinent «le développement des peuples» ne sont autres que des facteurs de caractère politique. Pour surmonter les mécanismes pervers rappelés plus haut, et pour les remplacer par des mécanismes nouveaux, plus justes et plus conformes au bien commun de l'humanité, une volonté politique efficace est nécessaire. Malheureusement, après avoir analysé la situation, il faut conclure qu'elle a été insuffisante.

Dans un document pastoral, comme celui-ci, une analyse portant exclusivement sur les causes économiques et politiques du sous-développement (et aussi, toutes proportions gardées, de ce qu'on pourrait appeler le surdéveloppement) serait incomplète. Il est donc nécessaire de discerner les causes d'ordre moral qui, du point de vue du comportement des hommes considérés comme des *personnes responsables*, interviennent pour freiner le cours du développement et en empêcher la pleine réalisation.

De même, lorsqu'on dispose des moyens scientifiques et techniques qui doivent permettre d'acheminer enfin les peuples vers un vrai développement grâce aux décisions concrètes indispensables d'ordre politique, on ne surmontera les obstacles principaux qu'en vertu de *prises de position essentiellement morales*, lesquelles, pour les croyants, spécialement pour les chrétiens, seront inspirées par les principes de la foi, avec l'aide de la grâce divine.

36. Par conséquent, il faut souligner qu'un monde divisé en blocs régis par des idéologies rigides, où dominent diverses formes d'impérialisme au lieu de l'interdépendance et de la solidarité, ne peut être qu'un monde soumis à des «structures de péché». La somme des facteurs négatifs qui agissent à l'opposé d'une vraie conscience du *bien commun* universel et du devoir de le promouvoir, donne l'impression de créer, chez les personnes et dans les institutions, un obstacle très difficile à surmonter à première vue.[64]

Si la situation actuelle relève de difficultés de nature diverse, il n'est pas hors de propos de parler de «structures de péché», lesquelles, comme je l'ai montré dans l'exhortation apostolique *Reconciliatio et pænitentia*, ont pour origine le péché personnel et, par conséquent, sont toujours reliées à des *actes concrets* des personnes, qui les font naître, les consolident et les rendent difficiles à abolir.[65] Ainsi elles se renforcent, se répan-

---

64. Cf. CONC. OECUM. VAT. II, Const. past. sur l'Église dans le monde de ce temps *Gaudium et spes*, n. 25.

65. Exhort. apost. *Reconciliatio et paenitentia* (2 décembre 1984), n. 16: «Or, quand elle parle de *situations* de péché ou quand elle dénonce comme *péchés sociaux* certaines situations ou certains comportements collectifs de groupes sociaux plus ou moins étendus, ou même l'attitude des nations entières et de blocs de nations, l'Église sait et proclame que ces cas de *péché social* sont le fruit, l'accumulation et la concentration de nombreux *péchés personnels*. Il s'agit de péchés tout à fait personnels de la part de ceux qui suscitent ou favorisent l'iniquité, voire l'exploitent; de la part de ceux qui, bien que disposant du pouvoir de faire quelque chose pour éviter, éliminer ou au moins limiter certains maux sociaux, omettent de le faire par incurie, par peur et complaisance devant la loi du silence, par complicité masquée ou par indifférence; de la part de ceux qui cherchent refuge dans la prétendue impossibilité de changer le monde; et aussi de la part de ceux qui veulent s'épargner l'effort ou le sacrifice en prenant prétexte de motifs d'ordre supérieur. Les vraies responsabilités sont donc celles des personnes. Une situation — et de même une institution, une structure, une société — n'est pas, par elle-même, sujet d'actes moraux; c'est pourquoi elle ne peut être, par elle-même, bonne ou mauvaise»: *AAS* 77 (1985), p. 217.

dent et deviennent sources d'autres péchés, et elles conditionnent la conduite des hommes.

«Péché» et «structures de péché» sont des catégories que
l'on n'applique pas souvent à la situation du monde contemporain. Cependant, on n'arrive pas facilement à comprendre en
profondeur la réalité telle qu'elle apparaît à nos yeux sans
désigner la racine des maux qui nous affectent.

Il est vrai que l'on peut parler d'«égoïsme» et de «courte
vue»; on peut penser à des «calculs politiques erronés», à des
«décisions économiques imprudentes». Et dans chacun de ces
jugements de valeur on relève un élément de caractère éthique
ou moral. La condition de l'homme est telle qu'elle rend difficile
une analyse plus profonde des actions et des omissions des
personnes sans inclure, d'une manière ou de l'autre, des jugements ou des références d'ordre éthique.

De soi, ce jugement est *positif*, surtout si sa cohérence va
jusqu'au bout et s'il s'appuie sur la foi en un Dieu et sur sa loi
qui commande le bien et interdit le mal.

En cela consiste la différence entre le type d'analyse socio-
politique et la référence formelle au «péché» et aux «structures
de péché». Selon cette dernière conception, la volonté de Dieu
trois fois Saint est prise en considération, avec son projet sur les
hommes, avec sa justice et sa miséricorde. Le Dieu *riche en
miséricorde, rédempteur de l'homme, Seigneur et auteur de la vie*,
exige de la part de l'homme des attitudes précises qui s'expriment aussi dans des actions ou des omissions à l'égard du
prochain. Et cela est en rapport avec la «seconde table» des dix
commandements (cf. *Ex* 20, 12-17; *Dt* 5, 16-21): par l'inobservance de ceux-ci on offense Dieu et on porte tort au prochain en
introduisant dans le monde des conditionnements et des obstacles qui vont bien au-delà des actions d'un individu et de la
brève période de sa vie. On interfère ainsi également dans le
processus du développement des peuples dont le retard ou la
lenteur doivent aussi être compris dans cet éclairage.

37. À cette *analyse générale* d'ordre religieux, on peut ajouter *certaines considérations particulières* pour observer que parmi
les actes ou les attitudes contraires à la volonté de Dieu et au
bien du prochain et les «structures» qu'ils induisent, deux élé-

ments paraissent aujourd'hui les plus caractéristiques: d'une part *le désir exclusif du profit* et, d'autre part, *la soif du pouvoir* dans le but d'imposer aux autres sa volonté. Pour mieux définir chacune des attitudes on peut leur accoler l'expression «à tout prix». En d'autres termes, nous nous trouvons face à *l'absolutisation* des attitudes humaines avec toutes les conséquences qui en découlent.

Même si en soi les deux attitudes sont séparables, l'une pouvant exister sans l'autre, dans le panorama qui se présente à nos yeux, toutes deux se retrouvent *indissolublement liées*, que ce soit l'une ou l'autre qui prédomine.

Évidemment les individus ne sont pas seuls à être victimes de cette double attitude de péché; les nations et les blocs peuvent l'être aussi. Cela favorise encore plus l'introduction des «structures de péché» dont j'ai parlé. Si l'on considérait certaines formes modernes d'«impérialisme» à la lumière de ces critères moraux, on découvrirait que derrière certaines décisions, inspirées seulement, en apparence, par des motifs économiques ou politiques, se cachent de véritables formes d'idolâtrie de l'argent, de l'idéologie, de la classe, de la technologie.

J'ai voulu introduire ici ce type d'analyse surtout pour montrer quelle est la véritable *nature du mal* auquel on a à faire face dans le problème du développement des peuples: il s'agit d'un mal *moral*, résultant de *nombreux péchés* qui produisent des «structures de péché». Diagnostiquer ainsi le mal amène à définir avec exactitude, sur le plan de la conduite humaine, *le chemin à suivre* pour le surmonter.

38. C'est un chemin *long et complexe* et, de plus, rendu constamment précaire soit par la *fragilité intrinsèque* des desseins et des réalisations humaines, soit par *les mutations* des conditions externes extrêmement imprévisibles. Il faut cependant avoir le courage de se mettre en route et, lorsqu'on a fait quelques pas ou parcouru une partie du trajet, aller jusqu'au bout.

Dans le contexte de ces réflexions, la décision de se mettre en route et de continuer à marcher prend, avant tout, une portée morale que les hommes et les femmes croyants reconnaissent comme requise par la volonté de Dieu, fondement unique et vrai d'une éthique qui s'impose absolument.

Il est souhaitable aussi que les hommes et les femmes privés d'une foi explicite soient convaincus que les obstacles opposés au développement intégral ne sont pas seulement d'ordre économique, mais qu'ils dépendent *d'attitudes plus profondes* s'exprimant, pour l'être humain, en valeurs de nature absolue. C'est pourquoi il faut espérer que ceux qui sont responsables envers leurs semblables, d'une manière ou d'une autre, d'une «vie plus humaine», inspirés ou non par une foi religieuse, se rendent pleinement compte de l'urgente nécessité *d'un changement des attitudes spirituelles* qui caractérisent les rapports de tout homme avec lui-même, avec son prochain, avec les communautés humaines même les plus éloignées et avec la nature; cela en vertu de valeurs supérieures comme le *bien commun* ou, pour reprendre l'heureuse expression de l'encyclique *Populorum progressio*, «le développement intégral de tout l'homme et de tous les hommes».[66]

Pour les *chrétiens*, comme pour tous ceux qui reconnaissent le sens théologique précis du mot «péché», le changement de conduite, de mentalité ou de manière d'être s'appelle «conversion», selon le langage biblique (cf. *Mc* 1, 15; *Lc* 13, 3. 5; *Is* 30, 15). Cette conversion désigne précisément une relation à Dieu, à la faute commise, à ses conséquences et donc au prochain, individu ou communauté. Dieu, qui «tient dans ses mains le cœur des puissants»[67] et le cœur de tous les hommes, peut, suivant sa propre promesse, transformer par son Esprit les «cœurs de pierre» en «cœurs de chair» (cf. *Ez* 36, 26).

Sur le chemin de la conversion désirée, conduisant à surmonter les obstacles moraux au développement, on peut déjà signaler, comme *valeur positive* et *morale*, la conscience croissante de l'*interdépendance* entre les hommes et les nations. Le fait que des hommes et des femmes, en divers parties du monde, ressentent comme les concernant personnellement les injustices

---

66. Encycl. *Populorum progressio*, n. 42: *l.c.*, p. 278.
67. Cf. *Liturgia Horarum*, Feria III Hebdomadae III[ac] Temporis per annum, Preces ad Vesperas.

et les violations des droits de l'homme commises dans des pays lointains où ils n'iront sans doute jamais, c'est un autre signe d'une réalité intériorisée dans la *conscience*, prenant ainsi une connotation morale.

Il s'agit, avant tout, du fait de l'interdépendance, ressentie comme un *système nécessaire* de relations dans le monde contemporain, avec ses composantes économiques, culturelles, politiques et religieuses, et élevé au rang de *catégorie morale*. Quand l'interdépendance est ainsi reconnue, la réponse correspondante, comme attitude morale et sociale et comme «vertu», est la *solidarité*. Celle-ci n'est donc pas un sentiment de compassion vague ou d'attendrissement superficiel pour les maux subis par tant de personnes proches ou lointaines. Au contraire, c'est *la détermination ferme et persévérante* de travailler pour le *bien commun*; c'est-à-dire pour le bien de tous et de chacun parce que *tous* nous sommes vraiment responsables *de tous*. Une telle détermination est fondée sur la *ferme* conviction que le développement intégral est entravé par le désir de profit et la soif de pouvoir dont on a parlé. Ces attitudes et ces «structures de péché» ne peuvent être vaincues — bien entendu avec l'aide de la grâce divine — que par une *attitude diamétralement opposée:* se dépenser pour le bien du prochain en étant prêt, au sens évangélique du terme, à «se perdre» pour l'autre au lieu de l'exploiter, et à «le servir» au lieu de l'opprimer à son propre profit (cf. *Mt* 10, 40-42; 20, 25; *Mc* 10, 42-45; *Lc* 22, 25-27).

39. La pratique de la solidarité *à l'intérieur de toute société* est pleinement valable lorsque ses membres se reconnaissent les uns les autres comme des personnes. Ceux qui ont plus de poids, disposant d'une part plus grande de biens et de services communs, devraient se sentir *responsables* des plus faibles et être prêts à partager avec eux ce qu'ils possèdent. De leur côté, les plus faibles, dans la même ligne de la solidarité, ne devraient pas adopter une attitude purement *passive* ou *destructrice* du tissu social, mais, tout en défendant leurs droits légitimes, faire ce qui leur revient pour le bien de tous. Les groupes intermédiaires, à leur tour, ne devraient pas insister avec égoïsme sur leurs intérêts particuliers, mais respecter les intérêts des autres.

Dans le monde contemporain, on trouve comme signes positifs *le sens croissant* de la solidarité des pauvres entre eux, leurs *actions de soutien mutuel, les manifestations publiques* sur le terrain social sans recourir à la violence, mais en faisant valoir leurs besoins et leurs droits face à l'inefficacité et à la corruption des pouvoirs publics. En vertu de son engagement évangélique, l'Église se sent appelée à être aux côtés des foules pauvres, à discerner la justice de leurs revendications, à contribuer à les satisfaire, sans perdre de vue le bien des groupes dans le cadre du bien commun.

Par analogie, le même critère s'applique dans les relations internationales. L'interdépendance doit se transformer en *solidarité*, fondée sur le principe que les biens de la création *sont destinés à tous:* ce que l'industrie humaine produit par la transformation des matières premières, avec l'apport du travail, doit servir également au bien de tous.

Dépassant les *impérialismes* de tout genre et la volonté de préserver *leur hégémonie*, les nations les plus puissantes et les plus riches doivent avoir conscience de leur *responsabilité* morale à l'égard des autres, afin que s'instaure un *véritable système international* régi par le principe de *l'égalité* de tous les peuples et par le respect indispensable de leurs légitimes différences. Les pays économiquement les plus faibles, ou restant aux limites de la survie, doivent être mis en mesure, avec l'assistance des autres peuples et de la communauté internationale, de donner, eux aussi, une contribution au bien commun grâce aux trésors de leur *humanité* et de leur *culture*, qui autrement seraient perdus à jamais.

La solidarité nous aide à voir l'«autre» — *personne, peuple* ou *nation* — non comme un instrument quelconque dont on exploite à peu de frais la capacité de travail et la résistance physique pour l'abandonner quand il ne sert plus, mais comme notre «semblable, une «aide» (cf. *Gn* 2, 18. 20), que l'on doit faire participer, à parité avec nous, au banquet de la vie auquel tous les hommes sont également invités par Dieu. D'où l'importance de réveiller *la conscience religieuse* des hommes et des peuples.

Ainsi l'exploitation, l'oppression, l'anéantissement des autres sont exclus. Ces faits, dans la division actuelle du monde en blocs opposés, se rejoignent dans *le danger de la guerre* et dans le souci excessif de la sécurité, aux dépens bien souvent de l'autonomie, de la liberté de décision, même de l'intégrité territoriale des nations les plus faibles qui entrent dans les soi-disant «zones d'influence» ou dans les «périmètres de sécurité».

Les «structures de péché» et les péchés qu'elles entraînent s'opposent d'une manière tout aussi radicale à la *paix* et au *développement* parce que le développement, suivant la célèbre expression de l'encyclique de Paul VI est «le nouveau nom de la paix».[68]

Ainsi la solidarité que nous proposons est *le chemin de la paix et en même temps du développement*. En effet, la paix du monde est inconcevable si les responsables n'en viennent pas à reconnaître que *l'interdépendance* exige par elle-même que l'on dépasse la politique des blocs, que l'on renonce à toute forme d'impérialisme économique, militaire ou politique, et que l'on transforme la défiance réciproque en *collaboration*. Cette dernière est précisément *l'acte caractéristique* de la solidarité entre les individus et les nations.

La devise du pontificat de mon vénéré prédécesseur Pie XII était *Opus iustitiæ pax*, la paix est le fruit de la justice. Aujourd'hui on pourrait dire, avec la même justesse et la même force d'inspiration biblique (cf. *Is* 32, 17; *Jc* 3, 18): *Opus solidaritatis pax*, la paix est le fruit de la solidarité.

L'objectif de la paix, si désiré de tous, sera certainement atteint grâce à la mise en œuvre de la justice sociale et internationale, mais aussi grâce à la pratique des vertus qui favorisent la convivialité et qui nous apprennent à vivre unis afin de construire dans l'unité, en donnant et en recevant, une société nouvelle et un monde meilleur.

40. *La solidarité* est sans aucun doute une *vertu chrétienne*. Dès le développement qui précède on pouvait entrevoir de nombreux points de contact entre elle et *l'amour* qui est le signe distinctif des disciples du Christ (cf. *Jn* 13, 35).

À la lumière de la foi, la solidarité tend à se dépasser elle-même, à prendre les dimensions *spécifiquement chrétiennes*

---

68. Encycl. *Populorum progressio*, n. 87: *l.c.*, p. 299.

de la gratuité totale, du pardon et de la réconciliation. Alors le prochain n'est pas seulement un être humain avec ses droits et son égalité fondamentale à l'égard de tous, mais il devient l'*image vivante* de Dieu le Père, rachetée par le sang du Christ et objet de l'action constante de l'Esprit Saint. Il doit donc être aimé, même s'il est un ennemi, de l'amour dont l'aime le Seigneur, et l'on doit être prêt au sacrifice pour lui, même au sacrifice suprême: «Donner sa vie pour ses frères» (cf. *1 Jn* 3, 16).

Alors la conscience de la paternité commune de Dieu, de la fraternité de tous les hommes dans le Christ, «fils dans le Fils», de la présence et de l'action vivifiante de l'Esprit Saint, donnera à notre regard sur le monde comme *un nouveau critère* d'interprétation. Au-delà des liens humains et naturels, déjà si forts et si étroits, se profile à la lumière de la foi un nouveau *modèle d'unité* du genre humain dont doit s'inspirer en dernier ressort la solidarité. Ce *modèle d'unité* suprême, reflet de la vie intime de Dieu un en trois personnes, est ce que nous chrétiens désignons par le mot *«communion»*.

Cette communion spécifiquement chrétienne, jalousement préservée, étendue et enrichie avec l'aide du Seigneur, est *l'âme* de la vocation de l'Église à être «sacrement» dans le sens déjà indiqué.

La solidarité doit donc contribuer à la réalisation de ce dessein divin tant sur le plan individuel que sur celui de la société nationale et internationale. Les «mécanismes pervers» et les «structures de péché» dont nous avons parlé ne pourront être vaincus que par la pratique de la solidarité humaine et chrétienne à laquelle l'Église invite et qu'elle promeut sans relâche. C'est seulement de cette manière que beaucoup d'énergies positives pourront être libérées entièrement au bénéfice du développement et de la paix.

De nombreux saints canonisés par l'Église offrent *d'admirables témoignages* de cette solidarité et peuvent servir d'exemple dans les difficiles circonstances actuelles. Entre tous, je voudrais rappeler saint Pierre Claver qui s'est mis au service des esclaves à Carthagène des Indes, et saint Maximilien-Marie Kolbe qui offrit sa vie pour un déporté inconnu de lui dans le camp de concentration d'Auschwitz-Oswiecim.

- VI -

QUELQUES ORIENTATIONS PARTICULIÈRES

41. L'Église n'a pas de *solutions techniques* à offrir face au problème du sous-développement comme tel, ainsi que le déclarait déjà le Pape Paul VI dans son encyclique.[69] En effet, elle ne propose pas des systèmes ou des programmes économiques et politiques, elle ne manifeste pas de préférence pour les uns ou pour les autres, pourvu que la dignité de l'homme soit dûment respectée et promue et qu'elle-même se voie laisser l'espace nécessaire pour accomplir son ministère dans le monde.

Mais l'Église est «experte en humanité»,[70] et cela la pousse nécessairement à étendre sa mission religieuse aux divers domaines où les hommes et les femmes déploient leur activité à la recherche du bonheur, toujours relatif, qui est possible en ce monde, conformément à leur dignité de personnes.

À l'exemple de mes prédécesseurs, je dois répéter que ce qui touche à la dignité de l'homme et des peuples, comme c'est le cas du développement authentique, ne peut se ramener à un problème «technique». Réduit à cela, le développement serait vidé de son vrai contenu et l'on accomplirait un acte de *trahison* envers l'homme et les peuples qu'il doit servir.

Voilà pourquoi l'Église a *une parole à dire* aujourd'hui comme il y a vingt ans, et encore à l'avenir, sur la nature, les conditions, les exigences et les fins du développement authentique, et aussi sur les obstacles qui l'entravent. Ce faisant,

---

69. Cf. *ibid.*, nn. 13. 81: *l.c.*, pp. 263-264. 296-297.
70. Cf. *ibid.*, n. 13: *l.c.*, p. 263.

l'Église accomplit sa mission d'*évangélisation*, car elle apporte sa *première contribution* à la solution du problème urgent du développement quand elle proclame la vérité sur le Christ, sur elle-même et sur l'homme, en l'appliquant à une situation concrète.[71]

L'instrument que l'Église utilise pour atteindre ce but est sa *doctrine sociale*. Dans la difficile conjoncture présente, pour favoriser la formulation correcte des problèmes aussi bien que leur meilleure résolution, il pourra être très utile d'avoir *une connaissance plus exacte* et d'assurer *une diffusion plus large* de l'«ensemble de principes de réflexion et de critères de jugement et aussi de directives d'action» proposé dans son enseignement.[72]

On se rendra compte ainsi immédiatement que les questions auxquelles on a à faire face sont avant tout morales, et que ni l'analyse du problème du développement en tant que tel, ni les moyens pour surmonter les difficultés actuelles ne peuvent faire abstraction de cette dimension essentielle.

La doctrine sociale de l'Église *n'est pas* une «troisième voie» entre *le capitalisme libéral* et *le collectivisme marxiste*, ni une autre possibilité parmi les solutions moins radicalement marquées: elle constitue *une catégorie en soi*. Elle n'est pas non plus *une idéologie*, mais *la formulation précise* des résultats d'une réflexion attentive sur les réalités complexes de l'existence de l'homme dans la société et dans le contexte international, à la lumière de la foi et de la tradition ecclésiale. Son but principal est d'*interpréter* ces réalités, en examinant leur conformité ou leurs divergences avec les orientations de l'enseignement de l'Évangile sur l'homme et sur sa vocation à la fois terrestre et transcendante; elle a donc pour but d'*orienter* le comportement chrétien. C'est pourquoi elle n'entre pas dans le domaine de

---

71. Cf. Discours d'ouverture de la troisième Conférence générale de l'Épiscopat latino-américain (28 janvier 1979): *AAS* 71 (1979), pp. 189-196.

72. CONGR. POUR LA DOCTRINE DE LA FOI, Instruction sur la liberté chrétienne et la libération *Libertatis conscientia* (22 mars 1986), n. 72: *AAS* 79 (1987), p. 586; PAUL VI, Lettre apost. *Octogesima adveniens* (14 mai 1971), n. 4: *AAS* 63 (1971), pp. 403-404.

l'*idéologie* mais dans celui de la *théologie* et particulièrement de la théologie morale.

L'enseignement et la diffusion de la doctrine sociale font partie de la mission d'évangélisation de l'Église. Et, s'agissant d'une doctrine destinée à guider *la conduite de la personne*, elle a pour conséquence l'«engagement pour la justice» de chacun suivant son rôle, sa vocation, sa condition.

L'accomplissement du *ministère de l'évangélisation* dans le domaine social, qui fait partie de *la fonction prophétique* de l'Église, comprend aussi *la dénonciation* des maux et des injustices. Mais il convient de souligner que *l'annonce* est toujours plus importante que *la dénonciation*, et celle-ci ne peut faire abstraction de celle-là qui lui donne son véritable fondement et la force de la motivation la plus haute.

42. La doctrine sociale de l'Église, aujourd'hui plus que dans le passé, a le devoir de s'ouvrir à *une perspective internationale* dans la ligne du Concile Vatican II,[73] des encycliques les plus récentes[74] et particulièrement de celle que nous commémorons en ce moment.[75] Il ne sera donc pas superflu de réexaminer et d'approfondir sous cet éclairage les thèmes et les orientations caractéristiques que le Magistère a repris ces dernières années.

Je voudrais signaler ici l'un de ces points: *l'option* ou *l'amour préférentiel* pour les pauvres. C'est là une option, ou une forme spéciale de priorité dans la pratique de la charité chrétienne dont témoigne toute la tradition de l'église. Elle concerne la vie de chaque chrétien, en tant qu'il imite la vie du Christ, mais elle s'applique également à nos *responsabilités sociales* et donc à notre façon de vivre, aux décisions que nous avons à prendre de manière cohérente au sujet de la propriété et de l'usage des biens.

---

73. Cf. Const. past. sur l'Église dans le monde de ce temps *Gaudium et spes*, IIe partie, chap. V, section II: «La construction de la communauté internationale» (nn. 83-90).

74. Cf. Jean XXIII, Encycl. *Mater et magistra* (15 mai 1961): *AAS* 53 (1961), p. 440; Encycl. *Pacem in terris* (11 avril 1963), IVe partie: *AAS* 55 (1963), pp. 291-296; Paul VI, Lettre apost. *Octogesima adveniens* (14 mai 1971), nn. 2-4: *AAS* 63 (1971), pp. 402-404.

75. Cf. Encycl. *Populorum progressio*, nn. 3. 9: *l.c.*, pp. 258. 261.

Mais aujourd'hui, étant donné la dimension mondiale qu'a prise la question sociale,[76] cet amour préférentiel, de même que les décisions qu'il nous inspire, ne peut pas ne pas embrasser les multitudes immenses des affamés, des mendiants, des sans-abri, des personnes sans assistance médicale et, par-dessus tout, sans espérance d'un avenir meilleur: on ne peut pas ne pas prendre acte de l'existence de ces réalités. Les ignorer reviendrait à s'identifier au «riche bon vivant» qui feignait de ne pas connaître Lazare le mendiant qui gisait près de son portail (cf. *Lc* 16, 19-31).[77]

Notre vie quotidienne doit tenir compte de ces réalités, comme aussi nos décisions d'ordre politique et économique. De même, les *responsables* des nations et des *organisations internationales*, tandis qu'ils ont l'obligation de toujours considérer comme prioritaire dans leurs plans la vraie dimension humaine, ne doivent pas oublier de donner la première place au phénomène croissant de la pauvreté. Malheureusement, au lieu de diminuer, le nombre des pauvres se multiplie non seulement dans les pays moins développés, mais, ce qui ne paraît pas moins scandaleux, dans ceux qui sont les plus développés.

Il est nécessaire de rappeler encore une fois le principe caractéristique de la doctrine sociale chrétienne: les biens de ce monde sont *à l'origine destinés à tous*.[78] Le droit à la propriété privée est *valable* et *nécessaire*, mais il ne supprime pas la valeur de ce principe. Sur la propriété, en effet, pèse «une hypothèque sociale»,[79] c'est-à-dire que l'on y discerne, comme qualité in-

---

76. *Ibid.*, n. 3: *l.c.*, p. 258.

77. Encycl. *Populorum progressio*, n. 47: *l.c.*, p. 280; Congr. pour la Doctrine de la Foi, Instruction sur la liberté chrétienne et la libération *Libertatis conscientia* (22 mars 1986), n. 68: *AAS* 79 (1987), pp. 583-584.

78. Cf.Conc. Oecum. Vat. II, Const. past. sur l'Église dans le monde de ce temps *Gaudium et spes*, n. 69; Paul VI, Encycl. *Populorum progressio*, n. 22: *l.c.* p. 268; Congr. pour la Doctrine de la Foi, Instruction sur la liberté chrétienne et la libération *Libertatis conscientia* (22 mars 1986), n. 90: *l.c.*, p. 594; S. Thomas d'Aquin, *Somme théologique*, II^a-II^ac, q. 66, art. 2.

79. Cf. Discours d'ouverture de la troisième Conférence générale de l'Épiscopat latino-américain (28 janvier 1979): *AAS* 71 (1979), pp. 189-196; Discours à un groupe d'évêques polonais en visite «ad Limina Apostolorum» (17 décembre 1987), n. 6: *L'Osservatore Romano*, 18 décembre 1987.

trinsèque, une fonction sociale fondée et justifiée précisément par le principe de la destination universelle des biens. Et il ne faudra pas négliger, dans l'engagement pour les pauvres, *la forme spéciale de pauvreté* qu'est la privation des droits fondamentaux de la personne, en particulier du droit à la liberté religieuse, et, par ailleurs, du droit à l'initiative économique.

43. L'intérêt actif pour les pauvres — qui sont, selon la formule si expressive, les «pauvres du Seigneur»[80] — doit se traduire, à tous les niveaux, en actes concrets afin de parvenir avec fermeté à une série de réformes nécessaires. En fonction des situations particulières, on détermine les réformes les plus urgentes et les moyens de les réaliser; mais il ne faut pas oublier celles que requiert la situation de déséquilibre international décrite ci-dessus.

À ce sujet, je désire rappeler notamment: *la réforme du système commercial international*, grevé par le protectionnisme et par le bilatéralisme grandissant; *la réforme du système monétaire et financier international*, dont on s'accorde aujourd'hui à reconnaître l'insuffisance; *le problème des échanges des technologies* et de leur bon usage; la nécessité d'*une révision de la structure des Organisations internationales* existantes, dans le cadre d'un ordre juridique international.

Le système commercial international entraîne souvent aujourd'hui une discrimination des productions des industries naissantes dans les pays en voie de développement, tandis qu'il décourage les producteurs de matières premières. Il existe, par ailleurs, une sorte de *division internationale du travail* selon laquelle les produits à faible prix de revient de certains pays, dénués de législation du travail efficace ou trop faibles pour les appliquer, sont vendus en d'autres parties du monde avec des bénéfices considérables pour les entreprises spécialisées dans ce type de production qui ne connaît pas de frontières.

Le système monétaire et financier mondial se caractérise par la fluctuation excessive des méthodes de change et des taux d'in-

---

80. Parce que le Seigneur a voulu s'identifier à eux (*Mt*, 25, 31-46) et qu'il en prend soin tout spécialement (cf. *Ps 12* [11], 6; *Lc* 1, 52-53).

térêt, au détriment de la balance des paiements et de la situation d'endettement des pays pauvres.

Les technologies et leurs transferts constituent aujourd'hui un des principaux problèmes des échanges internationaux, avec les graves dommages qui en résultent. Il n'est pas rare que des pays en voie de développement se voient refuser les technologies nécessaires ou qu'on leur en livre certaines qui leur sont inutiles.

Les Organisations internationales, selon de nombreux avis, semblent se trouver à un moment de leur histoire où les mécanismes de fonctionnement, les frais administratifs et l'efficacité demandent un réexamen attentif et d'éventuelles corrections. Évidemment un processus aussi délicat ne peut être mené à bien sans la collaboration de tous. Il suppose que l'on dépasse les rivalités politiques et que l'on renonce à la volonté de se servir de ces Organisations à des fins particulières, alors qu'elles ont pour unique raison d'être *le bien commun.*

Les Institutions et les Organisations existantes ont bien travaillé à l'avantage des peuples. Toutefois, affrontant une période nouvelle et plus difficile de son développement authentique, l'humanité a besoin aujourd'hui *d'un degré supérieur d'organisation à l'échelle internationale,* au service des sociétés, des économies et des cultures du monde entier.

44. Le développement requiert surtout un esprit d'initiative de la part des pays qui en ont besoin eux-mêmes.[81] Chacun d'eux doit agir en fonction de ses propres responsabilités, sans *tout attendre* des pays plus favorisés, et en travaillant en collaboration avec les autres qui sont dans la même situation. Chacun doit explorer et utiliser le plus possible l'espace de *sa propre liberté.* Chacun devra aussi se rendre capable d'initiatives répondant à ses propres problèmes de société. Chacun devra également se rendre compte des besoins réels qui existent, et

---

81. Encycl. *Populorum progressio,* n. 55: *l.c.,* p. 284: «Ce sont [...] ces hommes et ces femmes qu'il faut aider, qu'il faut convaincre d'opérer eux-mêmes leur propre développement et d'en acquérir progressivement les moyens»; cf. Const. past. sur l'Église dans le monde de ce temps *Gaudium et spes,* n. 86.

aussi des droits et des devoirs qui lui imposent de les satisfaire. Le développement des peuples commence et trouve sa mise en œuvre la plus appropriée dans l'effort de chaque peuple pour son propre développement, en collaboration avec les autres.

Dans ce sens, il est important que *les pays en voie de développement* favorisent *l'épanouissement* de tout citoyen, par l'accès à une culture plus approfondie et à une libre circulation des informations. Tout ce qui pourra favoriser *l'alphabétisation* et *l'éducation de base* qui l'approfondit et la complète, comme le proposait l'encyclique *Populorum progressio*[82] — objectif encore loin d'être atteint dans beaucoup de régions du monde —, représente une contribution directe au développement authentique.

Pour avancer sur cette voie, les *pays* devront discerner *eux-mêmes* leurs *priorités* et reconnaître clairement leurs besoins, en fonction des conditions particulières de la population, du cadre géographique et des traditions culturelles.

Certains pays devront augmenter *la production alimentaire*, afin de disposer en permanence du nécessaire pour la nourriture et pour la vie. Dans le monde actuel, où la faim fait tant de victimes surtout parmi les enfants, il y a des exemples de pays qui, sans être particulièrement développés, ont pourtant réussi à atteindre l'objectif de *l'autonomie alimentaire* et même à devenir exportateurs de produits alimentaires.

D'autres pays ont besoin de réformer certaines structures injustes et notamment leurs *institutions politiques* afin de remplacer des régimes corrompus, dictatoriaux et autoritaires par des régimes *démocratiques* qui favorisent *la participation*. C'est un processus que nous souhaitons voir s'étendre et se renforcer, parce que la «*santé*» d'une communauté politique — laquelle s'exprime par la libre participation et la responsabilité de tous les citoyens dans les affaires publiques, par la fermeté du droit, par le respect et la promotion des droits humains — est *une*

---

82. Encycl. *Populorum progressio*, n. 35: *l.c.*, p. 274: «... l'éducation de base est le premier objectif d'un plan de développement».

condition nécessaire et une garantie sûre du développement de
«tout l'homme et de tous les hommes».

45. Ce qui a été dit ne pourra être réalisé *sans la collaboration
de tous*, spécialement de la communauté internationale, dans le
cadre d'une *solidarité* qui inclue tout le monde, à commencer par
les plus marginalisés. Mais les pays en voie de développement
ont le devoir de pratiquer eux-mêmes *la solidarité entre eux* et
avec les pays les plus marginaux du monde.

Il est souhaitable, par exemple, que les pays *d'un même
ensemble géographique* établissent *des formes de coopération* qui les
rendent moins dépendants de producteurs plus puissants;
qu'ils ouvrent leurs frontières aux produits de la même zone;
qu'ils examinent la complémentarité éventuelle de leurs productions; qu'ils s'associent pour se doter des services que chacun d'eux n'est pas en mesure d'organiser; qu'ils étendent leur
coopération au domaine monétaire et financier.

L'interdépendance est déjà une réalité dans beaucoup de ces
pays. La reconnaître, de façon à la rendre plus active, représente
une solution face à la dépendance excessive par rapport à des
pays plus riches et plus puissants, dans l'ordre même du développement désiré, sans s'opposer à personne, mais en décou-
vrant et en valorisant au maximum *ses propres possibilités*. Les
pays en voie de développement d'un même ensemble géographique, surtout ceux qui font partie de ce qu'on appelle le
«Sud», peuvent et doivent constituer — comme on commence
à le faire avec des résultats prometteurs — *de nouvelles organisations régionales*, régies par des critères *d'égalité, de liberté et de
participation* au concert des nations.

La solidarité universelle requiert, comme condition indispensable, l'autonomie et la libre disposition de soi-même, également à l'intérieur d'organisations comme celles qu'on vient
de décrire. Mais, en même temps, elle demande que l'on soit
prêt à accepter les sacrifices nécessaires pour le bien de la
communauté mondiale.

- VII -

CONCLUSION

46. Les peuples et les individus aspirent à leur libération: la recherche du développement intégral est le signe de leur désir de surmonter les obstacles multiples qui les empêchent de jouir d'une «vie plus humaine».

Récemment, au cours de la période qui a suivi la publication de l'encyclique *Populorum progressio*, dans certaines parties de l'Église catholique, en particulier en Amérique latine, s'est répandue *une nouvelle manière* d'aborder les problèmes de la misère et du sous-développement, qui fait de la *libération* la catégorie fondamentale et le premier principe d'action. Les valeurs positives, mais aussi les déviations et les risques de déviation liés à cette forme de réflexion et d'élaboration théologique, ont été opportunément signalés par le Magistère ecclésiastique.[83]

Il convient d'ajouter que l'aspiration à la libération par rapport à toute forme d'esclavage, pour l'homme et pour la société, est quelque chose de *noble* et de *valable*. C'est à cela que tend justement le développement, ou plutôt la libération et le développement, compte tenu de l'étroite relation existant entre ces deux réalités.

Un développement purement économique ne parvient pas à libérer l'homme, au contraire, il finit par l'asservir davantage. Un développement qui n'intègre pas *les dimensions culturelles,*

---

83. Cf. Congr. pour la Doctrine de la Foi, Instruction sur quelques aspects de la «théologie de la libération» *Libertatis nuntius* (6 août 1984), *Avant-propos: AAS* 76 (1984), pp. 876-877.

transcendantes et religieuses de l'homme et de la société contribue
d'autant moins à la libération authentique qu'il ne reconnaît pas
l'existence de ces dimensions et qu'il n'oriente pas vers elles ses
propres objectifs. L'être humain n'est totalement libre que lorsqu'il est *lui-même*, dans la plénitude de ses droits et de ses
devoirs: on doit en dire autant de la société tout entière.

L'obstacle principal à surmonter pour une véritable libération, c'est le *péché* et les *structures* qui en résultent au fur et à
mesure qu'il se multiplie et s'étend.[84]

La liberté par laquelle le Christ nous a libérés (cf. *Ga* 5, 1)
nous pousse à nous convertir pour devenir les *serviteurs* de tous.
Ainsi le processus du *développement* et de la *libération* se concré-
tise dans la pratique de la *solidarité*, c'est-à-dire de l'amour et
du service du prochain, particulièrement les plus pauvres: «Là
où manquent la vérité et l'amour, le processus de libération
aboutit à la mort d'une liberté qui aura perdu tout appui».[85]

47. Devant *les tristes expériences* de ces dernières années et
le panorama en majeure partie négatif de la période actuelle, l'Église se doit d'affirmer avec force *la possibilité* de surmonter les
entraves qui empêchent le développement, par excès ou par
défaut, et la confiance en *une vraie libération*. Cette confiance et
cette possibilité sont fondées, en dernière instance, sur *la conscience qu'a l'Église* de la promesse divine l'assurant que l'histoire
présente ne reste pas fermée sur elle-même, mais qu'elle est
ouverte au Règne de Dieu.

L'Église a aussi confiance en l'homme, tout en connaissant la
perversité dont il est capable, parce qu'elle sait que — malgré
l'héritage du péché et le péché que chacun peut commettre —
il y a dans la personne humaine des qualités et une énergie
suffisantes, il y a en elle une «bonté» fondamentale (cf. *Gn* 1, 31),

---

84. Cf. Exhort. apost. *Reconciliatio et pænitentia* (2 décembre 1984), n. 16: *AAS*
    77 (1985), pp. 213-217; Congr. pour la Doctrine de la Foi, Instruction sur
    la liberté chrétienne et la libération *Libertatis conscientia* (22 mars 1986),
    nn. 38. 42: *AAS* 79 (1987), pp. 569. 571.

85. Congr. pour la Doctrine de la Foi, Instruction sur la liberté chrétienne et
    la libération *Libertatis conscientia* (22 mars 1986), n. 24: *AAS* 79 (1987),
    p. 564.

parce qu'elle est l'image du Créateur placée sous l'influence rédemptrice du Christ qui «s'est en quelque sorte uni lui-même à tout homme»,[86] et parce que l'action efficace de l'Esprit Saint «remplit le monde» (*Sg* 1, 7).

C'est pourquoi ni le désespoir, ni le pessimisme, ni la passivité ne peuvent se justifier. Même si c'est avec amertume, il faut dire que de même que l'on peut pécher par égoïsme, par appétit excessif du gain et du pouvoir, *on peut aussi commettre des fautes*, quand on est confronté aux besoins urgents des multitudes humaines plongées dans le sous-développement, par *crainte*, par *indécision* et, au fond, *par lâcheté*. Nous sommes *tous* appelés, et même *tenus*, à relever *le terrible défi* de la dernière décennie du second millénaire, ne serait-ce que parce que nous sommes tous sous la menace de dangers imminents: une crise économique mondiale, une guerre sans frontières, sans vainqueurs ni vaincus. Face à cette menace, la distinction entre personnes ou pays riches et personnes ou pays pauvres *aura peu de valeur*, si ce n'est en raison de la plus grande responsabilité pesant sur ceux qui ont plus et qui peuvent plus.

Mais une telle motivation n'est *ni la seule ni la principale*. Ce qui rentre en ligne de compte, c'est *la dignité de la personne humaine* dont la *défense* et la *promotion* nous ont été confiées par le Créateur et dont sont rigoureusement responsables et *débiteurs* les hommes et les femmes dans toutes les circonstances de l'histoire. La situation actuelle, comme beaucoup s'en sont déjà rendu compte plus ou moins clairement, *ne paraît pas respecter* cette dignité. *Chacun de nous* est appelé à prendre sa part dans cette campagne *pacifique*, à mener avec des moyens *pacifiques*, pour conquérir *le développement dans la paix*, pour sauvegarder la nature elle-même et le monde qui nous entoure. L'Église, elle aussi, se sent profondément impliquée dans cette voie dont elle espère l'heureux aboutissement.

---

86. Cf. Const. past. sur l'Église dans le monde de ce temps *Gaudium et spes*. n. 22; Jean-Paul II, Encycl. *Redemptor hominis* (4 mars 1979), n. 8: *AAS* 71 (1979), p. 272.

C'est pourquoi, à l'exemple du Pape Paul VI dans l'encyclique *Populorum progressiom*[87] je voudrais *m'adresser* avec simplicité et humilité à *tous*, hommes et femmes sans exception, afin
que, convaincus de la gravité de l'heure présente et conscients
de leur responsabilité personnelle, ils mettent en œuvre — par
leur mode de vie personnelle et familiale, par leur usage des
biens, par leur participation de citoyens, par leur contribution
aux décisions économiques et politiques ainsi que par leur
propre engagement sur les plans national et international — les
mesures inspirées par la solidarité et l'amour préférentiel des
pauvres qu'exigent les circonstances et que requiert surtout la
dignité de la personne humaine, image indestructible de Dieu
créateur, image *identique* en chacun de nous.

Dans cet effort, les fils de l'Église doivent être des exemples
et des guides, car ils sont appelés, selon le programme proclamé
par Jésus lui-même dans la synagogue de Nazareth, à «porter
la bonne nouvelle aux pauvres, [...] annoncer aux captifs la
délivrance et aux aveugles le retour à la vue, renvoyer en liberté
les opprimés, proclamer une année de grâce du Seigneur» (*Lc 4*,
18-19). Il convient de souligner *le rôle prépondérant* qui incombe
aux *laïcs*, hommes et femmes, comme l'a redit la récente Assemblée synodale. Il leur revient d'animer les réalités temporelles
avec un zèle chrétien et de s'y conduire en témoins et en artisans
de paix et de justice.

Je voudrais m'adresser particulièrement à ceux qui, par le
sacrement du baptême et la profession du même Credo, participent avec nous à *une vraie communion*, même si elle n'est pas
parfaite. Je suis sûr que le souci exprimé par la présente lettre,
aussi bien que les motivations qui l'animent, *leur sont familiers*
parce que c'est l'Évangile du Christ Jésus qui les inspire. Nous
pouvons trouver ici une invitation nouvelle à donner *un témoignage unanime* de *nos convictions communes* sur la dignité de

---

87. Encycl. *Populorum progressio*, n. 5: *l.c.*, p. 259: «Nous pensons que [ce
    programme] peut et doit rallier, avec nos fils catholiques et nos frères
    chrétiens, les hommes de bonne volonté»; cf. aussi nn. 81-83. 87: *l.c.*,
    pp. 296-298. 299.

l'homme, créé par Dieu, sauvé par le Christ, sanctifié par l'Esprit, et appelé à vivre dans ce monde une vie conforme à cette dignité.

À ceux qui partagent avec nous l'héritage d'Abraham, «notre père dans la foi» (cf. *Rm* 4, 11-12),[88] et la tradition de l'Ancien Testament, les Juifs, à ceux qui, comme nous, croient en Dieu juste et miséricordieux, les Musulmans, *j'adresse également* cet appel qui s'étend aussi à tous les disciples des *grandes religions du monde.*

La rencontre du 27 octobre de l'année dernière à Assise, la ville de saint François, pour prier et nous engager *en faveur de la paix* — chacun dans la *fidélité* à ses convictions religieuses — a fait apparaître pour tous à quel point la paix et sa condition nécessaire, le développement de «tout l'homme et de tous les hommes», sont *aussi un problème religieux*, et à quel point la réalisation intégrale de l'une et de l'autre dépend de notre *fidélité* à notre vocation d'hommes et de femmes croyants. Car elle dépend, avant tout, *de Dieu.*

48. L'Église sait qu'*aucune réalisation temporelle* ne s'identifie avec le Royaume de Dieu, mais que toutes les réalisations ne font que *refléter* et, en un sens, *anticiper* la gloire du royaume que nous attendons à la fin de l'histoire, lorsque le Seigneur reviendra. Mais cette attente ne pourra jamais justifier que l'on se désintéresse des hommes dans leur situation personnelle concrète et dans leur vie sociale, nationale et internationale, parce que celle-ci — maintenant surtout — conditionne celle-là.

Même dans l'imperfection et le provisoire, rien ne sera *perdu* ni *ne sera vain* de ce que l'on peut et que l'on doit accomplir par l'effort solidaire de tous et par la grâce divine à un certain moment de l'histoire pour rendre «plus humaine» la vie des hommes. Le Concile Vatican II l'enseigne dans un passage lumineux de la constitution *Gaudium et spes*: les «valeurs de dignité humaine, de communion fraternelle et de liberté, tous ces fruits excellents de notre nature et de notre industrie, que

---

88. Cf. Conc. Oecum. Vat. II, Déclaration sur les relations de l'Église avec les religions non chrétiennes *Nostra ætate*, n. 4.

nous aurons propagés sur terre selon le commandement du Seigneur et dans son Esprit, nous les retrouverons plus tard, mais purifiés de toute souillure, illuminés, transfigurés, lorsque le Christ remettra à son Père "un royaume éternel et universel" [...]. Mystérieusement, le royaume est déjà présent sur cette terre».[89]

Maintenant, le Royaume de Dieu est rendu *présent* surtout par la célébration du *Sacrement de l'Eucharistie* qui est le Sacrifice du Seigneur. Dans cette célébration, les fruits de la terre et du travail de l'homme — le pain et le vin — sont transformés mystérieusement mais réellement et substantiellement, par l'action de l'Esprit Saint et par les paroles du ministre, dans *le Corps et le Sang* du Seigneur Jésus Christ, Fils de Dieu et Fils de Marie, par lequel *le Royaume du Père* s'est rendu présent au milieu de nous.

Les biens de ce monde et l'œuvre de nos mains — le pain et le vin — servent pour la venue du *Royaume définitif,* car le Seigneur, par son Esprit, les assume en lui pour s'offrir au Père et nous offrir avec lui dans le renouvellement de son sacrifice unique qui anticipe le Royaume de Dieu et annonce son avènement final.

Ainsi le Seigneur, par l'Eucharistie, sacrement et sacrifice, *nous unit avec lui et nous unit entre nous* par des liens plus forts que toute union naturelle; et *il nous envoie* dans le monde entier, unis pour porter témoignage, par la foi et les œuvres, de l'amour de Dieu, préparant l'avènement de son Royaume et l'anticipant déjà dans l'ombre du temps présent.

Participant à l'Eucharistie, nous sommes appelés à découvrir par ce sacrement le *sens* profond de notre action dans le monde en faveur du développement et de la paix; et à recevoir de lui la force de nous consacrer avec toujours plus de générosité, à l'exemple du Christ qui dans ce Sacrement donne sa vie pour ses amis (cf. *Jn* 15, 13). Notre engagement personnel, comme celui du Christ et en union avec lui, ne sera pas inutile mais assurément fécond.

---

89. *Gaudium et spes,* n. 39.

49. En cette *Année mariale*, que j'ai proclamée pour que les fidèles catholiques regardent toujours plus vers Marie qui nous précède dans le pèlerinage de la foi[90] et qui, dans sa sollicitude maternelle, intercède pour nous auprès de son Fils notre Rédempteur, je désire *lui confier* et confier *à son intercession la conjoncture difficile* du monde contemporain, les efforts que l'on fait et que l'on fera, souvent au prix de grandes souffrances, pour contribuer au vrai développement des peuples, proposé et annoncé par mon prédécesseur Paul VI.

Comme la piété chrétienne l'a toujours fait, nous présentons à la Très Sainte Vierge les situations individuelles difficiles pour qu'en les montrant à son Fils elle obtienne de lui qu'*elles soient adoucies et changées*. Mais nous lui présentons aussi *les situations sociales* et *la crise internationale* elle-même sous leurs aspects inquiétants de misère, de chômage, de manque de nourriture, de course aux armements, de mépris des droits de l'homme, de situations ou de menaces de conflit partiel ou total. Tout cela, nous voulons le mettre filialement devant son «regard miséricordieux», reprenant une fois encore dans la foi et l'espérance l'antique antienne: «Sainte Mère de Dieu, ne méprise pas nos prières quand nous sommes dans l'épreuve, mais de tous les dangers délivre-nous toujours, Vierge glorieuse, Vierge bienheureuse».

La Très Sainte Vierge Marie, notre Mère et notre Reine, est celle qui, se tournant vers son fils, dit: «Ils n'ont pas de vin» (*Jn* 2, 3), celle aussi qui loue Dieu le Père parce qu'«il renverse les puissants de leurs trônes, il élève les humbles. Il comble de biens les affamés, renvoie les riches les mains vides» (*Lc* 1 52-53). Dans sa sollicitude maternelle, elle se penche sur les aspects *personnels* et *sociaux* de la vie des hommes sur la terre.[91]

Devant la Très Sainte Trinité, je confie à Marie ce que j'ai exposé dans la présente lettre pour inviter tous les hommes à

---

90. Cf. Conc. Oecum. Vat. II, Const. dogm. sur l'Église *Lumen gentium*, n. 58; Jean-Paul II, Encycl. *Redemptoris Mater* (25 mars 1987), nn. 5-6: *AAS* 79 (1987), pp. 365-367.

91. Cf. Paul VI, Exhort. apost. *Marialis cultus* (2 février 1974), n. 37: *AAS* 66 (1974), pp. 148-149; Jean-Paul II, Homélie au sanctuaire marial de Zapopan, au Mexique (30 janvier 1979), n. 4: *AAS* 71 (1979), p. 230.

réfléchir et à s'engager activement dans la promotion du vrai développement des peuples, comme le dit justement l'oraison de la Messe pour cette intention: «Seigneur, tu as voulu que tous les peuples aient une même origine et tu veux les réunir dans une seule famille, fais que les hommes se reconnaissent des frères et travaillent dans la solidarité au développement de tous les peuples, afin que [...] soient reconnus les droits de toute personne et que la communauté humaine connaisse un temps d'égalité et de paix».[92]

En concluant, j'élève cette prière au nom de tous mes frères et sœurs à qui, en signe de salut et de vœu, j'envoie une particulière Bénédiction.

Donné à Rome, près de Saint-Pierre, le 30 décembre 1987, en la dixième année de mon pontificat.

JOANNES PAULUS PP. II

---

92. Collecte de la Messe «Pro populorum progressione»: *Missale Romanum*, ed. typ. altera 1975, p. 820.

PLAN

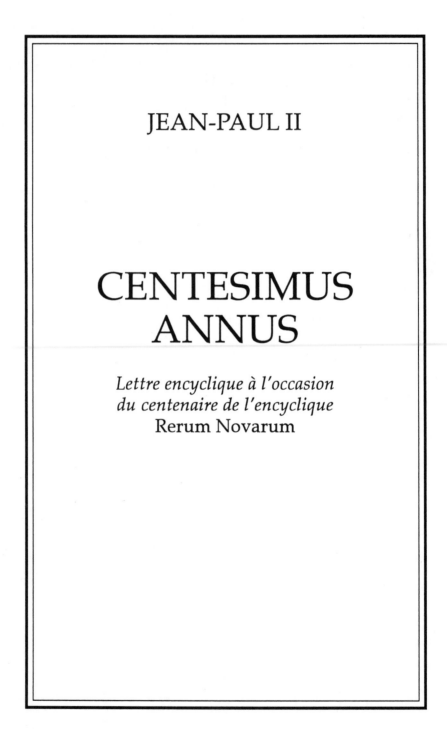

JEAN-PAUL II

CENTESIMUS ANNUS

Lettre encyclique à l'occasion
du centenaire de l'encyclique
Rerum Novarum

Lettre encyclique *Centesimus annus*
du Souverain Pontife Jean-Paul II

À SES FRÈRES DANS L'ÉPISCOPAT, AU CLERGÉ, AUX
FAMILLES RELIGIEUSES, AUX FIDÈLES DE L'ÉGLISE
CATHOLIQUE ET À TOUS LES HOMMES DE BONNE
VOLONTÉ À L'OCCASION DU CENTENAIRE DE
L'ENCYCLIQUE *RERUM NOVARUM*

FRÈRES VÉNÉRÉS, CHERS FILS ET FILLES
SALUT ET BÉNÉDICTION APOSTOLIQUE!

INTRODUCTION

1. Le centenaire de la promulgation de l'encyclique de mon
prédécesseur Léon XIII, de vénérée mémoire, qui commence
par les mots *Rerum novarum*[1] marque une date de grande importance dans la présente période de l'histoire de l'Église et
aussi dans mon pontificat. En effet, cette encyclique a eu le
privilège d'être commémorée, de son quarantième à son quatre-vingt-dixième anniversaire, par des documents solennels
des Souverains Pontifes: on peut dire que le destin historique
de *Rerum novarum* a été rythmé par d'autres documents qui
attiraient l'attention sur elle et en même temps l'actualisaient.[2]

---

1. Léon XIII, Encycl. *Rerum novarum* (15 mai 1891): *Leonis XIII P.M. Acta*, XI,
    Romæ 1892, pp. 97-144.
    L'édition originale de cette encyclique ne comportant pas de numérota-
    tion des paragraphes, les références sont données, dans la présente
    traduction française, en faisant appel à la numérotation adoptée par le
    recueil *Le Discours social de L'Église catholique*, réalisé par le CERAS pour
    la collection «*Église et société*» (Le Centurion), Paris 1985/1990. La tra-
    duction des citations suit cette édition, mais a été revue dans certains cas.

2. *Cf* Pie XI, Encycl. *Quadragesimo anno* (15 mai 1931): *AAS* 23 (1931),
    pp. 177-228; Pie XII, Radiomessage du 1er juin 1941: *AAS* 33 (1941),
    pp. 195-205; Jean XXIII, Encycl. *Mater et Magistra* (15 mai 1961): *AAS* 53
    (1961), pp. 401-464; Paul VI, Lettre ap. *Octogesima adveniens* (14 mai
    1971): *AAS* 63 (1971), pp. 401-441.

En faisant de même pour le centième anniversaire, à la demande de nombreux évêques, d'institutions ecclésiales, de centres universitaires, de dirigeants d'entreprises et de travailleurs, à titre individuel ou comme membres d'associations, je voudrais avant tout honorer la dette de gratitude qu'a toute l'Église à l'égard du grand Pape et de son «document immortel»[3]. Je voudrais aussi montrer que la *sève généreuse* qui monte de cette racine n'a pas été épuisée au fil des ans, mais qu'au contraire *elle est devenue plus féconde*. En témoignent les initiatives de natures diverses qui ont précédé, qui accompagnent et qui suivront cette célébration, initiatives prises par les Conférences épiscopales, par des Organisations internationales, des Universités et des institutions académiques, des associations professionnelles et d'autres institutions ou personnes dans de nombreuses régions du monde.

2. La présente encyclique prend place dans ces célébrations, pour rendre grâce à Dieu de qui vient «tout don excellent, et toute donation parfaite» (*Jc* 1, 17), parce qu'il s'est servi d'un document venant du Siège de Pierre il y a cent ans pour faire beaucoup de bien et répandre beaucoup de lumière dans l'Église et dans le monde. La commémoration que l'on fait ici concerne l'encyclique de Léon XIII, et en même temps les encycliques et les autres documents de mes prédécesseurs qui ont contribué à attirer l'attention sur elle et à développer son influence au long des années en constituant ce qu'on allait appeler la «doctrine sociale», «l'enseignement social» ou encore le «magistère social» de l'Église.

Deux encycliques que j'ai publiées au cours de mon pontificat se réfèrent déjà à cet enseignement qui garde sa valeur: *Laborem exercens* sur le travail humain, et *Sollicitudo rei socialis* sur les problèmes actuels du développement des hommes et des peuples.[4]

---

3.   Cf. Encycl. *Quadragesimo anno*, III: *l. c.*, p. 228.

4.   Encycl. *Laborem exercens* (14 septembre 1981): *AAS* 73 (1981), pp. 577-647; Encycl. *Sollicitudo rei socialis* (30 décembre 1987): *AAS* 80 (1988), pp. 513-586.

3. Je voudrais proposer maintenant une «relecture» de l'encyclique de Léon XIII, et inviter à porter un regard «rétrospectif» sur son texte lui-même afin de redécouvrir la richesse des principes fondamentaux qui y sont formulés pour la solution de la question ouvrière. Mais j'invite aussi à porter un regard «actuel» sur les «choses nouvelles» qui nous entourent et dans lesquelles nous nous trouvons immergés, pour ainsi dire, bien différentes des «choses nouvelles» qui caractérisaient l'ultime décennie du siècle dernier. J'invite enfin à porter le regard «vers l'avenir», alors qu'on entrevoit déjà le troisième millénaire de l'ère chrétienne, lourd d'inconnu mais aussi de promesses. Inconnu et promesses qui font appel à notre imagination et à notre créativité, qui nous stimulent aussi, en tant que disciples du Christ, le «Maître unique» (cf. *Mt* 23, 8), dans notre responsabilité de montrer la voie, de proclamer la vérité et de communiquer la vie qu'il est lui-même (cf. *Jn* 14, 6).

En agissant ainsi, non seulement on réaffirmera *la valeur permanente de cet enseignement*, mais on manifestera aussi *le vrai sens de la Tradition de l'Église* qui, toujours vivante et active, construit sur les fondations posées par nos pères dans la foi et particulièrement sur ce que «les Apôtres ont transmis à l'Église»[5] au nom de Jésus Christ: il est le fondement et «nul n'en peut poser d'autre» (cf. *1 Co* 3, 11).

C'est en vertu de la conscience qu'il avait de sa mission de successeur de Pierre que Léon XIII décida de prendre la parole, et c'est la même conscience qui anime aujourd'hui son successeur. Comme lui, et comme les Papes avant et après lui, je m'inspire de l'image évangélique du «scribe devenu disciple du Royaume des cieux», dont le Seigneur dit qu'il «est semblable à un propriétaire qui tire de son trésor du neuf et de l'ancien» (*Mt* 13, 52). Le trésor est le grand courant de la Tradition de l'Église qui contient les «choses anciennes», reçues et transmises depuis toujours, et qui permet de lire les «choses nouvelles» au milieu desquelles se déroule la vie de l'Église et du monde.

---

5. Cf. S. Irénée, *Adversus hæreses*, I, 10, 1; III, 4, 1: *PG* 7, 549-550; 855-856; *S. Ch.* 264, 154-155; 211, 44-46.

De ces choses qui, en s'incorporant à la Tradition, deviennent anciennes et qui offrent les matériaux et l'occasion de son enrichissement comme de l'enrichissement de la vie de la foi, fait partie aussi l'activité féconde de millions et de millions d'hommes qui, stimulés par l'enseignement social de l'Église, se sont efforcés de s'en inspirer pour leur engagement dans le monde. Agissant individuellement ou rassemblés de diverses manières en groupes, associations et organisations, ils ont constitué comme un *grand mouvement pour la défense de la personne humaine* et la protection de sa dignité, ce qui a contribué, à travers les vicissitudes diverses de l'histoire, à construire une société plus juste ou du moins à freiner et à limiter l'injustice.

La présente encyclique cherche à mettre en lumière la fécondité des principes exprimés par Léon XIII, principes qui appartiennent au patrimoine doctrinal de l'Église et, à ce titre, engagent l'autorité de son magistère. Mais la sollicitude pastorale m'a conduit, d'autre part, à proposer *l'analyse de certains événements récents de l'histoire.* Il n'est pas besoin de souligner que la considération attentive du cours des événements, en vue de discerner les exigences nouvelles de l'évangélisation, relève des devoirs qui incombent aux Pasteurs. Toutefois, on n'entend pas exprimer des jugements définitifs en développant ces considérations, car, en elles-mêmes, elles n'entrent pas dans le cadre propre du magistère.

I

TRAITS CARACTÉRISTIQUES DE
RERUM NOVARUM

4. Vers la fin du siècle dernier, l'Église dut faire face à un processus historique qui avait déjà commencé depuis quelque temps mais atteignait alors un point critique. Parmi les facteurs déterminants de ce processus, il y eut un ensemble de changements radicaux qui se produisirent dans le domaine politique, économique et social mais aussi dans le cadre de la science et de la technique, sans oublier les influences multiples des idéologies dominantes. Dans le domaine politique, ces changements engendrèrent une *nouvelle conception de la société et de l'État* et, par conséquent, *de l'autorité*. Une société traditionnelle disparaissait tandis qu'une autre commençait à voir le jour, marquée par l'espoir de nouvelles libertés, mais également par le risque de nouvelles formes d'injustice et d'esclavage.

Dans le domaine économique, où convergeaient les découvertes et les applications des sciences, on avait progressivement atteint de nouvelles structures pour la production des biens de consommation. On avait assisté à l'apparition d'une *nouvelle forme de propriété*, le capital, et d'une *nouvelle forme de travail*, le travail salarié, caractérisé par de pénibles rythmes de production, négligeant toute considération de sexe, d'âge ou de situation familiale, uniquement déterminé par l'efficacité en vue d'augmenter le profit.

Ainsi, le travail devenait une marchandise qui pouvait être librement acquise et vendue sur le marché et dont le prix n'était établi qu'en fonction de la loi de l'offre et de la demande, sans tenir compte du minimum vital nécessaire à la subsistance de la personne et de sa famille. De plus, le travailleur n'était pas même certain de réussir à vendre sa «marchandise» et il se trouvait constamment sous la menace du chômage, ce qui, en l'absence de protection sociale, lui faisait courir le risque de mourir de faim.

La conséquence de cette transformation était «la division de la société en deux classes séparées par un profond abîme»[6]. Cette situation s'ajoutait aux transformations d'ordre politique déjà soulignées. Ainsi, la théorie politique dominante de l'époque tendait à promouvoir la liberté économique totale par des lois adaptées ou au contraire par une absence voulue de toute intervention. Simultanément, commençait à se manifester, sous une forme organisée et d'une manière souvent violente, une autre conception de la propriété et de la vie économique qui entraînait une nouvelle structure politique et sociale.

Au paroxysme de cette opposition, alors qu'apparaissaient en pleine lumière la très grave injustice de la réalité sociale telle qu'elle existait en plusieurs endroits, et le risque d'une révolution favorisée par les idées que l'on appelait alors «socialistes», Léon XIII intervint en publiant un document qui traitait de manière systématique la «question ouvrière». Cette encyclique avait été précédée par d'autres, consacrées davantage à des enseignements de caractère politique, tandis que d'autres encore devaient suivre.[7] C'est dans ce contexte qu'il convient d'évoquer en particulier l'encyclique *Libertas præstantissimum* dans laquelle était rappelé le lien constitutif de la liberté humaine avec la vérité, lien si fort qu'une liberté qui refuserait de se lier à la vérité tomberait dans l'arbitraire et finirait par se soumettre elle-même aux passions les plus dégradantes et par s'autodétruire. D'où viennent, en effet, tous les maux que veut combattre *Rerum novarum* sinon d'une liberté qui, dans le do-

---

6. Léon XIII, Encycl. *Rerum novarum*, n° 38: *l. c.*, p. 132.

7. Cf., par exemple, Léon XIII, Encycl. *Arcanum divinæ sapientiæ* (10 février 1880): *Leonis XIII P.M. Acta*, II, Romæ 1882, pp. 10-40; Encycl. *Diuturnum illud* (29 juin 1881): *Leonis XIII P.M. Acta*, II, Romæ 1882, pp. 269-287; Encycl. *Libertas præstantissimum* (20 juin 1888): *Leonis XIII P.M. Acta*, II, Romæ 1889, pp. 212-246; Encycl. *Graves de communi* (18 janvier 1901): *Leonis XIII P.M. Acta*, XXI, Romæ 1902, pp. 3-20.

maine de l'activité économique et sociale, s'éloigne de la vérité de l'homme?

D'autre part, le Souverain Pontife s'inspirait de l'enseignement de ses prédécesseurs ainsi que de nombreux documents épiscopaux, des études scientifiques dues à des laïcs, de l'action de mouvements et d'associations catholiques et des réalisations concrètes dans le domaine social qui marquèrent la vie de l'Église dans la seconde moitié du XIXe siècle.

5. Les «choses nouvelles» examinées par le Pape étaient rien moins que positives. Le premier paragraphe de l'encyclique décrit en termes vigoureux les «choses nouvelles» dont elle tire son nom: «À l'heure où grandissait *le désir de choses nouvelles* qui, depuis longtemps, agite les États, il fallait s'attendre à voir la *soif de changements* passer du domaine de la politique dans la sphère voisine de l'économie. En effet, l'industrie s'est développée et ses méthodes se sont complètement renouvelées. Les rapports entre patrons et ouvriers se sont modifiés, la richesse a afflué entre les mains d'un petit nombre et la multitude est dans l'indigence. Les ouvriers ont conçu une opinion plus haute d'eux-mêmes et ont contracté entre eux une union plus étroite. Tout cela, sans parler de la corruption des mœurs, a eu pour résultat de faire éclater un conflit».[8]

Le Pape et l'Église, ainsi que la communauté civile, se trouvaient face à une société divisée par un conflit d'autant plus dur et inhumain qu'il ne connaissait ni règle ni norme, *le conflit entre capital et travail* ou, comme le dit l'encyclique, la question ouvrière. Précisément sur ce conflit, dans les conditions critiques que l'on observait alors, le Pape n'hésita pas à donner son jugement.

Ici intervient la première réflexion suggérée par l'encyclique pour notre temps. Face à un conflit qui opposait les hommes entre eux, pour ainsi dire comme des «loups», jusque sur le plan de la subsistance matérielle des uns et de l'opulence des autres, le Pape ne craignait pas d'intervenir en vertu de sa «charge

---

8.   Encycl. *Rerum novarum*, n° 1: *l. c.*, p. 97.

apostolique»,[9] c'est-à-dire de la mission qu'il a reçue de Jésus Christ lui-même de «paître les agneaux et les brebis» (cf. *Jn* 21, 15-17), de «lier et délier sur la terre» pour le Royaume des cieux (cf. *Mt* 16, 19). Son intention était certainement de rétablir la paix, et le lecteur d'aujourd'hui ne peut que remarquer la sévère condamnation de la lutte des classes qu'il prononça sans appel.[10] Mais il était bien conscient du fait que *la paix s'édifie sur le fondement de la justice:* l'encyclique avait précisément pour contenu essentiel de proclamer les conditions fondamentales de la justice dans la conjoncture économique et sociale de l'époque.[11]

Léon XIII, à la suite de ses prédécesseurs, établissait de la sorte un modèle permanent pour l'Église. Celle-ci, en effet, a une parole à dire face à des situations humaines déterminées, individuelles et communautaires, nationales et internationales, pour lesquelles elle énonce une véritable doctrine, un *corpus* qui lui permet d'analyser les réalités sociales, comme aussi de se prononcer sur elles et de donner des orientations pour la juste solution des problèmes qu'elles posent.

Du temps de Léon XIII, une telle conception des droits et des devoirs de l'Église était bien loin d'être communément admise. En effet, deux tendances prédominaient: l'une, tournée vers ce monde et vers cette vie, à laquelle la foi devait rester étrangère; l'autre, vers un salut purement situé dans l'au-delà, et qui n'apportait ni lumière ni orientations pour la vie sur terre. En publiant *Rerum novarum*, le Pape donnait pour ainsi dire «droit de cité» à l'Église dans les réalités changeantes de la vie publique. Cela devait se préciser davantage encore par la suite. En effet, l'enseignement et la diffusion de la doctrine sociale de l'Église appartiennent à sa mission d'évangélisation; c'est une partie essentielle du message chrétien, car cette doctrine en propose les conséquences directes dans la vie de la société et elle place le travail quotidien et la lutte pour la justice dans le

---

9. *Ibid.*, n° 1: *l. c.*, p. 98.

10. Cf. *ibid.*, n° 15: *l. c.*, pp. 109-110.

11. Cf. *ibid.*, n° 16: description des conditions de travail; n° 44: associations ouvrières anti-chrétiennes: *l. c.*, pp. 110-111; 136-137.

cadre du témoignage rendu au Christ Sauveur. Elle est également une source d'unité et de paix face aux conflits qui surgissent inévitablement dans le domaine économique et social. Ainsi, il devient possible de vivre les nouvelles situations sans amoindrir la dignité transcendante de la personne humaine ni en soi-même ni chez les adversaires, et de trouver la voie de solutions correctes.

À cent ans de distance, la valeur d'une telle orientation m'offre l'occasion d'apporter une contribution à l'élaboration de la «doctrine sociale chrétienne». La «nouvelle évangélisation», dont le monde moderne a un urgent besoin et sur laquelle j'ai insisté de nombreuses fois, doit compter parmi ses éléments essentiels *l'annonce de la doctrine sociale de l'Église*, apte, aujourd'hui comme sous Léon XIII, à indiquer le bon chemin pour répondre aux grands défis du temps présent, dans un contexte de discrédit croissant des idéologies. Comme à cette époque, il faut répéter qu'*il n'existe pas de véritable solution de la «question sociale» hors de l'Évangile* et que, d'autre part, les «choses nouvelles» peuvent trouver en lui leur espace de vérité et la qualification morale qui convient.

6. En se proposant de faire la lumière sur le *conflit* survenu entre le capital et le travail, Léon XIII affirmait les droits fondamentaux des travailleurs. C'est pourquoi la clé de lecture du texte pontifical est la *dignité du travailleur* en tant que tel et, de ce fait, la *dignité du travail* défini comme «l'activité humaine ordonnée à la satisfaction des besoins de la vie, notamment à sa conservation».[12] Le Pape qualifiait le travail de «personnel», parce que «la force de travail est inhérente à la personne et appartient en propre à celui qui l'exerce et dont elle est l'apanage».[13] Le travail appartient ainsi à la vocation de toute personne; l'homme s'exprime donc et se réalise dans son activité laborieuse. Le travail possède en même temps une dimension «sociale», par sa relation étroite tant avec la famille qu'avec le bien commun, «puisqu'on peut affirmer sans se tromper que le

---

12. *Ibid.*, n° 34; cf. aussi n° 20: *l. c.*, pp. 130; 114-115.
13. *Ibid.*, n° 34: *l. c.*, p. 130.

travail des ouvriers est à l'origine de la richesse des États».[14] Tels sont les points que j'ai repris et développés dans l'encyclique *Laborem exercens*.[15]

Il existe sans aucun doute un autre principe important, celui du droit à la «propriété privée».[16] La longueur du développement que lui consacre l'encyclique révèle à elle seule l'importance qui lui revient. Le Pape est bien conscient du fait que la propriété privée n'est pas une valeur absolue et il ne manque pas de proclamer les principes complémentaires indispensables, tels que celui de la *destination universelle des biens de la terre*.[17]

Par ailleurs, s'il est vrai que le type de propriété privée qu'il considère au premier chef est celui de la propriété de la terre,[18] il n'en demeure pas moins qu'aujourd'hui conservent leur valeur les raisons avancées pour protéger la propriété privée, c'est-à-dire pour affirmer le droit de posséder ce qui est nécessaire au développement personnel et à celui de sa famille, quelle que soit la forme effective prise par ce droit. Il faut l'affirmer une nouvelle fois devant les changements, dont nous sommes les témoins, survenus dans les systèmes où régnait le principe de la propriété collective des moyens de production mais également devant les situations toujours plus nombreuses de pauvreté ou, plus exactement, devant les négations de la propriété privée, qui se présentent dans beaucoup de régions du monde, y compris celles où prédominent les systèmes qui reposent sur l'affirmation du droit à la propriété privée. À la suite de ces changements et de la persistance de la pauvreté, une analyse plus profonde du problème s'avère nécessaire, ce qui sera fait plus loin.

7. En relation étroite avec le droit de propriété, l'encyclique de Léon XIII affirme également *d'autres droits*, en disant qu'ils sont inhérents à la personne humaine et inaliénables. Au rang

---

14. *Ibid.*, n° 27: *l. c.*, p. 123.

15. Cf. Encycl. *Laborem exercens*, n°s 1; 2; 6: *l. c.*, pp. 578-583; 589-592.

16. Cf. Encycl. *Rerum novarum*, n°s 3-12: *l. c.*, pp. 99-107.

17. Cf. *ibid.*, n° 7: *l. c.*, pp. 102-103.

18. Cf. *ibid.*, n°s 6-8: *l. c.*, pp. 101-104.

de ces droits, le «droit naturel de l'homme» à former des associations privées occupe une place de premier plan par l'ampleur du développement que lui consacre le Pape et l'importance qu'il lui attribue; il s'agit avant tout du *droit à créer des associations professionnelles* de chefs d'entreprise et d'ouvriers ou simplement d'ouvriers.[19] On saisit ici le motif pour lequel l'Église défend et approuve la création de ce qu'on appelle couramment des syndicats, non certes par préjugé idéologique ni pour céder à une mentalité de classe, mais parce que s'associer est un droit naturel de l'être humain et, par conséquent, un droit antérieur à sa reconnaissance par la société politique. En effet, «il n'est pas au pouvoir de l'État d'interdire leur existence», car «l'État est fait pour protéger et non pour détruire le droit naturel. En interdisant de telles associations, il s'attaquerait lui-même».[20]

Avec ce droit que le Pape — il est juste de le souligner — reconnaît explicitement aux ouvriers, ou, pour reprendre ses termes, aux «prolétaires», sont affirmés de manière tout aussi claire les droits à la «limitation des heures de travail», au repos légitime et à une différence de traitement pour les enfants et les femmes[21] en ce qui concerne la forme et la durée du travail.

Si l'on se souvient de ce que nous apprend l'histoire au sujet des pratiques admises, ou du moins pas interdites par la loi, dans le domaine des contrats, qui étaient passés sans aucune garantie d'horaires ni de conditions d'hygiène dans le travail, sans respect non plus pour l'âge ou le sexe des candidats à l'emploi, on comprend bien la sévérité des paroles du Pape. «Il n'est ni juste ni humain, écrivait-il, d'exiger de l'homme un travail tel qu'il s'abrutisse l'esprit et s'affaiblisse le corps par suite d'une fatigue excessive». Et, de manière plus précise, en se référant au contrat, qui a pour objectif de faire entrer en vigueur de telles «relations de travail», il affirme: «Dans toute convention passée entre patrons et ouvriers, figure la condition expresse ou tacite» que l'on ménagera un temps de repos conve-

---

19. Cf. *ibid.*, nᵒˢ 37-38; 41: *l. c.*, pp. 134-135; 137-138.

20. *Ibid.*, nᵒ 38: *l. c.*, p. 135.

21. Cf. *ibid.*, nᵒ 33: *l. c.*, pp. 128-129.

nable, en proportion des «forces dépensées dans le travail»; puis il conclut: «Un pacte contraire serait immoral».[22]

8. Immédiatement après, le Pape énonce un *autre droit* du travailleur en tant que personne. Il s'agit du droit à un «juste salaire», droit qui ne peut être laissé «au libre consentement des parties, de telle sorte que l'employeur, après avoir payé le salaire convenu, aurait rempli ses engagements et ne semblerait rien devoir d'autre».[23] L'État — disait-on à cette époque — n'a pas le pouvoir d'intervenir dans la détermination de ces contrats, sinon pour veiller à l'accomplissement de ce qui a été expressément convenu. Une telle conception des rapports entre patrons et ouvriers, purement pragmatique et inspirée par un individualisme strict, est sévèrement critiquée dans l'encyclique comme contraire à la double nature du travail en tant que fait personnel et nécessaire. En effet, si le travail, *en tant que nécessaire*, fait partie des capacités et des forces dont chacun a la libre disposition, il est, *en tant que nécessaire*, régi par le grave devoir pour chacun de «se garder en vie»; «de ce devoir, conclut le Pape, découle nécessairement le droit de se procurer ce qui sert à la subsistance, que les pauvres ne se procurent que moyennant le salaire de leur travail».[24]

Le salaire doit suffire à faire vivre l'ouvrier et sa famille. Si le travailleur, «contraint par la nécessité ou poussé par la crainte d'un mal plus grand, accepte des conditions très dures, que d'ailleurs il ne peut refuser parce qu'elles lui sont imposées par le patron ou par celui qui fait l'offre du travail, il subit une violence contre laquelle la justice proteste».[25]

Dieu veuille que ces phrases, écrites tandis que progressait ce qu'on a appelé le «capitalisme sauvage», ne soient pas à reprendre et à répéter aujourd'hui avec la même sévérité! Malheureusement, aujourd'hui encore, on trouve des cas de contrats passés entre patrons et ouvriers qui ignorent la justice

---

22. *Ibid.*, n° 33: *l. c.*, p. 129.

23. *Ibid.*, n° 34: *l. c.*, p. 129.

24. *Ibid.*, n° 34, 3: *l. c.*, pp. 130-131.

25. *Ibid.*, n° 34, 4: *l. c.*, p. 131.

la plus élémentaire en matière de travail des mineurs ou des femmes, pour les horaires de travail, les conditions d'hygiène dans les locaux et la juste rétribution. Cela arrive malgré les *Déclarations* et les *Conventions internationales* qui en traitent,[26] et même les *lois* des divers États. Le Pape assignait à l'«autorité publique» le «strict devoir» de prendre grand soin du bien-être des travailleurs, parce qu'en ne le faisant pas, on offensait la justice, et il n'hésitait pas à parler de «justice distributive».[27]

9. À ces droits, Léon XIII en ajoute *un autre*, toujours à propos de la condition ouvrière, que je désire rappeler, étant donné son importance: le droit d'accomplir librement ses devoirs religieux. Le Pape le proclame clairement dans le contexte des autres droits et devoirs des ouvriers, malgré le climat général où, déjà de son temps, on considérait que certaines questions appartenaient exclusivement au domaine de la vie privée. Il affirme la nécessité du repos dominical, afin de rappeler à l'homme la pensée des biens célestes et du culte que l'on doit à la majesté divine.[28] De ce droit, qui s'enracine dans un commandement fondamental, personne ne peut priver l'homme: «Il n'est permis à personne de violer impunément cette dignité de l'homme que Dieu lui-même traite avec un grand respect». Par conséquent, l'État doit assurer à l'ouvrier l'exercice de cette liberté.[29]

On ne se tromperait pas en voyant en germe, dans cette affirmation claire, le principe du droit à la liberté religieuse, qui est devenu depuis lors l'objet de nombreuses *Déclarations* et *Conventions internationales* solennelles,[30] sans oublier la célèbre *Déclaration conciliaire* et mes enseignements fréquents.[31] Sur ce

---

26. Cf. Déclaration universelle des droits de l'homme.

27. Cf. Encycl. *Rerum novarum*, n° 27: *l. c.*, pp. 121-123.

28. Cf. *ibid.*, n° 32: *l. c.*, p. 127.

29. *Ibid.*, n° 32: *l. c.*, pp. 126-127.

30. Cf. Déclaration universelle des droits de l'homme; Déclaration sur l'élimination de toute forme d'intolérance et de discrimination fondées sur la religion ou les convictions.

31. Cf. CONC. OECUM. VAT. II, Déclaration sur la liberté religieuse *Dignitatis humanæ*; JEAN-PAUL II, Lettre aux Chefs d'État (1er septembre 1980): *AAS* 72 (1980), pp. 1252-1260; Message pour la Journée mondiale de la Paix 1988: *AAS* 80 (1988), pp. 278-286.

point, nous devons nous demander si les dispositions légales
en vigueur et les pratiques des sociétés industrialisées permettent aujourd'hui d'assurer effectivement l'exercice de ce droit
élémentaire au repos dominical.

10. Une autre donnée importante, riche d'enseignements
pour notre époque, est la conception des rapports de l'État avec
les citoyens. *Rerum novarum* critique les deux systèmes sociaux
et économiques, le socialisme et le libéralisme. Elle consacre au
premier la partie initiale qui réaffirme le droit à la propriété
privée. Au contraire, il n'y a pas de section spécialement consacrée au second système, mais — et ceci mérite que l'on y porte
attention — les critiques à son égard apparaissent lorsqu'est
traité le thème des devoirs de l'État.[32] L'État ne peut se borner
à «veiller sur une partie de ses citoyens», celle qui est riche et
prospère, et il ne peut «négliger l'autre», qui représente sans
aucun doute la grande majorité du corps social. Sinon il est
porté atteinte à la justice qui veut que l'on rende à chacun ce qui
lui appartient. «Toutefois, dans la protection des droits privés,
il doit se préoccuper d'une manière spéciale des petits et des
pauvres. La classe riche, qui est forte de par ses biens, a moins
besoin de la protection publique; la classe pauvre, sans richesse
pour la mettre à l'abri, compte surtout sur la protection de l'État.
L'État doit donc entourer de soins et d'une sollicitude toute
particulière les travailleurs qui appartiennent à la foule des
déshérités».[33]

Ces passages gardent leur valeur aujourd'hui, surtout face
aux nouvelles formes de pauvreté qui existent dans le monde,
d'autant que des affirmations si importantes ne dépendent
nullement d'une conception déterminée de l'État ni d'une théorie politique particulière. Le Pape reprend un principe élémentaire de toute saine organisation politique: dans une société,
plus les individus sont vulnérables, plus ils ont besoin de l'intérêt et de l'attention que leur portent les autres, et, en particulier, de l'intervention des pouvoirs publics.

---

32. Cf. Encycl. *Rerum novarum*, n°s 3-9; 34; 38: *l. c.*, pp. 99-105; 130-131; 135.
33. *Ibid.*, n° 29: *l. c.*, p. 125.

Ainsi, le principe de solidarité, comme on dit aujourd'hui, dont j'ai rappelé, dans l'encyclique *Sollicitudo rei socialis*,[34] la valeur dans l'ordre interne de chaque nation comme dans l'ordre international, apparaît comme l'un des principes fondamentaux de la conception chrétienne de l'organisation politique et sociale. Il a été énoncé à plusieurs reprises par Léon XIII sous le nom d'«amitié» que nous trouvons déjà dans la philosophie grecque. Pie XI le désigna par le terme non moins significatif de «charité sociale», tandis que Paul VI, élargissant le concept en fonction des multiples dimensions modernes de la gestion sociale, parlait de «civilisation de l'amour».[35]

11. En relisant l'encyclique à la lumière de la situation contemporaine, on peut se rendre compte de la *sollicitude et de l'action incessante de l'Église* en faveur des catégories de personnes qui sont objet de prédilection de la part du Seigneur Jésus. Le contenu du texte est un excellent témoignage de la continuité, dans l'Église, de ce qu'on appelle l'«option préférentielle pour les pauvres», option définie comme une «forme spéciale de priorité dans la pratique de la charité chrétienne».[36] L'encyclique sur la «question ouvrière» est donc une encyclique sur les pauvres et sur la terrible condition à laquelle le processus d'industrialisation nouveau et souvent violent avait réduit de très nombreuses personnes. Aujourd'hui encore, dans une grande partie du monde, de tels processus de transformation économique, sociale et politique produisent les mêmes fléaux.

Si Léon XIII en appelle à l'État pour remédier selon la justice à la condition des pauvres, il le fait aussi parce qu'il reconnaît, à juste titre, que l'État a le devoir de veiller au bien commun et de pourvoir à ce que chaque secteur de la vie sociale, sans exclure celui de l'économie, contribue à le promouvoir, tout en respectant la juste autonomie de chacun d'entre eux.

---

34. Cf. Encycl. *Sollicitudo rei socialis*, nᵒˢ 38-40; *l. c.*, pp. 564-569; cf. aussi JEAN XXIII, Encycl. *Mater et Magistra*, *l. c.*, p. 407.

35. Cf. LÉON XIII, Encycl. *Rerum novarum*, nᵒˢ 20-21: *l. c.*, pp. 114-116; PIE XI, Encycl. *Quadragesimo anno*, III: *l. c.*, p. 208; PAUL VI, Homélie de clôture de l'Année Sainte (25 décembre 1975): *AAS* 68 (1976), p. 145; Message pour la Journée mondiale de la Paix 1977: *AAS* 68 (1976), p. 709.

36. Encycl. *Sollicitudo rei socialis*, nᵒ 42: *l. c.*, p. 572.

Toutefois, il ne faudrait pas en conclure que, pour le Pape Léon XIII, la solution de la question sociale devrait dans tous les cas venir de l'État. Au contraire, il insiste à plusieurs reprises sur les nécessaires limites de l'intervention de l'État et sur sa nature de simple instrument, puisque l'individu, la famille et la société lui sont antérieures et que l'État existe pour protéger leurs droits respectifs sans jamais les opprimer.[37]

L'actualité de ces réflexions n'échappe à personne. Il conviendra de reprendre plus loin ce thème important des limites inhérentes à la nature de l'État. Les points soulignés, qui ne sont pas les seuls abordés par l'encyclique, se situent dans la continuité de l'enseignement social de l'Église, et sont éclairés par une saine conception de la propriété privée, du travail, du développement économique, de la nature de l'État et, avant tout, de l'homme lui-même. D'autres thèmes seront mentionnés par la suite quand on examinera certains aspects de la réalité contemporaine, mais dès maintenant, il convient de garder présent à l'esprit que ce qui sert de trame et, d'une certaine manière, de guide à l'encyclique et à toute la doctrine sociale de l'Église, c'est *la juste conception de la personne humaine, de sa valeur unique*, dans la mesure où «l'homme est sur la terre la seule créature que Dieu ait voulue pour elle-même».[38] Dans l'homme, il a sculpté son image, à sa ressemblance (cf *Gn* 1, 26), en lui donnant une dignité incomparable, sur laquelle l'encyclique insiste à plusieurs reprises. En effet, au-delà des droits que l'homme acquiert par son travail, il existe des droits qui ne sont corrélatifs à aucune de ses activités mais dérivent de la dignité essentielle de personne.

---

37. Cf. Encycl. *Rerum novarum*, n°s 6; q. 34; 39: *l. c.*, pp. 101-102; 104-105; 130-131; 136.

38. CONC. oecum. Vat. II, Const. past. sur l'Église dans le monde de ce temps *Gaudium et spes*, n° 24.

II

VERS LES «CHOSES NOUVELLES»
D'AUJOURD'HUI

12. L'anniversaire de *Rerum novarum* ne serait pas célébré comme il convient si l'on ne regardait pas également la situation actuelle. Déjà, par son contenu, l'encyclique se prête à une telle réflexion; en effet, le cadre historique et les prévisions qui y sont tracées se révèlent d'une exactitude surprenante, à la lumière de tous les événements ultérieurs.

Les faits des derniers mois de l'année 1989 et du début de 1990 en ont été une confirmation singulière. Ils ne s'expliquent, de même que les transformations radicales qui s'en sont suivies, qu'en fonction des situations antérieures qui avaient cristallisé ou institutionnalisé, dans une certaine mesure, les prévisions de Léon XIII et les signes toujours plus inquiétants perçus par ses successeurs. En effet, le Pape Léon XIII prévoyait les conséquences négatives — sous tous les aspects: politique, social et économique — d'une organisation de la société telle que la proposait le «socialisme», qui en était alors au stade d'une philosophie sociale et d'un mouvement plus ou moins structuré. On pourrait s'étonner de ce que le Pape parte du «socialisme» pour faire la critique des solutions qu'on donnait de la «question ouvrière», alors que le socialisme ne se présentait pas encore, comme cela se produisit ensuite, sous la forme d'un État fort et puissant, avec toutes les ressources à sa disposition. Toutefois, il mesura bien le danger que représentait pour les masses la présentation séduisante d'une solution aussi simple que radicale de la «question ouvrière» d'alors. Cela est plus vrai encore si l'on considère l'effroyable condition d'injustice à laquelle étaient réduites les masses prolétariennes dans les nations récemment industrialisées.

Il faut ici souligner deux choses: d'une part, la grande lucidité avec laquelle est perçue, dans toute sa rigueur, la condition réelle des prolétaires, hommes, femmes et enfants; d'autre part, la clarté non moins grande avec laquelle est saisi ce qu'il y a de mauvais dans une solution qui, sous l'apparence d'un renversement des situations des pauvres et des riches, portait en réalité préjudice à ceux-là mêmes qu'on se promettait d'aider. Le remède se serait ainsi révélé pire que le mal. En caractérisant la nature du socialisme de son époque, qui supprimait la propriété privée, Léon XIII allait au cœur du problème.

Ses paroles méritent d'être relues avec attention: «Les socialistes, pour guérir ce mal [l'injuste distribution des richesses et la misère des prolétaires], poussent les pauvres à être jaloux de ceux qui possèdent. Ils prétendent que toute propriété de biens privés doit être supprimée, que les biens de chacun doivent être communs à tous... Mais pareille théorie, loin d'être capable de mettre fin au conflit, ferait tort à l'ouvrier si elle était appliquée. D'ailleurs, elle est souverainement injuste, parce qu'elle fait violence aux propriétaires légitimes, dénature les fonctions de l'État et bouleverse de fond en comble l'édifice social».[39] On ne saurait pas mieux indiquer les maux entraînés par l'instauration de ce type de socialisme comme système d'État, qui prendrait le nom de «socialisme réel».

13. Approfondissant maintenant la réflexion et aussi en référence à tout ce qui a été dit dans les encycliques *Laborem exercens* et *Sollicitudo rei socialis*, il faut ajouter que l'erreur fondamentale du «socialisme» est de caractère anthropologique. En effet, il considère l'individu comme un simple élément, une molécule de l'organisme social, de sorte que le bien de chacun est tout entier subordonné au fonctionnement du mécanisme économique et social, tandis que, par ailleurs, il estime que ce même bien de l'individu peut être atteint hors de tout choix autonome de sa part, hors de sa seule et exclusive décision responsable devant le bien ou le mal. L'homme est ainsi réduit

---

39. Encycl. *Rerum novarum*, n° 3: *l. c.*, p. 99.

à un ensemble de relations sociales, et c'est alors que disparaît le concept de personne comme sujet autonome de décision morale qui construit l'ordre social par cette décision. De cette conception erronée de la personne découlent la déformation du droit qui définit la sphère d'exercice de la liberté, ainsi que le refus de la propriété privée. En effet, l'homme dépossédé de ce qu'il pourrait dire «sien» et de la possibilité de gagner sa vie par ses initiatives en vient à dépendre de la machine sociale et de ceux qui la contrôlent; cela lui rend beaucoup plus difficile la reconnaissance de sa propre dignité de personne et entrave la progression vers la constitution d'une authentique communauté humaine.

Au contraire, de la conception chrétienne de la personne résulte nécessairement une vision juste de la société. Selon *Rerum novarum* et toute la doctrine sociale de l'Église, le caractère social de l'homme ne s'épuise pas dans l'État, mais il se réalise dans divers groupes intermédiaires, de la famille aux groupes économiques, sociaux, politiques et culturels qui, découlant de la même nature humaine, ont — toujours à l'intérieur du bien commun — leur autonomie propre. C'est ce que j'ai appelé la «personnalité» de la société qui, avec la personnalité de l'individu, a été éliminée par le «socialisme réel».[40]

Si on se demande ensuite d'où naît cette conception erronée de la nature de la personne humaine et de la personnalité de la société, il faut répondre que la première cause en est l'athéisme. C'est par sa réponse à l'appel de Dieu contenu dans l'être des choses que l'homme prend conscience de sa dignité transcendante. Tout homme doit donner cette réponse, car en elle il atteint le sommet de son humanité, et aucun mécanisme social ou sujet collectif ne peut se substituer à lui. La négation de Dieu prive la personne de ses racines et, en conséquence, incite à réorganiser l'ordre social sans tenir compte de la dignité et de la responsabilité de la personne.

L'athéisme dont on parle est, du reste, étroitement lié au rationalisme de la philosophie des lumières, qui conçoit la réalité humaine et sociale d'une manière mécaniste. On nie ainsi

---

40. Cf. Encycl. *Sollicitudo rei socialis*, n⁰ˢ 15; 28: *l. c.*, pp. 530; 548-549.

l'intuition ultime de la vraie grandeur de l'homme, sa transcendance par rapport au monde des choses, la contradiction qu'il ressent dans son cœur entre le désir d'une plénitude de bien et son impuissance à l'obtenir et, surtout, le besoin de salut qui en dérive.

14. C'est de cette même racine de l'athéisme que découle le choix des moyens d'action propre au socialisme condamné dans *Rerum novarum*. Il s'agit de la lutte des classes. Le Pape, bien entendu, n'entend pas condamner tout conflit social sous quelque forme que ce soit: l'Église sait bien que les conflits d'intérêts entre divers groupes sociaux surgissent inévitablement dans l'histoire et que le chrétien doit souvent prendre position à leur sujet avec décision et cohérence. L'encyclique *Laborem exercens*, du reste, a reconnu clairement le rôle positif du conflit quand il prend l'aspect d'une «lutte pour la justice sociale»;[41] et déjà dans *Quadragesimo anno* on lit: «La lutte des classes, en effet, quand on s'abstient d'actes de violence et de haine réciproque, se transforme peu à peu en une honnête discussion, fondée sur la recherche de la justice».[42]

Ce qui est condamné dans la lutte des classes, c'est plutôt l'idée d'un conflit dans lequel n'interviennent pas de considérations de caractère éthique ou juridique, qui se refuse à respecter la dignité de la personne chez autrui (et, par voie de conséquence, en soi-même), qui exclut pour cela un accommodement raisonnable et recherche non pas le bien général de la société, mais plutôt un intérêt de parti qui se substitue au bien commun et veut détruire ce qui s'oppose à lui. Il s'agit, en un mot, de la reprise — dans le domaine du conflit interne entre groupes sociaux — de la doctrine de la «guerre totale» que le militarisme et l'impérialisme de l'époque faisaient prévaloir dans le domaine des rapports internationaux. Cette doctrine substituait à la recherche du juste équilibre entre les intérêts des diverses nations celle de la prédominance absolue de son propre parti moyennant la destruction de la capacité de résistance du parti

---

41. Cf. Encycl. *Laborem exercens*, nᵒˢ 11-15: *l. c.*, pp. 602-618.
42. Pᵢₑ XI, Encycl. *Quadragesimo anno*, III: *l. c.*, p. 213.

adverse effectuée par tous les moyens, y compris le mensonge, la terreur à l'encontre des populations civiles et les armes d'extermination (qui étaient en élaboration précisément durant ces années-là). La lutte des classes au sens marxiste et le militarisme ont donc la même racine: l'athéisme, et le mépris de la personne humaine qui fait prévaloir le principe de la force sur celui de la raison et du droit.

15. *Rerum novarum* s'oppose — comme on l'a dit — à l'étatisation des instruments de production, qui réduirait chaque citoyen à n'être qu'une pièce dans la machine de l'État. Elle critique aussi résolument la conception de l'État qui laisse le domaine de l'économie totalement en dehors de son champ d'intérêt et d'action. Certes, il existe une sphère légitime d'autonomie pour les activités économiques, dans laquelle l'État ne doit pas entrer. Cependant, il a le devoir de déterminer le cadre juridique à l'intérieur duquel se déploient les rapports économiques et de sauvegarder ainsi les conditions premières d'une économie libre, qui présuppose une certaine égalité entre les parties, d'une manière telle que l'une d'elles ne soit pas par rapport à l'autre puissante au point de la réduire pratiquement en esclavage.[43]

À ce sujet, *Rerum novarum* montre la voie des justes réformes susceptibles de redonner au travail sa dignité d'activité libre de l'homme. Ces réformes supposent que la société et l'État prennent leurs responsabilités surtout pour défendre le travailleur contre le cauchemar du chômage. Cela s'est réalisé historiquement de deux manières convergentes: soit par des politiques économiques destinées à assurer une croissance équilibrée et une situation de plein emploi; soit par les assurances contre le chômage et par des politiques de recyclage professionnel appropriées pour faciliter le passage des travailleurs de secteurs en crise vers d'autres secteurs en développement.

En outre, la société et l'État doivent assurer des niveaux de salaire proportionnés à la subsistance du travailleur et de sa famille, ainsi qu'une certaine possibilité d'épargne. Cela re-

---

43. Cf. Encycl. *Rerum novarum*, nᵒˢ 26-29: *l. c.*, pp. 121-125.

quiert des efforts pour donner aux travailleurs des connaissances et des aptitudes toujours meilleures et susceptibles de
rendre leur travail plus qualifié et plus productif; mais cela
requiert aussi une surveillance assidue et des mesures législatives appropriées pour couper court aux honteux phénomènes
d'exploitation, surtout au détriment des travailleurs les plus
démunis, des immigrés ou des marginaux. Dans ce domaine, le
rôle des syndicats, qui négocient le salaire minimum et les
conditions de travail, est déterminant.

Enfin, il faut garantir le respect d'horaires «humains» pour
le travail et le repos, ainsi que le droit d'exprimer sa personnalité sur les lieux de travail, sans être violenté en aucune manière
dans sa conscience ou dans sa dignité. Là encore, il convient de
rappeler le rôle des syndicats, non seulement comme instruments de négociation mais encore comme «lieux» d'expression
de la personnalité: ils sont utiles au développement d'une authentique culture du travail et ils aident les travailleurs à participer d'une façon pleinement humaine à la vie de l'entreprise.[44]

L'État doit contribuer à la réalisation de ces objectifs directement et indirectement. Indirectement et suivant le *principe de
subsidiarité*, en créant les conditions favorables au libre exercice
de l'activité économique, qui conduit à une offre abondante de
possibilités de travail et de sources de richesse. Directement et
suivant le *principe de solidarité*, en imposant, pour la défense des
plus faibles, certaines limites à l'autonomie des parties qui
décident des conditions du travail, et en assurant dans chaque
cas un minimum vital au travailleur sans emploi.[45]

L'encyclique et l'enseignement social qui la prolonge ont
influencé de multiples manières les dernières années du XIXe
siècle et le début du XXe. Cette influence est à l'origine de
nombreuses réformes introduites dans les secteurs de la pré-

---

44. Cf. Encycl. *Laborem exercens*, n° 20: *l. c.*, pp. 629-632; Discours à l'Organisation internationale du Travail (O.I.T.) à Genève (15 juin 1982): *Insegna-
menti* V/2 (1982), pp. 2250-2266; Paul VI, Discours à cette même Organisation (10 juin 1969): *AAS* 61 (1969), pp. 491-502.

45. Cf. Encycl. *Laborem exercens*, n° 8: *l. c.*, pp. 594-598.

voyance sociale, des retraites, des assurances contre les maladies, de la prévention des accidents, tout cela dans le cadre d'un respect plus grand des droits des travailleurs.[46]

16. Les réformes furent en partie réalisées par les États, mais, dans la lutte pour les obtenir, *l'action du Mouvement ouvrier* a joué un rôle important. Né d'une réaction de la conscience morale contre des situations injustes et préjudiciables, il déploya une vaste activité syndicale et réformiste, qui était loin des brumes de l'idéologie et plus proche des besoins quotidiens des travailleurs et, dans ce domaine, ses efforts se joignirent souvent à ceux des chrétiens pour obtenir l'amélioration des conditions de vie des travailleurs.

Par la suite, ce mouvement fut dans une certaine mesure dominé précisément par l'idéologie marxiste contre laquelle se dressait *Rerum novarum*.

Ces mêmes réformes furent aussi le résultat *d'un libre processus d'auto-organisation de la société*, avec la mise au point d'instruments efficaces de solidarité, aptes à soutenir une croissance économique plus respectueuse des valeurs de la personne. Il faut rappeler ici les multiples activités, avec la contribution notable des chrétiens, d'où ont résulté la fondation de coopératives de production, de consommation et de crédit, la promotion de l'instruction populaire et de la formation professionnelle, l'expérimentation de diverses formes de participation à la vie de l'entreprise et, en général, de la société.

Si donc, en regardant le passé, il y a des raisons de remercier Dieu parce que la grande encyclique n'est pas restée sans résonnance dans les cœurs et a poussé à une générosité active, néanmoins il faut reconnaître que l'annonce prophétique dont elle était porteuse n'a pas été complètement accueillie par les hommes de l'époque, et qu'à cause de cela de très grandes catastrophes se sont produites.

---

46. Cf. Pie XI, Encycl. *Quadragesimo anno*, n° 14: *l. c.*, pp. 178-181.

17. Quand on lit l'encyclique en la reliant à tout le riche enseignement du Pape Léon XIII,[47] on voit qu'au fond elle montre les conséquences d'une erreur de très grande portée sur le terrain économique et social. L'erreur, comme on l'a dit, consiste en une conception de la liberté humaine qui la soustrait à l'obéissance à la vérité et donc aussi au devoir de respecter les droits des autres hommes. Le sens de la liberté se trouve alors dans un amour de soi qui va jusqu'au mépris de Dieu et du prochain, dans un amour qui conduit à l'affirmation illimitée de l'intérêt particulier et ne se laisse arrêter par aucune obligation de justice.[48]

Les conséquences extrêmes de cette erreur sont apparues dans le cycle tragique des guerres qui ont secoué l'Europe et le monde entre 1914 et 1945. Il s'agit de guerres provoquées par un militarisme et un nationalisme exacerbés et par les formes de totalitarisme qui y sont liées, il s'agit de guerres provoquées par la lutte des classes, de guerres civiles et idéologiques. Sans le poids implacable de haine et de rancune, accumulées à la suite de tant d'injustices au niveau international et au niveau interne des États, on n'aurait pu connaître des guerres d'une telle férocité, où de grandes nations engagèrent leurs forces vives, où l'on n'hésita pas devant la violation des droits les plus sacrés de l'homme et où fut planifiée et exécutée l'extermination de peuples et de groupes sociaux entiers. Nous nous souvenons ici en particulier du peuple juif dont le terrible destin est devenu un symbole de l'aberration à laquelle l'homme peut arriver quand il se tourne contre Dieu.

Toutefois, la haine et l'injustice ne s'emparent de nations entières et ne les poussent à l'action que lorsqu'elles sont légi-

---

47. Cf. Encycl. *Arcanum divinæ sapientiæ* (10 février 1880): *Leonis XIII P.M. Acta*, II, Romæ 1882, pp. 10-40; Encycl. *Diuturnum illud* (29 juin 1881): *Leonis XIII P.M. Acta*, II, Romæ 1882, pp. 269-287; Encycl. *Immortale Dei* (1er novembre 1885): *Leonis XIII P.M. Acta*, V, Romæ 1886, pp. 118-150; Encycl. *Sapientiæ christianæ* (10 janvier 1890): *Leonis XIII P.M. Acta*, X, Romæ 1891, pp. 10-41; Encycl. *Quod apostolici muneris* (28 décembre 1878): *Leonis XIII P.M. Acta*, I, Romæ 1881, pp. 170-183; Encycl. *Libertas præstantissimum* (20 juin 1888): *Leonis XIII P.M. Acta*, VIII, Romæ 1889, pp. 212-246.

48. Cf. LÉON XIII, Encycl. *Libertas præstantissimum*, n° 10: *l. c.*, pp. 224-226.

timées et organisées par des idéologies qui se fondent plus sur elles que sur la vérité de l'homme.[49] *Rerum novarum* combattait les idéologies de la haine et a montré les manières de mettre un terme à la violence et à la rancœur par la justice. Puisse le souvenir de ces terribles événements guider les actions de tous les hommes et, en particulier, des gouvernants des peuples de notre temps, alors que d'autres injustices alimentent de nouvelles haines et que se profilent à l'horizon de nouvelles idéologies qui exaltent la violence!

18. Certes, depuis 1945 les armes se taisent sur le continent européen; toutefois, on se rappellera que la vraie paix n'est jamais le résultat de la victoire militaire, mais suppose l'élimination des causes de la guerre et l'authentique réconciliation entre les peuples. Pendant de nombreuses années, par contre, il y a eu en Europe et dans le monde une situation de non-guerre plus que de paix authentique. La moitié du continent est tombée sous le pouvoir de la dictature communiste, tandis que l'autre partie s'organisait pour se défendre contre ce type de danger. Bien des peuples perdent le pouvoir de disposer d'eux-mêmes, sont enfermés dans les limites d'un empire oppressif tandis qu'on s'efforce de détruire leur mémoire historique et les racines séculaires de leur culture. Des masses énormes d'hommes, à la suite de cette violente partition, sont contraintes d'abandonner leur terre et déportées de force.

Une course folle aux armements absorbe les ressources nécessaires au développement des économies internes et à l'aide aux nations les plus défavorisées. Le progrès scientifique et technique, qui devrait contribuer au bien-être de l'homme, est transformé en instrument de guerre. La science et la technique servent à produire des armes toujours plus perfectionnées et plus destructrices, tandis qu'on demande à une idéologie, qui est une perversion de la philosophie authentique, de fournir des justifications doctrinales à la nouvelle guerre. Et la guerre est non seulement attendue et préparée, mais elle a lieu dans diverses régions du monde et cause d'énormes effusions de sang.

---

49. Cf. Message pour la Journée mondiale de la Paix 1980: *AAS* 71 (1979), pp. 1572-1580.

De la logique des blocs, ou des empires, dénoncée par les documents de l'Église et récemment par l'encyclique *Sollicitudo rei socialis*,[50] il résulte que les controverses et les discordes qui naissent dans les pays du Tiers-Monde sont systématiquement amplifiées et exploitées pour créer des difficultés à l'adversaire.

Les groupes extrémistes, qui cherchent à résoudre ces controverses par les armes, bénéficient facilement d'appuis politiques et militaires, sont armés et entraînés à la guerre, tandis que ceux qui s'efforcent de trouver des solutions pacifiques et humaines, respectant les intérêts légitimes de toutes les parties, restent isolés et sont souvent victimes de leurs adversaires. La militarisation de nombreux pays du Tiers-Monde et les luttes fratricides qui les ont tourmentés, la diffusion du terrorisme et de procédés toujours plus barbares de lutte politico-militaire trouvent aussi une de leurs principales causes dans la précarité de la paix qui a suivi la deuxième guerre mondiale. Sur le monde entier, enfin, pèse la menace d'une guerre atomique, capable de conduire à l'extinction de l'humanité. La science, utilisée à des fins militaires, met à la disposition de la haine, amplifiée par les idéologies, l'arme absolue. Mais la guerre peut se terminer sans vainqueurs ni vaincus dans un suicide de l'humanité, et alors il faut répudier la logique qui y conduit, c'est-à-dire l'idée que la lutte pour la destruction de l'adversaire, la contradiction et la guerre même sont des facteurs de progrès et de marche en avant de l'histoire.[51] Si on admet la nécessité de ce refus, la logique de la «guerre totale» comme celle de la «lutte des classes» sont nécessairement remises en cause.

19. Mais à la fin de la deuxième guerre mondiale, un tel processus est encore en train de prendre forme dans les esprits, et le fait qui retient l'attention est l'extension du totalitarisme communiste sur plus de la moitié de l'Europe et sur une partie du monde. La guerre, qui aurait dû rétablir la liberté et restaurer le droit des gens, se conclut sans avoir atteint ces buts, mais au

---

50. Cf. Encycl. *Sollicitudo rei socialis*, n° 20: *l. c.*, pp. 536-537.

51. Cf. JEAN XXIII, Encycl. *Pacem in terris* (11 avril 1963), III: *AAS* 55 (1963), pp. 286-289.

contraire d'une manière qui les contredit ouvertement pour beaucoup de peuples, spécialement ceux qui avaient le plus souffert. On peut dire que la situation qui s'est créée a provoqué des réactions différentes.

Dans quelques pays et à certains points de vue, on assiste à un effort positif pour reconstruire, après les destructions de la guerre, une société démocratique inspirée par la justice sociale, qui prive le communisme du potentiel révolutionnaire représenté par les masses humaines exploitées et opprimées. Ces tentatives cherchent en général à maintenir les mécanismes du marché libre, en assurant par la stabilité de la monnaie et la sécurité des rapports sociaux les conditions d'une croissance économique stable et saine, avec laquelle les hommes pourront par leur travail construire un avenir meilleur pour eux et pour leurs enfants. En même temps, on cherche à éviter que les mécanismes du marché soient l'unique point de référence de la vie sociale et on veut les assujettir à un contrôle public qui s'inspire du principe de la destination commune des biens de la terre. Une certaine abondance des offres d'emploi, un système solide de sécurité sociale et de préparation professionnelle, la liberté d'association et l'action vigoureuse des syndicats, la protection sociale en cas de chômage, les instruments de participation démocratique à la vie sociale, tout cela, dans un tel contexte, devrait soustraire le travail à la condition de «marchandise» et garantir la possibilité de l'accomplir dignement.

En second lieu, d'autres forces sociales et d'autres écoles de pensée s'opposent au marxisme par la construction de systèmes de «sécurité nationale» qui visent à contrôler d'une façon capillaire toute la société pour rendre impossible l'infiltration marxiste. En exaltant et en augmentant le pouvoir de l'État, ces systèmes entendent préserver leurs peuples du communisme; mais, ce faisant, ils courent le risque grave de détruire la liberté et les valeurs de la personne au nom desquelles il faut s'y opposer.

Enfin, une autre forme pratique de réponse est représentée par la société du bien-être, ou société de consommation. Celle-ci tend à l'emporter sur le marxisme sur le terrain du pur matérialisme, montrant qu'une société de libre marché peut obtenir une satisfaction des besoins matériels de l'homme plus complète que celle qu'assure le communisme, tout en excluant également les valeurs spirituelles. En réalité, s'il est vrai, d'une part, que ce modèle social montre l'incapacité du marxisme à construire une société nouvelle et meilleure, d'un autre côté, en refusant à la morale, au droit, à la culture et à la religion leur réalité propre et leur valeur, il le rejoint en réduisant totalement l'homme à la sphère économique et à la satisfaction des besoins matériels.

20. Dans la même période se déroule un impressionnant processus de «décolonisation», dans lequel de nombreux pays acquièrent ou reconquièrent leur indépendance et le droit à disposer librement d'eux-mêmes. Cependant, avec la reconquête formelle de leur souveraineté d'État, ces pays se trouvent souvent juste au début du chemin dans la construction d'une authentique indépendance. En fait, des secteurs décisifs de l'économie demeurent encore entre les mains de grandes entreprises étrangères, qui n'acceptent pas de se lier durablement au développement du pays qui leur donne l'hospitalité, et la vie politique elle-même est contrôlée par des forces étrangères, tandis qu'à l'intérieur des frontières de l'État cohabitent des groupes ethniques, non encore complètement intégrés dans une authentique communauté nationale. En outre, il manque un groupe de fonctionnaires compétents, capables d'administrer d'une façon honnête et juste l'appareil de l'État, ainsi que des cadres pour une gestion efficace et responsable de l'économie.

Étant donné cette situation, il semble à beaucoup que le marxisme peut offrir comme un raccourci pour l'édification de la nation et de l'État, et c'est pour cette raison que voient le jour diverses variantes du socialisme avec un caractère national spécifique. Elles se mêlent ainsi aux nombreuses idéologies qui se constituent différemment suivant les cas: exigences légitimes de salut national, formes de nationalisme et aussi de militarisme, principes tirés d'antiques sagesses populaires, parfois accordés avec la doctrine sociale chrétienne, et les concepts du marxisme-léninisme.

21. Il faut rappeler enfin qu'après la deuxième guerre mondiale et aussi en réaction contre ses horreurs, s'est répandu

un sentiment plus vif des droits de l'homme, qui a trouvé une reconnaissance dans divers *Documents internationaux*[52] et, pourrait-on dire, dans l'élaboration d'un nouveau «droit des gens» à laquelle le Saint-Siège a apporté constamment sa contribution. Le pivot de cette évolution a été l'Organisation des Nations Unies. Non seulement la conscience du droit des individus s'est développée, mais aussi celle des droits des nations, tandis qu'on saisit mieux la nécessité d'agir pour porter remède aux graves déséquilibres entre les différentes aires géographiques du monde, qui, en un sens, ont déplacé le centre de la question sociale du cadre national au niveau international.[53]

En prenant acte de cette évolution avec satisfaction, on ne peut cependant passer sous silence le fait que le bilan d'ensemble des diverses politiques d'aide au développement n'est pas toujours positif. Aux Nations Unies, en outre, on n'a pas réussi jusqu'à maintenant à élaborer des procédés efficaces, autres que la guerre, pour la solution des conflits internationaux, et cela semble être le problème le plus urgent que la communauté internationale ait encore à résoudre.

---

52. Cf. Déclaration universelle des droits de l'homme, de 1948; JEAN XXIII, Encycl. *Pacem in terris*, IV: *l. c.*, pp. 291-296; *Acte final* de la Conférence sur la Sécurité et la Coopération en Europe (CSCE), Helsinki 1975.

53. Cf. PAUL VI, Encycl. *Populorum progressio* (26 mars 1967), n°s 61-65: *AAS* 59 (1967), pp. 287-289.

III

L'ANNÉE 1989

22. C'est à partir de la situation mondiale qui vient d'être décrite, et qui a déjà été largement exposée dans l'encyclique *Sollicitudo rei socialis*, que l'on comprend la portée inattendue et prometteuse des événements de ces dernières années. Leur point culminant, sans aucun doute, ce sont les événements survenus en 1989 dans les pays de l'Europe centrale et orientale, mais ils couvrent une période et un espace géographique plus larges. Au cours des années 1980, on voit s'écrouler progressivement dans plusieurs pays d'Amérique latine, et aussi d'Afrique et d'Asie, certains régimes de dictature et d'oppression. Dans d'autres cas commence un cheminement, difficile mais fécond, de transition vers des formes politiques qui laissent plus de place à la participation et à la justice. *L'Église* a fourni une contribution importante, et même décisive, *par son engagement en faveur de la défense et de la promotion des droits de l'homme:* dans des milieux fortement imprégnés d'idéologie, où les prises de position radicales obscurcissaient le sens commun de la dignité humaine, l'Église a affirmé avec simplicité et énergie que tout homme, quelles que soient ses convictions personnelles, porte en lui l'image de Dieu et mérite donc le respect. La grande majorité du peuple s'est bien souvent reconnue dans cette affirmation, et cela a conduit à rechercher des formes de lutte et des solutions politiques plus respectueuses de la dignité de la personne.

De ce processus historique sont sorties de nouvelles formes de démocratie qui suscitent l'espoir d'un changement dans les structures politiques et sociales précaires, grevées de l'hypothèque d'une douloureuse série d'injustices et de rancœurs, qui s'ajoutent à une économie désastreuse et à de pénibles conflits sociaux. Tout en rendant grâce à Dieu, en union avec toute l'Église, pour le témoignage, parfois héroïque, que beaucoup de Pasteurs, de communautés chrétiennes comme de simples fidèles et d'autres hommes de bonne volonté ont donné en ces circonstances difficiles, je le prie de soutenir les efforts accomplis par tous pour bâtir un avenir meilleur. C'est là, en effet, une responsabilité qui incombe non seulement aux citoyens de ces pays mais à tous les chrétiens et aux hommes de bonne volonté. Il s'agit de montrer que les problèmes complexes de ces peuples peuvent être résolus par la méthode du dialogue et de la solidarité, et non par la lutte pour détruire l'adversaire ou par la guerre.

23. Parmi les nombreux facteurs de la chute des régimes oppressifs, certains méritent d'être rappelés d'une façon particulière. Le facteur décisif qui a mis en route les changements est assurément la violation des droits du travail. On ne saurait oublier que la crise fondamentale des systèmes qui se prétendent l'expression du gouvernement et même de la dictature des ouvriers commence par les grands mouvements survenus en Pologne au nom de la solidarité. Les foules ouvrières elles-mêmes ôtent sa légitimité à l'idéologie qui prétend parler en leur nom, et elles retrouvent, elles redécouvrent presque, à partir de l'expérience vécue et difficile du travail et de l'oppression, des expressions et des principes de la doctrine sociale de l'Église.

Un autre fait mérite d'être souligné: à peu près partout, on est arrivé à faire tomber un tel «bloc», un tel empire, par une lutte pacifique, qui a utilisé les seules armes de la vérité et de la justice. Alors que, selon le marxisme, ce n'est qu'en poussant à l'extrême les contradictions sociales que l'on pouvait les résoudre dans un affrontement violent, les luttes qui ont amené l'écroulement du marxisme persistent avec ténacité à essayer toutes les voies de la négociation, du dialogue, du témoignage de la vérité, faisant appel à la conscience de l'adversaire et cherchant à réveiller en lui le sens commun de la dignité humaine.

Apparemment, l'ordre européen issu de la deuxième guerre mondiale et consacré par les *Accords de Yalta* ne pouvait être ébranlé que par une autre guerre. Et pourtant, il s'est trouvé dépassé par l'action non violente d'hommes qui, alors qu'ils avaient toujours refusé de céder au pouvoir de la force, ont su trouver dans chaque cas la manière efficace de rendre témoignage à la vérité. Cela a désarmé l'adversaire, car la violence a toujours besoin de se légitimer par le mensonge, de se donner l'air, même si c'est faux, de défendre un droit ou de répondre à une menace d'autrui.[54] Encore une fois, nous rendons grâce à Dieu qui a soutenu le cœur des hommes au temps de la difficile épreuve, et nous prions pour qu'un tel exemple serve en d'autres lieux et en d'autres circonstances. Puissent les hommes apprendre à lutter sans violence pour la justice, en renonçant à la lutte des classes dans les controverses internes et à la guerre dans les controverses internationales!

24. Comme deuxième facteur de crise, il y a bien certainement l'inefficacité du système économique, qu'il ne faut pas considérer seulement comme un problème technique mais plutôt comme une conséquence de la violation des droits humains à l'initiative, à la propriété et à la liberté dans le domaine économique. Il convient d'ajouter à cet aspect la dimension culturelle et nationale: il n'est pas possible de comprendre l'homme en partant exclusivement du domaine de l'économie, il n'est pas possible de le définir en se fondant uniquement sur son appartenance à une classe. On comprend l'homme d'une manière plus complète si on le replace dans son milieu culturel, en considérant sa langue, son histoire, les positions qu'il adopte devant les événements fondamentaux de l'existence comme la naissance, l'amour, le travail, la mort. Au centre de toute culture se trouve l'attitude que l'homme prend devant le mystère le plus grand, le mystère de Dieu. Au fond, les cultures des diverses nations sont autant de manières d'aborder la question du sens de l'existence personnelle: quand on élimine cette question, la culture et la vie morale des nations se désagrègent. C'est

---

54. Cf. Message pour la Journée mondiale de la Paix 1980: *l. c.*, pp. 1572-1580.

pourquoi la lutte pour la défense du travail s'est liée spontanément à la lutte pour la culture et pour les droits nationaux.

Mais la cause véritable de ces nouveautés est le vide spirituel provoqué par l'athéisme qui a laissé les jeunes générations
démunies d'orientations et les a amenées bien souvent, dans la
recherche irrésistible de leur identité et du sens de la vie, à
redécouvrir les racines religieuses de la culture de leurs nations
et la personne même du Christ, comme réponse existentielle-
ment adaptée à la soif de vérité et de vie qui est au cœur de tout
homme. Cette recherche a été encouragée par le témoignage de
ceux qui, dans des circonstances difficiles et au milieu des
persécutions, sont restés fidèles à Dieu. Le marxisme s'était
promis d'extirper du cœur de l'homme la soif de Dieu, mais les
résultats ont montré qu'il est impossible de le faire sans bouleverser le cœur de l'homme.

25. Les événements de 1989 donnent l'exemple du succès
remporté par la volonté de négocier et par l'esprit évangélique
face à un adversaire décidé à ne pas se laisser arrêter par des
principes moraux; ils constituent donc un avertissement pour
tous ceux qui, au nom du réalisme politique, veulent bannir de
la politique le droit et la morale. Certes, la lutte qui a conduit
aux changements de 1989 a exigé de la lucidité, de la modération, des souffrances et des sacrifices; en un sens, elle est née de
la prière et elle aurait été impensable sans une confiance illimitée en Dieu, Seigneur de l'histoire, qui tient en main le cœur de
l'homme. C'est en unissant sa souffrance pour la vérité et la
liberté à celle du Christ en Croix que l'homme peut accomplir
le miracle de la paix et est capable de découvrir le sentier
souvent étroit entre la lâcheté qui cède au mal et la violence qui,
croyant le combattre, l'aggrave.

On ne peut cependant ignorer les innombrables conditionnements au milieu desquels la liberté de l'individu est amenée
à agir; ils affectent, certes, la liberté, mais ils ne la déterminent
pas; ils rendent son exercice plus ou moins facile, mais ils ne
peuvent la détruire. Non seulement on n'a pas le droit de
méconnaître, du point de vue éthique, la nature de l'homme qui
est fait pour la liberté, mais en pratique ce n'est même pas
possible. Là où la société s'organise en réduisant arbitrairement

ou même en supprimant le champ dans lequel s'exerce légitimement la liberté, il en résulte que la vie sociale se désagrège
progressivement et entre en décadence.

En outre, l'homme, créé pour la liberté, porte en lui la
blessure du péché originel qui l'attire continuellement vers le
mal et fait qu'il a besoin de rédemption. Non seulement cette
doctrine fait *partie intégrante de la Révélation chrétienne,* mais elle
a une grande valeur herméneutique car elle aide à comprendre
la réalité humaine. L'homme tend vers le bien, mais il est aussi
capable de mal; il peut transcender son intérêt immédiat et
pourtant lui rester lié. L'ordre social sera d'autant plus ferme
qu'il tiendra davantage compte de ce fait et qu'il n'opposera pas
l'intérêt personnel à celui de la société dans son ensemble, mais
qu'il cherchera plutôt comment assurer leur fructueuse coordination. En effet, là où l'intérêt individuel est supprimé par la
violence, il est remplacé par un système écrasant de contrôle
bureaucratique qui tarit les sources de l'initiative et de la créativité. Quand les hommes croient posséder le secret d'une organisation sociale parfaite qui rend le mal impossible, ils pensent
aussi pouvoir utiliser tous les moyens, même la violence ou le
mensonge, pour la réaliser. La politique devient alors une «religion séculière» qui croit bâtir le paradis en ce monde. Mais
aucune société politique, qui possède sa propre autonomie et
ses propres lois,[55] ne pourra jamais être confondue avec le
Royaume de Dieu. La parabole évangélique du bon grain et de
l'ivraie (cf. *Mt* 13, 24-30. 36-43) enseigne qu'il appartient à Dieu
seul de séparer les sujets du Royaume et les sujets du Malin, et
que ce jugement arrivera à la fin des temps. En prétendant
porter dès maintenant le jugement, l'homme se substitue à Dieu
et s'oppose à la patience de Dieu.

Par le sacrifice du Christ sur la Croix, la victoire du
Royaume de Dieu est acquise une fois pour toutes. Cependant
la condition chrétienne comporte la lutte contre les tentations
et les forces du mal. Ce n'est qu'à la fin de l'histoire que le
Seigneur reviendra en gloire pour le jugement final (cf.

---

55. Cf. Conc. oecum. Vat. II, Const. past. sur l'Église dans le monde de ce
temps *Gaudium et spes*, n°s 36; 39.

Mt 25,31) et l'instauration des cieux nouveaux et de la terre nouvelle (cf. *2 P* 3, 13; *Ap* 21, 1). Mais, tant que dure le temps, le combat du bien et du mal se poursuit jusque dans le cœur de l'homme.

Ce que l'Écriture nous apprend des destinées du Royaume de Dieu n'est pas sans conséquences pour la vie des sociétés temporelles qui, comme l'indique l'expression, appartiennent aux réalités du temps, avec ce que cela comporte d'imparfait et de provisoire. Le Royaume de Dieu, présent *dans* le monde sans être *du* monde, illumine l'ordre de la société humaine, alors que les énergies de la grâce pénètrent et vivifient cet ordre. Ainsi sont mieux perçues les exigences d'une société digne de l'homme, les déviations sont redressées, le courage d'œuvrer pour le bien est conforté. À cette tâche d'animation évangélique des réalités humaines sont appelés, avec tous les hommes de bonne volonté, les chrétiens, et tout spécialement les laïcs.[56]

26. Les événements de 1989 se sont déroulés principalement dans les pays d'Europe orientale et centrale. Ils ont toutefois une portée universelle car il en est résulté des conséquences positives et négatives qui intéressent toute la famille humaine. Ces conséquences n'ont pas un caractère mécanique ou fatidique, mais sont comme des occasions offertes à la liberté humaine de collaborer avec le dessein miséricordieux de Dieu qui agit dans l'histoire.

La première conséquence a été, dans certains pays, *la rencontre entre l'Église et le Mouvement ouvrier* né d'une réaction d'ordre éthique et explicitement chrétien, contre une situation générale d'injustice. Depuis un siècle environ, ce Mouvement était en partie tombé sous l'hégémonie du marxisme, dans la conviction que les prolétaires, pour lutter efficacement contre l'oppression, devaient faire leurs les théories matérialistes et économistes.

Dans la crise du marxisme resurgissent les formes spontanées de la conscience ouvrière qui exprime une demande de

---

56. Cf. Exhort, ap. *Christifideles laici* (30 décembre 1988), n°s 32-44: *AAS* 81 (1989), pp. 431-481.

justice et de reconnaissance de la dignité du travail, conformément à la doctrine sociale de l'Église.[57] Le Mouvement ouvrier devient un mouvement plus général des travailleurs et des hommes de bonne volonté pour la libération de la personne humaine et pour l'affirmation de ses droits; il est répandu aujourd'hui dans de nombreux pays et, loin de s'opposer à l'Église catholique, il se tourne vers elle avec intérêt.

La crise du marxisme n'élimine pas du monde les situations d'injustice et d'oppression, que le marxisme lui-même exploitait et dont il tirait sa force. À ceux qui, aujourd'hui, sont à la recherche d'une théorie et d'une pratique nouvelles et authentiques de libération, l'Église offre non seulement sa doctrine sociale et, d'une façon générale, son enseignement sur la personne, rachetée par le Christ, mais aussi son engagement et sa contribution pour combattre la marginalisation et la souffrance.

Dans un passé récent, le désir sincère d'être du côté des opprimés et de ne pas se couper du cours de l'histoire a amené bien des croyants à rechercher de diverses manières un impossible compromis entre le marxisme et le christianisme. Le moment présent dépasse tout ce qu'il y avait de caduc dans ces tentatives et incite en même temps à réaffirmer le caractère positif d'une authentique théologie de la libération intégrale de l'homme.[58] Considérés sous cet angle, les événements de 1989 s'avèrent importants aussi pour les pays du Tiers-Monde, qui cherchent la voie de leur développement, comme ils l'ont été pour les pays de l'Europe centrale et orientale.

27. La deuxième conséquence concerne les peuples de l'Europe. Bien des injustices, aux niveaux individuel, social, régional et national, ont été commises pendant les années de domination du communisme et même avant; bien des haines et des rancœurs ont été accumulées. Après l'écroulement de la dictature, celles-ci risquent fort d'exploser avec violence, pro-

---

57. Cf. Encycl. *Laborem exercens*, n° 20: *l. c.*, pp. 629-632.

58. Cf. Congrégation pour la Doctrine de la Foi, Instruct. sur la liberté chrétienne et la libération *Libertatis conscientia* (22 mars 1986): *AAS* 79 (1987), pp. 554-599.

voquant de graves conflits et des deuils, si viennent à manquer la tension morale et la force de rendre consciemment témoignage à la vérité qui ont animé les efforts du passé. Il faut souhaiter que la haine et la violence ne triomphent pas dans les cœurs, surtout en ceux qui luttent pour la justice, et qu'en tous grandisse l'esprit de paix et de pardon!

Mais il faut que des démarches concrètes soient effectuées afin de créer ou de consolider des structures internationales capables d'intervenir, pour l'arbitrage convenable dans les conflits qui surgissent entre les nations, de telle sorte que chacune d'entre elles puisse faire valoir ses propres droits et parvenir à un juste accord et à un compromis pacifique avec les droits des autres. Tout cela est particulièrement nécessaire pour les nations européennes, intimement unies par les liens de leur culture commune et de leur histoire millénaire. Un effort considérable doit être consenti pour la reconstruction morale et économique des pays qui ont abandonné le communisme. Pendant très longtemps, les relations économiques les plus élémentaires ont été altérées, et même des vertus fondamentales dans le secteur économique, comme l'honnêteté, la confiance méritée, l'ardeur au travail, ont été méprisées. Une patiente reconstruction matérielle et morale est nécessaire, alors que les peuples épuisés par de longues privations demandent à leurs gouvernants des résultats tangibles et immédiats pour leur bien-être, ainsi que la satisfaction de leurs légitimes aspirations.

La chute du marxisme a eu naturellement des conséquences importantes en ce qui concerne la division de la terre en mondes fermés l'un à l'autre, opposés dans une concurrence jalouse. La réalité de l'interdépendance des peuples s'en trouve plus clairement mise en lumière, et aussi le fait que le travail humain est par nature destiné à unir les peuples et non à les diviser. La paix et la prospérité, en effet, sont des biens qui appartiennent à tout le genre humain, de sorte qu'il n'est pas possible d'en jouir d'une manière honnête et durable si on les a obtenus et conservés au détriment d'autres peuples et d'autres nations, en violant leurs droits ou en les excluant des sources du bien-être.

28. Pour certains pays d'Europe, c'est, en un sens, le véritable après-guerre qui commence. La restructuration radicale des économies jusque-là collectivisées crée des problèmes et suppose des sacrifices qui peuvent être comparés à ceux que les pays de l'ouest du continent ont dû affronter pour leur reconstruction après le deuxième conflit mondial. Il est juste que, dans les difficultés actuelles, les pays anciennement communistes soient soutenus par l'effort solidaire des autres nations: ils doivent, bien évidemment, être les premiers artisans de leur développement, mais il faut leur donner une possibilité raisonnable de le mettre en œuvre, et cela ne peut se faire sans l'aide des autres pays. D'ailleurs, la situation actuelle, marquée par les difficultés et la pénurie, est la conséquence d'un processus historique dont les pays anciennement communistes ont souvent été les victimes et non les responsables; ils se trouvent donc dans cette situation non pas en raison de choix libres ou d'erreurs commises, mais parce que de tragiques événements historiques, imposés par la force, les ont empêchés de poursuivre leur développement économique et civil.

L'aide des autres pays, d'Europe spécialement, qui ont eu part à la même histoire et en portent les responsabilités, répond à une dette de justice. Mais elle répond aussi à l'intérêt et au bien général de l'Europe, car celle-ci ne pourra pas vivre en paix si les conflits de diverse nature qui surgissent par suite du passé sont rendus plus aigus par une situation de désordre économique, d'insatisfaction spirituelle et de désespoir.

Toutefois, une telle exigence ne doit pas entraîner une diminution des efforts pour soutenir et aider les pays du Tiers-Monde, qui connaissent souvent des conditions de carence et de pauvreté beaucoup plus graves.[59] Ce qui est requis, c'est un effort extraordinaire pour mobiliser les ressources, dont le monde dans son ensemble n'est pas dépourvu, vers des objectifs de croissance économique et de développement commun,

---

59. Cf. Discours prononcé au siège du Conseil de la Commission économique de l'Afrique de l'Ouest (C.E.A.O.), à l'occasion du dixième anniversaire de l'«Appel pour le Sahel» (Ouagadougou, Burkina-Faso, 29 janvier 1990): *AAS* 82 (1990), pp. 816-821.

en redéfinissant les priorités et les échelles des valeurs selon lesquelles sont décidés les choix économiques et politiques. D'immenses ressources peuvent être rendues disponibles par le désarmement des énormes appareils militaires édifiés pour le conflit entre l'Est et l'Ouest. Elles pourront s'avérer encore plus abondantes si l'on arrive à mettre en place des procédures fiables — autres que la guerre — pour résoudre les conflits, puis à propager le principe du contrôle et de la réduction des armements, dans les pays du Tiers-Monde aussi, en prenant les mesures nécessaires contre leur commerce.[60] Mais il faudra surtout abandonner la mentalité qui considère les pauvres — personnes et peuples — presque comme un fardeau, comme d'ennuyeux importuns qui prétendent consommer ce que d'autres ont produit. Les pauvres revendiquent le droit d'avoir leur part des biens matériels et de mettre à profit leur capacité de travail afin de créer un monde plus juste et plus prospère pour tous. Le progrès des pauvres est une grande chance pour la croissance morale, culturelle et même économique de toute l'humanité.

29. Enfin, le développement ne doit pas être compris d'une manière exclusivement économique, mais dans un sens intégralement humain.[61] Il ne s'agit pas seulement d'élever tous les peuples au niveau dont jouissent aujourd'hui les pays les plus riches, mais de construire, par un travail solidaire, une vie plus digne, de faire croître réellement la dignité et la créativité de chaque personne, sa capacité de répondre à sa vocation et donc à l'appel de Dieu. Au faîte du développement, il y a la mise en œuvre du droit et du devoir de chercher Dieu, de le connaître et de vivre selon cette connaissance.[62] Dans les régimes totalitaires et autoritaires, on a poussé à l'extrême le principe de la prépondérance de la force sur la raison. L'homme a été contraint d'accepter une conception de la réalité imposée par la force et non acquise par l'effort de sa raison et l'exercice de sa liberté. Il

---

60. Cf. Jean XXIII, Encycl. *Pacem in Terris*, III: *l. c.*, pp. 286-288.
61. Cf. Encycl. *Sollicitudo rei socialis*, nos 27-28: *l. c.*, pp. 547-550; Paul VI, Encycl. *Populorum progressio*, nos 43-44: *l. c.*, pp. 278-279.
62. Cf. Encycl. *Sollicitudo rei socialis*, nos 29-31: *l. c.*, pp. 550-556.

faut inverser ce principe et reconnaître intégralement *les droits de la conscience humaine*, celle-ci n'étant liée qu'à la vérité naturelle et à la vérité révélée. C'est dans la reconnaissance de ces droits que se trouve le fondement premier de tout ordre politique authentiquement libre.[63] Il est important de réaffirmer ce principe, pour divers motifs:

a) parce que les anciennes formes de totalitarisme et d'autoritarisme ne sont pas encore complètement anéanties et qu'il existe même un risque qu'elles reprennent vigueur: cette situation appelle à un effort renouvelé de collaboration et de solidarité entre tous les pays;

b) parce que, dans les pays développés, on fait parfois une propagande excessive pour les valeurs purement utilitaires, en stimulant les instincts et les tendances à la jouissance immédiate, ce qui rend difficiles la reconnaissance et le respect de la hiérarchie des vraies valeurs de l'existence humaine;

c) parce que, dans certains pays, apparaissent de nouvelles formes de fondamentalisme religieux qui, de façon voilée ou même ouvertement, refusent aux citoyens qui ont une foi différente de celle de la majorité le plein exercice de leurs droits civils ou religieux, les empêchent de participer au débat culturel, restreignent le droit qu'a l'Église de prêcher l'Évangile et le droit qu'ont les hommes d'accueillir la parole qu'ils ont entendu prêcher et de se convertir au Christ. Aucun progrès authentique n'est possible sans respect du droit naturel élémentaire de connaître la vérité et de vivre selon la vérité. À ce droit se rattache, comme son exercice et son approfondissement, le droit de découvrir et d'accueillir librement Jésus Christ, qui est le vrai bien de l'homme.[64]

---

63. Cf. *Acte final d'Helsinki* et *Accord de Vienne*; Léon XIII, Encycl. *Libertas præstantissi mum*, n° 5: *l. c.*, pp. 215-217.

64. Cf. Encycl. *Redemptoris missio* (7 décembre 1990), n° 7: *L'Osservatore Romano*, 23 janvier 1991.

IV

LA PROPRIÉTÉ PRIVÉE ET LA DESTINATION
UNIVERSELLE DES BIENS

30. Dans l'encyclique *Rerum novarum*, Léon XIII affirmait avec force, contre le socialisme de son temps, le caractère naturel du droit à la propriété privée, et il s'appuyait sur divers arguments.[65] Ce droit, fondamental pour l'autonomie et le développement de la personne, a toujours été défendu par l'Église jusqu'à nos jours. L'Église enseigne de même que la propriété des biens n'est pas un droit absolu mais comporte, dans sa nature même de droit humain, ses propres limites.

Tandis qu'il proclamait le droit à la propriété privée, le Pape affirmait avec la même clarté que l'«usage» des biens, laissé à la liberté, est subordonné à leur destination originelle commune de biens créés et aussi à la volonté de Jésus Christ, exprimée dans l'Évangile. Il écrivait en effet: «Les fortunés de ce monde sont avertis [...] qu'ils doivent trembler devant les menaces inusitées que Jésus profère contre les riches; qu'enfin il viendra un jour où ils devront rendre à Dieu, leur juge, un compte très rigoureux de l'usage qu'ils auront fait de leur fortune»; et, citant saint Thomas d'Aquin, il ajoutait: «Mais si l'on demande en quoi il faut faire consister l'usage des biens, l'Église répond sans hésitation: "À ce sujet, l'homme ne doit pas tenir les choses extérieures pour privées, mais pour communes"», car «au-dessus des jugements de l'homme et de ses lois, il y a la loi et le jugement de Jésus Christ».[66]

---

65. Cf. Encycl. *Rerum novarum*, n°s 3-12; 35: *l. c.*, pp. 99-107; 131-133.
66. *Ibid.*, n°s 18; 19: *l. c.*, pp. 111-114.

Les successeurs de Léon XIII ont repris cette double affirmation: la nécessité et donc la licéité de la propriété privée, et
aussi les limites dont elle est grevée.[67] Le Concile Vatican II a
également proposé la doctrine traditionnelle dans des termes
qui méritent d'être cités littéralement: «L'homme, dans l'usage
qu'il fait de ses biens, ne doit jamais tenir les choses qu'il
possède légitimement comme n'appartenant qu'à lui, mais les
regarder aussi comme communes, en ce sens qu'elles puissent
profiter non seulement à lui, mais aussi aux autres». Et un peu
plus loin: «La propriété privée ou un certain pouvoir sur les
biens extérieurs assurent à chacun une zone indispensable d'autonomie personnelle et familiale; il faut les regarder comme un
prolongement de la liberté humaine. [...] De par sa nature
même, la propriété privée a aussi un caractère social, fondé dans
la loi de commune destination des biens».[68] J'ai repris la même
doctrine d'abord dans le discours d'ouverture de la IIIᵉ Conférence de l'épiscopat latino-américain à Puebla, puis dans les
encycliques *Laborem exercens* et, plus récemment, *Sollicitudo rei
socialis.*[69]

31. Lorsqu'on relit dans le contexte de notre temps cet
enseignement sur le droit à la propriété et la destination commune des biens, on peut se poser la question de l'origine des
biens qui soutiennent la vie de l'homme, qui satisfont à ses
besoins et qui sont l'objet de ses droits.

La première origine de tout bien est l'acte de Dieu lui-
même qui a créé la terre et l'homme, et qui a donné la terre à
l'homme pour qu'il la maîtrise par son travail et jouisse de ses
fruits (cf. *Gn* I, 28-29). Dieu a donné la terre à tout le genre
humain pour qu'elle fasse vivre tous ses membres, sans exclure

---

67. Cf. Pɪᴇ XI, Encycl. *Quadragesimo anno,* II, *l. c.,* p. 191; Pɪᴇ XII, Radiomessage
     du 1ᵉʳ juin 1941: *l. c.,* p. 199; Jᴇᴀɴ XXIII, Encycl. *Mater et magistra: l. c.,*
     pp. 428-429; Pᴀᴜʟ VI, Encycl. *Populorum progressio,* nᵒˢ 22-24: *l. c.,* pp. 268-
     269.

68. Const. past. sur l'Église dans le monde de ce temps *Gaudium et spes,* nᵒˢ
     69; 71.

69. Cf. Discours aux évêques latino-américains à Puebla (28 janvier 1979),
     III, 4: *AAS* 71 (1979), pp. 199-201; Encycl. *Laborem exercens,* nᵒ 14: *l. c.,*
     pp. 612-616; Encycl. *Sollicitudo rei socialis,* nᵒ 42: *l. c.,* pp. 572-574.

ni privilégier personne. C'est là *l'origine de la destination universelle des biens de la terre*. En raison de sa fécondité même et de ses possibilités de satisfaire les besoins de l'homme, la terre est le premier don de Dieu pour la subsistance humaine. Or, elle ne produit pas ses fruits sans une réponse spécifique de l'homme au don de Dieu, c'est-à-dire sans le travail. Grâce à son travail, l'homme, utilisant son intelligence et sa liberté, parvient à la dominer et il en fait la demeure qui lui convient. Il s'approprie ainsi une partie de la terre, celle qu'il s'est acquise par son travail. C'est là *l'origine de la propriété individuelle*. Évidemment, il a aussi la responsabilité de ne pas empêcher que d'autres hommes disposent de leur part du don de Dieu; au contraire, il doit collaborer avec eux pour dominer ensemble toute la terre.

Dans l'histoire, ces deux facteurs, *le travail* et *la terre*, se retrouvent toujours au principe de toute société humaine; cependant ils ne se situent pas toujours dans le même rapport entre eux. Il fut un temps où *la fécondité naturelle de la terre* paraissait être, et était effectivement, le facteur principal de la richesse, tandis que le travail était en quelque sorte l'aide et le soutien de cette fécondité. En notre temps, *le rôle du travail humain* devient un facteur toujours plus important pour la production des richesses immatérielles et matérielles; en outre, il paraît évident que le travail d'un homme s'imbrique naturellement dans celui d'autres hommes. Plus que jamais aujourd'hui, travailler, c'est *travailler avec les autres* et *travailler pour les autres*: c'est faire quelque chose pour quelqu'un. Le travail est d'autant plus fécond et productif que l'homme est plus capable de connaître les ressources productives de la terre et de percevoir quels sont les besoins profonds de l'autre pour qui le travail est fourni.

32. Mais, à notre époque, il existe une autre forme de propriété et elle a une importance qui n'est pas inférieure à celle de la terre: c'est *la propriété de la connaissance, de la technique et du savoir*. La richesse des pays industrialisés se fonde bien plus sur ce type de propriété que sur celui des ressources naturelles.

On a fait allusion au fait que *l'homme travaille avec les autres hommes*, prenant part à un «travail social» qui s'étend dans des cercles de plus en plus larges. En règle générale, celui qui produit un objet le fait, non seulement pour son usage personnel, mais aussi pour que d'autres puissent s'en servir après avoir payé le juste prix, convenu d'un commun accord dans une libre négociation. Or, la capacité de connaître en temps utile les besoins des autres hommes et l'ensemble des facteurs de production les plus aptes à les satisfaire, c'est précisément une autre source importante de richesse dans la société moderne. Du reste, beaucoup de biens ne peuvent être produits de la manière qui convient par le travail d'un seul individu, mais ils requièrent la collaboration de nombreuses personnes au même objectif. Organiser un tel effort de production, planifier sa durée, veiller à ce qu'il corresponde positivement aux besoins à satisfaire en prenant les risques nécessaires, tout cela constitue aussi une source de richesses dans la société actuelle. Ainsi devient toujours plus évident et déterminant *le rôle du travail humain* maîtrisé et créatif *et*, comme part essentielle de ce travail, celui *de la capacité d'initiative et d'entreprise.*[70]

Il faut considérer avec une attention favorable ce processus qui met en lumière concrètement un enseignement sur la personne que le christianisme a constamment affirmé. En effet, avec la terre, la principale ressource de l'homme, c'est *l'homme lui-même.* C'est son intelligence qui lui fait découvrir les capacités productives de la terre et les multiples manières dont les besoins humains peuvent être satisfaits. C'est son travail maîtrisé, dans une collaboration solidaire, qui permet la création de *communautés de travail* toujours plus larges et sûres pour accomplir la transformation du milieu naturel et du milieu humain lui-même. Entrent dans ce processus d'importantes vertus telles que l'application, l'ardeur au travail, la prudence face aux risques raisonnables à prendre, la confiance méritée et la fidélité dans les rapports interpersonnels, l'énergie dans l'exécution de décisions difficiles et douloureuses mais nécessaires pour le travail commun de l'entreprise et pour faire face aux éventuels renversements de situations.

L'économie moderne *de l'entreprise* comporte des aspects positifs dont la source est la liberté de la personne qui s'exprime

---

70. Cf. Encycl. *Sollicitudo rei socialis*, n° 15: *l. c.*, pp. 528-531.

dans le domaine économique comme en beaucoup d'autres. En effet, l'économie est un secteur parmi les multiples formes de l'activité humaine, et dans ce secteur, comme en tout autre, le droit à la liberté existe, de même que le devoir d'en faire un usage responsable. Mais il importe de noter qu'il y a des différences caractéristiques entre ces tendances de la société moderne et celles du passé même récent. Si, autrefois, le facteur décisif de la production était *la terre*, et si, plus tard, c'était *le capital*, compris comme l'ensemble des machines et des instruments de production, aujourd'hui le facteur décisif est de plus en plus *l'homme lui-même*, c'est-à-dire sa capacité de connaissance qui apparaît dans le savoir scientifique, sa capacité d'organisation solidaire et sa capacité de saisir et de satisfaire les besoins des autres.

33. On ne peut toutefois omettre de dénoncer les risques et les problèmes liés à ce type d'évolution. En effet, de nombreux hommes, et sans doute la grande majorité, ne disposent pas aujourd'hui des moyens d'entrer, de manière efficace et digne de l'homme, à l'intérieur d'un système d'entreprise dans lequel le travail occupe une place réellement centrale. Ils n'ont la possibilité ni d'acquérir les connaissances de base qui permettent d'exprimer leur créativité et de développer leurs capacités, ni d'entrer dans le réseau de connaissances et d'intercommunications qui leur permettraient de voir apprécier et utiliser leurs qualités. En somme, s'ils ne sont pas exploités, ils sont sérieusement marginalisés; et le développement économique se poursuit, pour ainsi dire, au-dessus de leur tête, quand il ne va pas jusqu'à restreindre le champ déjà étroit de leurs anciennes économies de subsistance. Incapables de résister à la concurrence de produits obtenus avec des méthodes nouvelles et répondant aux besoins qu'ils satisfaisaient antérieurement dans le cadre d'organisations traditionnelles, alléchés par la splendeur d'une opulence inaccessible pour eux, et en même temps pressés par la nécessité, ces hommes peuplent les villes du Tiers-Monde où ils sont souvent déracinés culturellement et où ils se trouvent dans des situations précaires qui leur font violence, sans possibilité d'intégration. On ne reconnaît pas en fait leur dignité ni leurs capacités humaines positives, et, parfois,

on cherche à éliminer leur présence du cours de l'histoire en leur imposant certaines formes de contrôle démographique contraires à la dignité humaine.

Beaucoup d'autres hommes, bien qu'ils ne soient pas tout à fait marginalisés, vivent dans des conditions telles que la lutte pour survivre est de prime nécessité, alors que sont encore en vigueur les pratiques du capitalisme des origines, dans une situation dont la «cruauté» n'a rien à envier à celle des moments les plus noirs de la première phase de l'industrialisation. Dans d'autres cas, c'est encore la terre qui est l'élément central du processus économique, et ceux qui la cultivent, empêchés de la posséder, sont réduits à des conditions de demi-servitude.[71] Dans ces cas, on peut parler, aujourd'hui comme au temps de *Rerum novarum*, d'une exploitation inhumaine. Malgré les changements importants survenus dans les sociétés les plus avancées, les déficiences humaines du capitalisme sont loin d'avoir disparu, et la conséquence en est que les choses matérielles l'emportent sur les hommes; et plus encore, pour les pauvres, s'est ajoutée à la pénurie de biens matériels celle du savoir et des connaissances qui les empêche de sortir de leur état d'humiliante subordination.

Malheureusement, la grande majorité des habitants du Tiers-Monde vit encore dans de telles conditions. Il serait cependant inexact de comprendre le Tiers-Monde dans un sens uniquement géographique. Dans certaines régions et dans certains secteurs sociaux de ce «Monde», des processus de développement ont été mis en œuvre, centrés moins sur la valorisation des ressources matérielles que sur celle des «ressources humaines».

Il n'y a pas très longtemps, on soutenait que le développement supposait, pour les pays les plus pauvres, qu'ils restent isolés du marché mondial et ne comptent que sur leurs propres forces. L'expérience de ces dernières années a montré que les pays qui se sont exclus des échanges généraux de l'activité économique sur le plan international ont connu la stagnation et la régression, et que le développement a bénéficié aux pays qui

---

71. Cf. Encycl. *Laborem exercens*, n° 21: *l. c.*, pp. 632-634.

ont réussi à y entrer. Il semble donc que le problème essentiel soit d'obtenir un accès équitable au marché international, fondé non sur le principe unilatéral de l'exploitation des ressources naturelles, mais sur la valorisation des ressources humaines.[72]

Mais certains aspects caractéristiques du Tiers-Monde apparaissent aussi dans les pays développés où la transformation incessante des modes de production et des types de consommation dévalorise des connaissances acquises et des compétences professionnelles confirmées, ce qui exige un effort continu de mise à jour et de recyclage. Ceux qui ne réussissent pas à suivre le rythme peuvent facilement être marginalisés, comme le sont, en même temps qu'eux, les personnes âgées, les jeunes incapables de bien s'insérer dans la vie sociale, ainsi que, d'une manière générale, les sujets les plus faibles et ce qu'on appelle le Quart-Monde. Dans ces conditions, la situation de la femme est loin d'être facile.

34. Il semble que, à l'intérieur de chaque pays comme dans les rapports internationaux, *le marché libre* soit l'instrument le plus approprié pour répartir les ressources et répondre efficacement aux besoins. Toutefois, cela ne vaut que pour les besoins «solvables», parce que l'on dispose d'un pouvoir d'achat, et pour les ressources qui sont «vendables», susceptibles d'être payées à un juste prix. Mais il y a de nombreux besoins humains qui ne peuvent être satisfaits par le marché. C'est un strict devoir de justice et de vérité de faire en sorte que les besoins humains fondamentaux ne restent pas insatisfaits et que ne périssent pas les hommes qui souffrent de ces carences. En outre, il faut que ces hommes dans le besoin soient aidés à acquérir des connaissances, à entrer dans les réseaux de relations, à développer leurs aptitudes pour mettre en valeur leurs capacités et ressources personnelles. Avant même la logique des échanges à parité et des formes de la justice qui les régissent, il y a *un certain dû à l'homme parce qu'il est homme,* en raison de son éminente dignité. Ce *dû* comporte inséparablement la possibilité de survivre et celle d'apporter une contribution active au bien commun de l'humanité.

---

72. Cf. Paul VI, Encycl. *Populorum progressio,* nos 33-42: *l. c.,* pp. 273-278.

Les objectifs énoncés par *Rerum novarum* pour éviter de ramener le travail de l'homme et l'homme lui-même au rang d'une simple marchandise gardent toute leur valeur dans le contexte du Tiers-Monde, et, dans certains cas, ils restent encore un but à atteindre: un salaire suffisant pour faire vivre la famille, des assurances sociales pour la vieillesse et le chômage, une réglementation convenable des conditions de travail.

35. Tout cela constitue *un champ d'action vaste* et fécond *pour l'engagement et les luttes,* au nom de la justice, des syndicats et des autres organisations de travailleurs qui défendent les droits de ces derniers et protègent leur dignité, alors qu'ils remplissent en même temps une fonction essentielle d'ordre culturel, en vue de les faire participer de plein droit et honorablement à la vie de la nation et de les aider à progresser sur la voie de leur développement.

Dans ce sens, on peut parler à juste titre de lutte contre un système économique entendu comme méthode pour assurer la primauté absolue du capital, de la propriété des instruments de production et de la terre sur la liberté et la dignité du travail de l'homme.[73] En luttant contre ce système, on ne peut lui opposer, comme modèle de substitution, le système socialiste, qui se trouve être en fait un capitalisme d'État, mais on peut opposer *une société du travail libre, de l'entreprise et de la participation.* Elle ne s'oppose pas au marché, mais demande qu'il soit dûment contrôlé par les forces sociales et par l'État, de manière à garantir la satisfaction des besoins fondamentaux de toute la société.

L'Église reconnaît *le rôle pertinent du profit* comme indicateur du bon fonctionnement de l'entreprise. Quand une entreprise génère du profit, cela signifie que les facteurs productifs ont été dûment utilisés et les besoins humains correspondants convenablement satisfaits. Cependant, le profit n'est pas le seul indicateur de l'état de l'entreprise. Il peut arriver que les comptes économiques soient satisfaisants et qu'en même temps les hommes qui constituent le patrimoine le plus précieux de l'entreprise soient humiliés et offensés dans leur dignité. Non

---

73. Cf. Encycl. *Laborem exercens,* n° 7: *l. c.,* pp. 592-594.

seulement cela est moralement inadmissible, mais cela ne peut pas ne pas entraîner par la suite des conséquences négatives même pour l'efficacité économique de l'entreprise. En effet, le but de l'entreprise n'est pas uniquement la production du profit, mais l'existence même de l'entreprise comme *communauté de personnes* qui, de différentes manières, recherchent la satisfaction de leurs besoins fondamentaux et qui constituent un groupe particulier au service de la société tout entière. Le profit est un régulateur dans la vie de l'établissement mais il n'en est pas le seul; il faut y ajouter la prise en compte *d'autres facteurs humains et moraux* qui, à long terme, sont au moins aussi essentiels pour la vie de l'entreprise.

On a vu que l'on ne peut accepter l'affirmation selon laquelle la défaite du «socialisme réel», comme on l'appelle, fait place au seul modèle capitaliste d'organisation économique. Il faut rompre les barrières et les monopoles qui maintiennent de nombreux peuples en marge du développement, assurer à tous les individus et à toutes les nations les conditions élémentaires qui permettent de participer au développement. Cet objectif requiert des efforts concertés et responsables de la part de toute la communauté internationale. Il convient que les pays les plus puissants sachent donner aux plus pauvres des possibilités d'insertion dans la vie internationale et que les pays les plus démunis sachent saisir ces possibilités, en consentant les efforts et les sacrifices nécessaires, en assurant la stabilité de leur organisation politique et de leur économie, la sûreté dans leurs perspectives d'avenir, l'augmentation du niveau des compétences de leurs travailleurs, la formation de dirigeants d'entreprises efficaces et conscients de leurs responsabilités.[74]

Actuellement, sur les efforts constructifs qui sont accomplis dans ce domaine pèse le problème de la dette extérieure des pays les plus pauvres, problème encore en grande partie non résolu. Le principe que les dettes doivent être payées est assurément juste; mais il n'est pas licite de demander et d'exiger un paiement quand cela reviendrait à imposer en fait des choix

---

74. Cf. *ibid.*, n° 8: *l. c.*, pp. 594-598.

politiques de nature à pousser à la faim et au désespoir des populations entières. On ne saurait prétendre au paiement des dettes contractées si c'est au prix de sacrifices insupportables. Dans ces cas, il est nécessaire — comme du reste cela est en train d'être partiellement fait — de trouver des modalités d'allégement, de report ou même d'extinction de la dette, compatibles avec le droit fondamental des peuples à leur subsistance et à leur progrès.

36. Il convient maintenant d'attirer l'attention sur les problèmes spécifiques et sur les menaces qui surgissent à l'intérieur des économies les plus avancées et qui sont liés à leurs caractéristiques particulières. Dans les étapes antérieures du développement, l'homme a toujours vécu sous l'emprise de la nécessité. Ses besoins étaient réduits, définis en quelque sorte par les seules structures objectives de sa constitution physique, et l'activité économique était conçue pour les satisfaire. Il est clair qu'aujourd'hui, le problème n'est pas seulement de lui offrir une quantité suffisante de biens, mais de répondre à une *demande de qualité:* qualité des marchandises à produire et à consommer; qualité des services dont on doit disposer; qualité du milieu et de la vie en général.

La demande d'une existence plus satisfaisante qualitativement et plus riche est en soi légitime. Mais on ne peut que mettre l'accent sur les responsabilités nouvelles et sur les dangers liés à cette étape de l'histoire. Dans la manière dont surgissent les besoins nouveaux et dont ils sont définis, intervient toujours une conception plus ou moins juste de l'homme et de son véritable bien. Dans les choix de la production et de la consommation, se manifeste une culture déterminée qui présente une conception d'ensemble de la vie. C'est là qu'apparaît *le phénomène de la consommation.* Quand on définit de nouveaux besoins et de nouvelles méthodes pour les satisfaire, il est nécessaire qu'on s'inspire d'une image intégrale de l'homme qui respecte toutes les dimensions de son être et subordonne les dimensions physiques et instinctives aux dimensions intérieures et spirituelles. Au contraire, si l'on se réfère directement à ses instincts et si l'on fait abstraction d'une façon ou de l'autre de sa réalité personnelle, consciente et libre, cela peut entraîner des *habitudes de consommation* et des *styles de vie* objectivement illégitimes, et souvent préjudiciables à sa santé physique et spirituelle. Le système économique ne comporte pas dans son propre cadre des critères qui permettent de distinguer correctement les formes nouvelles et les plus élevées de satisfaction des besoins humains et les besoins nouveaux induits qui empêchent la personnalité de parvenir à sa maturité. La nécessité et l'urgence apparaissent donc d'*un vaste travail éducatif et culturel* qui comprenne l'éducation des consommateurs à un usage responsable de leur pouvoir de choisir, la formation d'un sens aigu des responsabilités chez les producteurs, et surtout chez les professionnels des moyens de communication sociale, sans compter l'intervention nécessaire des pouvoirs publics.

La drogue constitue un cas évident de consommation artificielle, préjudiciable à la santé et à la dignité de l'homme, et, certes, difficile à contrôler. Sa diffusion est le signe d'un grave dysfonctionnement du système social qui suppose une «lecture» matérialiste et, en un sens, destructive des besoins humains. Ainsi, les capacités d'innovation de l'économie libérale finissent par être mises en œuvre de manière unilatérale et inappropriée. La drogue, et de même la pornographie et d'autres formes de consommation, exploitant la fragilité des faibles, cherchent à remplir le vide spirituel qui s'est produit.

Il n'est pas mauvais de vouloir vivre mieux, mais ce qui est mauvais, c'est le style de vie qui prétend être meilleur quand il est orienté vers l'avoir et non vers l'être, et quand on veut avoir plus, non pour être plus mais pour consommer l'existence avec une jouissance qui est à elle-même sa fin.[75] Il est donc nécessaire de s'employer à modeler un style de vie dans lequel les éléments qui déterminent les choix de consommation, d'épargne et d'investissement soient la recherche du vrai, du beau et du bon, ainsi que la communion avec les autres hommes pour une croissance commune. À ce propos, je ne puis m'en tenir à un rappel du devoir de la charité, c'est-à-dire du devoir de donner

---

75. Cf. Conc. oecum. Vat. II, Const. past. sur l'Église dans le monde de ce temps *Gaudium et spes*, n° 35; Paul VI, Encycl. *Populorum progressio*, n° 19: *l. c.*, pp. 266-267.

de son «superflu» et aussi parfois de son «nécessaire» pour subvenir à la vie du pauvre. Je pense au fait que même le choix d'investir en un lieu plutôt que dans un autre, dans un secteur de production plutôt qu'en un autre, est toujours *un choix moral et culturel*. Une fois réunies certaines conditions nécessaires dans les domaines de l'économie et de la stabilité politique, la décision d'investir, c'est-à-dire d'offrir à un peuple l'occasion de mettre en valeur son travail, est conditionnée également par une attitude de sympathie et par la confiance en la Providence qui révèlent la qualité humaine de celui qui prend la décision.

37. À côté du problème de la consommation, *la question de l'écologie*, qui lui est étroitement connexe, inspire autant d'inquiétude. L'homme, saisi par le désir d'avoir et de jouir plus que par celui d'être et de croître, consomme d'une manière excessive et désordonnée les ressources de la terre et sa vie même. À l'origine de la destruction insensée du milieu naturel, il y a une erreur anthropologique, malheureusement répandue à notre époque. L'homme, qui découvre sa capacité de transformer et en un sens de créer le monde par son travail, oublie que cela s'accomplit toujours à partir du premier don originel des choses fait par Dieu. Il croit pouvoir disposer arbitrairement de la terre, en la soumettant sans mesure à sa volonté, comme si elle n'avait pas une forme et une destination antérieures que Dieu lui a données, que l'homme peut développer mais qu'il ne doit pas trahir. Au lieu de remplir son rôle de collaborateur de Dieu dans l'œuvre de la création, l'homme se substitue à Dieu et, ainsi, finit par provoquer la révolte de la nature, plus tyrannisée que gouvernée par lui.[76]

En cela, on remarque avant tout la pauvreté ou la mesquinerie du regard de l'homme, plus animé par le désir de posséder les choses que de les considérer par rapport à la vérité, et qui ne prend pas l'attitude désintéressée, faite de gratuité et de sens esthétique, suscitée par l'émerveillement pour l'être et pour la splendeur qui permet de percevoir dans les choses visibles le message de Dieu invisible qui les a créées. Dans ce domaine,

---

76. Cf. Encycl. *Sollicitudo rei socialis*, n° 34: *l. c.*, 559-560; Message pour la Journée mondiale de la Paix 1990: *AAS* 82 (1990), pp. 147-156.

l'humanité d'aujourd'hui doit avoir conscience de ses devoirs et de ses responsabilités envers les générations à venir.

38. En dehors de la destruction irrationnelle du milieu naturel, il faut rappeler ici la destruction encore plus grave du *milieu humain*, à laquelle on est cependant loin d'accorder l'attention voulue. Alors que l'on se préoccupe à juste titre, même si on est bien loin de ce qui serait nécessaire, de sauvegarder les habitats naturels des différentes espèces animales menacées d'extinction, parce qu'on se rend compte que chacune d'elles apporte sa contribution particulière à l'équilibre général de la terre, on s'engage trop peu dans *la sauvegarde des conditions morales d'une «écologie humaine» authentique.* Non seulement la terre a été donnée par Dieu à l'homme qui doit en faire usage dans le respect de l'intention primitive, bonne, dans laquelle elle a été donnée, mais l'homme, lui aussi, est donné par Dieu à lui-même et il doit donc respecter la structure naturelle et morale dont il a été doté. Dans ce contexte, il faut mentionner les problèmes graves posés par l'urbanisation moderne, la nécessité d'un urbanisme soucieux de la vie des personnes, de même que l'attention qu'il convient de porter à une «écologie sociale» du travail.

L'homme reçoit de Dieu sa dignité essentielle et, avec elle, la capacité de transcender toute organisation de la société dans le sens de la vérité et du bien. Toutefois, il est aussi conditionné par la structure sociale dans laquelle il vit, par l'éducation reçue et par son milieu. Ces éléments peuvent faciliter ou entraver sa vie selon la vérité. Les décisions grâce auxquelles se constitue un milieu humain peuvent créer des structures de péché spécifiques qui entravent le plein épanouissement de ceux qu'elles oppriment de différentes manières. Démanteler de telles structures et les remplacer par des formes plus authentiques de convivialité constitue une tâche qui requiert courage et patience.[77]

39. La première structure fondamentale pour une «écologie humaine» est *la famille,* au sein de laquelle l'homme reçoit

---

77. Cf. Exhort. ap. *Reconciliatio et pœnitentia* (2 décembre 1984), n° 16: *AAS* 77 (1985), pp. 213-217; Pie XI, Encycl. *Quadragesimo anno,* III: *l. c.,* p. 219.

des premières notions déterminantes concernant la vérité et le
bien, dans laquelle il apprend ce que signifie aimer et être aimé
et, par conséquent, ce que veut dire concrètement être une
personne. On pense ici à *la famille fondée sur le mariage*, où le don
de soi réciproque de l'homme et de la femme crée un milieu de
vie dans lequel l'enfant peut naître et épanouir ses capacités,
devenir conscient de sa dignité et se préparer à affronter son
destin unique et irremplaçable. Il arrive souvent, au contraire,
que l'homme se décourage de réaliser les conditions authentiques de la reproduction humaine, et il est amené à se considérer
lui-même et à considérer sa propre vie comme un ensemble de
sensations à expérimenter et non comme une œuvre à accomplir. Il en résulte un manque de liberté qui fait renoncer au
devoir de se lier dans la stabilité avec une autre personne et
d'engendrer des enfants, ou bien qui amène à considérer ceux-ci
comme une de ces nombreuses «choses» que l'on peut avoir ou
ne pas avoir, au gré de ses goûts, et qui entrent en concurrence
avec d'autres possibilités.

Il faut en revenir à considérer la famille comme *le sanctuaire
de la vie*. En effet, elle est sacrée, elle est le lieu où la vie, don de
Dieu, peut être convenablement accueillie et protégée contre les
nombreuses attaques auxquelles elle est exposée, le lieu où elle
peut se développer suivant les exigences d'une croissance humaine authentique. Contre ce qu'on appelle la culture de la
mort, la famille constitue le lieu de la culture de la vie.

Dans ce domaine, le génie de l'homme semble s'employer
plus à limiter, à supprimer ou à annuler les sources de la vie, en
recourant même à l'avortement, malheureusement très diffusé
dans le monde, qu'à défendre et à élargir les possibilités de la
vie elle-même. Dans l'encyclique *Sollicitudo rei socialis*, ont été
dénoncées les campagnes systématiques contre la natalité qui,
fondées sur une conception faussée du problème démographique dans un climat de «manque absolu de respect pour la liberté
de décision des personnes intéressées», les soumettent fréquemment «à d'intolérables pressions [...] pour les plier à cette
forme nouvelle d'oppression».[78] Il s'agit de politiques qui éten-

---

78. Encycl. *Sollicitudo rei socialis*, n° 25: *l. c.*, p. 544.

dent leur champ d'action avec des techniques nouvelles jusqu'à parvenir, comme dans une «guerre chimique», à empoisonner la vie de millions d'êtres humains sans défense.

Ces critiques s'adressent moins à un système économique qu'à un système éthique et culturel. En effet, l'économie n'est qu'un aspect et une dimension dans la complexité de l'activité humaine. Si elle devient un absolu, si la production et la consommation des marchandises finissent par occuper le centre de la vie sociale et deviennent la seule valeur de la société, soumise à aucune autre, il faut en chercher la cause non seulement et non tant dans le système économique lui-même, mais dans le fait que le système socio-culturel, ignorant la dimension éthique et religieuse, s'est affaibli et se réduit alors à la production des biens et des services.[79]

On peut résumer tout cela en réaffirmant, une fois encore, que la liberté économique n'est qu'un élément de la liberté humaine. Quand elle se rend autonome, quand l'homme est considéré plus comme un producteur ou un consommateur de biens que comme un sujet qui produit et consomme pour vivre, alors elle perd sa juste relation avec la personne humaine et finit par l'aliéner et par l'opprimer.[80]

40. L'État a le devoir d'assurer la défense et la protection des biens collectifs que sont le milieu naturel et le milieu humain dont la sauvegarde ne peut être obtenue par les seuls mécanismes du marché. Comme, aux temps de l'ancien capitalisme, l'État avait le devoir de défendre les droits fondamentaux du travail, de même, avec le nouveau capitalisme, il doit, ainsi que la société, *défendre les biens collectifs* qui, entre autres, constituent le cadre à l'intérieur duquel il est possible à chacun d'atteindre légitimement ses fins personnelles.

On retrouve ici une nouvelle limite du marché: il y a des besoins collectifs et qualitatifs qui ne peuvent être satisfaits par ses mécanismes; il y a des nécessités humaines importantes qui

---

79. Cf. *ibid*, n° 34: *l. c.*, pp. 559-560.

80. Cf. Encycl. *Redemptor hominis* (4 mars 1979), n° 15: *AAS* 71 (1979), pp. 286-289.

échappent à sa logique; il y a des biens qui, en raison de leur nature, ne peuvent ni ne doivent être vendus ou achetés. Certes, les mécanismes du marché présentent des avantages solides: entre autres, ils aident à mieux utiliser les ressources; ils favorisent les échanges de produits; et, surtout, ils placent au centre la volonté et les préférences de la personne, qui, dans un contrat, rencontrent celles d'une autre personne. Toutefois, ils comportent le risque d'une «idolâtrie» du marché qui ignore l'existence des biens qui, par leur nature, ne sont et ne peuvent être de simples marchandises.

41. Le marxisme a critiqué les sociétés capitalistes bourgeoises, leur reprochant d'aliéner l'existence humaine et d'en faire une marchandise. Ce reproche se fonde assurément sur une conception erronée et inappropriée de l'aliénation, qui la fait dépendre uniquement de la sphère des rapports de production et de propriété, c'est-à-dire qu'il lui attribue un fondement matérialiste et, de plus, nie la légitimité et le caractère positif des relations du marché même dans leur propre domaine. On en vient ainsi à affirmer que l'aliénation ne peut être éliminée que dans une société de type collectiviste. Or, l'expérience historique des pays socialistes a tristement fait la preuve que le collectivisme non seulement ne supprime pas l'aliénation, mais l'augmente plutôt, car il y ajoute la pénurie des biens nécessaires et l'inefficacité économique.

L'expérience historique de l'Occident, de son côté, montre que, même si l'analyse marxiste de l'aliénation et ses fondements sont faux, l'aliénation avec la perte du sens authentique de l'existence est également une réalité dans les sociétés occidentales. On le constate au niveau de la consommation lorsqu'elle engage l'homme dans un réseau de satisfactions superficielles et fausses, au lieu de l'aider à faire l'expérience authentique et concrète de sa personnalité. Elle se retrouve aussi dans le travail, lorsqu'il est organisé de manière à ne valoriser que ses productions et ses revenus sans se soucier de savoir si le travailleur, par son travail, s'épanouit plus ou moins en son humanité, selon qu'augmente l'intensité de sa participation à une véritable communauté solidaire, ou bien que s'aggrave son isolement au sein d'un ensemble de relations caractérisé par une compétitivité exaspérée et des exclusions réciproques, où il n'est considéré que comme un moyen, et non comme une fin.

Il est nécessaire de rapprocher le concept d'aliénation de la vision chrétienne des choses, pour y déceler l'inversion entre les moyens et les fins: quand il ne reconnaît pas la valeur et la grandeur de la personne en lui-même et dans l'autre, l'homme se prive de la possibilité de jouir convenablement de son humanité et d'entrer dans les relations de solidarité et de communion avec les autres hommes pour lesquelles Dieu l'a créé. En effet, c'est par le libre don de soi que l'homme devient authentiquement lui-même,[81] et ce don est rendu possible parce que la personne humaine est essentiellement «capable de transcendance». L'homme ne peut se donner à un projet seulement humain sur la réalité, à un idéal abstrait ou à de fausses utopies. En tant que personne, il peut se donner à une autre personne ou à d'autres personnes et, finalement, à Dieu qui est l'auteur de son être et qui, seul, peut accueillir pleinement ce don.[82] L'homme est aliéné quand il refuse de se transcender et de vivre l'expérience du don de soi et de la formation d'une communauté humaine authentique orientée vers sa fin dernière qu'est Dieu. Une société est aliénée quand, dans les formes de son organisation sociale, de la production et de la consommation, elle rend plus difficile la réalisation de ce don et la constitution de cette solidarité entre hommes.

Dans la société occidentale, l'exploitation a été surmontée, du moins sous la forme analysée et décrite par Karl Marx. Cependant, l'aliénation n'a pas été surmontée dans les diverses formes d'exploitation lorsque les hommes tirent profit les uns des autres et que, avec la satisfaction toujours plus raffinée de leurs besoins particuliers et secondaires, ils se rendent sourds à leurs besoins essentiels et authentiques qui doivent régir aussi les modalités de la satisfaction des autres besoins.[83] L'homme

---

81. Cf. CONC. OECUM. VAT. II, Const. past. sur l'Église dans le monde de ce temps *Gaudium et spes*, n° 24.

82. Cf. *ibid.*, n° 41.

83. Cf. *ibid.*, n° 26.

ne peut pas être libre s'il se préoccupe seulement ou surtout de l'avoir et de la jouissance, au point de n'être plus capable de dominer ses instincts et ses passions, ni de les unifier ou de les maîtriser par l'obéissance à la vérité. *L'obéissance à la vérité de Dieu et de l'homme* est pour lui la condition première de la liberté et lui permet d'ordonner ses besoins, ses désirs et les manières de les satisfaire suivant une juste hiérarchie, de telle sorte que la possession des choses soit pour lui un moyen de grandir. Cette croissance peut être entravée du fait de la manipulation par les médias qui imposent, au moyen d'une insistance bien orchestrée, des modes et des mouvements d'opinion, sans qu'il soit possible de soumettre à une critique attentive les prémisses sur lesquelles ils sont fondés.

42. En revenant maintenant à la question initiale, peut-on dire que, après l'échec du communisme, le capitalisme est le système social qui l'emporte et que c'est vers lui que s'orientent les efforts des pays qui cherchent à reconstruire leur économie et leur société? Est-ce ce modèle qu'il faut proposer aux pays du Tiers-Monde qui cherchent la voie du vrai progrès de leur économie et de leur société civile?

La réponse est évidemment complexe. Si sous le nom de «capitalisme» on désigne un système économique qui reconnaît le rôle fondamental et positif de l'entreprise, du marché, de la propriété privée et de la responsabilité qu'elle implique dans les moyens de production, de la libre créativité humaine dans le secteur économique, la réponse est sûrement positive, même s'il serait peut-être plus approprié de parler d'«économie d'entreprise», ou d'«économie de marché», ou simplement d'«économie libre». Mais si par «capitalisme» on entend un système où la liberté dans le domaine économique n'est pas encadrée par un contexte juridique ferme qui la met au service de la liberté humaine intégrale et la considère comme une dimension particulière de cette dernière, dont l'axe est d'ordre éthique et religieux, alors la réponse est nettement négative.

La solution marxiste a échoué, mais des phénomènes de marginalisation et d'exploitation demeurent dans le monde, spécialement dans le Tiers-Monde, de même que des phénomènes d'aliénation humaine, spécialement dans les pays les plus avancés, contre lesquels la voix de l'Église s'élève avec fermeté. Des foules importantes vivent encore dans des conditions de profonde misère matérielle et morale. Certes, la chute du système communiste élimine dans de nombreux pays un obstacle pour le traitement approprié et réaliste de ces problèmes, mais cela ne suffit pas à les résoudre. Il y a même un risque de voir se répandre une idéologie radicale de type capitaliste qui refuse jusqu'à leur prise en considération, admettant *a priori* que toute tentative d'y faire face directement est vouée à l'insuccès, et qui, par principe, en attend la solution du libre développement des forces du marché.

43. L'Église n'a pas de modèle à proposer. Les modèles véritables et réellement efficaces ne peuvent être conçus que dans le cadre des différentes situations historiques, par l'effort de tous les responsables qui font face aux problèmes concrets sous tous leurs aspects sociaux, économiques, politiques et culturels imbriqués les uns avec les autres.[84] Face à ces responsabilités, l'Église présente, comme *orientation intellectuelle indispensable*, sa doctrine sociale qui — ainsi qu'il a été dit — reconnaît le caractère positif du marché et de l'entreprise, mais qui souligne en même temps la nécessité de leur orientation vers le bien commun. Cette doctrine reconnaît aussi la légitimité des efforts des travailleurs pour obtenir le plein respect de leur dignité et une participation plus large à la vie de l'entreprise, de manière que, tout en travaillant avec d'autres et sous la direction d'autres personnes, ils puissent en un sens travailler «à leur compte»,[85] en exerçant leur intelligence et leur liberté.

Le développement intégral de la personne humaine dans le travail ne contredit pas, mais favorise plutôt, une meilleure productivité et une meilleure efficacité du travail lui-même, même si cela peut affaiblir les centres du pouvoir établi. L'entreprise ne peut être considérée seulement comme une «société de capital»; elle est en même temps une «société de personnes» dans laquelle entrent de différentes manières et avec des res-

---

84. Cf. *ibid.*, n° 36; PAUL VI, Lettre ap. *Octogesima adveniens*, n°s 2-5; *l. c.*, pp. 402-405.

85. Cf. Encycl. *Laborem exercens*, n° 15: *l. c.*, pp. 616-618.

ponsabilités spécifiques ceux qui fournissent le capital nécessaire à son activité et ceux qui y collaborent par leur travail.
Pour atteindre ces objectifs, un *vaste mouvement associatif des
travailleurs* est encore nécessaire, dont le but est la libération et
la promotion intégrale de la personne.

On a relu, à la lumière des «choses nouvelles» d'aujour-
d'hui, *le rapport entre la propriété individuelle, ou privée, et la
destination universelle des biens.* L'homme s'épanouit par son
intelligence et sa liberté, et, ce faisant, il prend comme objet et
comme instrument les éléments du monde et il se les approprie.
Le fondement du droit d'initiative et de propriété individuelle
réside dans cette nature de son action. Par son travail, l'homme
se dépense non seulement pour lui-même, mais aussi *pour les
autres* et *avec les autres:* chacun collabore au travail et au bien
d'autrui. L'homme travaille pour subvenir aux besoins de sa
famille, de la communauté à laquelle il appartient, de la nation
et, en définitive, de l'humanité entière.[86] En outre, il collabore
au travail des autres personnes qui exercent leur activité dans
la même entreprise, de même qu'au travail des fournisseurs et
à la consommation des clients, dans une chaîne de solidarité qui
s'étend progressivement. La propriété des moyens de production, tant dans le domaine industriel qu'agricole, est juste et
légitime, si elle permet un travail utile; au contraire, elle devient
illégitime quand elle n'est pas valorisée ou quand elle sert à
empêcher le travail des autres pour obtenir un gain qui ne
provient pas du développement d'ensemble du travail et de la
richesse sociale, mais plutôt de leur limitation, de l'exploitation
illicite, de la spéculation et de la rupture de la solidarité dans le
monde du travail.[87] Ce type de propriété n'a aucune justification et constitue un abus devant Dieu et devant les hommes.

L'obligation de gagner son pain à la sueur de son front
suppose en même temps un droit. Une société dans laquelle ce
droit serait systématiquement nié, dans laquelle les mesures de
politique économique ne permettraient pas aux travailleurs

---

86. Cf. *ibid.*, n° 10: *l. c.*, pp. 600-602.
87. Cf. *ibid.*, n° 14: *l. c.*, pp. 612-616.

d'atteindre un niveau satisfaisant d'emploi, ne peut ni obtenir sa légitimation éthique ni assurer la paix sociale.[88] De même que la personne se réalise pleinement dans le libre don de soi, de même la propriété se justifie moralement dans la création, suivant les modalités et les rythmes appropriés, de possibilités d'emploi et de développement humain pour tous.

---

88. Cf. *ibid.*, n° 18: *l. c.*, pp. 622-625.

V

L'ÉTAT ET LA CULTURE

44. Léon XIII n'ignorait pas qu'il faut une saine *théorie de l'État* pour assurer le développement normal des activités humaines, des activités spirituelles et matérielles, indispensables les unes et les autres.[89] À ce sujet, dans un passage de *Rerum novarum*, il expose l'organisation de la société en trois pouvoirs — législatif, exécutif et judiciaire —, et cela représentait alors une nouveauté dans l'enseignement de l'Église.[90] Cette structure reflète une conception réaliste de la nature sociale de l'homme qui requiert une législation adaptée pour protéger la liberté de tous. Dans cette perspective, il est préférable que tout pouvoir soit équilibré par d'autres pouvoirs et par d'autres compétences qui le maintiennent dans de justes limites. C'est là le principe de l'«État de droit», dans lequel la souveraineté appartient à la loi et non pas aux volontés arbitraires des hommes.

À l'époque moderne, contre cette conception s'est dressé le totalitarisme qui, dans sa forme marxiste-léniniste, considère que quelques hommes, en vertu d'une connaissance plus approfondie des lois du développement de la société, ou à cause de leur appartenance particulière de classe et de leur proximité des sources les plus vives de la conscience collective, sont exempts d'erreur et peuvent donc s'arroger l'exercice d'un pouvoir absolu. Il faut ajouter que le totalitarisme naît de la négation de la vérité au sens objectif du terme: s'il n'existe pas de vérité transcendante, par l'obéissance à laquelle l'homme acquiert sa

---

89. Cf. Encycl. *Rerum novarum*, n°s 32-33: *l. c.*, pp. 126-128.
90. Cf. *ibid.*, n° 27: *l. c.*, pp. 121-122.

pleine identité, dans ces conditions, il n'existe aucun principe
sûr pour garantir des rapports justes entre les hommes. Leurs
intérêts de classe, de groupe ou de nation les opposent inévitablement les uns aux autres. Si la vérité transcendante n'est pas
reconnue, la force du pouvoir triomphe, et chacun tend à utiliser jusqu'au bout les moyens dont il dispose pour faire prévaloir ses intérêts ou ses opinions, sans considération pour les
droits des autres. Alors l'homme n'est respecté que dans la
mesure où il est possible de l'utiliser aux fins d'une prépondérance égoïste. Il faut donc situer la racine du totalitarisme
moderne dans la négation de la dignité transcendante de la
personne humaine, image visible du Dieu invisible et, précisément pour cela, de par sa nature même, sujet de droits que
personne ne peut violer, ni l'individu, ni le groupe, ni la classe,
ni la nation, ni l'État. La majorité d'un corps social ne peut pas
non plus le faire, en se dressant contre la minorité pour la
marginaliser, l'opprimer, l'exploiter, ou pour tenter de l'anéantir.[91]

45. La culture et la pratique du totalitarisme comportent
aussi la négation de l'Église. L'État, ou le parti, qui considère
qu'il peut réaliser dans l'histoire le bien absolu et qui se met
lui-même au-dessus de toutes les valeurs, ne peut tolérer que
l'on défende un *critère objectif du bien et du mal* qui soit différent
de la volonté des gouvernants et qui, dans certaines circonstances, puisse servir à porter un jugement sur leur comportement.
Cela explique pourquoi le totalitarisme cherche à détruire l'É-
glise ou du moins à l'assujettir, en en faisant un instrument de
son propre système idéologique.[92]

L'État totalitaire, d'autre part, tend à absorber la nation, la
société, la famille, les communautés religieuses et les personnes
elles-mêmes. En défendant sa liberté, l'Église défend la personne, qui doit obéir à Dieu plutôt qu'aux hommes (cf. *Ac* 5, 29),
la famille, les différentes organisations sociales et les nations,

91. Cf. Léon XIII, Encycl. *Libertas præstantissimum*: n° 10: *l. c.*, pp. 224-226.

92. Cf. Conc. oecum. Vat. II, Const. past. sur l'Église dans le monde de ce temps *Gaudium et spes*, n° 76.

réalités qui jouissent toutes d'un domaine propre d'autonomie et de souveraineté.

46. L'Église apprécie le système démocratique, comme système qui assure la participation des citoyens aux choix politiques et garantit aux gouvernés la possibilité de choisir et de contrôler leurs gouvernants, ou de les remplacer de manière pacifique lorsque cela s'avère opportun.[93] Cependant, l'Église ne peut approuver la constitution de groupes dirigeants restreints qui usurpent le pouvoir de l'État au profit de leurs intérêts particuliers ou à des fins idéologiques.

Une démocratie authentique n'est possible que dans un État de droit et sur la base d'une conception correcte de la personne humaine. Elle requiert la réalisation des conditions nécessaires pour la promotion des personnes, par l'éducation et la formation à un vrai idéal, et aussi l'épanouissement de la «personnalité» de la société, par la création de structures de participation et de coresponsabilité. On tend à affirmer aujourd'hui que l'agnosticisme et le relativisme sceptique représentent la philosophie et l'attitude fondamentale accordées aux formes démocratiques de la vie politique, et que ceux qui sont convaincus de connaître la vérité et qui lui donnent une ferme adhésion ne sont pas dignes de confiance du point de vue démocratique, parce qu'ils n'acceptent pas que la vérité soit déterminée par la majorité, ou bien qu'elle diffère selon les divers équilibres politiques. À ce propos, il faut observer que, s'il n'existe aucune vérité dernière qui guide et oriente l'action politique, les idées et les convictions peuvent être facilement exploitées au profit du pouvoir. Une démocratie sans valeurs se transforme facilement en un totalitarisme déclaré ou sournois, comme le montre l'histoire.

Et l'Église n'ignore pas le danger du fanatisme, ou du fondamentalisme, de ceux qui, au nom d'une idéologie qui se prétend scientifique ou religieuse, estiment pouvoir imposer aux autres hommes leur conception de la vérité et du bien. *La vérité chrétienne* n'est pas de cette nature. N'étant pas une idéo-

---

93. Cf. *ibid.*, n° 29; Pie XII, Radiomessage de Noël, 24 décembre 1944: *AAS* 37 (1945), pp. 10-20.

logie, la foi chrétienne ne cherche nullement à enfermer dans le cadre d'un modèle rigide la changeante réalité sociale et politique et elle admet que la vie de l'homme se réalise dans l'histoire de manières diverses et imparfaites. Cependant l'Église, en réaffirmant constamment la dignité transcendante de la personne, adopte comme règle d'action le respect de la liberté.[94]

Mais la liberté n'est pleinement mise en valeur que par l'accueil de la vérité: en un monde sans vérité, la liberté perd sa consistance et l'homme est soumis à la violence des passions et à des conditionnements apparents ou occultes. Le chrétien vit la liberté (cf. *Jn* 8, 31-32) et il se met au service de la liberté, il propose constamment, en fonction de la nature missionnaire de sa vocation, la vérité qu'il a découverte. Dans le dialogue avec les autres, attentif à tout élément de la vérité qu'il découvre dans l'expérience de la vie et de la culture des personnes et des nations, il ne renoncera pas à affirmer tout ce que sa foi et un sain exercice de la raison lui ont fait connaître.[95]

47. Après la chute du totalitarisme communiste et de nombreux autres régimes totalitaires et de «sécurité nationale», on assiste actuellement, non sans conflits, au succès de l'idéal démocratique dans le monde, allant de pair avec une grande attention et une vive sollicitude pour les droits de l'homme. Mais précisément pour aller dans ce sens, il est nécessaire que les peuples qui sont en train de réformer leurs institutions donnent à la démocratie un fondement authentique et solide grâce à la reconnaissance explicite de ces droits.[96] Parmi les principaux, il faut rappeler le droit à la vie dont fait partie intégrante le droit de grandir dans le sein de sa mère après la conception; puis le droit de vivre dans une famille unie et dans un climat moral favorable au développement de sa personnalité; le droit d'épanouir son intelligence et sa liberté par la recherche et la connaissance de la vérité; le droit de participer au

---

94. Cf. Conc. oecum. Vat. II, Déclaration sur la liberté religieuse *Dignitatis humanæ.*

95. Cf. Encycl. *Redemptoris missio,* n° 11: *L'Osservatore Romano,* 23 janvier 1991.

96. Cf. Encycl. *Redemptor hominis,* n° 17: *l. c.,* pp. 270-272.

travail de mise en valeur des biens de la terre et d'en tirer sa
subsistance et celle de ses proches; le droit de fonder librement
une famille, d'accueillir et d'élever des enfants, en exerçant de
manière responsable sa sexualité. En un sens, la source et la
synthèse de ces droits, c'est la liberté religieuse, entendue
comme le droit de vivre dans la vérité de sa foi et conformément
à la dignité transcendante de sa personne.[97]

Même dans les pays qui connaissent des formes de gouvernement démocratique, ces droits ne sont pas toujours entièrement respectés. Et l'on ne pense pas seulement au scandale de
l'avortement, mais aussi aux divers aspects d'une crise des
systèmes démocratiques qui semblent avoir parfois altéré la
capacité de prendre des décisions en fonction du bien commun.
Les requêtes qui viennent de la société ne sont pas toujours
examinées selon les critères de la justice et de la moralité, mais
plutôt d'après l'influence électorale ou le poids financier des
groupes qui les soutiennent. De telles déviations des mœurs
politiques finissent par provoquer la défiance et l'apathie, et par
entraîner une baisse de la participation politique et de l'esprit
civique de la population, qui se sent atteinte et déçue. Il en
résulte une incapacité croissante à situer les intérêts privés dans
le cadre d'une conception cohérente du bien commun. Celui-ci,
en effet, n'est pas seulement la somme des intérêts particuliers,
mais il suppose qu'on les évalue et qu'on les harmonise en
fonction d'une hiérarchie des valeurs équilibrée et, en dernière
analyse, d'une conception correcte de la dignité et des droits de
la personne.[98]

L'Église respecte *l'autonomie légitime de l'ordre démocratique*
et elle n'a pas qualité pour exprimer une préférence de l'une ou
l'autre solution institutionnelle ou constitutionnelle. La contribution qu'elle offre à ce titre est justement celle de sa conception

---

97. Cf. Message pour la Journée mondiale de la Paix 1988: *l. c.*, pp. 1572-1580;
    Message pour la Journée mondiale de la Paix 1991: *L'Osservatore Romano*,
    19 décembre 1990; Conc. oecum. Vat. II, Déclaration sur la liberté reli-
    gieuse *Dignitatis humanæ*, n°s 1-2.
98. Cf. Conc. oecum. Vat. II, Const. past. sur l'Église dans le monde de ce
    temps *Gaudium et spes*, n° 26.

de la dignité de la personne qui apparaît en toute plénitude dans le mystère du Verbe incarné[99].

48. Ces considérations d'ordre général rejaillissent également sur le *rôle de l'État dans le secteur économique*. L'activité économique, en particulier celle de l'économie de marché, ne peut se dérouler dans un vide institutionnel, juridique et politique. Elle suppose, au contraire, que soient assurées les garanties des libertés individuelles et de la propriété, sans compter une monnaie stable et des services publics efficaces. Le devoir essentiel de l'État est cependant d'assurer ces garanties, afin que ceux qui travaillent et qui produisent puissent jouir du fruit de leur travail et donc se sentir stimulés à l'accomplir avec efficacité et honnêteté. L'un des principaux obstacles au développement et au bon ordre économiques est le défaut de sécurité, accompagné de la corruption des pouvoirs publics et de la multiplication de manières impropres de s'enrichir et de réaliser des profits faciles en recourant à des activités illégales ou purement spéculatives.

L'État a par ailleurs le devoir de surveiller et de conduire l'application des droits humains dans le secteur économique; dans ce domaine, toutefois, la première responsabilité ne revient pas à l'État mais aux individus et aux différents groupes ou associations qui composent la société. L'État ne pourrait pas assurer directement l'exercice du droit au travail de tous les citoyens sans contrôler toute la vie économique et entraver la liberté des initiatives individuelles. Cependant, cela ne veut pas dire qu'il n'ait aucune compétence dans ce secteur, comme l'ont affirmé ceux qui prônent l'absence totale de règles dans le domaine économique. Au contraire, l'État a le devoir de soutenir l'activité des entreprises en créant les conditions qui permettent d'offrir des emplois, en la stimulant dans les cas où elle reste insuffisante ou en la soutenant dans les périodes de crise.

L'État a aussi le droit d'intervenir lorsque des situations particulières de monopole pourraient freiner ou empêcher le développement. Mais, à part ces rôles d'harmonisation et

---

99. Cf. *ibid.*, n° 22.

d'orientation du développement, il peut remplir des *fonctions de suppléance* dans des situations exceptionnelles, lorsque des groupes sociaux ou des ensembles d'entreprises trop faibles ou en cours de constitution ne sont pas à la hauteur de leur tâches. Ces interventions de suppléance, que justifie l'urgence d'agir pour le bien commun, doivent être limitées dans le temps, autant que possible, pour ne pas enlever de manière stable à ces groupes ou à ces entreprises les compétences qui leur appartiennent et pour ne pas étendre à l'excès le cadre de l'action de l'État, en portant atteinte à la liberté économique ou civile.

On a assisté, récemment, à un important élargissement du cadre de ces interventions, ce qui a amené à constituer, en quelque sorte, un État de type nouveau, «État du bien-être». Ces développements ont eu lieu dans certains États pour mieux répondre à beaucoup de besoins, en remédiant à des formes de pauvreté et de privation indignes de la personne humaine. Cependant, au cours de ces dernières années en particulier, des excès ou des abus assez nombreux ont provoqué des critiques sévères de l'État du bien-être, que l'on a appelé l'«État de l'assistance». Les dysfonctionnements et les défauts des soutiens publics proviennent d'une conception inappropriée des devoirs spécifiques de l'État. Dans ce cadre, il convient de respecter également *le principe de subsidiarité:* une société d'ordre supérieur ne doit pas intervenir dans la vie interne d'une société d'un ordre inférieur, en lui enlevant ses compétences, mais elle doit plutôt la soutenir en cas de nécessité et l'aider à coordonner son action avec celle des autres éléments qui composent la société, en vue du bien commun.[100]

En intervenant directement et en privant la société de ses responsabilités, l'État de l'assistance provoque la déperdition des forces humaines, l'hypertrophie des appareils publics, animés par une logique bureaucratique plus que par la préoccupation d'être au service des usagers, avec une croissance énorme des dépenses. En effet, il semble que les besoins soient mieux connus par ceux qui en sont plus proches ou qui savent s'en

---

100. Cf. Pie XI, Encycl. *Quadragesimo anno*, I: *l. c.*, pp. 184-186.

rapprocher, et que ceux-ci soient plus à même d'y répondre. On ajoutera que souvent certains types de besoins appellent une réponse qui ne soit pas seulement d'ordre matériel mais qui sache percevoir la requête humaine plus profonde. Que l'on pense aussi aux conditions que connaissent les réfugiés, les immigrés, les personnes âgées ou malades, et aux diverses conditions qui requièrent une assistance, comme dans le cas des toxicomanes, toutes personnes qui ne peuvent être efficacement aidées que par ceux qui leur apportent non seulement les soins nécessaires, mais aussi un soutien sincèrement fraternel.

49. Dans ce domaine, l'Église, fidèle au commandement du Christ, son Fondateur, a toujours été présente par ses œuvres conçues pour offrir à l'homme dans le besoin un soutien matériel qui ne l'humilie pas et qui ne le réduise pas à l'état de sujet assisté, mais qui l'aide à sortir de ses conditions précaires en l'affermissant dans sa dignité de personne. Dans une fervente action de grâce, il faut souligner que la charité active ne s'est jamais éteinte dans l'Église, et même qu'elle connaît aujourd'hui une progression réconfortante sous de multiples formes. À cet égard, une mention particulière est due au *phénomène du volontariat* que l'Église encourage et promeut en demandant à tous leur collaboration pour le soutenir et l'encourager dans ses initiatives.

Pour dépasser la mentalité individualiste répandue aujourd'hui, il faut *un engagement concret de solidarité et de charité* qui commence à l'intérieur de la famille par le soutien mutuel des époux, puis s'exerce par la prise en charge des générations les unes par les autres. C'est ainsi que la famille se définit comme une communauté de travail et de solidarité. Cependant, il arrive que, lorsque la famille décide de répondre pleinement à sa vocation, elle se trouve privée de l'appui nécessaire de la part de l'État, et elle ne dispose pas de ressources suffisantes. Il est urgent de promouvoir non seulement des politiques de la famille, mais aussi des politiques sociales qui aient comme principal objectif la famille elle-même, en l'aidant, par l'affectation de ressources convenables et de moyens efficaces de soutien, tant dans l'éducation des enfants que dans la prise en charge des anciens, afin d'éviter à ces derniers l'éloignement de

leur noyau familial et de renforcer les liens entre les générations.[101]

À part la famille, d'autres groupes sociaux intermédiaires
remplissent des rôles primaires et mettent en œuvre des réseaux
de solidarité spécifiques. Ces groupes acquièrent la maturité de
vraies communautés de personnes et innervent le tissu social,
en l'empêchant de tomber dans l'impersonnalité et l'anonymat
de la masse, malheureusement trop fréquents dans la société
moderne. C'est dans l'entrecroisement des relations multiples
que vit la personne et que progresse la «personnalité» de la
société. L'individu est souvent écrasé aujourd'hui entre les deux
pôles de l'État et du marché. En effet, il semble parfois n'exister
que comme producteur et comme consommateur de marchandises, ou comme administré de l'État, alors qu'on oublie que la
convivialité n'a pour fin ni l'État ni le marché, car elle possède
en elle-même une valeur unique que l'État et le marché doivent
servir. L'homme est avant tout un être qui cherche la vérité et
qui s'efforce de vivre selon cette vérité, de l'approfondir dans
un dialogue constant qui implique les générations passées et à
venir.[102]

50. *La culture de la nation* est caractérisée par la recherche
ouverte de la vérité qui se renouvelle à chaque génération. En
effet, le patrimoine des valeurs transmises et acquises est toujours soumis à la contestation par les jeunes. Contester, il est
vrai, ne signifie par nécessairement détruire ou refuser *a priori*,
mais cela veut dire surtout mettre à l'épreuve dans sa propre
vie et, par une telle vérification existentielle, rendre ces valeurs
plus vivantes, plus actuelles et plus personnelles, en distin-
guant dans la tradition ce qui est valable de ce qui est faux ou
erroné, ou des formes vieillies qui peuvent être remplacées par
d'autres plus appropriées à l'époque présente.

À ce propos, il convient de rappeler que *l'évangélisation
s'insère dans la culture des nations*, en affermissant sa recherche

---

101. Cf. Exhort. apost. *Familiaris consortio* (22 novembre 1981), n° 45: *AAS* 74
(1982), pp. 136-137.

102. Cf. Discours à l'UNESCO (2 juin 1980): *AAS* 72 (1980), pp. 735-752.

de la vérité et en l'aidant à accomplir son travail de purification et d'approfondissement.[103] Cependant, quand une culture se ferme sur elle-même et cherche à perpétuer des manières de vivre vieillies, en refusant tout échange et toute confrontation au sujet de la vérité de l'homme, elle devient stérile et va vers la décadence.

51. Toute l'activité humaine se situe à l'intérieur d'une culture et réagit par rapport à celle-ci. Pour que cette culture soit constituée comme il convient, il faut que tout l'homme soit impliqué, qu'il y développe sa créativité, son intelligence, sa connaissance du monde et des hommes. En outre, il y investit ses capacités de maîtrise de soi, de sacrifice personnel, de solidarité et de disponibilité pour promouvoir le bien commun. Pour cela, la première et la plus importante des tâches s'accomplit dans le cœur de l'homme, et la manière dont l'homme se consacre à la construction de son avenir dépend de la conception qu'il a de lui-même et de son destin. C'est à ce niveau que se situe *la contribution spécifique et décisive de l'Église à la véritable culture*. Elle favorise la qualité des comportements humains qui contribuent à former une culture de la paix, à l'encontre des modèles culturels qui absorbent l'homme dans la masse, méconnaissent le rôle de son initiative et de sa liberté et ne situent sa grandeur que dans les techniques conflictuelles et guerrières. L'Église rend ce service *en prêchant la vérité sur la création du monde* que Dieu a mise entre les mains des hommes pour la rendre féconde et la parfaire par leur travail, et *en prêchant la vérité sur la rédemption* par laquelle le Fils de Dieu a sauvé tous les hommes et, en même temps, les a unis les uns aux autres, les rendant responsables les uns des autres. La Sainte Écriture nous parle constamment d'un engagement actif en faveur d'autrui et nous présente l'exigence d'une coresponsabilité qui doit impliquer tous les hommes.

Cette exigence ne s'arrête pas aux limites de la famille, ni même du peuple ou de l'État, mais elle concerne progressivement toute l'humanité, de telle sorte qu'aucun homme ne doit

---

103. Cf. Encycl. *Redemptoris missio*, nos 39; 52: *L'Osservatore Romano*, 23 janvier 1991.

se considérer comme étranger ou indifférent au sort d'un autre membre de la famille humaine. Aucun homme ne peut affirmer qu'il n'est pas responsable du sort de son frère (cf. *Gn* 4, 9; *Lc* 10, 29-37; *Mt* 25, 31-46)! Une sollicitude attentive et dévouée à l'égard du prochain au moment même où il en a besoin — facilitée aujourd'hui par les nouveaux moyens de communication sociale qui ont rendu les hommes plus proches les uns des autres — présente une importance particulière pour la recherche de modes de résolution, autres que la guerre, des conflits internationaux. Il n'est pas difficile d'affirmer que la puissance terrifiante des moyens de destruction, accessibles même aux petites et moyennes puissances, ainsi que les relations toujours plus étroites existant entre les peuples de toute la terre, rendent la limitation des conséquences d'un conflit très ardue ou pratiquement impossible.

52. Le Pape Benoît XV et ses successeurs ont clairement compris ce danger,[104] et moi-même, à l'occasion de la récente et dramatique guerre du Golfe persique, j'ai repris le cri: «Jamais plus la guerre!» Non, jamais plus la guerre, qui détruit la vie des innocents, qui apprend à tuer et qui bouleverse également la vie de ceux qui tuent, qui laisse derrière elle une traînée de rancœurs et de haines, rendant plus difficile la juste solution des problèmes mêmes qui l'ont provoquée! De même qu'à l'intérieur des États est finalement venu le temps où le système de la vengeance privée et des représailles a été remplacé par l'autorité de la loi, de même il est maintenant urgent qu'un semblable progrès soit réalisé dans la communauté internationale. D'autre part, il ne faut pas oublier qu'aux racines de la guerre il y a généralement des motifs réels et graves: des injustices subies, la frustration d'aspirations légitimes, la misère et l'exploitation de foules humaines désespérées qui ne voient pas la possibilité effective d'améliorer leurs conditions de vie par des moyens pacifiques.

---

104. Cf. BENOÎT XV, Exhort. apost. *Ubi primum* (8 septembre 1914): *AAS* 6 (1914), pp. 501-502; PIE XI, Radiomessage à tous les fidèles catholiques et au monde entier (29 septembre 1938): *AAS* 30 (1938), pp. 309-310; PIE XII, Radiomessage au monde entier (24 août 1939): *AAS* 31 (1939), pp. 333-335; JEAN XXIII, Encycl. *Pacem in terris*, III: *l. c.*, pp. 285-289; PAUL VI, Discours à l'O.N.U. (4 octobre 1965): *AAS* 57 (1965), pp. 877-885.

C'est pourquoi l'autre nom de la paix est *le développement*.[105] Il y a une responsabilité collective pour éviter la guerre, il y a de même une responsabilité collective pour promouvoir le développement. Sur le plan intérieur, il est possible, et c'est un devoir, de construire une économie sociale qui oriente son fonctionnement dans le sens du bien commun; des interventions appropriées sont également nécessaires pour cela sur le plan international. Il faut donc consentir *un vaste effort de compréhension mutuelle, de connaissance mutuelle et de sensibilisation des consciences*. C'est là la culture désirée qui fait progresser la confiance dans les capacités humaines du pauvre et donc dans ses possibilités d'améliorer ses conditions de vie par son travail, ou d'apporter une contribution positive à la prospérité économique. Mais pour y parvenir, le pauvre — individu ou nation — a besoin de se voir offrir des conditions de vie favorables concrètement accessibles. Créer de telles conditions, c'est le but d'*une concertation mondiale pour le développement* qui suppose même le sacrifice de positions avantageuses de revenu et de puissance dont se prévalent les économies les plus développées.[106]

Cela peut comporter d'importants changements dans les styles de vie établis, afin de limiter le gaspillage des ressources naturelles et des ressources humaines, pour permettre à tous les peuples et à tous les hommes sur la terre d'en disposer dans une mesure convenable. Il faut ajouter à cela la mise en valeur de nouveaux biens matériels et spirituels, fruits du travail et de la culture des peuples aujourd'hui marginalisés, arrivant ainsi à l'enrichissement humain global de la famille des nations.

---

105. Cf. PAUL VI, Encycl. *Populorum progressio*, nos 76-77: *l. c.*, pp. 294-295.
106. Cf. Exhort. apost. *Familiaris consortio*, n° 48: *l. c.*, pp. 139-140.

VI

L'HOMME EST LA ROUTE DE L'ÉGLISE

53. Face à la misère du prolétariat, Léon XIII disait: «C'est avec assurance que Nous abordons ce sujet, et dans toute la plénitude de notre droit. [...] Nous taire serait aux yeux de tous négliger notre devoir».[107] Au cours des cent dernières années, l'Église a manifesté sa pensée à maintes reprises, suivant de près l'évolution continue de la question sociale, et elle ne l'a certes pas fait pour retrouver des privilèges du passé ou pour imposer son point de vue. Son but unique a été d'exercer *sa sollicitude et ses responsabilités à l'égard de l'homme* qui lui a été confié par le Christ lui-même, *cet homme* qui, comme le rappelle le deuxième Concile du Vatican, est la seule créature sur terre que Dieu ait voulue pour elle-même et pour lequel Dieu a son projet, à savoir la participation au salut éternel. Il ne s'agit pas de l'homme «abstrait», mais réel, de l'homme «concret», «historique». Il s'agit de *chaque homme*, parce que chacun a été inclus dans le mystère de la Rédemption, et Jésus Christ s'est uni à chacun, pour toujours, à travers ce mystère.[108] Il s'ensuit que l'Église ne peut abandonner l'homme et que «cet homme est la première route que l'Église doit parcourir en accomplissant sa mission [...], route tracée par le Christ lui-même, route qui, de façon immuable, passe par le mystère de l'Incarnation et de la Rédemption».[109]

Tel est le principe, et le principe unique, qui inspire la doctrine sociale de l'Église. Si celle-ci a progressivement élaboré cette

---

107. Cf. Encycl. *Rerum novarum*, n° 13: *l. c.*, p. 107.

108. Cf. Encycl. *Redemptor hominis*, n° 13: *l. c.*, p. 283.

109. *Ibid.*, n° 14: *l. c.*, pp. 284-285.

doctrine d'une manière systématique, surtout à partir de la date que nous commémorons, c'est parce que toute la richesse doctrinale de l'Église a pour horizon l'homme dans sa réalité concrète de pécheur et de juste.

54. La doctrine sociale, aujourd'hui surtout, s'occupe de *l'homme* en tant qu'intégré dans le réseau complexe de relations des sociétés modernes. Les sciences humaines et la philosophie aident à bien saisir que *l'homme est situé au centre de la société* et à le mettre en mesure de mieux se comprendre lui-même en tant qu'«être social». Mais seule la foi lui révèle pleinement sa véritable identité, et elle est précisément le point de départ de la doctrine sociale de l'Église qui, en s'appuyant sur tout ce que lui apportent les sciences et la philosophie, se propose d'assister l'homme sur le chemin du salut.

L'encyclique *Rerum novarum* peut être considérée comme un apport important à l'analyse socio-économique de la fin du XIXe siècle, mais sa valeur particulière lui vient de ce qu'elle est un document du magistère qui s'inscrit bien dans la mission évangélisatrice de l'Église en même temps que beaucoup d'autres documents de cette nature. On a déduit que *la doctrine sociale* a par elle-même la valeur d'un *instrument d'évangélisation:* en tant que telle, à tout homme elle annonce Dieu et le mystère du salut dans le Christ, et, pour la même raison, elle révèle l'homme à lui-même. Sous cet éclairage, et seulement sous cet éclairage, elle s'occupe du reste: les droits humains de chacun et en particulier du «prolétariat», la famille et l'éducation, les devoirs de l'État, l'organisation de la société nationale et internationale, la vie économique, la culture, la guerre et la paix, le respect de la vie depuis le moment de la conception jusqu'à la mort.

55. L'Église reçoit de la Révélation divine le «sens de l'homme». «Pour connaître l'homme, l'homme vrai, l'homme intégral, il faut connaître Dieu», disait Paul VI, et aussitôt après il citait sainte Catherine de Sienne qui exprimait sous forme de prière la même idée: «Dans ta nature, Dieu éternel, je connaîtrai ma nature».[110]

---

110. Paul VI, Homélie lors de la dernière session publique du Concile œcuménique Vatican II (7 décembre 1965): *AAS* 58 (1966), p. 58.

L'anthropologie chrétienne est donc en réalité un chapitre de la théologie, et, pour la même raison, la doctrine sociale de l'Église, en s'occupant de l'homme, en s'intéressant à lui et à sa manière de se comporter dans le monde, «appartient [...] au domaine de la théologie et spécialement de la théologie morale».[111] La dimension théologique apparaît donc nécessaire tant pour interpréter que pour résoudre les problèmes actuels de la convivialité humaine. Cela vaut — il convient de le noter — à la fois pour la solution «athée», qui prive l'homme de l'une de ses composantes fondamentales, la composante spirituelle, et pour les solutions inspirées par la permissivité et l'esprit de consommation, solutions qui, sous divers prétextes, cherchent à le convaincre de son indépendance par rapport à Dieu et à toute loi, l'enfermant dans un égoïsme qui finit par nuire à lui-même et à autrui.

Quand elle annonce *à l'homme* le salut de Dieu, quand elle lui offre la vie divine et la lui communique par les sacrements, quand elle oriente sa vie par les commandements de l'amour de Dieu et du prochain, l'Église contribue à l'enrichissement de la dignité de l'homme. Mais, de même qu'elle ne peut jamais abandonner cette mission religieuse et transcendante en faveur de l'homme, de même, elle se rend compte que son œuvre affronte aujourd'hui des difficultés et des obstacles particuliers. Voilà pourquoi elle se consacre avec des forces et des méthodes toujours nouvelles à l'évangélisation qui assure le développement de tout l'homme. À la veille du troisième millénaire, elle reste «le signe et la sauvegarde du caractère transcendant de la personne humaine»,[112] comme elle a toujours essayé de l'être depuis le début de son existence, cheminant avec l'homme tout au long de son histoire. L'encyclique *Rerum novarum* en est une expression significative.

56. En ce centième anniversaire de l'encyclique, je voudrais remercier tous ceux qui ont fait l'effort d'étudier, d'approfondir

---

111. Encycl. *Sollicitudo rei socialis*, n° 41: *l. c.*, p. 571.

112. Conc. oecum. Vat. II, Const. past. sur l'Église dans le monde de ce temps *Gaudium et spes*, n° 76; cf. Jean-Paul II, Encycl. *Redemptor hominis*, n° 13: *l. c.*, p. 283.

et de répandre *la doctrine sociale chrétienne*. Pour cela, la collaboration des Églises locales est indispensable, et je souhaite que le centenaire soit l'occasion d'un nouvel élan en faveur de l'étude, de la diffusion et de l'application de cette doctrine dans les multiples domaines.

Je voudrais en particulier qu'on la fasse connaître et qu'on l'applique dans les pays où, après l'écroulement du socialisme réel, on paraît très désorienté face à la tâche de reconstruction. De leur côté, les pays occidentaux eux-mêmes courent le risque de voir dans cet effondrement la victoire unilatérale de leur système économique et ils ne se soucient donc pas d'y apporter maintenant les corrections qu'il faudrait. Quant aux pays du Tiers-Monde, ils se trouvent plus que jamais dans la dramatique situation du sous-développement, qui s'aggrave chaque jour.

Léon XIII, après avoir formulé les principes et les orientations pour une solution de la question ouvrière, a écrit ce mot d'ordre: «Que chacun se mette sans délai à la part qui lui incombe de peur qu'en différant le remède on ne rende incurable un mal déjà si grave!» Et il ajoutait: «Quant à l'Église, son action ne fera jamais défaut en aucune manière».[113]

57. Pour l'Église, le message social de l'Évangile ne doit pas être considéré comme une théorie mais avant tout comme un fondement et une motivation de l'action. Stimulés par ce message, quelques-uns des premiers chrétiens distribuaient leurs biens aux pauvres, montrant qu'en dépit des différences de provenance sociale, une convivialité harmonieuse et solidaire était possible. Par la force de l'Évangile, au cours des siècles, les moines ont cultivé la terre, les religieux et religieuses ont fondé des hôpitaux et des asiles pour les pauvres, les confréries ainsi que des hommes et des femmes de toutes conditions se sont engagés en faveur des nécessiteux et des marginaux, dans la conviction que les paroles du Christ «ce que vous avez fait à l'un de ces plus petits de mes frères, c'est à moi que vous l'avez fait» (*Mt* 25, 40) ne devaient pas rester un vœu pieux mais devenir un engagement concret de leur vie.

---

113. Encycl. *Rerum novarum*, n° 45: *l. c.*, p. 143.

Plus que jamais, l'Église sait que son message social sera rendu crédible par le *témoignage des œuvres* plus encore que par sa cohérence et sa logique internes. C'est aussi de cette conviction que découle son option préférentielle pour les pauvres, qui n'est jamais exclusive ni discriminatoire à l'égard d'autres groupes. Il s'agit en effet d'une option qui ne vaut pas seulement pour la pauvreté matérielle: on sait bien que, surtout dans la société moderne, on trouve de nombreuses formes de pauvreté, économique mais aussi culturelle et religieuse. L'amour de l'Église pour les pauvres, qui est capital et qui fait partie de sa tradition constante, la pousse à se tourner vers le monde dans lequel, malgré le progrès technique et économique, la pauvreté menace de prendre des proportions gigantesques. Dans les pays occidentaux, il y a la pauvreté aux multiples formes des groupes marginaux, des personnes âgées et des malades, des victimes de la civilisation de consommation et, plus encore, celle d'une multitude de réfugiés et d'émigrés; dans les pays en voie de développement, on voit poindre à l'horizon des crises qui seront dramatiques si l'on ne prend pas en temps voulu des mesures coordonnées au niveau international.

58. L'amour pour l'homme, et en premier lieu pour le pauvre dans lequel l'Église voit le Christ, se traduit concrètement par la *promotion de la justice.* Celle-ci ne pourra jamais être pleinement mise en œuvre si les hommes ne voient pas celui qui est dans le besoin, qui demande un soutien pour vivre, non pas comme un gêneur ou un fardeau, mais comme un appel à faire le bien, la possibilité d'une richesse plus grande. Seule cette prise de conscience donnera le courage d'affronter le risque et le changement qu'implique toute tentative authentique de se porter au secours d'un autre homme. En effet, il ne s'agit pas seulement de donner de son superflu mais d'apporter son aide pour faire entrer dans le cycle du développement économique et humain des peuples entiers qui en sont exclus ou marginalisés. Ce sera possible non seulement si l'on puise dans le superflu, produit en abondance par notre monde, mais surtout si l'on change les styles de vie, les modèles de production et de consommation, les structures de pouvoir établies qui régissent aujourd'hui les sociétés. Il ne s'agit pas non plus de détruire des

instruments d'organisation sociale qui ont fait leurs preuves, mais de les orienter en fonction d'une juste conception du bien commun de la famille humaine tout entière. Aujourd'hui est en vigueur ce qu'on appelle la «mondialisation de l'économie», phénomène qui ne doit pas être réprouvé car il peut créer des occasions extraordinaires de mieux-être. Mais on sent toujours davantage la nécessité qu'à cette internationalisation croissante de l'économie corresponde l'existence de bons organismes internationaux de contrôle et d'orientation, afin de guider l'économie elle-même vers le bien commun, ce qu'aucun État, fût-il le plus puissant de la terre, n'est plus en mesure de faire. Pour qu'un tel résultat puisse être atteint, il faut que s'accroisse la concertation entre les grands pays et que, dans les organismes internationaux spécialisés, les intérêts de la grande famille humaine soient équitablement représentés. Il faut également qu'en évaluant les conséquences de leurs décisions, ils tiennent toujours dûment compte des peuples et des pays qui ont peu de poids sur le marché international mais qui concentrent en eux les besoins les plus vifs et les plus douloureux, et ont besoin d'un plus grand soutien pour leur développement. Il est certain qu'il y a encore beaucoup à faire dans ce domaine.

59. Afin que la justice s'accomplisse et que soient couronnées de succès les tentatives des hommes pour la mettre en œuvre, il est donc nécessaire que *soit donnée la grâce* qui vient de Dieu. Par la grâce, en collaboration avec la liberté des hommes, se réalise la mystérieuse présence de Dieu dans l'histoire, qui est la Providence.

La nouveauté dont on fait l'expérience à la suite du Christ doit être communiquée aux autres hommes dans la réalité concrète de leurs difficultés, de leurs luttes, de leurs problèmes et de leurs défis, afin que tout cela soit éclairé et rendu plus humain par la lumière de la foi. Celle-ci, en effet, n'aide pas seulement à trouver des solutions: elle permet aussi de supporter humainement les situations de souffrance, afin qu'en elles l'homme ne se perde pas et qu'il n'oublie pas sa dignité et sa vocation.

En outre, la doctrine sociale a une importante dimension interdisciplinaire. Pour mieux incarner l'unique vérité concernant l'homme dans des contextes sociaux, économiques et politiques différents et en continuel changement, cette doctrine entre en dialogue avec les diverses disciplines qui s'occupent de l'homme, elle en assimile les apports et elle les aide à s'orienter, dans une perspective plus vaste, vers le service de la personne, connue et aimée dans la plénitude de sa vocation.

À côté de la dimension interdisciplinaire, il faut rappeler aussi la dimension pratique et, en un sens, expérimentale de cette doctrine. Elle se situe à la rencontre de la vie et de la conscience chrétienne avec les situations du monde, et elle se manifeste dans les efforts accomplis par les individus, les familles, les agents culturels et sociaux, les politiciens et les hommes d'État pour lui donner sa forme et son application dans l'histoire.

60. En énonçant les principes de solution de la question ouvrière, Léon XIII écrivait: «Une question de cette importance demande encore à d'autres agents leur part d'activité et d'efforts».[114] Il était convaincu que les graves problèmes causés par la société industrielle ne pouvaient être résolus que par la collaboration entre toutes les forces. Cette affirmation est devenue un élément permanent de la doctrine sociale de l'Église, et cela explique notamment pourquoi Jean XXIII a adressé aussi à «tous les hommes de bonne volonté» son encyclique sur la paix.

Toutefois, le Pape Léon XIII constatait avec tristesse que les idéologies de son temps, particulièrement le libéralisme et le marxisme, refusaient cette collaboration. Depuis lors, bien des choses ont changé, surtout ces dernières années. Le monde prend toujours mieux conscience aujourd'hui de ce que la solution des graves problèmes nationaux et internationaux n'est pas seulement une question de production économique ou bien d'organisation juridique ou sociale, mais qu'elle requiert des valeurs précises d'ordre éthique et religieux, ainsi qu'un changement de mentalité, de comportement et de structures. L'Église se sent en particulier le devoir d'y apporter sa contribution et, comme je l'ai écrit dans l'encyclique *Sollicitudo rei socialis*, il

---

114. *Ibid.*, n° 13: *l. c.*, p. 107.

y a un espoir fondé que même les nombreuses personnes qui ne professent pas une religion puissent contribuer à donner à la question sociale le fondement éthique qui s'impose.[115]

Dans le même document, j'ai aussi lancé un appel aux Églises chrétiennes et à toutes les grandes religions du monde, les invitant à donner un témoignage unanime des convictions communes sur la dignité de l'homme, créé par Dieu.[116] Je suis convaincu, en effet, que les religions auront aujourd'hui et demain un rôle prépondérant dans la conservation de la paix et dans la construction d'une société digne de l'homme.

D'autre part, il est demandé à tous les hommes de bonne volonté d'être disposés au dialogue et à la collaboration, et cela vaut en particulier pour les personnes et les groupes qui ont une responsabilité propre dans les domaines politique, économique et social, que ce soit au niveau national ou international.

61. Au début de la société industrielle, c'est l'existence d'un «joug quasi servile» qui obligea mon prédécesseur à prendre la parole pour *défendre l'homme*. L'Église est restée fidèle à ce devoir au cours des cent ans qui se sont écoulés depuis. En effet, elle est intervenue à l'époque tumultueuse de la lutte des classes, après la première guerre mondiale, pour défendre l'homme contre l'exploitation économique et la tyrannie des systèmes totalitaires. Après la seconde guerre mondiale, elle a centré ses messages sociaux sur la dignité de la personne, insistant sur la destination universelle des biens matériels, sur un ordre social exempt d'oppression et fondé sur l'esprit de collaboration et de solidarité. Elle a sans cesse répété que la personne et la société ont besoin non seulement de ces biens mais aussi des valeurs spirituelles et religieuses. En outre, comme elle se rendait toujours mieux compte que trop d'hommes, loin de vivre dans le bien-être du monde occidental, subissent la misère des pays en voie de développement et sont dans une situation qui est encore celle du «joug quasi servile», elle s'est sentie et elle se sent obligée de dénoncer cette réalité

---

115. Cf. Encycl. *Sollicitudo rei socialis*, n° 38: *l. c.*, pp. 564-566.
116. Cf. *ibid.*, n° 47: *l. c.*, p. 582.

en toute clarté et en toute franchise, bien qu'elle sache que ses appels ne seront pas toujours accueillis favorablement pour tous.

Cent années après la publication de *Rerum novarum*, l'Église se trouve encore face à des «choses nouvelles» et à des défis nouveaux. C'est pourquoi ce centenaire doit confirmer dans leur effort tous les hommes de bonne volonté et en particulier les croyants.

62. La présente encyclique a voulu regarder le passé mais surtout se tourner vers l'avenir. Comme *Rerum novarum*, elle se situe presque au seuil du nouveau siècle et elle entend, avec l'aide de Dieu, préparer sa venue.

La véritable et permanente «nouveauté des choses» vient en tout temps de la puissance infinie de Dieu, qui dit: «Voici, je fais toutes choses nouvelles» (*Ap* 21, 5). Ces paroles se réfèrent à l'accomplissement de l'histoire, quand le Christ «remettra la royauté à Dieu le Père [...] afin que Dieu soit tout en tous» (*1 Co* 15,14.28). Mais le chrétien sait bien que la nouveauté que nous attendons dans sa plénitude au retour du Seigneur est présente depuis la création du monde, et plus exactement depuis que Dieu s'est fait homme en Jésus Christ, et qu'avec lui et par lui il a fait une «création nouvelle» (2 *Co* 5, 17; cf. *Ga* 6, 15).

Avant de conclure, je rends grâce encore une fois à Dieu tout-puissant qui a donné à son Église la lumière et la force nécessaires pour accompagner l'homme dans son cheminement terrestre vers son destin éternel. Au troisième millénaire aussi, l'Église continuera fidèlement à *faire sienne la route de l'homme*, sachant qu'elle ne marche pas toute seule mais avec le Christ, son Seigneur. C'est lui qui a fait sienne la route de l'homme et qui le conduit, même s'il ne s'en rend pas compte.

Puisse Marie, Mère du Rédempteur, elle qui reste auprès du Christ dans sa marche vers les hommes et avec les hommes, et qui précède l'Église dans son pèlerinage de la foi, accompagner de sa maternelle intercession l'humanité vers le prochain millénaire, dans la fidélité à Celui qui «est le même hier et aujourd'hui» et qui «le sera à jamais» (cf. *He* 13, 8), Jésus Christ, notre Seigneur, au nom duquel, de grand cœur, j'accorde à tous ma Bénédiction.

Donné à Rome, près de Saint-Pierre, le 1er mai 1991 — mémoire de saint Joseph, travailleur —, en la treizième année de mon pontificat.

JOANNES PAULUS P.P. II

Ce recueil d'écrits pontificaux reproduit les textes de la traduction en langue française publiée par la Typographie Polyglotte Vaticane.

Voici la référence bibliographique pour chaque écrit:

1- Léon XIII, *Rerum Novarum*, Éditions de l'École Sociale Populaire, Montréal, 40 pages.

2- Pie XI, *Quadragesimo Anno*, Éditions Spes, Paris, 1946, 159 pages.

3- Pie XII, *Discours pour commémorer le 50ᵉ anniversaire de l'Encyclique Rerum Novarum*, en Appendice au livre précédent, pages 119 à 125.

4- Jean XXIII, *Mater et Magistra*, Fides, Montréal et Paris, 1967, 144 pages.

5- Jean XXIII, *Pacem in Terris*, Éditions Bellarmin, coll. Actes Pontificaux nᵒ 127, Montréal, 1963, 64 pages.

6- Paul VI, *Populorum progressio*, Fides, Montréal et Paris, coll. L'Église aux quatre vents, 1967, 32 pages.

7- Paul VI, *Octogesima adveniens*, Fides, Montréal, coll. L'Église aux quatre vents, 1971, 32 pages.

8- Jean-Paul II, *Laborem exercens*, Fides, Montréal, coll. l'Église aux quatre vents, 1981, 108 pages.

9- Jean-Paul II, *Sollicitudo rei socialis*, Fides, Montréal, coll. L'Église aux quatre vents, 1988, 108 pages.

10- Jean-Paul II, *Centesimus annus*, Fides, Montréal, coll. L'Église aux quatre vents, 1991, 124 pages.

Achevé d'imprimer en mai 1991
sur les presses des Ateliers graphiques
Marc Veilleux à Cap-Saint-Ignace.